P9-BIN-068

현·대·문·학·교·수·3·5·0·명·이·뽑·은

2001 올해의

한국현대소설학회 엮음

좋은 책 좋은 독자를 만드는—
㈜신원문화사

2001년 올해의 문제소설 선정 경위

전국의 각 대학에서 현대소설을 전공, 실제 강의를 담당하는 현역 교수를 중심으로 한 〈한국현대소설학회〉에서는 한 해 동안에 발표된 소설을 점검하자는 취지에서, 매년 그 해에 발표된 소설 작품을 대상으로 선집 형태의 작품집을 간행하기로 결정, 새 천년에도 이 작업을 계속하였다.

그 결과 《94~'95년 우리 시대의 문제소설》과 《96 ~2000 올해의 문제소설》에 이어 올해에도 《2001 올해의 문제소설》을 발간하게 되었다.

본래 연구 활동의 일환으로 기획했던 이 '문제소설' 선집은 대학의 '한국 현대소설 강독' 강의에 활용하기 위한 것이었으나, 일반 독자들로부터 예상 외로 좋은 반응을 얻고 있다.

올해는 그 8차년도 작업으로, 1999년 12월(계간지의 경우 1999년 겨울호)부터 2000년 10월까지 월간지 · 계간지 · 무크지 등 문예지를 통해 국내에서 발표된 한국 작가의 중 · 단편 소설을 그 대상으로 지난 1999년 12월부터 전 회원에게 공지하여 실질적인 검토 작업에 들어갔다. 연구실에서, 때로는 강의실에서 교수와 학생들의 신중한 토론 과정을 거쳐 검토된 작품들은 학회원들의 추천을 거쳐 최종 심사 자격을 부여받게 되었다.

이렇게 전국 350여 회원들이 추천한 작품과는 별도로 학회의 위촉을 받은 숭실대 · 이화여대 · 아주대 3개 대학원의 석 · 박사 과정에 재학중인 현대소설 전공 학생들이 중심이 되어 1년 동안 전 작품에 대하여 세미나 형식을 통한 검토 작업을 진행하였다. 2000년 7월과 10월 두 차례에 걸쳐 숭실대와 이화여대에서 종합 세미나를 통해 그간의 검토 작품과 일반 회원들이 추천한 작품 중 총 30편의 작품을 후보작으로 선정하였다.

이 후보작들은 다시 선정위원회에 넘겨졌고, 후보 작품의 윤독 후 선정위원회 전체 회의에서 1인당 10편의 작품을 선정토록 하여 상위 득표작 16편의 작품을 확정지었다. 그러나 재수록을 위해 작가와 협의하는 과정에서 이문구의 〈장평리 찔레나무〉, 이윤기의 〈울도 담도 없는 집〉, 박범신〈향기로운 우물 이야기〉, 하성란의 〈고요한 밤〉은 단행본 발간 및 이미 타 작품집 수록 관계로, 최종적으로 다음의 12편 수록이 확정되었다(무분별한 문학상에 별도의 문학상을 만들어 시상하자는 의도가 아니기에 가나다 순으로 제시한다).

김인숙 〈칼에 찔린 자국〉(창작과 비평, 2000년 가을)
김종광 〈모내기 블루스〉(창작과 비평, 2000년 가을)
김채원 〈푸른 미로〉(문학사상, 2000년 2월)

문순태 〈느티나무 아래서〉(문예중앙, 2000년 가을)
박성원 〈댈러웨이의 창(窓)〉(문학동네, 2000년 가을)
서하진 〈사심(邪心)〉(문학과 사회, 2000년 가을)
송하춘 〈비벌리힐스 서울 사이트〉(라뿔륨, 2000년 가을)
신장현 〈세상 밖으로 난 다리〉(문학사상, 2000년 1월)
윤대녕 〈흑백 텔레비전 꺼짐〉(문학동네, 2000년 봄)
이수경 〈당신의 기억색〉(세계의 문학, 2000년 가을)
조경란 〈망원경〉(문학과 사회, 2000년 봄)
최수철 〈아우라 · 1〉(문학사상, 2000년 7월)

이 작품들은 다시 해설위원(구체적 명단은 본문 참조)에게 넘겨져, 현대소설 이해의 개론서와 같은 수준에서(대학생들의 현대소설 이해와 일반 독서 대중의 작품 이해 중심) 해설이 쓰여졌고, 이렇게 해서 《2001 올해의 문제소설》이 출간되게 되었다.

이와 같은 한국현대소설학회의 작업이 독자들의 성원에 힘입어 연차적으로 누적, 한국 현대소설사에 실질적인 귀중한 자료가 되기를 진심으로 바란다. 또한 독서 대중들의 의견을 정중히 수렴, 명실상부한 한국의 대표 소설집을 만드는 데에 온 힘을 기울일 것을 다짐한다.

2001년 1월

2001년 올해의 문제소설 선정위원회

9
칼에 찔린 자국 | 김인숙

어둠 속에 남겨진 아픈 상흔 — 조진기(경남대 국문과 교수) · 32

37
모내기 블루스 | 김종광

변두리 정서와 희극적 상상력 — 우찬제(서강대 국문과 교수) · 66

71
푸른 미로 | 김채원

삶의 실상(實相)을 찾으려는 끝없는 몸부림
— 김정자(문학평론가 · 부산대 국문과 교수) · 116

C·O·N·T·E·N·T·S

121
느티나무 아래서 | 문순태

비전향 장기수의 신념과 혈연 의식의 복원
— 송현호(아주대 인문학부 교수) · 148

155
댈러웨이의 창(窓) | 박성원

죽은 예술가의 사회
— 최혜실(문학평론가, KAIST 인문사회과학부 교수) · 183

191
사심(邪心) | 서하진

뿌리칠 수 없는 운명의 힘 — 권희돈(청주대 국문과 교수) · 225

231 비벌리힐스 서울 사이트 | 송하춘

표피와 실체, 혹은 외면의 화려함과 내면의 황폐함 — 박진(고려대 강사) · 247

253 세상 밖으로 난 다리 | 신장현

다리에 관한 문명비판적 성찰 — 신희교(우석대 국문과 교수) · 290

295 흑백 텔레비전 꺼짐 | 윤대녕

결코 채워질 수 없는 끝없는 욕망의 실체 — 한승옥(숭실대 국문과 교수) · 357

C·O·N·T·E·N·T·S

363 당신의 기억색 | 이수경

섬세한 문체로 그려낸 애증(愛憎)의 심처(深處)
— 김상태(이화여대 국문과 교수) · 393

399 망원경 | 조경란

망원경으로 바라보지 못하는 세계 — 최병우(강릉대 국문과 교수) · 429

433 아우라 · 1 | 최수철

소설 지우기—언어의 연옥
— 우한용(소설가 · 서울대 국어교육과 교수) · 465

현 대 문 학 교 수 3 5 0 명 이 뽑 은

칼에 찔린 자국

김 인 숙

- 1963년 서울 출생.
- 1987년 연세대학교 신문방송학과 졸업.
- 1983년 《조선일보》 신춘문예에 단편 〈상실의 계절〉 당선으로 등단.
- 소설집으로 《함께 걷는 길》, 《칼날과 사랑》, 《유리구두》가 있고, 장편 소설 《'79~'80, 겨울에서 봄 사이》, 《긴 밤, 짧게 다가온 아침》, 《먼 길》 등 다수의 작품 발표.
- 1996년 한국일보문학상, 2000년 현대문학상 수상.

김인숙

칼에 찔린 자국

그날 아침, 그는 출근길의 차 안에서, 경부고속도로에서 일어났다는 12중 연쇄추돌 사고에 대한 뉴스를 들었다. 교통정보를 알려주는 프로그램에서 그런 뉴스는 얼마든지 들을 수 있었다. 여자 리포터의 보도에 이어 남자 아나운서의 과장된 탄식소리가 들렸다. 여러분, 안전 운전하십시오. 나 하나만의 생명이 달린 문제가 아닙니다. 곧 그의 귀에 익숙한 오래된 팝송이 흘러나오기 시작했지만 그는 채널을 다른 데로 돌려버렸다.

시간이 오래 흘렀음에도 그는 여전히 그런 뉴스를 태연하게 들을 수가 없었다. 습관처럼 얼굴에 미열이 오르고 뒷머리가 띵한 느낌이 들었다. 오래전, 그에게도 그와 비슷한 경험이 있었다. 시간강사 노릇으로 일주일에 세 번씩 고속도로를 타야만 하던 무렵이었다. 그 일주일 중의 하루는 서울에서 대전으로, 대전에서 전주로, 다시 전주에서 서울로 정신없이 액셀을 밟아대야만 하는 형편이었는데, 그 한 학기 동안 그가 뗀 범칙금 딱지만 해도 다섯 장이 넘었다. 에어컨을 아무리 세게 틀어도 차창의 전면으로 쏟아져 들어오는 햇살의 열기를 이길 수가 없던 오후 한시쯤으로 기억된다. 깜빡 졸았는가 싶었는데 경찰차가 쫓아오는 것이 룸미러로 보였고, 그는 그때에야 비로소 자신이 암행경찰의 속도 단속에 걸렸다는 것을 알게 되었다. 똥줄이 타게 바빴지만 그는 차를 세우지 않을 수 없었고, 경찰은 그에게 뺑소니의 혐의까지 씌워가며 뒷돈의 액수를 높이려 들었다.

그가 암행단속에 걸려준 덕분으로, 도로는 이제 정상속도 아래로 서서히 진행되고 있었다. 경찰과의 실랑이에 짜증이 난 그가 도로 쪽으로 고개를 돌렸을 때, 낡은 은색 프라이드의 운전자 하나가 그를 바라보며 빙글거리는 것이 언뜻 보였다. 그와 경찰에게 보란 듯이, 프라이드는 도저히 고속도로의 주행속도라고는 믿을 수 없게 기어가듯 꽁무니를 보였다.

대여섯 대의 차량들이 한꺼번에 뒤엉켜 쭈그러들고 뒤틀려 있는 연쇄추돌의 현장을 그가 목격한 것은 그로부터 10킬로쯤을 진행한 뒤였다. 고속도로 한복판이 까닭없이 정체되기 시작하더니, 나중에는 거의 움직임이 없었다. 사고구나,라는 직감은 쉽게 다가왔다. 그러나 그가 정작 그 현장을 지나치게 되었을 때, 그는 느리게 진행하는 다른 차들의 운전자들처럼 그 현장을 향해 길게 목을 빼고 있을 수가 없었다. 그는 가급적 그 현장을 빨리 지나쳐버리고 싶었지만, 그러나 경찰차와 견인차 앰뷸런스가 둘러싼 사고 차량들 사이에서, 김이 모락모락 피어오르는 그 낡은 은색 프라이드를 목격하는 것을 피할 수는 없었다. 은색 프라이드는 완전히 박살이 나다시피 했는데, 우그러들어 열리지 않는 운전석 문의 깨진 유리창 바깥으로 팔 하나가 덜렁거리고 있는 것이 보였다. 햇살은 여전히 이글거렸고, 덜렁거리는 팔목 위에서 은빛 시계가 쨍, 하고 빛났다.

그날, 아침도 거르고 점심도 거른 채 진행한 오후 강의 도중, 그는 메슥거림을 참지 못하고 휴지로 입을 틀어막은 채 거품 같은 위액을 조금 토해냈다. 그가 퀭하게 눈물 고인 눈을 창가로 돌렸을 때, 영원히 지지 않을 것 같던 해가 막 떨어져 내리며 피같이 붉은 노을빛을 번져놓고 있었다. 생은, 무상했다. 그후 오래도록, 그는 그날 강의실에서 보았던 붉은 노을빛을 잊을 수가 없었다.

그에게 '그 일'이 벌어졌을 때, 그러고 나서 그가, 자신은 생에 대해서 너무 늦게 알게 되었다고 생각하게 되었을 때, 느닷없이 떠올린 것 역시 그 붉은 노을빛이었다. 그러나 그 전에라면 언제나 그랬던 것처럼, 그는 더 이상 그 노을빛을 떠올리며 진저리를 치거나 병적인 메슥거림을 느끼지 않았다. 그는 그 노을빛을 떠올렸고, 다만 바라보았다.

경부고속도로에서 12중 추돌사고가 일어났다는 뉴스를 듣던 날 저녁, 그는 학교에서 멀지 않은 술집에서 형사들에게 연행되었다. 동료 교수들과의 회식을 끝내고, 집으로 돌아가기 위해 택시를 기다리다가 문득 들어가기 좋은 술집이 보여 혼자서나마 맥주 한잔만 더 할 생각이었다. 술을 즐기지 않는 학장이 회식 자리에 함께 있는 바람에 양껏 마시지 못한 탓도 있었지만, 아내와 냉전중이라 집에 일찍 돌아가고 싶지 않은 기분도 있었고, 무엇보다 화장실이 급했다. 그가 자리에 앉기도 전에 맥주 두 병을 먼저 시켜놓고 화장실에 들어갔다 나왔을 때, 형사들은 이미 그를 기다리고 있는 중이었다. 뭐라 말할 사이도 없이 그는 경찰서로 끌려갔고, 그곳에 이르러서야 자신이 살인미수 용의자로 연행되었다는 것을 알게 되었다.

"이 여자, 알아? 몰라요?"

반말도 아니고 경어체도 아닌 형사의 물음 앞에서 말보다 입이 먼저 막혀 뭐라 대꾸조차 하지 못하고 있던 그의 앞에 사진이 한 장 놓였는데, 그 낯선 얼굴을 그는 차마 모른다고 말할 수가 없었다. 그런 정황만 아니었다면, 그는 아마도 말했을 것이다. 나는 이 여자를 안다고…… 분명히 안다고. 그러나 모르겠다고, 이 여자가 누구인지는 모르겠다고…… 그러나 잠시 후 그가 한 대꾸는 고작 이러했다.

"난 교숩니다. 국립대학의 현직 교수예요."

어쩌자고 그런 대꾸가 나왔을까. 난 이 여자를 모른다든가, 설사 안다고 하더라도 살인은커녕 그 여자의 몸에 손끝 하나 댄 적이 없다고 항변을 했어야 옳았겠으나, 그는 자신이 교수 신분이라는 것으로 자신의 무혐의를 주장하려 들었다.

그가 그 직함을 얻은 것은 고작 6개월 전의 일이었다. 교수라는, 그 직함을 얻기 전까지 그는 자그마치 8년이란 세월을 보따리 장수라 불리는 시간강사로 보냈으며, 그 이전의 몇 년은 오로지 학위 따는 데에만 바쳤다. 그의 동기와 후배들이 차례로 교수직에 입성하고, 혹은 차장, 부장이 되어가는 동안에도, 그는 여전히 지방의 이 대학 저 대학을 전전했다. 그의 삶이 온갖 도로 위에서 기름과 함께 쏟아 부어지는 동안, 그의 청춘도 그가 가졌던 첫 번째 차처럼 폐차되어 갔다. 그러니 이제 와서는 그렇게 하여 얻은 교수 직함이 그의 인생에 대한 항변의 모든 것이 되어버린 것일까.

그는 거듭 말했고, 그의 신분증을 종류대로 차례로 제시했으나 형사는 그의 항변을 들으려고도 하지 않았다. 그날 저녁, 그가 들렀던 술집의 마담이 일주일 전에 바로 자기 술집 앞에서 칼에 찔렸다고 했다. 대로변에 위치한 술집이었음에도 목격자는 아무도 없었다. 마담은 일주일째 사경을 헤매는 중이고, 그를 용의자로 지목한 사람은 그 술집의 여종업원이라고 했다. 사건이 있던 당일, 그 술집에서 술을 마시던 그가 마담에게 욕심을 부리다가, 심하게 행패를 부리는 것을 여종업원이 보았다는 것이다. 바로 그날, 그가 화장실이 급해 술집 안으로 들어섰을 때 술집 종업원이 그를 알아보았고, 마침 종업원의 보충진술을 듣기 위해 그 술집에 들어서던 참인 형사들에게 연행된 것이었다.

불행히도 그에게는 주장할 만한 알리바이가 전혀 없었다. 형사의 설명을 들으면서, 그는 사건이 있던 날 자신이 그 술집에서 술을 마신 것이 사실이라는 것을 기억해냈다. 피해자의 사진이 낯이 익은 이유는 그래서였다. 그날도 아마 그는 집에 일찍 들어가기가 싫었을 것이고, 그래서 내켜하지 않는 동료 교수를 술자리로 끌어내 만취했을 것이고, 동료 교수와 헤어진 뒤에는 혼자라도 더 마실 만한 데를 찾다가 우연히 그 술집에 들어서게 되었을 것이다. 그러나 그의 기억은 그것이 전부였다. 그가 마담에게 무슨 짓을 했는지…… 설마 자신이 범인일 수도 있다고야 손톱만치도 생각하지 않았지만, 그러나 마담에게 어떻게 욕심을 부렸는지, 혹은 어떻게 집적거렸는지, 그리고 협박을 했는지, 그런 것에 관해서는 아무 기억도 떠오르지 않았다. 그의 기억은, 이튿날 아침 자신의 집 침대 위에서 몸을 돌려 물컵을 찾던 순간까지 완벽하게 삭제되어 있었다. 그는 형사의 어떤 물음에도 제대로 대답할 수 없었다. 그가 주장할 수 있는 것이라고는, 첫마디가 그랬던 것처럼, 자신이 현직 국립대학의 교수라는 것, 한 여자의 남편이며 두 아이의 아비이고, 아직 생존해 있는 노부모에게는 여전히 천금 같은 장남이라는 것, 그런 것들밖에는 없었다. 그러나 그 중의 어떤 것도 범죄와 관련된 사항은 아니었다.

그가 오래전에 운명 같은 우연으로 죽음의 위기에서 비켜갈 수 있었던 것처럼, 그날 일도 운명 같은 불운에 지나지 않는 것일 수도 있었다. 그가 그 일로 인해 경찰서에 머문 시간은 대여섯 시간 정도에 지나지 않았다. 그가 무혐의를 주장할 수 없는 것처럼 경찰에게도 그의 혐의를 입증할 증거 같은 것은 없었다.

실제로 형사의 협박성 어투를 대충 제거하고 듣는다면, 그는 유력한 용의자로 체포되었다거나 연행되었다기보다는 참고인 정도의 수준에 지나지 않았던 것 같기도 했다. 그리고 그날로부터 사흘 뒤, 그는 진범이 붙잡혔다는 사실을 확인했다. 그러나 경찰은 그에게 사과 같은 것은 하지 않았다. 삭제된 기억에 대한 모든 책임은 그에게 남겨졌을 뿐이었다.

그는 그날 밤 자신이 겪은 일에 대해서 아무에게도 말하지 않았다. 진범이 검거되었다는 사실을 확인하기까지의 사흘 동안, 그는 자신이 무엇을 해야 하는지 전혀 알 수가 없었다. 그는 어떤 방식으로든 자신의 무혐의를 입증해야 했으나, 그럴 수 있는 방법 같은 것은 전혀 없었다. 그가 할 수 있는 일이라고는 학장이나 동료 교수에게 그가 얼마나 비폭력적인 사람인지를 증언해 달라고 하거나, 냉전중인 아내와 늙어가는 부모에게 그가 얼마나 괜찮은 남편이며, 올곧은 자식인가를 확인해 달라고 하는 것뿐일 터였다. 물론 누구든 그의 부탁을 거절하지는 않을 것이 틀림없었다. 그는 확실히 폭력적인 성향과는 거리가 먼 사람이었으며, 잠시 연애에 빠졌던 것과 너무 오랜 세월을 무능한 남편으로 살았던 것을 제외하고는 아내에게도 증언을 거부당할 정도로 나쁜 남편은 아니었고, 늙어갈수록 서운한 것들이 새록새록 많아져 가는 노부모이기는 했지만, 그래도 그들에게는 여전히 그가 천금 같은 자식일 터이다. 그러나 그러한 증언들이 과연 효과가 있기나 한 것일까. 게다가 그들은 증언에 앞서 그의 삭제된 기억을 차근차근 추궁하려 들 것이고, 때때로 자신의 기억을 놓아버린 채 살아가는 사람의 무능에 대해서도 탄식할 것이 틀림없었다.

진범이 검거되었다는 것을 확인한 뒤에도, 그는 자신이 겪은 일에 대해서 누구에게도 발설하지 않았다. 그런 식의 불운한 일은 가급적이면 잊어버리는 것이 최선이었고, 그러자면 입밖에 꺼내 확인하지 않는 것이 좋았다. 무엇보다도 그는 '그 일'이 누구에게도 위로받을 수 있는 종류의 일이 아니라는 것을 알았다. 입을 여는 순간 그는, 그리고 그의 삭제된 기억은 다만 비천한 호기심의 대상이 될 뿐일 터였다. 달라진 것은 아무것도 없었다. 은색 프라이드가 완전히 짜부라져버린 연쇄추돌 사고에도 불구하고 도로가 끊기지는 않았던 것처럼, 지독히 불운했던 일에도 불구하고 그의 인생 역시 여전히 천천히 흘러갈 것이다. 그는 여전히 현직 국립대학의 교수였고, 한 여자의 남편이었으며, 두 아이의 아비였다.

마찬가지로 문제가 될 만한 것 역시 아무것도 없었다. 한동안은 그 불운했던 기억이 악몽 속으로 스며들어 어린아이의 경기(驚氣)처럼 존재하기도 하겠지만, 시간이 흐르면 옅어지고 무심해지기도 할 것이었다. 또한 당분간은 뉴스를 듣다가 채널을 돌려야 할 순간들이 많아지기도 하겠지만, 그것도 시간이 흐르면 괜찮아질 것이 틀림없었다. 다만 약간의 문제가 있다면, 그에게 남겨진 것이 경찰서에서의 대여섯 시간 남짓이 아니라 그후의 사흘 간이라는 데에 있었을 것이다. 삭제된 기억을 복원해내기 위해 기를 쓰던 사흘 동안, 그는 잊혀진 순간을 기억해내는 대신, 그가 알고 있다고 믿었던 자기 자신을 잃어버렸다.

그 일이 있던 바로 그 주말에, 그는 조부의 기제사에 참석할 수가 없었다. 위경련 때문이었다. 하루의 절반 이상을 의자에 앉아서만 보내야 했던 오랜 세월 동안, 가장 많이 나빠진 구석이 위이기는 했지만 그렇게 급작스럽고 고통스러운 위경련은 처음이었다. 아내와 아이들이 먼저 떠나고, 옷을 갈아입으러 들어갔던 텅 빈 집에서였다. 그는 러닝과 팬티 바람으로 바닥을 뒹굴었다. 고통을 참기 위해 주먹 쥔 손에 손톱자국이 피멍처럼 새겨졌지만, 그의 신음소리를 들어주는 사람은 아무도 없었다. 칼로 끊어내는 듯한 첫 번째의 길고 호된 고통이 잠깐 누그러들었을 때, 그는 겨우 옷을 걸치고 벽을 짚어가며 집을 나섰다. 그가 택시를 타고 간 곳은 그를 눈 빠지게 기다리고 있을 본가가 아니라 동네 병원이었다. 그곳에서 그는 링거를 맞으며, 그리고 링거를 빼고 나서도 자그마치 아홉 시간이나 긴 잠을 잤다.

그의 생애중에서 가장 길고도 달콤한 잠이었을 것이다. 아무 꿈도 꾸지 않았고, 아무것도 기억할 필요가 없는 잠이었다. 새벽이 훤하게 밝아올 때에야 잠에서 깨어난 그는, 비로소 자신이 아무 연락도 하지 않은 채 기제사에 참석하지 않았다는 것을 깨달았지만, 그게 도무지 아무 일도 아닌 것처럼 여겨졌다. 느닷없이 종적이 사라져버린 그 때문에 노부모와 아내가 치렀을 걱정 같은 것도 전혀 마음에 와닿지가 않았다. 어떻든 그도 죽도록 아팠던 것이다.

그해 여름 내내 그는 위의 통증과 함께 살았다. 발작을 일으킬 정도로 호된 통증은 아니었지만, 자잘한 통증과 거북함은 늘 사라지지 않았다. 그러나 그뿐이었다. 그는 이제 더 이상 만취하도록은 술을 마시지 않았고, 그가 술을 지나치게 마신다는 것으로 시작된 아내와의 냉전도 끝을 냈고, 그러고는 의사의 권유대로 규칙적인 운동을 결심하기도 했다.

아내가 처남집에서 짐짝 취급을 받고 있던 낡은 러닝머신을 가져온 것이 그 무렵의 일이었다. 방학중이었지만 하루도 빠짐없이 연구실에 출퇴근을 하던 그가 어느 날 저녁 퇴근해 돌아왔을 때, 그의 아파트 거실 베란다 앞에 그것이 놓여 있었다.

"이게 뭐야?"

그가 물었고, 아내는 쌀쌀맞게 대꾸했다.

"배 나온 여자 싫다며? 나도 그래."

냉전은 끝났지만, 아내는 여전히 그에게 다정하지 않았다. 그는 옷도 갈아입지 않고 소파에 주저앉은 채로 아내가 잘 닦아서 윤을 내놓은 러닝머신을 오래 바라보았다. 퉁명스럽게 내뱉던 아내의 말이 귓가에서 좀체로 지워지지를 않았다. 아내는 왜 화가 난 것이고, 왜 그 화가 풀리지 않는 것일까. 그것이 자신의 술버릇 때문이 아니라는 걸 그는 모르지 않았다. 아내는 아마도 지쳐버린 것일 테고, 어느 날 갑자기 그런 자신을 발견해 버렸을 것이다. 그들은 너무 오래 한 가지 일에만 매달려 살아왔다. 그는 교수가 되는 일에, 그리고 아내는 교수가 되어야 하는 남편이 비워버린 자리를 메우는, 오직 자기 수입만으로 가계를 꾸려나가는 일에…….

──당신은 교수가 되고, 난 교수의 마누라가 되는 거야. 저속하고 끔찍하지 않아? 당신이나 내 꿈이라는 게.

오래전의 냉전중에 아내는 그에게 말했었다.

──그렇지만 그것말고 다른 게 뭐가 있어? 사는 게 결국 이 모양 이 꼴이 되어 버렸는데. 다른 게 아무것도 없는데.

그랬다. 그들은 너무 오래 한 가지 일에만 매달려 살아왔다. 그것말고는 다른 것이 완전히 불가능한, 그리고 그런 삶 속에 가라앉은, 그들의 무거운 추. 그런데, 왜 그래야 했을까. 왜 그것말고는 다른 것이 아무것도 없었던 걸까. 노부모의 기대, 자식들에게 주고 싶은 아비의 상, 곁에서 오래 지켜 본 지인들의 시선…… 오직, 그런 것들이었을까. 그와, 그의 아내에게 주어진 약속이란 건 그것밖에는 없었던 것일까.

그는 러닝머신을 오래 바라보며, 아내의 쌀쌀맞던 대꾸를 곱씹었다. 어느 날인가부터 그는 배가 나오기 시작했고, 아내의 배도 마찬가지였다. 술을 많이 마시기 시작하면서부터, 바지 지퍼를 올리기가 어려울 때가 많았다. 그는 허리께에서 한줌씩 잡히는 뱃살의 부피를 매일매일 새삼스럽게 느꼈다. 아내가 했던 말처럼, 그들의 삶이 그들을 별볼일 없게 만들어버렸는지는 알 수 없다. 그러나 그들의 몸이, 그들의 저항을 포기해버린 것만큼은 분명한 사실인 것 같았다. 너무 오래 한 가지 일에만 매달려오는 동안, 그들의 머리는 점점 좁아지고, 대신 그들의 몸은 탄력 없이 비대해져 갔다. 그들은 배설할 필요를 느끼지 않을 때는 잠자리를 같이하지 않았고, 서로의 몸에 손을 가져다 대지도 않았다.

문득 간절히 술이 그리웠다. 그는 아내와 아이들이 잠들 때까지 어금니를 깨물고 그 욕구를 참았다. 비로소 모두가 잠들었을 때, 그는 미등만 밝혀진 거실에서 러닝머신 위로 올라섰다. 서서히 벨트가 돌아가기 시작했다. 천천히 걷다가 속도를 높이기 시작하면서, 빠르게 그의 숨도 가빠지기 시작했다. 속도는 점점 빨라지고 그의 숨도 점점 가빠지고, 폐 쪽에서 단단한 통증 같은 것이 느껴지기도 했다. 그러나 그는 속도를 줄이지 않은 채, 눈알이 튀어나올 정도로 숨을 헉헉거리며 두 주먹을 불끈 쥐고 달렸다. 러닝머신의 전면으로는 베란다 바깥이 내다보였다. 자정이 넘었음에도, 도로에 접한 베란다 바깥은 아직 환했다. 오렌지빛 전조등을 밝힌 차들이 쉼없이 전진하고, 그 차들의 지붕 위에서는 대형 멀티비전의 화면이 쉼없이 점멸했다. 밤은 그 눈부신 불빛 사이로 스며들어, 어디에도 존재하지 않는 것처럼 보였다.

수없이 많은 생각들이 탁탁 끊기는 그의 호흡 소리처럼 빠르게 다가왔다가 빠르게 지나갔다. 마치 백 미터 달리기 선수의 속도를 빠르게 지나치는 트랙 옆의 소나무처럼, 생각은 무섭게 빠르게 다가왔다가 무섭게 빠르게 지나갔다. 지난 여름 내내 그가 몰두했던 생각들…… 그러니까, 번번이 3층 계단을 올라가 두 번의 커브를 돌아 도달해야 하는 자기 연구실까지의 거리에서 느껴지던 그 까닭 모를 깊이, 또는 그 까닭 모를 '아무것도 아님'에 대해 적어도 러닝머신의 벨트 위에서는 그는 몰두하지 않았다. 12층 아파트까지 올라오는 엘리베이터의 양쪽 벽에 걸린 거울 속에 비친 불빛에서 떠오르던 모든 생각들…… 어쨌든 내 연구실만 생기면,이라고 했던 것에 얽혀 있던 그 오랜 세월의 모든 생각들 역시, 아무것도 아니게 스쳐지나갔다. 차마 바라볼 수 없을 정도로 속수무책으로 늙어가는 부모님에 대한 생각도 마찬가지였고, 한때 목숨을 걸고 싶었던 불륜의 애인에 관한 생각 역시 마찬가지였다. 그는 오래 달렸고, 가슴이 빠개지는 듯한 통증에 가슴을 움켜쥐었고, 그러고 나서야 멈추었다. 이마에 축축 달라붙은 머리카락에서 땀이 방울이 아니라 물줄기처럼 흘러내렸다. 그는 그대로 베란다로 나가 차가운 타일바닥 위에 몸을 뉘었다. 푹 젖은 몸 위에 밤바람이 한줄기 스며들었다.

그를 살인미수 용의자로 만들었던, 그리고 본인은 하마터면 살해된 시체가 될 뻔했던 문제의 그 술집 마담을 다시 만나게 된 것 역시 그 여름의 끝 무렵이었다. 그가 도서관에서 책을 찾고 있는 동안, 그의 휴대폰에 동창의 음성 메시지가 녹음되어 있었는데 하필이면 바로 그 술집에서 그를 기다리고 있겠다는 것이었다. 그 술집 이름을 듣는 순간, 가슴이 덜컥 내려앉았지만 그는 동창의 휴대폰으로 전화를 걸어 약속 장소를 바꾸자거나 하지는 않았다.

두 시간이나 걸려서 애써 찾아놓은 자료들이 순서없이 그의 눈앞에서 흩어졌다. 서두를 필요가 전혀 없었지만, 그는 삼십분

정도만 연구실에 앉아 있다가 학교를 나섰다. 그가 술집에 들어섰을 때, 동창은 바로 그 마담과 함께 앉아 술을 마시고 있었다. 그를 용의자로 지목했던 여종업원은 보이지 않았고, 마담은 바로 몇 달 전에 칼에 찔려 생사를 오고 갔던 사람이라고는 볼 수 없게 멀쩡한 것 같았다.

"아하, 교수님이시군요?"

테이블로 다가선 그를 마담이 먼저 아는 체했다. 그의 얼굴이 자신도 모르게 바짝 긴장되었다.

"날 알아요?"

그가, 저 혼자만이 느껴지는 떨림으로 입을 열었으나 마담은 태연하게 웃음을 띠어 보였다.

"이 오빠가 자기 친구 중에 교수도 있다고, 현직 국립대학의 교수도 있다고, 자랑이 보통이 아니던걸요."

마담은 그를 알아보지 못하는 것 같았다. 어느 정도 취기가 느껴지기는 했지만, 적어도 그를 향해서는 무구하게 빛나는 마담의 시선을 받으면서, 그의 가슴은 이해할 수 없게 무거웠다. 그는 마담이 따라주는 좁은 잔의 양주를 단숨에 들이켰다.

몇 달 전의 초여름밤에 그는 살인미수 용의자였다. 그 얼마 전, 그는 바로 이 술집에서 기억이 끊겨나가도록 술을 마셨고, 그 끝에 한 여자에게 구차한 욕심을 부렸고, 그 욕심이 채워지지 못하자 난폭하게 행패를 부리기까지 했다. 그것이 그의 진술인지, 아니면 타인들의 진술인지는 이제 와서 아무런 상관도 없었다. 기억하지 못하는 곳에 그가 있었고, 또한 기억하지 못하는 곳에 그를 살인미수 용의자로 만들었던 한 여자가 있었다.

"그래도 이 친구가 내 친구 중에서는 제일 큰 놈이야. 제일 잘 나가는 놈이라구."

낮술에 취했다기보다는 의도적으로 취한 티를 내고 있는 것이 분명한 친구의 말을 들으면서 그는 또 한 잔의 술을 들이켰다. 느닷없이 전화를 걸어온 친구의 용건을 그는 모르지 않았다. 친구가 선이 닿는 모든 지인들을 찾아다니며 은행의 빚보증을 서 주기를 요구하고 있다는 것을 이미 다른 친구에게서 들은 바 있었던 것이다. 만일 친구가 휴대폰에 남겨놓은 메시지의 약속 장소가 이 술집만 아니었다면 그 역시, 그 친구의 일방적인 약속을 지키지 않았을 것이다.

"너, 그걸 알아야 한다. 내 친구 중에 별별 사장놈들이 다 있고, 정치하는 놈도 있고, 부동산으로 알짜배기 부자인 놈도 있지만 그래도 난 너를 제일로 친다. 왜냐? 너 그거 왠지 아니? 내 친구 중에서 네가 제일 공부를 잘한 놈이었단 말이야."

친구의 말은 들을 게 못되었다. 친구는, 만나는 모든 지인들에게 같은 말을 했을 게 뻔하니까. 그러나 어쩐지 친구의 말은 가시가 돋쳐서 그에게 날아오고, 그 친구의 말끝에 다시 교태스럽게 웃는 마담의 웃음소리도 마찬가지였다.

── 혹시 교수님은 밤일도 학문적으로 하시는 거 아닌가요?

순간, 겨드랑이 밑, 발바닥의 중간, 혹은 사타구니 어느께에서, 밑도 끝도 없는 목소리가 튀어나온다. 그는 인상을 찡그리면서 좁은 잔의 양주를 연거푸 들이켰다. 그러나 목소리는 점점 더 뚜렷해진다. 그는 비로소 기억했다. 그가 아내와 벌써 반 년째 잠자리를 한 번도 같이하지 않았다는 것을 말했을 때, 마담이 한 대꾸였다. 지난 초여름의 어느 날 밤에.

— 네가 나 좀 유혹해 볼래?

목소리는 이제 거침이 없다. 게다가 그 목소리에 색깔과 냄새들이 스며들기 시작했다. 그날 마담이 입고 있던 옷…… 목이 깊게 파인 와인빛의 원피스, 그 옷에 묻어 있던 시큼한 술 냄새와 담배 냄새…… 그리고 촉감. 그의 손이 깊게 파인 원피스 목덜미 속으로 들어가 마담의 젖꼭지에 이르렀을 때의 그 격렬하고도 고통스럽던 느낌…… 그리고 마담의 비명소리.

— 너, 나랑 같이 자고 싶지 않아?

목소리가 다시 말한다.

— 대가로 뭘 줄 건데요?

마담이 묻고, 목소리는 대꾸한다.

— 사랑…… 목숨 건 사랑, 그런 거.

마담의 웃음소리…… 그리고 그녀의 원피스 속으로 다시 기어들어가는 그의 손, 넘어지는 양주병, 마담의 비명소리…… 그리고 색깔, 색깔들…… 양주의 노란 빛과, 생수의 물빛과, 온갖 여름 과일들의 참혹할 정도의 싱싱한 빛들과, 마담의 진한 와인빛 원피스…….

"우리집에 한번 오셨었지요?"

마담이 문득 그에게 묻고, 그는 정신을 차려 마담을 돌아보았다. 마담은 생글거리며 웃고 있었다.

"얼마 전에 사고가 있었거든요. 그 사고 다음부터 건망증이 생겼어요. 의사 말로는 쇼크 때문이라던데……."

"사고? 무슨 사고?"

친구가 대신 묻자, 마담이 자신의 가슴께를 손가락으로 쿡쿡 찔러보였다. 그저 손가락뿐이었는데, 무슨 까닭이었을까. 그의 입에서, 칼에 찔린 듯 신음소리가 터져나왔다. 바로 그 순간에 그는, 불빛에 빛나는 선연한 칼의 푸른빛을 보았고, 그 칼에 묻어나는 검붉은 피의 빛깔을 보았다. 그는 토해져 나오는 신음소리를 멈출 수가 없었다. 양주잔을 들었던 자신의 두 손바닥을 펼쳐보았을 때, 손바닥은 피투성이였다. 손바닥에 고인 피가 손가락 틈 사이로 툭툭 떨어져내려 그의 허벅지를 적시고 그의 종아리를 적시고, 그의 발등을 적셨다. 그러나 마담과 친구는 웃고 있을 뿐이었다.

이튿날 아침, 그가 깨어 일어났을 때 그의 곁에는 알몸의 마담이 누워 있었다. 여관방의 두터운 커튼 사이를 힘겹게 뚫고 들어온 햇살이 마담의 벗은 어깨를 지나, 벗은 가슴 위에 내려앉아 있었다. 칼에 찔린 자국은 흉한 정도가 아니라 끔찍했다.

그는 가만히 누운 채로 지난밤의 일을 더듬었다. 술을 많이 마셨다는 것 이외에 기억나는 것은 아무것도 없었다. 빚보증을 원하던 친구의 부탁은 어찌했는지, 그 친구는 어디로 가버린 것인지, 마담과는 어떻게 여기까지 와서, 이렇게 벗은 몸으로 나란히 누워 있게 된 것인지…… 또다시 모든 기억이 분실된 모양이었다. 만일 지금, 곁에 누워 있는 마담이 영원히 깨어 나지 않는다면, 그는 또다시 살인미수 용의자가 될 것이었다. 아니, 이번에는 미수용의자 정도가 아니라 바로 살인범이 되어 버릴지도 모를 일이었다. 그에게는 어떤 알리바이도 존재하지 않았다.

마담의 잠은 깊었다. 마구 흔들어대거나 빰이라도 한 대 갈기지 않으면 깨어나지 않을 것처럼 깊어 보이는 잠이었다. 알 수 없는 일이었다. 마담은 어쩌면 이미 죽어버린 것일지도. 그는 가만히 손을 들어올려 손바닥을 펴보았다. 혹시 묻어 있을지도 모를 핏자국 같은 것을 찾고 싶은 것처럼. 그러나 세 줄의 손금이 굵게 그어진 손바닥은 여자의 체액 냄새를 풍기고 있을 뿐, 멀쩡했다.

그가 그 또래에서는 드물게 자그마치 오형제의 맏이라는 운명을 타고 태어나게 되었을 때, 그의 손금은 아마도 비극에 차 있었을 것이다. 그는 60년대 스토리에서나 등장할 법하게 동생들의 몫을 혼자 차지하며 성장했다. 그는 부모님과 동생들에게 그 대가를 요구받았는데 그건 그가 '훌륭한 사람', '능력 있는 장남'이 되어야 한다는 것이었다. 그러나 대체 훌륭한 사람이란 어떤 것일까? 훌륭하면서도 능력 있고 존경받으면서 겸손한, 그리고 책임 있는 인간이란 어떤 것일까.

그의 부모가 처음부터 자식을 그리 많이 낳을 생각이었던 것은 아니었을 것이다. 더군다나 그에게 그런 짐을 지워주기 위해 약속이나 한 듯 그런 다산 계획을 세웠던 것은 아니었을 것이다. 중년도 되기 전의 나이에 암투병을 한 이후 부모는 독실한 가톨릭 신자가 되었고, 주는 대로 받으라는 신의 말을 거스르지 않았을 뿐이었다. 태어날 때부터 신의 계시를 받은 것은 아니었지만, 그 역시 '주는 대로 받는' 삶에 익숙해져 있었다. 그는 어려서 신동 소리를 들었고 근동에서 가장 공부를 잘하는 아이였고, 서울에 있는 가장 좋은 대학엘 들어갔다.

어린 시절, 그는 공부를 잘했을 뿐만 아니라, 읍내에서 가장 달리기를 잘하는 소년이기도 했다. 그가 두 주먹을 불끈 쥐고 백 미터를 뛸 때, 운동장의 스탠드 위에서 뛰어내려와 트랙까지 달려들어 소리를 지르던 네 동생의 환호는 찬란했고, 숨이 가빴고, 고통스러웠다. 주먹 쥔 그의 손 안에서 세 줄의 손금이 점점 더 굵어졌다. 그를 육상선수로 키우고 싶어했던 당시의 체육 선생은, 그의 부모와 그의 친척들과 심지어는 그의 마을 사람들에게까지 일시에 비난을 당하느라, 그에게 주먹 쥐고 달리는 것이 좋은 자세가 아니라는 것을 충분히 가르칠 수가 없었다. 초등학교를 졸업하던 해에 참가했던 마라톤대회에서도 그는 내리 주먹을 쥐고 달렸다. 오래 달릴수록 그의 주먹 속에는 손금이 경련하고, 그의 어린 심장이 고통스럽게 쥐어짜졌다.

괜찮아, 그만 달려도 돼. 여기서 멈춰. 멈추라구.

주먹 속의 손금이었을까, 아니면 고통스럽게 뛰고 있던 심장의 외침이었을까. 그는 그 유혹의 소리를 선명하게 들었으나, 그러나 멈출 수가 없었다. 삶은 그에게 주어진 것이었고, 그는 가급적 그 안에 있는 것이 안전하다는 것을 알았다. 그리고 그러한 기억은, 그의 삶 속에 각인되었다. 그 기억을 간혹 잊거나, 놓치는 것은 자신의 존재에 대한 기억까지 까마득해질 때, 말하자면 만취했을 때뿐이었다.

그는 몸을 돌려, 깨어나지 않고 있는 여자를 보듬어 안았다. 여자 가슴의 칼에 찔린 자국이 그의 가슴까지 전해져왔다. 금속성의 느낌이다. 그리고 피의 냄새가 있다.

——사랑, 목숨 건 사랑…… 그런 거.

여자의 목소리가 어디선가 문득 떠올랐다.

——그 사람이 당신 맞죠?

지난밤, 여자도 만취해가면서 술의 힘으로 기억을 되살렸던 모양이었다. 빚보증 때문에 찾아왔던 친구가 화장실에 간 사이, 여자는 눈을 빛내며 거의 숨도 쉬지 않는 속도로 빠르게 말했다.

——맞아요, 당신이에요. 기억이 나요.

——그렇지만 당신을 찌른 사람은 내가 아니잖소.

——아니에요. 바로 당신이에요.

여자는 취했고, 그도 취해 있었다. 그는 웃었고, 여자도 웃고 있었다. 만일에 여자가 그를 범인으로 지목한다면, 그는 할 수 있는 말이 없었다. 바로 내가 맞소,라고 말할 수 없듯이 내가 아니다,라고도 말할 수가 없는 것이었다.

그는 마담을 칼로 찌른 진범이 누구인지, 마담과는 어떤 관계인지 전혀 알지 못했다. 마담에게 그 설명을 들을 생각도 없었고, 자신이 당한 피해에 대해서 보상을 요구할 생각도 없었다. 다만 그는, 그가 아니라는 것, 마담의 가슴에 칼자국을 낸 사람이 그가 아니라는 것을 마담의 목소리로 듣고 싶을 뿐이었다.

그러나 취한 마담이 손가락을 똑바로 세워 그의 가슴을 쿡쿡 찌르며, 바로 당신이에요,라고 말했을 때 그는 자신이 전정으로 듣고 싶었던 말은 어쩌면 그것이었는지도 모르겠다고 생각했다. 마담을 칼로 찌른 사람은 어쩌면 자기였을지도. 그리고 고속도로의 연쇄추돌 사고에서 짜부라져 있던 차는, 바로 자기 차였을지도. 그리고 깨진 유리창 밖으로 덜렁거리던 팔목의 주인공 역시 바로 자기였을지도.

그는 가만히 누워서, 여관방의 두터운 커튼 사이로 힘겹게 스며드는 햇살을 바라보며, 연쇄추돌 사고가 있던 날 오후 강의실에서 보았던 붉은 노을빛을 떠올렸다. 생각해보면 그 노을빛은, 아주 오래전, 오래달리기를 하던 학교 운동장에서 보았던 노을빛이었던 것도 같다. 그가 달리는 일을 좋아했는가 하면 전혀 그렇지가 않았다. 그는 출발하였고, 다만 멈추지 않았을 뿐이다. 그것이 달리기의 속성이었으므로, 그렇게 알았으므로. 게다가 그는 근동에서 가장 달리기를 잘하는 소년이었으므로. 모두가 그렇게 알고 있고, 자신 또한 그렇게 알고 있었으므로. 그는 멈춰서는 안 되었고, 멈출 수가 없었다.

노을이 지고, 해가 저물었으므로 라스트라인은 감춰졌다. 운동장에서 펄럭이던 만국기도 어둠 속으로 사라지고, 그의 달리기에 환호하던 어린 네 동생과 부모님의 모습도 보이지 않는다. 몸은 이제, 그를 원하지 않는다. 그의 다리가 점점 무거워져, 이제 달리기는 빠른 걸음 정도로 바뀌고, 곧 그나마도 속도를 내지 못하기 시작한다. 어두운 운동장에 남겨진 것은 이제 그뿐이다. 그는 너무 지쳤으므로 아무 생각도 할 수가 없고, 때때로 떠오르는 생각은 느리게 다가왔다가 빠르게 사라져간다. 이제 끌듯이 걷는 걸음 뒤로, 어둠과, 헉헉거리는 숨소리가 그를 따라올 뿐이다. 노을도 지고, 해도 진 운동장의 트랙 위에서.

어둠 속에 남겨진 아픈 상흔

조진기(경남대 국문과 교수)

김인숙의 작품은 우리에게 매우 친숙하다. 그것은 그가 이미 많은 작품을 통해 우리에게 잘 알려진 작가라는 의미와 함께 그가 즐겨 다루고 있는 문제 역시 우리가 살아가는 과정에서 알게 모르게 지니게 되는 아픈 상처를 들추어냄으로써 인간의 정체성 찾기에 집중하고 있기 때문이다. 이러한 문제의식은 금년도(2000년) 현대문학상 수상작품인 〈개교개념일〉에서도 확인되고 있거니와 〈칼에 찔린 자국〉 역시 인간이 본질적으로 지닐 수밖에 없는 아픈 생채기를 되새겨주고 있다.

〈칼에 찔린 자국〉은 전체적으로 매우 평범한, 그리하여 때로는 진부하리만큼 낯익은 이야기임에도 불구하고 거기에 드러나는 에피소딕한 사건 ── 사실 이 작품에서는 중심적 의미망으로 작용하고 있지만 ── 을 통해 인간 삶에 대한 인식을 새롭게 한다는 데 매력이 있다.

이 작품의 표면적 의미는, 우리가 살아가는 일을 운명이라고 한다면 우리는 저마다의 삶에 주어진 운명의 그늘에서 한 발자국도 벗어날 수 없다는 것이다. 운명에 순응하는 사람이든 저항하는 사람이든 순응과 저항 그 자체가 또 다른 운명이 되어버리는 것이다. 어떤 길을 좇아 삶을 채워가도 결과적으로 그것은 그의 운명이었다고 말해진다. 그렇게 볼 때 '나'라고 하는 개별자가 사회적 삶을 살고, 성취하고, 실패하기도 하는 그 모든 행위와 고군분투의 의미는 어디에서 찾을 수 있을까. 운명이 기억이 되어 한 사람의 삶과 의식을 지배한다면 실존하는 그에게 남겨진 삶의 몫은 무엇일까.

〈칼에 찔린 자국〉은 운명에 순응하며 사는 아픈 상흔을 지닌 한 남자가 충격적 사건을 계기로 자기의 정체성을 찾게 되는 이야기이다.

이렇게 말해놓고 나니 이 작품은 평범하고 진부하기 이를데 없다. 하지만 '그 일' 이전과 '그 일' 이후로 나누어 그의 삶의 궤적을 확인하면서 그의 삶에 대한 인식의 변화를 추적하는 과정은 작품의 긴장감마저 불러일으킨다. 물론 여기에서 '그 일'이란 술집 마담에 대한 살인미수 용의자로 연행된 사건이다.

그의 삶은 그칠 줄 모르는 달리기로 비유된다. 오형제의 맏이라는 운명을 타고난 그는, 동생들의 몫을 혼자 차지하면서 성장했고 그 대가로 훌륭한 사람, 능력 있는 장남이 되어야 한다는 짐을 지게 된다. 마치 달리기를 할 때처럼, 두 주먹을 불끈 쥐고 자신에게 주어진 삶을 운명처럼 생각하고 달린 것이다. 그는 어려서 신동 소리를 들었고, 근동에서 가장 공부 잘 하는 아이였으며, 서울에 있는 가장 좋은 대학에 들어갔다. 주먹 쥔 손 안에서 세 줄의 손금이 점점 더 굵어지듯, 그의 운명도 뚜렷해져 학위를 따고 국립대학의 교수가 된다. 운명이 자신에게 부여한 달리기의 목표 지점에 도달한 그는 어느 날 자신이 현직 국립대학 교수라는 것, 한 여자의 남편이며, 두 아이의 아비이고, 아직 생존해 있는 노부모에게는 여전히 천금 같은 장남이라는 것을 확인하고 안온한 일상을 보낸다.

이러한 일상에 안주하던 그는 기억이 완전히 끊겨나가도록 술을 마신 날 밤 우연히 들렀던 술집에 또다시 들렀다가 살인미수 용의자로 연행된다. 그리고 거기에서 형사가 사진을 보여주며 '이 여자 알아? 몰라요?' 했을 때 느닷없이 자신은 '국립대학의 현직 교수' 라는 것으로 자신의 존재 증명을 밝히면서 지금까지 모든 것을 외면하고 달려온 길에 대한 강한 자부심과 함께 타인으로부터 인정받기를 기대한다. 그러나 그가 그토록 갈망해 왔던 '교수' 라는 것이 무의미하다는 것을 느낀다.

그리고 그 사건을 통해 지금까지 자신이 믿어왔던 것이 실상은 아무런 의미도 지니지 못함을 인식하고 비로소 앞만 보고 살아온 자신의 삶을 뒤돌아보게 된다. 그가 두 주먹을 불끈 쥐고 달리는 동안, 누군가는 고속도로 위에서 죽어가기도 했지만 그는 오직 자신의 달리기에만 몰두해 왔다. 그러나 살인미수 용의자가 된 순간, 그렇게 하여 얻은 교수 직함이 자기 인생에 대한 항변도, 위기를 넘길 수 있는 힘도 될 수 없음을 깨닫는다.

그리하여 이전까지 중시했던 일들, 이를테면 맏아들로서 조부의 기제사에 위경련 때문에 불참하거나, 연구실에서 느껴지던 까닭 모를 깊이에 대하여 '아무것도 아님'이라는 사실을 인식함으로써 가장 편안한 잠을 잔다. 그리고 자신이 살인미수 용의자로 지목받았던 피해자 마담의 칼에 찔린 자국을 보면서 자기 자신이 가해자이자 동시에 피해자일 수 있다는 인식을 하게 되고, 비로소 자신의 가슴속에 아픈 상흔이 존재하고 있음을 확인하게 된다.

어린 시절 손에 굵은 손금이 잡힐 만큼 주먹을 쥐고 달린 것은 달리기가 좋아서가 아니라 오직 자신에게 주어진 운명에 따르기 위함이었고, 달리다가 중도에 그만둘 수 없었기 때문이었음을 자각하게 되는 것이다. 그의 달리기는, 운명은, 그리고 그의 인생은, 지나간 세월 내내 우리를 사로잡았던 성장과 진보라고 이름지어진 신화의 하나일 뿐이다.

사회적 존재의 정체성을 묻는 이 작품에서 주인공이 자신의 운명을 걸고 앞만 보고 달려온 삶이 사실은 실체 없는 허상에 불과하다는 것을 깨닫는 순간 발견하게 되는 것은 '상처'이다. 대학 교수가 되는 것으로 한 집안의 장남으로서의 몫은 다했지만, 그에게 남겨진 것은 남루와 피로뿐이다. 너무나 오랫동안 한 가지 일에만 매달려 살아오는 동안 그의 삶은 대학 교수라는 텅빈 사회적 기호로만 남게 된 것이다. 그리고 이젠 그것조차 그의 곁에서 지켜본 아내에게는 허망함을 넘어 끔찍한 것으로 각인되고 있을 뿐이다. 술집 마담의 칼에 찔린 자국에서 흐르던

피와 끔찍한 흉터는 바로 그 자신의 피이고 흉터이며 사회적 삶을 살아가는 우리 모두의 상처이다. 술에 만취했을 때, 그리하여 누구의 자식이고, 남편이며, 아이의 아버지라는 기억마저 모두 망각되었을 때에야 비로소 진정한 자신과의 대면이 가능한 그는 우리 모두의 자화상이자 어둠 속에 남겨진 아픈 상흔이기도 하다.

가족이라는 운명에서 완전히 벗어날 수 있는 사람은 아무도 없다. 가족을 사랑하든, 증오하든 가족은 평생을 따라다니는 우리의 그림자다. 그러므로 가족에 대한 애증은 언제나 소설적 서사의 중심에 있어 왔다. 그렇다면 김인숙의 〈칼에 찔린 자국〉에서 새삼스럽게 이야기하고자 하는 것은 무엇일까? 가족으로부터 시작된 한 인간의 운명, 그것에 저항하거나 또는 순응하다가 돌발적인 사건을 계기로 말미암아 자아의 정체성을 찾게 되는 것은 우리가 익히 보아온 이야기라 하지 않을 수 없다.

짧은 분량에 무거운 주제를 다룬 탓인지 서사가 자연스럽게 의미를 만들어 간다기보다는 이미 주어진 주제를 향하여 개별적인 이야기가 힘겹게 매달려 있다는 느낌이 없지 않다. 따라서 독자의 몫은 작가의 의도를 애써 해석해 나가는 데에 한정되고 만다. 앞으로 작가에게 남겨진 일은 달리기가 끝나고, 가족도 환호도 사라지고, 빛나게 물들었던 노을도 지고, 어둠으로 차오르는 운동장의 트랙 위에 홀로 남은 그, 혹은 나에 관하여 이야기를 들려줄 차례인 것이다.

현 대 문 학 교 수 3 5 0 명 이 뽑 은

모내기 블루스

김 종 광

- 1971년 충남 보령 출생.
- 중앙대 문예창작과 졸업.
- 1998년 《문학동네》로 등단.
- 2000년 신춘문예 희곡 당선.
- 소설집 《경찰서여, 안녕》이 있음.

김종광

모내기 블루스

버스는 하루에 세 번 들어왔다. 이내가 깔릴 무렵, 마지막 버스가 안골 동구 팻말만 달랑 삐뚜름한 간이정류장에 사람 두엇을 내려놓고 음현 저수지 쪽으로 내처 달렸다.

순이는 제 눈이 의심스러웠다. 쉰여덟, 돋보기가 없으면 달력의 양력 날짜도 못 읽어낼 만큼 망가진 시력이니, 헛것을 본 것일 수도 있겠다 하여 바깥마당 둔치 쑥대밭에 까치발을 찍고 깜냥을 다하여 바라보았다.

분명히 맞다. 맞어! 저놈은 서른여섯 살 처먹도록 장가도 못간 불효자 중의 불효자, 이내 몸이 까지른 새끼가 맞다. 못자리 끝내고, "바람 좀 쐬고 오께유." 한 말씀 남겨놓고 휭하니 집 나가더니, 죽었나 살았나, 전화 한통 하는 법 없이 무소식이던 장남이 한 달여 만에, 그것도 모내기철에 딱 맞춰 돌아온대서 요란하게 반색하는 것이 아니었다.

애당초 어떤 아들인가? 중학교 때 가출 역사의 첫 장을 열더니, 고등학교 졸업장 어거지로 딸 때까지 열 손가락을 다 써 횟수를 가늠하도록 해주었고, 이십대에는, 군대는 그렇다 치고, 감옥 생활한 것도 그렇다 치고, 공장이다 목장이다 뭐잡이 어선이다, 영원히 객지인으로 자리잡으리라 싶었다.

그런 위인이 서른에 즈음하여 반 농사꾼 반 노가다로 고향에 붙어 있는 것이 여간 신통방통하지 않을 수 없었는데, 아니나 다를까 논바닥이 영 답답하고 공사판 사정이 여일하지 못해서 그런가, 휙 사라졌다가 짧으면 보름, 길면 한두 달, 낯짝을 보여주지 않다가 불쑥 나타나는 짓거리가 해거리도 계절거리도 없었다.

하루라도 보지 않으면 애간장 타는 내 나도록 그리운 게 자식새끼라고, 무척 오랜만에 먼발치로라도 꼬락서니를 보니 어찌 기쁨이 없겠는가마는, 아들의 그러한 전력을 감안한다면, 귀향 모습에 이다지도 좋아할 판은 아닌 것이다.

순이는 아들을 반기는 것이 아니라, 아들 옆에 붙어 있는 색시에 환심장(換心腸)하고 있는 것이었다.

양규도 난데없이 저녁상 한 귀퉁이에 끼여 있는 서해가 며느릿감이 아니라는 점이 몹시 섭섭했다. 순갈도 들기 전에 밥맛이 달아나버리는 것이었다.

"할아버지, 아줌마, 맛있게 먹겠습니다."

"처자, 누구는 아줌마고 누구는 할아버지랴? 사람 차별하나?"

"예? ……아, 할아버지도 삐쳤구나. 할아버지는 진짜 할아버지 같은데요. 머리도 완전 할아버지 색깔이잖아요?"

"머리 색깔로는 그렇겠지만도 손주도 못 안아본 주제에 할아버지 소리 들으면 기분이 좋겠어?"

"할아버지는 외손주도 없어요?"

"외손주야 있지마는 외손주하고 친손주하고 같가니."

"그런 게 어딨어요? 남녀가 평등한데."

"그건 처자 생각이고 내 생각은 틀려. 나는 맛 간 세대거들랑."

"에이, 할아버지도 참 억지다. 좋아요, 뭐 돈 드는 일도 아닌데. 아저씨라고 불러줄게요."

서해는 낯가림도 없이, 밥을 꿀떡꿀떡 잘도 먹었다. 총천연색으로 차려진 반찬을 해결하는 젓가락질 솜씨가 가히 손오공 여의봉 수준이었다. 순이로서는 육십여 평생 먹고 또 먹은 푸성귀를 언제나 그랬던 것처럼 대충 무치고 데치고 지져서 올린 찬이었으나, 도시 인스턴트 식품에 쩔 대로 쩐 서해 입장에서는 산해진미로 여겨지는가 보았다.

양규는 숟갈질이 한없이 굼떠지며 처자를 짯짯이 탐색하였다. 밑져야 본전, 며느릿감이라 생각하고 요모조모 뜯어보는 것이었다. 하지만 뜯어보고 자시고 무조건 합격점을 때릴 수밖에 없는 게 양규의 입장이었다.

아들이 서른 초입 때만 해도 며느리 될 처자가 갖춰야 할 조건을 여러 가지로 짚었다. 아들이 고졸이니까 며느리도 당연히 고등학교 졸업장은 있어야겠고, 자신의 집안이 밥 굶고 살지는 않으니까 며느리네 가세도 어지간은 해야 할 것이고, 아들이 그럭저럭 생긴 얼굴이니 며느리도 박색은 아니어야겠고, 아들이 갑갑증을 못 이겨 발병을 잘해서 그렇지 본래 심덕이 무던하니 며느리도 동네 입방아에 오를 만큼 시부모 봉양에 엉터리일 골치 아픈 심성은 아니어야겠고, 짚어가자면 한이 없었다.

하지만 아들이 숱한 맞선에 미역국을 먹고, 타지를 뻔질나게 돌아다니면서도 연애질도 못하고, 이러구러 나이는 낙엽 쌓이듯 하고, 며느리가 구비해야 할 조건은 평가절하를 거듭해온 끝에 아들이 서른여섯에 닿은 작금에 이르러서는 거의 '조건 없음'이 되어 버렸다. 아들놈하고 살아만 준다면, 그래서 고희가 되기 전에 손주 잠지 만져보게만 해준다면 그 누가 되었든 간에 들쳐 업고 천리 만리를 달릴 수도 있을 것이었다.

하여튼 속사정이야 짐작하기도 겁나 모른 체하고, 바깥 모양만은 마음에 쏙 들었다. 톡 건드리면 부러질 것 같은 허리에 얼굴까지 받쳐주는, 영락없이 텔레비전에 나와 방정 떨어대는 것들하고 한 과로 생겼다. 비리비리한 몸뚱이만 놓고 쳐서 애를 잘 날까 그것이 조금 염려가 된다만, 그래도 이런 출중한 미모의 며느리하고 날마다 한상에서 밥 먹을 수만 있다면 얼마나 행복하랴. 그런데 며느릿감이 아니고 아르바이트라고?

하지만 달리 생각해보니 일찌감치 절망할 것까지는 없겠다. 요새 것들 말이 말 같던가. 말이야 늙은 머릿속 어지럽게 해쌌는다만, 보아 하니 맞출 것 맞춰도 한두 번 맞춰본 사이가 아닌 듯하며, 이렇게 다정히 한 묶음으로 밥상머리까지 기어들어 왔으니, 미래에 대한 가능성이 농후한 사이렷다. 하루 이틀 열흘 달포 한달 두달 반년 하다 보면, 그게 부부인 거지 뭐. 어쩌면 아들놈도 그런 꿍꿍이인지 모른다.

정녕 아들이, 농촌이 얼마나 지독스러운 구석인지 생판 모르는 처자를, 텔레비전에서 왜자기듯 맑은 공기니, 아름다운 산과 들이니, 붕어새끼 폴짝폴짝 뛰어대는 시냇물이니, 어쩌고저쩌고 사기를 쳐가지고서는 이 집구석까지 꾀어온 것이라면 낳고서 처음으로 칭찬을 해주고 싶었다.

"저 일 잘해요. 돈값은 할 거예요. 걱정 놓으세요."

"시방 밥값이 아니라 돈값이라고 혔어?"

"그럼요. 대춘 오빠가 일당 삼만 원씩 쳐준다고 했어요."

부부는 아들의 얼굴을 빤히 쳐다보았다. 이 색시가 호미라도 들 근력이 있겠느냐고, 참으로 어이가 없다는 힐난을 하는 것이었다.

"맞잖아유? 요새 여자 일당 삼만 원? ……이만 원인가?"

"내일 아침 먹고 댓골논부터 쳐야 뎌."

"왜유? 누가 논 떼메고 간대유?"

"지랄, 비는 하늘이 무너져도 안 내릴 것 같고, 수리조합서 쪼까 있는 물 배급 주고 있는디, 어제 물 들어온 댓골논 내일 안 치면 금방 말라버릴 테니께 하는 소리지."

겨울에 참으로 눈이 내리지 않더니, 봄에는 비다운 비 한번 내리지 않았다. 물 없어 허덕이긴 마찬가지인 저수지에 매달리고,

저수지에 딸리지 않은 논들은 관정을 믿을 수밖에 없었다. 수리 조합은 들판을 몇 구획으로 나누어놓고 오늘 내일은 동쪽 답, 모레 글피는 서쪽 답 하는 식으로 저수지 물과 관정수를 공급해 주고 있었다.

"더이상 말씀 마슈. 아버지 잔소리는 한번 시작하면 봄 여름 가을 겨울이라니께유. 지가 나름대로 요량을 했으니께, 딱 맞춰 나타난 거 아니겄슈?"

순이는 두 딸이 쓰던 건넌방을 쓸고 닦았다. 며느릿감이 아니라니 각방치레를 해놓지 않을 수 없었던 것이다. 그러나 색시는 건넌방에 옷가방을 툭 들이밀었을 뿐 엉덩이를 붙여보지도 않고 아들방으로 뛰어갔다. 순이가 바라면 바랐지 말릴 리가 없었다.

양규는 아홉시 뉴스 전부터 드렁드렁 코를 골아대었고, 순이는 국민 열 중에 여섯은 본다는 '허준' 시작하고 십여분 되었을까 슬며시 잠이 들었는데 웬 잡소리에 번뜩 깨었다. 그때까지 혼자 이것저것 떠들고 있던 텔레비전을 재우고 나니, 그 잡소리는 텔레비전에서 난 소리가 아니었다.

삼경, 하늘에 별은 총총하고, 불 꺼진 바깥채 아들방에서 색시가 죽겠다고 질러대는 소리가 참으로 장대하며, 아들 질퍽대는 소리 또한 사람 잡겠다 싶었다. 그러니 열 걸음은 족히 떨어진 안방 이내 몸의 잠까지 깨웠지.

순이는 은근한 미소를 지었다. 이녁하고 저 짓거리를 마지막으로 해본 것이 언제적이던가? 저 달처럼 잔물잔물하니 기억이 뿌옇다.

동이 트고, 스스로 그렇게 있는 것들이 미명을 걷어버리며 제 빛깔을 드러냈다. 대춘은 목구멍에 아침 들이밀기 무섭게 경운기에 달라붙었다. 짐칸을 떼어내고 로터리를 부착해야 하는 것이다. 아버지 양규는 어떻게 도와볼까 얼씬거리다,

"걸리적거리니께 그냥 좀 계슈. 다쳐유, 다쳐."

하는 핀잔이나 들었다.

"네가 언제부터 농사졌다고 유세냐 임마. 나는 농사 경력이 반세기여, 반세기."

말을 그렇게 했다만 기계 가지고 하는 일에는 아들한테 늘 말발이 안 섰다. 아들이 경운기를 사들여온 날부터 양규는 뒷전으로 밀린 감이 없지 않았다. 하지만 그게 순리일 터였다.

"아, 저번이처럼 허리 삐긋혀가지구 앓는 소리하실까봐 그러쥬."

대춘은 쇠바퀴를 달고 시동을 먹였다. 경운기 엔진 소리가 마당을 뒤흔들었다. 쇠바퀴로 가는 길은 더디었다. 1분에 5미터를 가나 마나 했다. 그래도 흙길은 좀 나았는데, 시멘트도로에 들어서자 바닥을 탕탕 튀기는 꼬라지가 냅다 달리면 10분이면 족할 댓골논이 어느 세월에 갈지 말지 까마득했다. 뒤에서 기세 좋게 달려오던 1톤 트럭도 할수 없이 함께 굼벵이질이었다. 비킬래야 비킬 수 없는 좁은 도로폭 탓이었다.

양규는 오토바이로 진작 와 있었다.

"그리두 네 놈이 사람이 돼가는 모양이다."

대춘이 어제 새 물장화를 세 켤레나 사가지고 들어온 것에 대

하여 대견해하는 말이었다. 대춘은 물장화를 허벅지까지 끼우고 비옷 바지를 덧입은 뒤 흘러내리지 않도록 헌 혁대를 찼다.

쇠바퀴는 논흙을 만나야 구실을 하는 놈이렷다. 논바닥을 만나자 비로소 경운기는 값을 했다. 논둑의 가장자리를 한 바퀴 쳐나갈 때는 2단으로 천천히 돌았고, 그 다음부터는 변속기어를 3단으로 놓고 액셀도 한껏 올렸다. 로터리가 퉁겨내는 흙 세례가 기관총 소리는 저리 가라였다. 논갈이 흙들이 잘게 부서져 수면 밑으로 내려앉았다. 그동안 저희들 땅인 양 뿌리박고 고개 빳빳이 쳐들고 있던 논풀들도 흙 속으로 쑤셔박혔다.

양규는 두렁을 메웠다. 쇠스랑으로 흙을 그러모아 붙이고는, 삽날로 반들하게 다듬어나갔다. 자잘한 생명들이 뚫어놓은 실구멍을 단속하는 한편, 잡풀들의 번성을 억제하여 경계를 새로이 매김하는 것이었다.

저쪽을 휘몰아치고 돌아 이쪽으로 두들겨나온 아들은 벌써 흙투성이였다. 아들은 쇠스랑질에 힘부쳐하는 아버지 모습이 안쓰러워 잠깐 멈춰 서서는, 엔진 소리를 이기려고 고함을 질렀다.

"그냥 놔두라니께유. 이따가 흙이나 골러유."

"작것, 놀면 뭐하냐?"

이 동네에서는 먼저 치는 로터리를 그냥 '로터리친다' 고 말하고, 한번 더 치는 로터리를 '써레질한다' 고 했다. 써레질할 때는 굵은 각목을 매어 끌고 다녔다. 각목의 힘에 밀려 부서진 논흙은 고르게 눕는 것이었다.

중학교 운동장에서 조회하는지 차렷 열중쉬어 하는 마이크 소리가 들려올 때, 바로 윗논에 들어왔던 준호의 트랙터가 순식간에 두 마지기를 해치워 버렸을 쯤해서야 대춘은 겨우 써레질에 들어설 수 있었다. 경운기와 트랙터를 놓고 능력을 비교하는 자체가 어리석지만, 트랙터에 대면 이놈의 경운기는 느리기가 달팽이요 힘 없기가 사흘 굶은 여자였다.

순이가 참을 내왔다. 낑낑거리며 두렁 메움질을 마감하고, 담배 두어 대 몰아피며 쉬고 있던 양규는 아들이 논에서 빨리 안 나온다고 한참 성화를 부렸다. 수로 물로 대강 얼굴을 씻은 대춘은,

"먼저 드시랑께유."

해놓고서는 트랙터의 준호를 부르러 갔다.

양규는 막걸리 한 컵을 단숨에 들이켜고는 절로 나오는 카, 소리를 감추지 못했다.

"처자는 여직 자는감?"

"새벽참까지 만리장성을 쌓았으니 오죽허겄슈."

"그럼 야들이 한몸으로 잤단 말여?"

"동네 떠나갈 뻔했슈."

"그럼 내 짐작이 맞는 거구만."

"나중에 실망할라면 벅차니께 함부로 짐작 마슈. 요새 젊은 것들은 알 수가 없다니께유. 연앤지 불장난인지."

준호는 논이 백여 마지기, 소가 백여 마리였다. 부모로부터 물려받은 땅이 상당했고, 농업협동조합에 빚도 많이 지고 있었지만, 여하튼 부모의 대를 이어 치세를 거듭하고 있었다.

"구제역 땜에 피봤지?"

"말도 말어. 거의 전쟁이었어."

안골은, 구제역 시초 발생지로 한 두어 달 간 텔레비전 뉴스에 빠짐없이 등장했던 아무개 군과 지척이었다. 아무개 군보다야 못하겠지만 다른 지역에 비해서는 훨씬 짙은 농도의 공포에 시달렸고 훨씬 강도 높은 방역에 매달려야 했다.

그럼에도 불구하고 준호는 두어 달 간 아내의 도움을 전혀 받지 못했다. 방역의 최대 기본은 병균 매개체인 사람과의 접촉을 최대한 줄이는 것이었으므로, 홀로 백여 마리 소를 먹인다는 것은 확실히 무리였지만, 아내의 축사 출입마저 통제하지 않을 수 없었던 것이다. 다행히 안골에서는 구제역에 쓰러진 소는 없었으나 거의 전쟁이었다는 말이 과장되지 않을 만큼 애로를 겪었다.

"그놈의 시답지 않은 전쟁이 끝나기는 끝난 건가?"

"그렇다고 봐야 할겨. 텔레비전 놈의 새끼들이 입 처닫았으니께."

"그리두 별 탈 없이 지나갔으니께 다행여."

"한두 번 겪는 탈인가? 또 어떤 놈의 탈이 올지 물러."

준호는 양규가 따라준 막걸리를 쭉 들이켜고서는 엉너리를 쳤다.

"그르게 지가 걱정 말랬잖아유. 딱 맞춰 나타날 거라구."

"나타나서 나타났는갑다 하지, 이놈의 인사가 부모 속을 어지간히 쎅였간디."

"또 동네방네 떠들고 다녔구먼유. 아들 감감무소식여서 농사 못 짓게 생겼다구."

"이놈아. 그러니께 전화 한 통화 넣어주면 될 거 아녀. 언제 온다구. 아니믄 요새 가이나 소나 다 들고 댕기는 휴대폰을 갖고 댕기든가."

대춘은, 오후에는 청라논 로터리를 쳤고 저녁녘에는 잿골논 못자리를 걷었다. 다음날 바로 댓골논과 청라논 모심기를 해치울 작정이었다.

부부는 쇠스랑 하나씩 들고 태양이 서쪽 산 불탄 자리를 넘어갈 때까지 댓골논 흙을 골랐다. 흙고르기는 모심기 전 마지막 단계의 논바닥 일로서, 도드라진 부분의 흙을 끌어다가 부족해 보이는 부분을 메워, 전체적으로 보았을 때 논바닥의 높이가 더함도 없고 덜함도 없게 눈대중으로나마 판판히 닦아놓자는 애면글면이었다.

서해는 저녁밥 때까지 대춘의 방에서 퍼질러 잤다. 아침도 안 먹고 점심도 안 먹고 잠만 자는 색시가 당장 굶어죽기라도 할까 안달 난 순이가, 아들이 이박사흘이건 일주일이건 그냥 처자게 놔두라는 것을, 제발 저녁은 먹고 자라고 기어이 깨우지 않았다면 서해는 정말 이박사흘을 내처 잤을지도 모른다.

서해는 고등학교 때 가출한 이후로 이날 이때까지, 아침 무렵에 자서 오후 두세시경 기상하는 리듬으로 살아왔다. 두세시경에는 저도 모르게 퍼뜩 눈이 떠졌는데 오늘도 그랬다. 그런데 오늘은 알 수 없는 편안함과 고요함이 밀려와 그녀의 눈꺼풀을

도로 덮었다. 그녀는 이렇게 편히 자본 적이 없다.

하지만 서해는 안 깨웠다고, 일을 안 시켰다고, 그래서 하루 공쳤다고, 순이가 "아아구, 정신 사나워. 괜히 깨웠구먼. 그냥 처자게 놔둘 걸 그렸어." 절레절레 짧은 고개 흔들어대도록 찡찡거렸다. 서해는 실컷 자고 저녁밥 많이 먹어 기운이 남아도는지 대춘에게도 안 깨워줬다고 지치지도 않고 불퉁대었다. 그 소리가 마당에서 기웃거리는 순이에게는 "허이구 숭헌 놈들, 밤이나 깊거든 보듬지." 헤헤거리게 만들어주었다.

대춘은 노트를 펴놓고 이것저것 계산중이었는데, 서해 하는 짓이 여간 귀찮지 않았다.

"아따 그년, 네가 무슨 일을 할 수 있겼다고 지랄여. 네가 이제까지 해온 일이 뭐여? 코스 밟아가면서 술잔 물잔 나른 것밖에 더 있어? 농사가 뭔지나 알구 풍신을 떨어쌌냐?"

"오빠, 말을 왜 그 따위로 해? 그럼 나를 왜 데리고 왔어?"

"야 년아, 내가 데리고 왔냐? 네가 따라왔지."

"약속이 틀리잖아. 일 시켜준다고 했잖아?"

"나는 그냥 네가 안돼 보여서, 수컷들한테 치여 산 네 인생이 안돼 보여서 그냥 며칠 푹 쉬고 가라구 꼬셔 왔다. 휴양 왔다구 생각하구 편히 있다 가란 말여. 밥값 방값 안 받을 테니께."

"씨발, 이 사기꾼 새끼!"

서해는 대춘에게 폭력을 휘둘렀다. 대춘의 두꺼운 살가죽은 애무로 느꼈지만. 어느결에 대춘이 서해를 올라탔고,

"이 짐승새끼 못 내려가!"

서해는 발버둥을 쳤지만 텔레비전이 스포츠뉴스 끝내고 드라마 제목을 띄웠을 즈음해서는 암수 서로 정다운 짐승으로 씩씩거리고 있었다.

대춘은 작정하고 농사를 지을까, 아니면 시내에 가게를 열까 근년 들어 생각이 많았다. 돈은 얼추 모인 것 같았다. 농사를 짓는다면 여튼 돈에다 농협 대출을 받아서 대여섯 마지기는 넉넉히 사들일 수 있겠고, 삼동네에 늙은 부부끼리 바르작바르작 농사짓는 집이 허다하니 말만 잘하면 소작 한 이십여 마지기 얻는 것이야 일도 아니겠다 싶었다. 트랙터와 트럭을 할부로 들이고 본격적으로 농사를 지어본다?

장사라면 역시 물장사, 계집장사가 남는 장사다. 서해 같은 년으로 셋만 구비해놓고 계집 관리만 빈틈없이 하면 실패라는 게 없을 술장사. 하지만 그게 어디 사람이 할 짓이냐. 이런 불쌍한 년 보지 피빨아먹자는 짓 아닌가. 대춘은 드라마에 넋이 빠진 서해를 새삼스럽게 바라보았다.

창문을 뚫고 온 푸른빛이 방안을 가득 채웠다. 번쩍 깨어 기지개 크게 편 뒤에 문을 열고 나서려던 대춘은 하마터면 고꾸라질 뻔했다. 뭐가 발목에 걸려 있었다.

"또 안 깨우려고 했지?"

서해가 비몽사몽하면서도 눈을 비비적대며 하는 소리였다. 대춘의 굵은 발목과 서해의 얇은 발목은 운동화끈으로 묶여 있었다. 서해는 참으로 오지 않는 잠을 청하고 청한 끝에 반 시간 전에야 겨우 잠들었었다. 묶어놓기를 얼마나 잘했는가.

서해는 졸면서 먹었다. 순갈을 콧구멍으로 들이민 게 한두 번이 아니었다. 양규는, 성질 같아서는 밥상머리에서 웬 구접스러운 짓거리냐고 면박을 주고 싶었지만 꾹 참아내고 있었는데, 거듭 바라보자니 미운 짓마저 흔쾌해져 허허 웃음이 솟구치는 것이었다.

순이도 색시가 밥 먹는 꼴을 보고 있자니, 저게 며느리 돼도 골치 아프겠다는 염려를 잠깐이나마 하지 않을 수 없었는데, '뭐 나는 시집 오기 전에 농사 짓는 집구석이 이르케 일찍 아침 공양하는 줄 알았간디. 한두 달이면 바로 습관이 밸 거니께, 그건 헛걱정이여.' 생각을 고쳐먹었다.

대춘은 경운기에서 로터리를 떼어내느라 나사와 씨름이었다. 감을 때보다 풀 때가 더 힘이 든다니까.

"이게 농사일이야?"

딴에는 일복으로 차려입은 모양이었다. 서해는 아래위 새하얀 트레이닝복 차림에, 운동화까지 하얀색이었다. 비싸기로 유명한 상표가 찍힌 것으로 보아 돈 십만 원은 우습게 넘는 복색인 듯했다.

"너 정말 일을 해볼텨?"

"오빠는 사람 말을 좀 진지하게 새겨봐."

대춘은 로터리를 비켜놓고 쇠바퀴를 떼어낸 다음, 고무바퀴를 달았다. 이어서 짐칸을 부착했다. 비로소 서해가 텔레비전 농촌 드라마에서인가 몇 번 본 적이 있는 경운기 꼴이 되었다.

"아, 이게 딸딸이구나!"

대춘은 손바닥에 쥐기 맞춤한 크기의 나무토막 두 개와, 얇은 철삿줄을 챙겼다. 그리고 서해가 보기엔 장화인 듯은 하지만 뭐 하자는 건지 모르겠는 노랗고 길쭉한 것 두 켤레를 짐칸에 실었다. 하나는 무척 헌 것이었다.

서해는 순전히 모르는 것투성이여서 쉴새없이 물어댔지만, 대춘은 웬만해서는 대꾸를 해주지 않았다. 반죽 좋은 서해도 급기야 삐쳤는지 입술을 모아 길게 내밀었다.

"야, 타!"

대춘의 한마디에 서해는 금방 풀린 얼굴이 되어 짐칸 위로 풀쩍 뛰어올랐다.

안골 사람들은 아침부터 때아닌 진풍경에 입 운동깨나 하지 않을 수 없었다. 대춘이 경운기를 몰고 나가는데, 짐칸의 낯모르게 젊은 여자가 소들의 합창보다 더 큰 목청으로 "야, 호!"를 연발하는 것이었다. 댄스가수인가 무엇인가처럼 괴상하게 몸까지 비틀어가면서 그 난리였다.

"대춘이가 여자를 주워가지고 들어왔다더니만, 정신이 온전한 게 아니었구먼."

"허긴 그럴겨. 맨정신 박힌 계집이 어딜 봐서 대춘이를 좇을겨."

"왜? 대춘이가 어떠서. 옛날이야 말종도 그런 말종이 없었지만 서른 줄 들어서야 착실하지."

"너무 늦게 정신 차렸어. 모아놓은 게 있을껴, 물려받을 게 있을껴. 게다가 싸돌아댕기길 좀 좋아혀."

"아녀, 내가 보기엔 대춘이 자슥 앞으로 잘 풀릴껴. 대기만성형이라고나 할까."

"잘 풀리면 좋지. 잘 풀리려면 여자를 잘 들여야 되는디. 저 여자는 안 되겄구먼."

"확실히 살지 안 살지도 모른다던디."

"아르바이튼가 오바이튼가를 왔다데."

"이씨네 두 늙은이가 워칙히 며느리로 들여볼까 정성이 지극한가벼."

"아무려나. 대춘이가 계집 조건 거론할 처지는 아니지."

"어찌 되었거나 이 동네에 노총각이 슬슬 짚어도 여남은인디, 금년에 하나 치울라나."

로터리 치러 나오던 서상철과 모판 떼던 장신우가 담배 나누면서 해보는 소리였다.

부부는 오토바이로 벌써 잿골논에 도착하여 한창 땀흘리는 중이었다. 한 달여 전 세 구획으로 못자리를 했었는데, 한 구획에 가로 세 판, 세로 서른 판 해서 아흔 판을 넣었었다. 고운 흙에 버무려진 볍씨들은 한 달여 간 생명의 신비를 거듭한 끝에, 이렇게 손가락만한 크기로 다보록다보록 초록 들판을 이루고 있는 것이었다.

양규는, 짧은 나무토막 두 개에 길게 이은 철삿줄로, 모판 끝머리 밑에 걸친 다음 주욱 잡아당겼다. 철사가 모판 밑 흙을 드르륵 긁은 뒤 이내 몸 쪽으로 빠져나왔다. 그럼 모판 하나가 떼어진 것이었다.

순이는 남편이 떼어놓은 모판을 두 개씩 겹쳐 들고 길가로 날랐다. 모판 두 개의 무게는 순이의 허리를 90도로 꺾어놓기에 충분했다.

"아, 하나씩 들구 다니라니께, 겁나게 말 안 듣네."

양규가 만류를 안 하는 것은 아니었으나,

"어느 세월에 다 날를라구유."

아내의 부지런한 소리에, 네 마음대로 하되 아프다고 노래만 부르지 마라, 내버려두는 수밖에 없었다.

경운기 짐칸의 서해가 나는 어쩌냐고 물을 짬도 없이 대춘은 오토바이로 바꿔 타고 다시 집으로 갔다. 이번엔 이앙기를 댓골 논으로 옮겨야 하기 때문이었다.

부부는 색시가 처자기도 지겨워 구경 나왔나보다 하고 그냥 무시해버렸다. 아무리 며느리 삼을 작정으로 곱게 대하고 있다지만, 대도시 사는 딸이며 사위며 불러내려 일손 삼고 싶은 것을 겨우 참아내고 있는 마당에 '전원일기' 구경하듯 저 모양인 색시에게 언짢은 마음이 안 드는 것은 아니었다. 그러나 일을 시켜봐야 오분도 못 부려먹고 몇 주일치 약값을 대주어야 할지 모른다는 지레 판단이었다.

그러나 서해는 '대추나무 사랑 걸렸네' 시청을 단 십여분에 그치고 부부의 마음씀을 허투루 만들었다. 순이 발목에 꿰인 물장화를 보고 용도를 깨우친 뒤, 서해는 운동화를 벗고 짐칸의 헌 물장화를 주워 신었다.

눈에 넣어도 시원찮게 생긴 것들은 뭘 신어도 폼난다니께. 서해 하는 양을 훔쳐보던 양규는 슬며시 미소를 지었다.

서해는, 순이가 모판 옮기는 것을 관찰한 지 몇 분 만에 자신이 넉넉하게는 한 개, 적당하게는 두 개, 무리하게는 세 개의 모판을 들 수 있다는 것을 산출해낸 것이다. 서해가 두 개의 모판을 겹쳐 번쩍 들어올리고 논바닥을 성큼성큼 걸어나가자 순이는 입을 쩍 벌렸다. 양규의 놀라움도 아내 못지않았다.

부부는, 지가 그래봤자 십분이면 더이상 못하겠다고 퍼질러버리거나 팔목 혹은 발목 삐었다고 죽는 창을 해대리라 헤아렸는데, 반시간이 되어도 도시 처녀의 기운은 사그라들 줄 몰랐다.

“색시, 무거운 것을 더러 들어봤구먼?”

“아주머니, 이깟 게 무겁겠어요? 사내가 무겁겠어요?”

서해는 너무 심한 농담을 했다 싶어 입을 가렸는데, 다행히 순이는 뭔 소리인지 알아듣지 못한 것 같았다.

대춘이 돌아와 합세하자 한결 속력이 났다. 한꺼번에 다 떼는 것이 아니라 오늘 모낼 댓골논과 청라논 것만 떼는 것이었다.

사실 서해는 일 시작한 지 반시간쯤부터 죽을 맛이었다. 하지만 오기로 버텼다. 한 삼 년, 정말이지 짐승 같은 것들한테 붙잡혀 무일푼 보수로 착취당한 적이 있었는데, 해방의 날까지 버티게 했던 그 오기에 비하면, 급수 한참 떨어지는 오기였다만. 결국은 그 오기가 바닥나 쓰러지거나 포기하거나 둘 중 하나를 저지를 막판에 모판 떼기가 끝났다.

대춘은 길가에 내어놓은 모판을 경운기 짐칸에 높다랗게 쟁여쌓았다.

"아버지, 재가 그리두 일을 제법 하네유. 재랑 심어볼 테니까, 청라논 흙 고르시쥬?"

"인저 겅우 한 시간 일했는디, 너무 믿는 거 아녀?"

"뭐, 혼자 심어두 충분하잖유?"

부부는 오토바이를 타고 청라논으로 먼저 떠났다.

대춘은 바로 엮은 경운기 안장에 서해를 앉혔다. 허리는 얇아도 엉덩이 평수는 제법 되어서 궁둥이 약간이 허공으로 비어져 나왔지만, 서해는 자신이 운전이라도 하는 듯한 들뜬 기분에 바퀴가 껑충껑충 뛸 때마다 안장 모서리 쇠에 매맞아 꽤 아팠을 텐데도 아픔을 느끼지 못하고 소리소리 질러댔다.

"달려라! 달려, 더 빨리!"

하지만 대춘은 서해가 설치다 그예 낙마라도 할까봐 속도를 외려 줄였다. 서해의 환호성 속에 청라논은 성큼 가까워졌다. 싣고 온 모판의 절반을 청라논에 떨구었다. 대춘이 짐칸 위에서 집어주면 부부와 서해가 받아들어다가 논물에 담가놓았다. 부부를 흙 고르라고 청라논에 남겨놓고, 경운기는 댓골논으로 향했다.

댓골논에서의 하역 작업은 둘이서 하자니 서해에게 다소 힘들었다. 서해의 트레이닝복과 장갑 속에 숨은 살갗은 이미 빗살무늬토기처럼 긁혀 있었다. 모판을 한편으로는 둑에 걸쳐놓고 한편으로는 논바닥에 들여놓고 짐칸을 깨끗이 비운 뒤에 대춘은 서해에게도 담배를 내밀었다.

"오빠, 아무리 생각해도 원시적인 것 같아."

"야, 그래도 내가 어렸을 적에 비하면 격세가 지감이다. 이런 논 하나 심는데도 장정 대여섯이 한나절 죽 때렸다니께."

"차라리 조선시대하고 비교를 하지. 대망의 2천 년이라고. 술집년들도 인터넷으로 고객관리하는 세상에 농촌은 이게 뭐래?"

"새천년의 현실이다. 21세기는 가는 놈들이 가는 거구, 우리 같은 놈들은 죽기 전에 19세기를 면할라나도 물러."

이앙기는 네 줄로 심어나갔다. 서해는 기계가 참 신기했다. 하지만 슬슬 짜증이 났다. 이앙기가 이편에 왔을 때 둑 밑 논바닥에 대어놓은 모판을 집어주고 나면, 대춘이 다시 저쪽 편에 갔다가 돌아올 때까지 하릴없이 지켜보고만 있어야 했다.

댓골논의 4분의 1쯤 심었을 때였다. 대춘이 이앙기를 돌려세우고, 모를 떨어낸 판 여덟 개를 내려놓았다.

"모판 안 집어주고 뭐 혀?"

"심심하단 말야. 내 성격 알잖아? 나는 아무것도 안 하고 있으면 미친단 말야."

"꼭 말을 해야 아냐? 이거 닦어야지."

대춘은 물장화 끝으로 빈 모판을 툭 찼다. 흙방울이 서해의 얼굴을 때렸다. 대춘은 허허 웃었다. 서해의 새하얗던 트레이닝복은 아주 흙색으로 변해 있었다. 일거리가 불어나 신이 난 서해는 모판을 옮겨다 수로에 던져 넣었다. 물은 몹시 탁했으며 시원스럽게 흐르지 못했다. 그래서 모판 씻는 일은 장난이 아니었다.

다시 한 바퀴 돌고 돌아온 대춘은 서해가 닦아놓은 모판을 보고 또 한 번 크게 웃었다.

"왜 덜 닦아졌어? 더이상 안 닦아진단 말야."

"몇 개나 씻었냐?"

"두 개."

"이렇게 씻으니까 그렇지."

대춘이 시범을 보였다. 서해는 어리둥절했다. 자신이 닦아놓은 것은 올해 구입한 것마냥 말끔했는데, 대춘이 닦은 것은 몇 년이나 묵었는지 모를 논흙기가 여전히 켜켜이 배어 있었다.

"그게 닦는 거야, 헹구는 거지?"

"이 정도로 하면 돼. 내년에 씻나락 담을 때 지장만 없으면 된다구. 너처럼 닦다가는 어느 세월에 다 씻냐?"

하지만 서해는 하향 조절한 나름의 기준으로 깨끗하게 닦으려고 노력했고, 대춘이 오면 모판도 집어주어야 했기 때문에 소원대로 엄청 바빠졌다.

댓골논의 모내기가 끝났다. 흙인지 사람인지 모르게 된 서해가 열심히 닦은 모판을 차곡차곡 포개놓은 뒤 손을 씻고는 말했다.

"모내기 별것도 아니네 뭐."

"별거 아녀?"

"그럼 뭐 별거야. 오빠도 기계가 다 심어준 거 아냐?"

"네가 땜빵을 해봐야 그런 소리가 안 나오는디."

"땜빵?"

"네 눈에는 저 이앙기가 완벽해 보이냐? 재도 기계여. 실수가 많은 놈이라구."

양규와 순이는 서해를 며느릿감으로 들이고자 하는 마음이 더욱 간절해졌다. 두세 시간 화장으로 하루를 열어서 한두 시간 화장으로 하루를 마감할 것 같은 얼굴을 해가지고서는 몸뚱이에 흙 한방울이라도 닿을라치면 기겁을 하고, 꼼지락거리다 땀 한 방울이라도 떨어질라치면 유세를 떨고 해댈 것처럼 생긴 몸뚱이와는 달리, 너무나도 달리 참한 모습을 보여준 것이다. 밥상머리에서 삼강오륜도 귀동냥 한번 안 해본 것처럼 겅정겅정 나대는 것이 약간 마음에 걸렸지만. 점심밥을 먹고 부부는 댓골논으로 모 때우러, 젊은이들은 청라논으로 모 심으러 갔다.

"저건 사람이 타서 운전하네?"

서해가 가리킨 것은 대춘의 네 줄로 심어나가는 4조보행 이앙기와는 차원이 다른 여섯 줄로, 쾌속으로, 핸들운전으로 심어나가는 6조승용 이앙기였다. 대춘은 논다랑이 3분의 1을 심었는데, 대춘보다 한참 늦게 온 그 이앙기는 삽시간에 한 다랑이를 해치우고 다른 논배미로 이동중이었다.

"오빠네는 왜 저런 거 없어?"

"저런 좋은 기계는 땅이 많은 사람들이나 갖추는 거여. 오빠네는 겨우 닷 마지기여. 저런 기계를 들이면 휘발유값도 못 뽑는다구."

싸구려 기계라도 고장만 안 나준다면 사람 열 몫을 하고도 남았다. 그러나 고장이 났다 하면 이런 골칫덩어리가 다시 없었다.

이앙기가 자꾸만 헛발질을 해댔다. 논흙에 박아야 할 모를 물 위에 띄우고만 마는 것이다. 이앙기를 논밖으로 빼어놓고 한참 복닥불을 태우던 대춘은 손을 들고 말았다.

"안 되겄다. 내 실력으로 안 되겄어야."

대춘과 서해는 포장도로를 터벅터벅 걸었다. 서해는 물장화를 벗더니 맨발로 걸었다.

"영화 찍구 자빠졌네."

"오빠는 이 좋은 데 살면서 뭐가 부족하다고 그렇게 싸돌아다녔어? 너무 좋다……."

"네 년 눈에나 그렇게 보이지, 내 눈에는 영영 막막해 보인다."

"애향심이 없다니까, 오빠는."

댓골논에 도착해보니, 부부는 검은 비닐봉지 하나씩을 허리춤에 들고 오전에 심어놓은 모 속에 들어가 허리굽히기 운동을 해대고 있었다. 머리가 좀 돌아가는 편이라고 자부하는 서해도 저게 뭐하는 수작인지 얼른 짐작을 할 수가 없었다.

부부가 논에서 나왔다.

"기계가 말썽이냐?"

"팍 뽀개뿌리던지 해야지 미치겄슈."

순이가 챙겨온 찬 보자기를 풀렀다. 대춘은 아버지 잔에 넘실 채우고, 또 한 잠을 채워 서해에게 내밀었다. 서해는 가타부타 않고 받아서는 거침없이 들이켰다.

"어떠? 막걸리 맛이?"

"잘 모르겠는데. 한 잔 더 마셔봐야 알겠어."

"준호한테 가봐야겄슈."

아무래도 거의 모든 기계를 갖추고 농사짓는 준호가 기계에 대해서도 많이 알 터였다. 준호도 못 고치는 고장이라면 트럭을 빌려야 할 것이다. 면내 농기계수리센터에 전화해보았자 수리 일정이 밀리고 밀려, 출장이라면 모레글피 후에도 나올 수 있을지 말지 하고, 직접 방문해도 내일 저녁때나 될지 말지 하다는 말이나 들을 것이다. 시내로 싣고 들어가 오늘 밤 안으로 고쳐 가지고 오는 것이 속 편할 터였다.

"그놈의 기계는 툭하면 지랄이라니? 옛날이는 하늘 눈치 보다가 농사 다 짓더만, 요새는 기계 눈치 보다가 해 다 가는구먼."

순이가 시부렁댈 때 서해는 세 잔째 마시고 있었다. 양규는 처자가 술집 출신이라는 확신을 굳히면서도 어여삐 바라보는 마음이 굳어만 갔다.

대춘은 오토바이를 몰고 준호를 찾아 떠났다.

부부는 서해를 무시하고 둘이서만 논 속으로 들어갔다. 서해가 운운하는 일당은 들은 순간부터 장난으로 들었으나, 일당이 며느리 들이는 데 한 계책이 된다면 못 줄 것도 없어서, 일당 쳐주기 싫어서가 아니었다. 아무려면야 일손이 보탬이 된다면 돈이 아까우랴. 그리고 혹 며느리가 될지도 모르는 처녀인데 한 동이로 허리 굽혀대며 주거니받거니 세대 차이를 줄여보는 것도 대명천지에 그처럼 유쾌한 일은 또 없을 것이었다.

그런데도 서해를 아무것도 할 수 없는 반푼어치 신세로 둑에 오도카니 올려놓고 '전원일기' 나 구경해라 만들어놓은 것은, 어찌 되었거나 일을 더 시켰다가는 진정으로 약값이나 대게 되리라 걱정이 되어서이기도 했지만, 그보다는 모내기할 때 가장 일 같지도 않으면서 가장 힘든 일이 땜빵이었기 때문이다. 물정 모르는 도시 처녀들 논 속에 들였다가는 모 땜빵이 아니라 모 밟기 꼴이 날 것이라는 선입감이 앞섰기 때문일 것이다.

서해는, 물어보았자 가르쳐줄 것 같지는 않고, 학처럼 모가지를 길게 내밀고 가만히 짐작하기를 반 시간여 골몰한 끝에 저분들이 지금 뭐하는 수작인지를 깨우쳤다. 서해는 수로를 뒤져 비닐봉지를 주워냈다.

아까 대춘은 모심기를 끝내고 남은 모판을 그대로 놓아두었는데 그게 땜빵용인 모양이었다. 땜빵이라는 게 뭐 대단한 일이 아니고, 기계가 심었다고 심었지만 뿌리를 흙 속에 박지 못하고 물 위로 떠버리게 만들었거나 아예 기계가 심지 않고 지나쳐버린 자리에 땜질하듯 모를 서너 포기씩 심어주는 일이라는 걸 서해는 눈치채버린 것이었다. 뭐 일도 아니구만 나를 따돌려! 서해는 부부를 향해 얄밉다는 듯 입술을 실룩였다.

서해는 비닐봉지에 모판의 모를 잔뜩 뽑아 담았다. 그러고는 논바닥을 질퍽질퍽 걷기 시작한 지 꼭 열세 발짝 만에 풍덩 엎어졌다. 부부는 세상이 무너지기라도 했다는 듯이 도시 처녀를 향해 논바닥을 뛰어가면서도 의식도 하지 않았는데 기가 막힐 정도로 모를 한 포기도 밟지 않고 있었다.

부부가 도착할 때까지 서해가 일어서지도 못한 것은 아니었다. 일어섰다가 이번에는 뒤로 나자빠졌고, 다시 일어섰다가 재차 옆으로 고꾸라지고, 대체 중심을 잡을 수가 없었다. 이렇게 몸이 말을 안 듣는 데에는 막걸리 기운도 한몫 하고 있다는 것을 서해 자신은 몰랐다. 술로 점철된 인생을 살고도 못 마셔본 술이 있다는 게 스스로도 놀라웠던 서해는, 처음 마셔보는 막걸리를 너무 깐보았던 것이다.

서해는 발가벗고 양주 테이블 위에서 소녀경 체위로 춤추는 것보다 물장화 신고 논바닥에 중심잡고 서 있기가 더 힘들다는 것을 온몸으로 체득하는 중이었다.

서해가 난리를 친 사위의 모들은 제대로 서 있는 것이 하나도 없었다.

"색시가 모를 땜빵하는 게 아니라 모가 색시를 땜빵했구먼."

순이가 흙사람이 되어버린 서해의 가슴께에 달라붙은 모포기를 떼어내며 한 소리였다.

"흙맛 참 좋네유."

서해는 입 속의 논흙을 퉤퉤 뱉어내며 사투리 흉내를 내보았지만, 부부는 웃지 않았다. 부부는 이 처녀가 대체 왜 이러나, 진정 정신 상태가 의심스러웠던 것이다.

하지만 논바닥을 징검징검 걸으며 모 때우는 일이 서해의 오기와 끈기를 한사코 외면할 정도로 무시무시하지는 않았다.

시초에는 잘못 발바닥을 내려놓아 모를 뭉개고, 십여분에 서너 번은 흙탕에 온몸 접촉하고, 모포기를 개갈 안 나게 찔러 참다 참다 못한 순이한테 "아, 뿌리만 살짝 꽂아야지, 숫제 묻네 묻어. 그러면 모가 살겄냐, 죽겄냐. 지발 나가 있으랑께." 하는 지청구를 먹으면서도 지금 자신이 무엇을 하고 있는지 정신이 없었는데, 차차로 시간이 차곡차곡 쌓이자 속도가 더디어서 그렇지 제법 순이 흉내를 낼 수 있게 되었다. 물론 허리가 당장이라도 두 동강 날 것처럼 아뜩하기가 이루 말할 수 없고, 다리가 후들리는 것이 논바닥에 있는 게 아니라 조각배 타고 바다 위에 떠 있는 것마냥 멀미인지 오한인지가 대단했다. 세상에 뭐, 이런 일이 다 있었나 싶었다.

양규가 이렇게 탄식했을 정도였다.

"안골에 대단한 농사꾼 나버렸네."

다행히 준호의 선에서 이앙기는 말을 들었다. 대춘이 준호에게 치하하고 청라논 나머지를 아퀴지은 뒤, 이앙기를 내일 모심을 당골논으로 옮겨놓고 다시 청라논으로 가서 오토바이에 엉덩이를 얹고 댓골논으로 부다다당 달려와보니 사위의 날빛들은 슬슬 기운을 잃고 있는데, 서해가 단란주점 시절 트로트 좋아하는 손님들 시중들며 갈고 닦은 솜씨로 부부를 즐겁게 해주고 있었다.

양규는 홍이 나도 단단히 난 불콰한 얼굴로 젓가락으로 막걸리병을 때리며 장단을 맞추고, 순이는 전국노래자랑풍으로 어깨를 덩실덩실거리고 있었다. 흙원숭이 꼴을 해가지고서는 낭랑한 목소리를 들판으로 퍼뜨리고 있던 서해는 대춘에게 손을 턱 내밀었다.

"야, 숭허게 뭐하자는 짓거리여!"

큰소리를 쳐보긴 했으나 어쩌다 보니 블루스 스텝을 밟고 있었다. 농로 위에 잘 벌어진 한 판은 어둑어둑해질 때까지 들판을 홍청거리게 했다.

서해가 붉은 사인펜을 쥐고 달력 앞에 서더니 '22'에 커다랗게 동그라미를 치는 것이었다. 텔레비전을 건성으로 바라보고 있던 대춘은 건수가 생겼다는 듯 읊었다.

"왜 남의 달력이다, 네 멘스 요이 땅! 한 것을 표시하구 지랄여?"

"멘스 같은 소리하고 자빠졌네. 오늘 일했다고 공쳐놓은 거야. 돈 계산은 확실히 해야지."

순이는 젊은 애들이 밤도 이슥해졌는데 또 뭔 일 안 하나 기웃거리다가, 달 보러 나온 양규에게 퉁바리를 먹었다.

"시에미 될 사람이 그러고 있으면 일이 되겄어!"

모내기철 개구락지 울어대는 소리가 좋은 음악처럼 들리는지 달님은 방그레 웃어대고 있었다.

다음날 서해는 일어나지 못했다. 지독한 몸살감기로 굴신도 할 수 없었다.

변두리 정서와 희극적 상상력

우찬제(서강대 국문과 교수)

김종광의 소설은 이채롭다. 첨단 소비 도시 문명과 포스트모던한 문화 그리고 디지털 감각이 상호 작용하면서 멋진 신세계를 향한 저돌적 탈주가 한창인 작금의 문화 지형을 거스르는 소수파의 문학을 추구하고 있다는 점에서 우선 그렇다.

요즘 변두리로 한없이 밀려 있는 농촌이나 농촌 인근 소도시의 삶과 정서와 언어를 썩 그럴듯하게 재현하는 장기를 그는 보여준다. 그의 소설 언어는 변두리 정서의 밑흐름을 길어 올리면서 다채로운 울림의 무늬들로 독자들에게 전달된다. 능청스런 어휘와 희극적 상상력을 통해 변두리 삶과 정서의 비애와 우수를 재인식하게 하는 것이다.

그의 첫 소설집 《경찰서여, 안녕》에 수록된 소설들을 읽다 보면 그런 생각들이 자연스럽게 배어든다. 가령 표제작이자 등단작인 〈경찰서여, 안녕〉, 〈많이많이 축하드려유〉 등은 내용이나 형식 양면에서 혼돈 속의 질서 혹은 카오스모스의 문학적 실천의 구체적 가능태를 예감케 한다. 일찍이 최수철이 비유했던 대로 '말〔馬〕처럼 뛰는 말〔言〕'들의 문학적 화행을 보는 느낌마저 든다. 랑그에서 마음껏 일탈한 희화적 파롤들의 범상치 않은 말 잔치라고나 할까. 비교적 초기작에 속하는 예의 작품들에 비해 〈모내기 블루스〉는 다소 긴장이 완화된 느낌을 주기도 하지만, 어쨌든 김종광 소설의 특성을 헤아리게 하는 데는 부족함이 없다.

〈모내기 블루스〉는 집 나갔던 아들 대춘이 모내기 철에 맞추어 술집 여자 서해를 데리고 집에 와 모심기를 하는 이틀 동안에 벌어진 이런저런 이야기들을 짜맞춘 소설이다. 비교적 자유로운 시점 조작을 통해 각각의 서사 상황에서 개별 인물들의 말과 행위와 생각을 능청맞게 혹은 의뭉스럽게 묘출하고 있다. 시종 희극적인 어조와 말놀음으로 소설이 진행되지만, 사실 그 안에는 이중성의 긴장이 개재되어 단순한 농짓거리에서 훌쩍 벗어난 이야기임을 알게 한다.

그렇다면 이중성의 긴장이란 무엇인가. 가장 두드러지는 것은 대춘의 부모(양규 · 순이)가 서해를 대하는 태도다. 양규와 순이는 아들을 따라 도회지에서 들어온 서해가 며느리가 될 것인가 그렇지 않을 것인가, 혹은 며느리로 받아들여도 좋은가 그렇지 않은가 하는 이중적 양가 감정을 단속적으로 보인다. 서해를 보는 의식에서 평가, 말투에 이르기까지 둘은 상반된 감정과 의식의 반복적 순환을 보이고 있어 긴장을 자아낸다.

대춘과 서해의 관계에서도 마찬가지다. 둘은 '암수 서로 정다운 짐승으로 씩씩거리'는 사이면서도 서로 어긋나는 말로 갈등을 연기한다. 예컨대 이런 식이다. "아따 그년, 네가 무슨 일을 할 수 있겄다고 지랄여. 네가 이제까지 해온 일이 뭐여? 코스 밟아가면서 술잔 물잔 나른 것밖에 더 있어? 농사가 뭔지나 알구 풍신을 떨어쌌냐?", "오빠, 말을 왜 그 따위로 해? 그럼 나를 왜 데리고 왔어?", "야 년아, 내가 데리고 왔냐? 네가 따라왔지." (중략) "씨발, 이 사기꾼 새끼!" 이 밖에도 농사일을 본격적으로 해볼 것인가 어쩔 것인가를 갈등하는 대춘의 내면을 비롯해 이중성의 긴장을 자아내는 요소들은 많다.

그런 가운데 모내기는 진행되고, 서해는 웃지 못할 시행착오를 범하기도 하지만 그런대로 모내기 일에 동참하게 된다. 그러한 과정에서 서로의 마음들이 자연스럽게 섞이게 되고, 이중성의 긴장은 희극적 웃음의 이면으로 뒷걸음질친다. 그 과정이란 곧 농부(양규 · 순이)의 언어와 건달(대춘)의 언어, 호스티스(서해)의 언어가 얽히고 설키면서 혼성 화음을 연출하는 서사 과정이기도 하다. 이질 혼성적인 언어와 정서가 뒤섞이면서 흥이 북돋워지고 이내 흥청거리는 놀이판이 벌어지니 곧 '모내기 블루스'의 현장이다.

양규는 흥이 나도 단단히 난 불콰한 얼굴로 젓가락으로 막걸리병을 때리며 장단을 맞추고, 순이는 전국노래자랑풍으로 어깨를 덩실덩실거리고 있었다. 흙원숭이 꼴을 해가지고서는 낭랑한 목소리를 들판으로 퍼뜨리고 있던 서해는 대춘에게 손을 턱 내밀었다.

"야, 숭허게 뭐하자는 짓거리여!"

큰소리를 쳐보긴 했으나 어쩌다 보니 블루스 스텝을 밟고 있었다. 농로 위에 잘 벌어진 한 판은 어둑어둑해질 때까지 들판을 흥청거리게 했다.

이 신명나는 흥의 정체는 무엇일까. 서둘러 말하자면 아직도 여전히 고단한 삶을 면치 못하는 우리 시대 주변인들의 한(恨)의 일시적 승화가 아닐까 싶다. 언어와 정서 등 여러 측면에서 이질 혼성적인 변두리 주변인들이지만, 그럼에도 심층의 변두리 정서를 공유하고 있기에 그 같은 흥으로 일시적이나마 승화될 수 있었을 것으로 보인다.

예컨대 이런 흥청거림 뒤안에 가려진 그림자로 이런 대립항을 떠올려볼 수 있겠다. "21세기는 가는 놈들이 가는 거구, 우리 같은 놈들은 죽기 전에 19세기를 면할라나도 물러."

작가 김종광이 희극적 상상력의 이면에 슬며시 숨겨놓은 이 같은 우수와 비애, 혹은 한의 그림자를 확인하면서 독자들은 새삼 긴장하게 된다. 그냥 웃고 즐길 일이 결코 아니기 때문이다. 변두리 정서와 현실을 그리되, 눅진하게 그리지 않고 흥청거리는 말놀음 내지 민중 본연의 신명기를 바탕으로 희극적으로 형상화하면서도, 마냥 신명나게 흥만을 지필 수 없는 변두리 현실에 대해 거듭 숙고케 하는 것, 바로 이것이 김종광 소설의 기본 문법이다. 〈모내기 블루스〉 또한 그러하다.

현 대 문 학 교 수 3 5 0 명 이 뽑 은

푸른 미로

김 채 원

- 1968년 이화여대 회화과 졸업.
- 1975년 〈밤인사〉로 《현대문학지》에 등단.
- 작품집으로 《먼집 · 먼바다》, 《초록빛 모자》,
- 《봄의 幻》, 《달의 몰락》 등이 있음.
- 1989년 이상문학상 수상.

김채원

푸른 미로

미로의 그림은 빨강 노랑 파랑색들이 칠해진 면 위에 자유스런 가는 곡선들이 지나간다. 선들은 자유분방하게 혹은 천진난만하게 그려져 있다. 음률처럼.

미로의 그림은 회화라기보다 음률에 가까운 것 같다. 그에 비해 클레의 그림은 시적인 걸까. 클레 내면의 일기를 들여다보는 느낌을 준다.

이것은 어디까지나 나의 생각이지만 어디선가 미로나 클레의 그림에 대한 해설을 읽었는지 모르겠다. 읽었던 것이 내 마음 속에 들어와 있었는지 모르겠다. 그러니까 음률이라든가 시적인 영상이란 순전히 내 속에서의 느낌은 아닐 수 있겠다.

그러나 지금 그것은 그리 중요하지 않다. 나는 미로(迷路)에 대해 생각을 했으며 그러자 화가 미로가 생각난 것뿐이다. 정작 미로(迷路)의 그림이 미로와 어떤 연관이 있는 것같이도 느껴진다.

미로의 그림을 얘기하면서 클레를 생각해낸 것은 미로의 그림이 음률인 데 반해 시적이라는 얘기를 한 것이지만 그보다는 클레의 그림 속에 들어 있는 화살표(→) 때문이 아닐까 생각된다. 클레의 그림 속에는 (→)가 많이 들어 있다. 분명 그런 그림을 여러 점 보았다. 미로 속을 헤매일 때 우리가 원하는 것은 화살표일 것이다. 그 출구를 찾기 위해 사람들은 고물고물 움직이고 있는 것일까. 아니면 그냥 이 세계 안에서 고물고물 움직이며 살고 있는 것일까. 마치 개미처럼. 산에 올라가서 개미집 옆에서 개미들을 보고 있을 때와 비슷하지 않을까. 이 세계 속에서의 사람들 생활이…….

버스를 타고 바깥을 내다보고 있으면 거리는 꼭 컴퓨터 오락기 화면 같다. 사람들도 자동차도 빌딩도 모두 오락기 속에 들어 있는 것 같다. 어느 것 하나 정말인 것이 없는 것 같다. 그럴 때 문득 버스 옆 좌석에 앉은 사람에게 눈을 돌려 그 늙수그레한 여름 점퍼 차림의 사람이 돌연 주머니 속에서 신문지에 싼 솔잎을 꺼내어 고개를 수그리고 몇 잎 씹어먹는 것을 보면 머리에 혼란이 오기도 한다.

눈을 다시 뜨고 바깥을 내다보고 있으면 이번에는 거리가 땅 속 세상처럼 보인다. 어릴 때 그런 만화를 본 적이 있다. 땅 속으로 난 구멍을 통해 땅 속에도 이 세상과 똑같은 세상이 전개되고 있는 것을 본 적이 있다. 바닷속에도 이 세상과 똑같은 세상이 있고 땅 속에도 이 세상과 똑같은 세상이 있을 거라고 어린이들은 막연한 추측을 하며 크는 것 같다. 그런데 이 세상이 도대체 무엇이라고 땅 속의 세상, 물 속의 세상마저 생각하는가. 이 세상이 불변의 확고한 세상이란 믿음 때문일까. 이 세상은 정말 있는 것일까. 이 세상은 정말인 세상이고 정말이 아닌 세상, 이 세상을 닮은 세상이 땅 속에도 물 속에도 있다는 얘기인가.

* * *

나는 버스에서 내려 법원을 향해 걸어갔다. 넓은 아스팔트 길 끝은 막혀 있고 양 옆으로 얕은 담과 그 안에 거대한 건물들이 세워져 있었다. 담 안에 여러 동의 건물이 있는 것 같았다. 나는 조금 망설이다가 우선 왼쪽 정문을 택하여 그쪽으로 걸어갔다. 초여름인데도 커다란 플라타너스 잎사귀가 떨어져 보도 위에 굴러 있었다. 말라서 낙엽 빛깔을 띠고 있는 것도 있었다. 나는 잎사귀들을 밟으며 걸어갔다. 길 양쪽에 차들이 가득 주차해 있었다. 막다른 길 저편은 양쪽 건물의 담 안일 것이지만 숲이나 산이 가까이 있다는 느낌이 들었다.

나는 경비실 앞에 서 있는 경비원에게 물었다. 경비원은 다른 편 쪽을 턱으로 가리켰다. 그러니까 내가 가고자 하는 지방법원은 길 건너 오른쪽 담 안에 있는 건물이었다. 50%의 확률이었는데 잘못 짚은 것이었다. 그러나 그것은 내 생활의 룰이기도 했다. 언제나 아닐 듯한 쪽으로 먼저 짚어 보는 것. 나는 길을 건너 오른쪽 경비실로 가서 다시 물었다. 경비원이 안으로 들어가라고 고개를 끄덕였다. 풀밭을 끼고 아스팔트 길을 걸어가다가 그곳에 서서 법원 안으로 들어오는 차들을 교통정리하고 있는 경비원에게 또다시 물었다. 경비원은 고개조차 돌리지 않고 흰 면장갑을 낀 손으로 안쪽을 가리켰다.

단 한 발짝도 허툴게 소모하고 싶지 않은 이상한 심리가 내게 있었다. 이것은 모순이었다. 이상하게 확률이 없는 쪽부터 가보는 것과 한 발짝도 허툴게 소모하고 싶지 않은 것과는…….

그것은 단 1%라도 건질 것에 대한 대비인지 몰랐다. 아니라고 버려버리려는 것보다 그 속에서 혹시 조그만 무엇이라도 건져서 확인해 보려는 심리인지 몰랐다.

인생에 있어 우리가 결국 취하는 것은 1% 정도밖에 안 될지도 모르는데 오히려 1%도 놓치지 않으려 한다니 무슨 역심리 작용일까, 이런 생각을 하며 나는 걸어갔다.

건물에 오른쪽 현관 왼쪽 현관이 있으며 그 중에서 왼쪽 현관으로 들어가야 한다고 어제 변호사가 일러준 말이 떠올랐다. 나는 왼쪽 현관이 있는 곳으로 갔다. 지방법원이라고 쓴 화살표가 보였다. 그 화살표를 따라 건물로 들어갔다. 그곳 안내원에게 물었다. 그리고 엘리베이터 앞에서 또 물었다. 3층에 가려면 엘리베이터 대신 계단으로 걸어 올라가야 한다는 대답이었다. 나는 계단이 어디 있는가 물었고 안내원이 가르쳐준 대로 바로 건너다보이는 곳에 있는 계단을 오르기 시작했다.

2층에 이르자 계단이 없어져 버렸다. 복도를 걸어다니며 3층으로 올라가는 계단을 찾으니 그곳에 마침 계단이 있었다. 공항에 몸을 수색하도록 장치된 문이 있듯 계단 앞에 특수한 문이 있었다. 나는 그 문 앞에 한동안 서 있었다. 그 문을 지나 계단을 오르는 사람이 한 사람도 없었기 때문이다. 그렇다고 달리 계단이 있는 것 같지도 않았다. 마침 그 앞을 지나는 방망이를 든 제복의 사람에게 3층으로 가는 길을 물어 보았다. 그 사람은 말없이 그 문을 가리켰다.

나는 잠시 망설이다가 몸을 수색하는 장치가 있는 그 문을 통과하여 계단을 올랐다. 계단 한쪽에 파이프 오르간 같은 기다란 쇠기둥 여러 개가 어디에선가부터 솟아올라 있었다. 그 쇠기둥이 한 번 그곳으로 들어가면 다시는 나오지 못할 것 같은 특이한 분위기를 조성하였다. 그 거대한 건물에 계단을 오르는 사람이 나밖에 없는 것이 몹시 이상하였다.

계단을 다 올라 3층에 이르렀는데 그곳 역시 아무도 없었다. 좁은 복도에 방문이 칸칸이 나 있었다. 아주 조용한 곳이었다. 방마다 번호표가 붙어 있었다. 나는 방문 위에 붙은 번호표를 보며 걸었다. 그 방들은 어딘가 임시로 지은 가교실처럼 느껴졌다. 강당같이 큰 홀을 수십 개의 방으로 칸막이 세워 개조해 놓은 듯 보였다. 그런 생각은 내 무의식 속에 있었고 나는 그저 아무 생각 없이 방을 찾기에 열중했다. 그러고 있노라니 익숙하게 반복되는 어떤 리듬을 느낄 수 있었다. 이렇게 무엇인가를 찾는 일, 어딘가를 헤매는 일은 아주 익숙한 내 생활의 리듬이었다.

며칠 전 나는 강남에 있는 ㅎ백화점에 갔었다. 그 백화점 상품권이 있었기 때문이다. 나는 그곳에서 몇 가지 물건을 샀다. 세일 기간이 아니어서 물건이 풍성하지 않았다. 아니, 물건은 많았지만 세일이 아니면 물건이 없다는 인상을 갖게 된다. 백화점 지하 2층에 가니 그곳에는 따로이 매장을 별여 놓고 세일을 하고 있었다. 그곳에서 몇 가지 물건을 산 후 집으로 돌아오려고 엘리베이터를 탔다. 에스컬레이터를 타고 싶었지만 눈에 띄지 않았다. 지하도로 연결되어 있는 문을 찾았는데 어떻게 된 것인지 잘못 땅 위로 나와 있었다. 많은 백화점 버스들이 서 있는 어수선한 곳이었다. 남자 안내원에게 방향을 물어 보았다. 그런데 그들은 안내원이 아니라 운전사였다. 출발 시간이 되자 그들이 운전석에 앉아 운전대를 잡았다. 어느 버스가 강북 쪽을 향해 가는가 나는 물었다. 그 많은 버스 중에 그런 버스는 없었다. 물론 강북으로 가는 버스가 있기를 기대한 것은 아니었다. 다만 이 버스를 타고 어디까지 가서 내리면 거기서 강북 가는 버스를 타기 쉽습니다,와 같은 친절한 대답을 듣기 원한 것뿐이었다. 이즈음 백화점 사람들은 턱없이 절을 하며 친절하기만 한 때문이었다.

나는 묻기를 그만두고 아무 방향의 버스나 탔다. 시내버스가 다니는 큰 거리에서 내릴 생각이었다. 버스는 많고 금방금방 출발하였다. 내가 탄 버스는 바퀴를 굴리며 굴러갔다. 그런데 시내버스 정류장을 살필 겨를도 없이 백화점 버스는 신호등 몇 개를 지나쳐 곧 아파트 단지 속으로 들어갔다. 아파트 단지 안이 또 하나의 세상이었다. 13동 앞입니다. 110동 앞입니다. 605동 앞입니다. 동사무소 앞입니다. 우체국 앞입니다. 경찰서 앞입니다. 아무리 가도 아파트 단지 속이었다. 강원도에 가보았을 때 가도 가도 산이고 또 산이고 또 산이던 것과 느낌이 비슷했다. 그러나 산의 곡선과 달리 끝없는 직선과 직각의 세계였다. 나는 내릴 곳 살피기를 그만두고 그냥 앉아서 밖을 내다보았다. 간혹 중·고등학생이나 대학생으로 보이는 아이들이 주부인 듯 보이는 중년 여자들에게 엄마 나 학원 다녀올게,라든가 이따가 봐,라든가 간다,라고 말하며 내렸다. 주부와 아이가 함께 쇼핑을 하고 제각기 집으로 학원으로 친구 집으로 가는 모양이었다. 핸드폰으로 연락하여 백화점 안 식당가에서 무엇을 먹었는지도 모르겠다. 여기저기서 핸드폰 소리가 심심치 않게 울렸다. 정거장마다 물건을 사러 가는 아파트 사람들이 새록새록 올라탔다. 그들은 백화점 주인이기도 한 재벌회사가 지은 아파트 단지에 살면서 ㅎ백화점 버스가 운영하는 버스를 타고 거의 그 안에서만으로도 의식주가 해결되고 있는 것 같았다. 그곳은 도시 속의 요새처럼 보였다. 나는 집으로 가고 싶은데 갈 방법을 몰랐다. 그러나 그에 대해 두려움은 전혀 없었다. 밤늦은 시각도 아니고 한국말을 아는 이상 어떻게든 집으로 갈 수 있을 것이었다. 이 버스를 타고 다시 ㅎ백화점까지 돌아가 지하철이나 정 힘이 들면 택시를 타면 되는 것이다. 나는 다시 출발점인 ㅎ백화점으로 돌아왔고 물건을 사러 온 ㅎ아파트 사람들과 함께 내렸다.

그리고 나서 며칠 후 나는 또 비슷한 경험을 하였다.

나는 공항에 누군가를 바래다 주고 돌아오고 있었다. 미국의 한 영화 감독은 공항 분위기가 제일 자신의 기분에 맞는다고 말했다고 한다. 그 얘기를 전해 듣고 나는 내심 감탄하였다. 나 역시 그렇기 때문이다. 공항의 불빛과 음식, 깨끗함, 그리고 이별이나 만남 등 어쩐지 공항에서 되도록 오래 머물고 싶다는 기분을 늘상 가져왔기 때문이다. 어딘가 여행이라도 다녀올 때면 나는 오랫동안 공항 로비 의자에 앉아 있곤 했다. 간혹 청소하는 아주머니들이 걸레질할 때면 트렁크를 옮겨 놓고 다리를 들어주기도 하면서.

무엇이든 자신의 기분이나 생각, 느낌을 그대로 말하면 되는 것이구나라는 생각도 새삼스레 갖게 되었다. 공항의 분위기가 자신에게 맞는다,라는 말은 누가 알아들을 것 같지 않은 아주 개인적인 말이다. 그런 기분은 자기만의 것인 듯하여 아예 말로 표현조차 하지 않고 산다. 그런데 먼 동양의 한 사람이 그 말을 감탄하듯 알아들은 것이다. 그것을 보면 느낀 그대로 표현만 하면 어디에선가는 공감을 얻는다는 확신이 들었다. 이런 것을 누가 이해할까라고 두려워할 필요는 없을 것이다. 나는 그 말을 들은 것이 기쁘고 어쩐지 고무되는 듯했다. 아주 개인적인 사소한 것이더라도 자기의 느낌을 그대로 정직하게 말하면 되는구나 하고.

그날 나는 로비에 오랫동안 앉아 있었다. 그러고는 집으로 돌아오기 위해 청사 밖으로 나왔다. 청사 바로 앞으로 여러 방향의 버스들이 지나갔다. 공항 청사 안까지 공항버스 이외의 시내 버스도 들어오기 시작했는가. 나는 청사 앞 버스 정류소에서 아무 버스나 탔다. 어떤 버스이든 시내 쪽으로 들어갈 것이고 적당한 곳에서 내려 갈아 탈 생각이었다.

버스는 한참을 달렸다. 그런데 달릴수록 낯선 곳이 나왔다. 점점 서울을 벗어나고 있다는 느낌이 들었다. 옆 좌석 사람에게 물을 수도 있겠으나 묻게 되지 않았다. 버스 종점까지 가보자는 생각이었다. 일단 종점까지 갈 생각으로 있다가 혹시 눈에 익은 곳이 나타나면 중간에서 내릴 생각이었다. 버스는 오랫동안 달렸고 점점 외진 곳으로 들어갔다. 결국 버스 안에 나만 남았고, 그리고 종점이었다. 그냥 앉아 있으면 다시 공항으로 갈 터이니까 그대로 앉아 있고 싶었으나 운전사가 내리라고 말했다. 나는 내려서 맨 앞쪽에 서 있는 버스를 탔다. 차창 앞에 '신촌'이라고 크게 써붙여 놓은 팻말이 보였으므로 안심하였다. 버스가 움직였다. 차창으로 비행기가 한 대 떠가는 것이 아주 가까이 보였다. 오는 동안에도 밖을 내다볼 때마다 비행기가 가까이 보였다. 비행기는 혼자서 외롭게 떠갔다. 거리가 가까웠음에도 그 크기가 의외로 작았다. 하늘에 떠 있는 해가 의외로 작듯이. 하늘에 걸린 해를 볼 때면 어쩐지 장난치고 있구나 하는 기분이 드는 것은 그 크기가 의외에도 손바닥만큼 작기 때문일 것이다.

그러나 크기 때문이 아니었다. 눈을 줄 때마다 잡혀드는 비행기에는 어떤 특이한 느낌이 배어 있었다. 비행기가 그 많은 짐짝과 사람을 싣고 떠가는 것이 몹시 수고스러워 보였다.

나는 버스에 앉아 비행기를 바라보았다. 김포공항에서 10분

만에 한 대씩 뜰까? 눈을 줄 때마다 비행기가 그물에 잡힌 고기처럼 걸려드는 것은 그 때문일까. 버스는 계속해서 달렸고 차창으로 보이는 하늘은 어느새 빌딩으로 가려져 있었다. 또한 비행기도 이제 점점 높이 떠 정상궤도로 날 것이다. 이제는 밖으로 눈을 주어도 비행기는 보이지 않았다.

신촌이라고 써붙인 버스는 시내로 들어오는 듯하더니 대아파트 단지 속으로 들어갔다. "가양 1단지입니다. 다음 정류장은 가양 2단지입니다.", "가양 2단지입니다. 다음 정류장은 가양 3단지입니다." 버스에 붙은 자동 테이프가 정류장마다 한없이 계속해서 이렇게 말했다.

생각해 보라. 한 정거 내내 아파트 단지여도 이상할 텐데 한 정거 두 정거 세 정거 네 정거 이렇게 아홉 정거까지 아파트 숲이었다. 가도 가도 가도 가도 아파트는 끝나지 않았다. 끝없는 직각과 직선의 세계. 어떻게 이렇게도 많은 아파트가 모여 있는 곳이 있을 수 있는가. 간혹 정거장 앞에 아이를 데리고 나와 서 있는 임산부의 모습이 보이기도 하고 아파트 앞 벤치에 나와서 부채를 부치며 앉아 있는 노인의 모습도 보였다. 팔이 가느다랗고 허리가 개미만큼 잘록한 흰 노타이 차림의 피곤해 보이는 작은 남자 모습, 버스를 타려고 뛰어오는 여고생, 유모차를 밀고 시장을 보아오는 주부의 모습이 보였다. 어디로 눈을 돌려도 매우 서민적인 모습이었다.

혹시 이곳이 영등포일까. 영등포에 공장지대가 있다고 들었는데 그 공장 사람들이 사는 대아파트 단지일까. 이곳에 사는 사람들은 공장에서 일하고 가정을 이룬 이곳으로 돌아와 밥 먹고 잠을 자는가. 그리고 아침이면 다시 공장에 일하러 가는가. 어마어마한 이 숫자, 공장을 중심으로 이룬 소왕국. 도시 속의 완벽한 요새.

버스는 한없이 낯선 곳을 달려갔다. 그러나 신촌이란 팻말을 버스 앞에 붙여 놓은 이상 신촌까지 안 갈 리 없다는 생각이 나를 안심시켰다. 나는 단지 공항에서 집으로 돌아가고자 했을 뿐인데 무엇이 이렇게 헷갈리고 힘들게 만드는 걸까.

그러나 이런 일이 어제 오늘의 일이 아니었기에 나는 마음놓고 앉아 있었다. 이곳이 한국 땅이고 언어를 알고 있는 이상 집으로 못 돌아갈 리 없는 것이다.

차창 밖에 어느새 조금씩 익숙한 풍경이 보이더니 드디어 연대 세브란스 앞을 지나가고 있었다. 나는 지체없이 내렸다. 땅 속 세상 물 속 세상을 다녀온 느낌이었다. 아니, 바라보고 있는 거리 자체가 땅 속이나 물 속 세상이었다. 그런데 이 세상이 무어라고 또 땅 속이나 물 속 세상까지를 생각해 보는가.

나는 복도를 걸어갔다. 복도 저켠에 얼굴이 새까맣게 그을리고 바싹 마른 사람이 방문에 붙은 방 번호를 살피며 오고 있었다. 흐린 비둘기색 바지에 무색 노타이를 입고 너무 열심히 보느라고 목을 있는 대로 빼고 있었다.

나는 반가웠다. 단 한 사람이라도 사람이 있다는 것이 적이 안도되었다. 그 사람 역시 아무도 없는 곳에서 사람을 만나 반가울 거라는 생각이 들었다. 그러나 그는 내게 일별도 주지 않고 방 번호만 살피며 순식간에 지나쳐 갔다. 뒤돌아보니 그는 죽 그런 자세로 가다가 복도 저편으로 사라졌다. 이렇게 아무도 없는 곳을 계속 가야 할지 다시 계단을 찾아 내려가야 할지 망설여졌다.

조금 열려 있는 문이 있어 지나가며 들여다보니 의외로 많은 사람들이 조용히 책상 앞에 앉아 있는 것이 보였다. 법원 사무실인가, 이 칸칸이 방마다 사무를 보고 있는가. 나는 고개를 조금 내밀고 319호 법정이 어딘지 물었다.

"죄송합니다만 319호 법정이 어딘가요?"

흰 반소매 와이셔츠를 깨끗이 입은 사람이 사무실 한쪽에 놓인 응접용 가죽의자에 앉아서 이쪽을 의아하게 쳐다보았다. 그는 마지못해 오른쪽으로 돌아가라고 말했다. 그의 태도로 보아 혹시 검사가 아닌가 생각되었다. 바로 오늘 319호실 사건을 맡은 검사가 아닐까 생각하며 오른쪽 복도로 돌아가자 사람들이 있는, 머릿속에서 상상하던 그런 법정의 복도가 나타났다. 그러고 보면 내가 더듬은 곳은 어딘가 뒤쪽, 이면인 모양이었다. 늘 보던 음식점을 뒤쪽으로 돌아가서 보았을 때 아주 낯설고 협소하고 이상한 골목이듯 그런 곳에서 헤매었는가 보았다.

복도로 죽 걸어가자 319호실이 있었다. 나는 그 앞에 놓인 벤치식 의자에 우선 앉았다. 시간은 아직 일렀다. 재판이 열리는 열한시까지는 20여 분 남아 있었다.

사람들이 지나갔다. 그들은 방금 재판을 끝내고 나오는 길인지 기쁨에 넘쳐 있었다. 의외로 좋은 판결을 받았는가 보았다. 어떤 사람은 몹시 우울한 낯색으로 지나갔다. 오랫동안 법원에 드나들며 재판을 받고 있는 듯한 뒤숭숭한 모습의 사람들도 보였다. 살아오면서 무심히 들은 얘기들이 여기저기서 실처럼 연결되었다. 집 문제, 땅 문제 때문에 몇 년째 법원에 드나들고 있다는 사람, 그 사람은 그저 조용히 고개 숙이고 판사가 뭐라 하면 네, 아니오,만 대답하고 돌아오기를 3년째라고 했다. 또 한 친구는 피고인의 가증스러움에 울화가 치밀어 따지다가 퇴장시키겠다는 주의를 받았다고 했다. 바로 그런 사람들과 그 가족들이 이 복도를 지나가고 있을 것이었다. 그러나 그런 것은 민사소송이고 지금 이곳 319호 법정은 형사소송인 것이다.

아주 익숙하게 자판기에서 커피를 뽑아 마시고 창문을 열었다 닫았다, 신문을 폈다 접었다 하는 사람도 있었다. 열한시 가까이 되어도 아무도 나타나지 않았으므로 나는 일어나서 문에 붙어 있는 319호라는 숫자를 다시 확인하였다. 지나가는 사람에게 이곳서 열리는 재판을 어떻게 확인할 수 있는가 물었더니 복도 벽에 붙은 게시판을 가리켰다. 그곳에 가서 보니 정우일이라는 그의 이름이 써 있었다. 나는 안도하고 다시 벤치식 의자에 와 앉았다. 바로 비스듬한 각도로 남녀 화장실이 있었기 때문에 사람들은 휙휙 바람을 일으키며 그곳을 향해 내 앞을 오고 갔다.

어제 국선 변호사는 내게 30분쯤 먼저 나와 증인으로서 할 얘기들을 다시 정리하자고 했다. 결혼을 하여 이제 막 태어난 딸을 가진 예릿한 용모의 젊은이였다. 국선 변호사는 술은 못 마신다며 아이스크림이 든 음료를 시켰는데 좁고 긴 부채꼴 모양의 유리컵에 음료는 조금, 아이스크림과 과일, 종이로 만든 장식 우산이 산처럼 높이 솟아 있는 그런 마실 것이 나왔다. 나는 맥주를 마시며 그에게서 받은 질문지를 검토해 나갔다.

질문지를 검토해 나가고 있는 동안 정우일의 형이 땀을 뻘뻘 흘리며 서류를 한 장 해가지고 왔다. 그러나 그 서류가 미비하여 다시 해와야 한다고 변호사가 말했다. 형은 서류 하나를 카피하기 위해 밖에 나갔다가 다시 돌아왔다. 형과 변호사가 핸드폰을 번갈아 바꿔가며 어딘가에 통화했다. 형은 그 길로 다른 서류를 만들기 위해 지방에 내려가야 한다고 했다.

그렇게 바로 어제, 오늘을 약속하고 헤어졌건만 아직 아무도 나타나지 않고 있다. 나는 복도 한 켠에 있는 공중전화로 가서 변호사의 핸드폰 번호를 눌렀다. 변호사는 매우 미안하다고 말했다. 지금 늦어서 택시를 타고 달려가고 있는 중이며 거의 다 왔다고 말했다. 전화를 끊고 다시 아까의 자리에 와서 앉자 어제 보았던 정우일의 형이 다른 형제들과 어머니와 함께 나타났다.

재판이 시작되었다. 나는 증인석을 눈여겨보아 두었다. 왼쪽 앞자리 책상에 앉은 사람이 내게 이름, 주소, 주민등록번호를 쓰라고 말했다. 나는 책상 앞에 나가서 그런 것을 썼다.

정우일이 교도관과 함께 들어와서 피고인석에 섰다. 검사와 변호사는 어느새인가 들어와 양쪽 벽면에 놓인 책상에 서로 마주보고 앉아 있었다. 판사가 입장하니 모두 기립하라고 했고 가족들과 몇 명의 방청객이 일어서자 세 명의 판사가 법복을 입고 펭귄처럼 나타나 높은 단 위에 앉았다. 따라서 피고인과 검사 변호사 방청석 사람들도 앉았다. 판사와 검사와 변호사가 몇 마디 형식적인 말을 주고받더니 곧 증인을 불렀다.

증인의 차례가 이렇게 빨리 올 줄 몰랐다. 나는 증인석에 나가 섰고, 내 앞에 놓인 선서를 읽으라는 요청에 따라 마이크에 대고 읽었다. 거짓 없이 증언을 하겠다는 내용 같았지만 단 한 구절도 내 귀에 들어오지 않았다.

내가 자리에 앉자 판사가 단 위에서 거짓말을 하면 위증죄에 걸릴 수 있다고 말했다. 판사가 그렇게 다짐하지 않아도 나는 진실만을 말할 셈이었다. 다만 진실이란 문제에 대해 어려움을 느끼고 있을 뿐이었다. 나는 네 혹은 아니오라고 대답을 해나갔다. 그렇게 답해 가는 동안 정우일의 모습이 환히 떠올랐다.

—피고인의 모습이 지금 제게 환히 떠오릅니다. 초등학교 어두운 복도에서 가방을 어깨에 메고 서 있는, 눈이 초롱하게 빛나는 모습으로요. 그 어두운 복도에서도 눈의 빛남이 보였습니다. 아니, 복도가 어두웠으니까 더욱 그 눈동자가 보였을 테지요. 저는 초등학교 미술 선생으로 그 아이의 담임을 맡고 있었습니다. 한 학기 정도 같이 지냈지요. 그 아이가 어디에선가 전학을 왔다가 다시 어디론가 전학을 갔던 걸로 기억됩니다. 그후 20여 년이 지나 20대 후반이 된 젊은이로서 내게 전화를 걸어

왔지요. 뭐라 할까 자기를 한없이 낮추는, 한없이 물러나고 자기를 반기지 않으리라는 것을 미리 아는 몸짓으로요. 그렇게 미리 물러서는 몸짓을 하는 거기에 이끌려 나는 차츰 귀를 기울여 그가 하는 말들을 들어보기 시작했습니다. 초등학교 때 초롱히 빛나던 눈동자 그대로 그의 말에 우수함이 있었어요. 그는 일류대학을 나왔고 컴퓨터를 전공했으며 정부기관에 2년 근무하다가 그만두었고, 지금은 만화를 그리기도 하고 어딘가에 가서 누드 모델이나 사진 모델을 서 주기도 하고 바디 페인팅이라는 걸 하기도 하며 지내고 있다고 했습니다. 나는 그가 좋은 직장을 그만두고 그렇게 일정하고 확고한 직업 없이 생활하는 것을 못내 아쉬워했습니다. 왜 좀더 견고하게 살지 않는가 나무랐지요. 직장 생활은 자기에게 안 맞으며 직장이 자기를 키워주려 하지 않았다고 했습니다.

그가 한 얘기를 떠오르는 대로 두서없이 하자면, 왜냐하면 그의 얘기, 즉 그의 생각이 그를 어떤 사람이라고 알 수 있게 해주는 일일 테니까요. 재판에 도움이 되리라 생각됩니다.

그는 햄스터라는 흰 쥐를 기르고 있다고 했습니다.

"쥐를 기른다고?"

"흰 쥐 있잖아요. 왜 초등학교 앞에서 많이 팔지요. 애들이 많이 사가지요."

"어떻게 쥐를 다 기를 수 있는지 감이 잘 안 잡힌다."

"가만히 들여다보고 있으면 이뻐요. 눈망울이랑, 그 쥐를 보면 몇천 년 후에는 이 쥐가 인간처럼 되어 있지 않을 리도 없다,

이런 생각을 하게 돼요. 손으로 먹는 것을 잡고 철봉에 매달리고 하는 것을 보면요. 독수리나 호랑이 이런 동물들은 지금도 실제 인간보다 몸의 기능은 더 우수하다고 할 수 있잖아요?"

독수리나 호랑이를 사람의 몸과 비교해 보는 자체에 나는 신선함을 느끼며 그런데 도대체 몇천 년 후까지도 지구는 존재하는 걸까 하고 생각하였지요(될 수 있는 한 제 생각은 빼겠습니다). 또 모든 것은 가만 놓아 두면 망가지고 부패하고 소멸되게 되어 있는데 그것이 이 우주의 법칙이라는 말도 하지요.

그의 말이라기보다 그도 어디선가 읽은 지식이겠지요. 영혼도 닦지 않으면 와해되게 되어 있다, 우리의 영혼이 살아남아 영원성을 띠기 위해서는 닦아야 한다, 이런 얘기도 하고요. 그의 말은 대체로 이렇게 쉽고 간결합니다. 저는 영혼을 닦아야 하는 게 바로 그런 이치구나 하고 깨닫지요. 닦지 않으면 현상 유지가 아니라 우주법칙에 의해 와해되어 버리는 것을 새로이 공감했지요. 정년퇴직을 할 사람들이 그제야말로 자기 마음껏 이제까지 못해본 것을 해보고 대마초도 피워 보고 할 것 같은데, 이제부터 마음껏 독서를 하겠다는 식의 계획을 세워 놓고 있는 것도 바로 와해를 막기 위한 본능이라고 그는 말하지요. 그 말을 듣고 우스워서 혼났습니다. 저 역시 정년퇴직을 한 이제부터 온갖 짓을 해보고 싶다는 숨은 마음을 갖고 있었으니까요. 그러나 영혼을 닦는 일이 그 와해를 막기 위한 본능이라는 데는 무언가 좀 안 맞는다고 느꼈습니다. 와해를 막기 위한 본능이라기보다 사람들은 저마다 갈망하고 있는 것이 있지 않을까요. 자기 존재

이유와도 같은. 자기에 대한 이해에 도달하고자 하는.

재미있는 장면 하나가 떠오릅니다. 어느 날 밤인가 피고인에게서 전화가 걸려왔지요. 지금 자신은 여장을 하고 화장도 하고 거울을 보며 술을 마시고 있다고 했습니다. 거울 속에 비치는 여자와 마주 앉아서 미소를 교환하기도 하고요. 그러니까 그 방 안에 어느새 두 사람의 남녀가 앉아 있게 된 셈이지요. 지금 이곳에 앉아 있는 자기는 익숙한 늘 그대로의 자기이고 거울 속에 보이는 여자는 타인인 여자이지요. 나는 그 말을 아주 재미있게 들었습니다. 아하, 참 그런 방법도 다 있구나 하고 말이지요. 프랑스 작가 장 콕토의 끝없는 탐미의 작품세계 같기도 했고요, 내가 보았던 수많은 아파트 단지가 떠오르기도 했습니다. 그 무수한 시멘트 숲 창 속에는 이 밤 각자 어떤 일들이 일어나고 있을까 하는 궁금증과 호기심 같은 것이지요. 방 안에 한 사람이 앉아 있어도 거울의 숫자에 따라 둘 셋으로 분열될 수 있지 않을까 하는 생각도 스쳐 지났습니다. 그러니까 평소 피상적으로 보았던 아파트 숲, 그 속 방 하나의 모습을 구체적으로 볼 수 있는 거지요. 무한대의 방을 가졌다는 인터넷도 떠올려 보았습니다. 또 얼핏 뇌사 상태에 빠진 사람의 육체와 머리는 성한데 몸이 마비가 된 사람을 접합하는 수술이 거의 성공 단계라는 얘기가 떠올랐습니다. 원숭이로는 이미 접합수술에 성공했다지요. 한 사람의 머리와 다른 사람의 몸이 함께 붙어 또 다른 한 사람이 된 그 이야기를 들었을 때의 기분과 어딘가 상통하는 데가 있었지요. 머리가 나인가, 몸이 나인가, 이쪽에 앉아 있는 내가 나인가, 거울 속에 비친 여장을 한 사람이 나인가. 어디에도 자기가 없다는 느낌, 나마저 타인과 같은 느낌, 그런 것일지요……. 그런 걸 거예요.

어린 시절에는 이 세계를 매우 생생하게 느낀 것 같았는데 그런 생생한 세계가 다 없어져 버리고 지금 눈앞에 펼쳐져 있는 세계는 도무지 정말 있는 건지 없는 건지 물 속 세상인지 땅 속 세상인지 잘 모르겠는 아무리 소리쳐봐도 어디에도 가서 기별도 닿지 않는, 솜방망이 같은 것이 뇌와 귓속에 들어박혀 있는 듯한……. 지금 나의 이 증언 역시 그 어디에도 가서 닿고 있지 않은 것을 느낍니다.

몇 가지 떠오르는 것을 더 얘기해 보겠습니다.

저는 오늘 20년 만에 교도관에 이끌려 들어온 장성한 피고인의 모습을 보았습니다. 그의 얼굴이 어떻게 변했는지 모르지만…… 왜인지 저는 그를 한 번도 만나진 못했습니다. 늘 전화로만 얘기했지요. 남편이 고혈압으로 쓰러진 후 외출이 자유롭지 못한 탓도 있겠으나 전화로 얘기하는 것이 습관처럼 되어 자연스런 형태로 자리잡았습니다. 그러니까 전화로만 얘기하는 것, 이것도 그 무수한 아파트 숲 창 속의 구체적인 한 모습일 거예요.

그는 교도관에게 이끌려 마치 소풍이라도 가는 걸음걸이로 들어와서 섰지요. 약간 작은, 그러나 균형 잡힌 몸매에 가무스름한 피부, 아 가족들이 나를 보겠고 또 20년 만에 옛 여선생님이 볼 텐데 하는 자의식이 잔뜩 배어 있는 걸음걸이였지요. 그가 감옥에서 보낸 편지 속에는, 감옥에서 몸이 야위면 보기 흉할 텐데…… 염려하는 구절이 있었어요. 저는 그 말에 웃음이 났습니다. 사실 감옥에서라도 그런 작은 일이 크게 문제시되기도 하는 것이지요. 그럴 때 바로 잊고 있던 '나'라는 것이 어디서부터인가 나타나는 것일까요?

그가 정부기관에 다니던 때 서울서 대전까지 통근을 했다는데 그때 기차가 작은 역을 그냥 통과할 때면 눈물이 핑 돌았다고 했습니다. 왜냐고 물으니 기차가 그 작은 역을 무시해버리는 것 같아서라고 말했습니다. 이런 순간 역시 잊고 있던 나라는 것이 어디서부턴가 나타나주는 것이겠지요.

그가 펴고 있는 '한자 혼용과 한글 세로쓰기', 이제 거기에 대해서 잠깐 말해볼까 합니다. 감옥에서 몸이 야위면 어떻게 하나, 그런 개인적이고 사소한 것에만 사로잡혀 있는 것이 아니라 거기에서부터 출발하여 보다 사회 쪽으로 확대시켜 나가는 모습을 볼 수 있기 때문입니다. 그는 한자 혼용과 한글 세로쓰기를 이른바 진보라고 말하고 있습니다. 사람들이 환경운동 시민운동 무슨 운동 해도 실지 그 구체성이 미약하나 이것만큼은 확실하고 힘있는 구체적인 방법이라고요. 우리 국민의 의식 수준, 삶의 질을 높이기 위해서는 이 두 가지 꼭 필요하다고 했습니다. 그는 거기에 대해 논문이나 칼럼을 써서 내게 보내기도 하고 잡지사 신문사에 보내 보기도 하는 모양입니다. 좋은 직장도 다 그만두고 그가 한결같이 생각하고 있는 것이 그런 문제인 것이 나는 좀 이해가 안 가 물어보곤 했지요.

"예 그러니까 그게, 아 참 며칠 전 신문에 보니까 몹시 반가운 소식이 있던데요. 컴퓨터 회사에서 세로쓰기 한글 컴퓨터를 개발하기로 했다고요. 결국 효용성에 따라 역시 세로쓰기가 필요해서 찾는 사람이 있다는 얘기겠지요. 한글은 조합 배열에 한계가 있어요. 이, 이, 이, 밤, 밤, 눈, 눈, 눈, 글자 하나만 놓고 보면 무언지 모르지 않아요. 앞뒤 문맥으로 알지요. 읽기 편리한 장점은 있지만 정보화 사회에서 안 맞는 거지요. 컴퓨터는 해상도가 높아야 해요. 섬세하잖아요. 한자로는 볼 견(見) 한 자여도 될 것이 이렇게 저렇게 한글로 문장이 줄줄이 늘어나게 되고 그러다 보니 그냥 글을 멍하게 읽게 되지요. 쉽기만 하니 자연히 느슨해진 머리로 어느새 국력은 약화될 수밖에 없어요. 아니, 이렇게 말해보는 것이 쉽겠네요. 내가 아는 청년 하나가 빼빼 말랐어요. 빵하고 우유만 먹고 다른 음식은 도통 안 먹는대요. 그러니까 몸이 왜소하고 마를 수밖에 없지요. 성인이란 김치두 먹구 나물두 먹구 된장 생선도 먹어야 하는데, 우리가 갓난쟁이 때는 엄마 젖이나 우유만 먹다가 이유식, 그러다가 점점 맵고 짠 것으로 그 영역을 넓혀 가지요. 그런데 그 청년은 아직 덜 자란 아이처럼 어릴 때 먹던 것만 그대로 먹고 있으니 입맛을 잃게 되고 그러니 그렇게 마르는 거지요. 짜고 매운 것을 먹어야 다른 것도 먹고 싶어지고 균형을 유지하는 건데 말이지요. 바로 이 원리와 같아요. 계속 쉬운 한글만 가지고 쓰고 있으면 맵고 짠 음식을 못 먹는 사람이 되는 것과 마찬가지지요.

컴퓨터라는 것은 진보문화요 개방적인 것인데 한자 혼용, 한글 세로쓰기라고 하면 유교사상이나 할아버지, 고리타분, 이런 것을 연상하지만 결코 아니에요. 컴퓨터 시대에 맞는 글이 고해상도인 한자 혼용이라는 것을 모르는 거예요. 겨우 힘들여 한글 전용을 만들어 놓았는데 그 현실을 깨뜨리려는 얘기로 받아들여서 배척하지요. 젊은층에서는 상업적인 면으로 분리되기도 하구요. 오직 상업적으로 길들여져서 잘 따르기만 하면 모든 것이 OK이니까요."

이런 얘기들을 듣게 되지요. 한글 세로쓰기도 같은 맥락에서, 가로쓰기는 헤벌어져 책의 부피만 많이 만든다구요. 책의 맛은 세로쓰기라고요. 그런데 그것이 무엇이 그렇게 너 자신에 관련된 절실한 문제인가 왜 전화를 할 때마다 하고 또 하는가, 마치 이데올로기 문제로 목숨을 내놓듯 고투하는 사람을 보면 대단해 보이면서도 어딘가 공감이 안 가는 것과 저는 같은 심정이 되곤 합니다. 모두 아시다시피 이제 이데올로기는 사라져 버리는데도 이 지구상에서 오직 남과 북이 벽을 만들어 대치하고 있지요. 그러나 이 좁은 땅덩이 안에서 우리는 남이다 북이다 단순히 그러고 있는데 제3국에 있는 교포들은 남도 내 조국 북도 내 조국 하며 아직까지 첨예하게 그 문제로 고투하고 있는 듯합니다.

얘기가 장황해져 버렸습니다만 여하튼 그는 스스로가 진보라고 말하는 그대로 끊임없이 앞으로 나아가려고 하고 무엇인가를 끊임없이 찾는데도 아직 결혼도 못하고 일정한 수입도 없이 빈털터리로 지내고 있지요.

아까 복도에서 그의 어머니와 처음 인사하였습니다. 그의 어머니는 그의 형들이 자판기의 커피를 뽑아오려고 커피를 원하는가 묻자 세게 고개만 흔들고 제 옆에 고개를 숙인 채 가만히 앉아 계셨습니다. 그러더니 제게 무어라고 조그맣게 말을 거셨습니다. 내가 귀를 기울이자 아까 저기 들어오는데 우일이가 타고 왔을 버스가 서 있더라구요. 그렇게 말하고 있는 그 모습이 꼭 여덟 살 어린이 같았습니다. 공포가 그렇게 맑게 어머니의 모습을 만들어놓은 것이겠지요. 오직 어머니 눈에만 그 버스가 아들이 감옥에서부터 법원까지 타고 왔을 그 버스가 보인 것이지요. 어린이들에게만 유독 장난감이 보이듯이…….

내 앞에 있는 어머니의 매듭 굵은 손, 아들들의 기저귀를 갈아주기도 했을…… 어머니에게만은 아무 문제가 없을 자식의 일이 세상에는 불협화음을 일으킨 것입니다. 직각과 직선의 세계에서 그가 만들어놓은 여러 가지 곡선이 결국 불협화음을 일으킨 걸 거예요. 그의 나체 사진을 우편으로 받은 여자가 그를 고소해 버린 겁니다.

연상인 그 여자는 어떤 지위를 가지고 있고, 직선적이며 직각적이고 반듯하기만 하여 그를 처벌하기로 한 겁니다. 그는 정신감호소에 유치되어 정신이상으로 몰려 쇠줄에 묶인 후 주사를 맞기도 했다고 합니다. 저는 그 얘기를 전해 들었을 때 하루 종일 속이 느글거리고 메스꺼웠지요. 두려움과 소외로 인해 붕괴되어 가는 개인을 느꼈습니다.

그는 감방에서 편지로 말했어요. 우즈스탁 시계 광고를 보라구요. 컴퓨터에는 물론 잡지에도 나오고 있다고요. 이미 나체가 아무렇지도 않은 세상이 오고 있다고요.

저는 아직 거기까지, 그가 불러일으킨 불협화음에까지 무어라 고 할 말이 있는 것은 아닙니다. 그 반듯하기만 한 여자가 입었을 심한 불쾌감과 모멸감 따위도 생각해 보게 됩니다. 피고인에 대한 또 다른 두려움과 지겨움이 있었을 거라고 저대로 추측해 보지요. 그러지 않고서야 누가 이 바쁜 세상에 남을 감방에 집어넣는 수고를 하겠어요. 그렇다고 그것이 감옥에까지 붙들려 가야 할 죄목인지 저는 잘 모릅니다만 하긴 이 행위가 이조시대였으면 아마 관가에 잡혀가 죽도록 곤장을 맞고 어딘가 풀섶에 버려졌을지도 모르지요. 아마 그럴 거예요. 더구나 지위를 갖고 있는 쪽의 일이니까요.

사람들의 의식은 시대를 따라 이렇게 저렇게 변화해 가지요. 지금 우리가 가지고 있는 의식, 가치관 같은 것은 더욱이 남녀의 성에 대한 것은 — 이 세상의 모든 윤리는 남녀의 성에서부터 출발한다고 들었습니다 — 2000년을 넘으면 바꾸어진다고들 하지요. 모계 사회를 내다보기도 하구요. 햄스터라는 흰 쥐가 인간처럼 되어 있을 수도 있다는 몇천 년 후에 우리들은 모두 어떤 생각 어떤 모습으로 살아가고 있을는지요. 단지 저의 개인적인 생각으로 남녀의 아니 동성끼리도, 성이란 어디다 그렇게 드러내어 놓을 것이 아니라는 것입니다. 아무리 시대가 변하여도 이 세상에서 유일하게 감추어져야 할 비밀의 부분이 아닐까 생각합니다. 이 세상 속에 비밀이란 다른 무엇이 아니라 성적 그리움이 아닐까 이런 생각도 하지요. '진주의 저 안쪽'이라는 장 콕토의 표현을 그의 데생집에서 읽은 적이 있습니다. 저는 한 대 얻어맞은 듯 아 역시 이 세상에는 바로 이런 부분이 있는 것이구나 하고 생각했지요. 강렬한 그리움을 느꼈습니다. 나의 정신을 긴장시키고, 무엇인가를 찾아내야만 하는, 이 세상과 정면대결을 하여 뚫어내야만 하는 어떤 것이 있음을 새삼 느꼈습니다. 그것은 그 무엇으로도 표현되기 이전에 그냥 그대로 있는 것이었습니다. 음악이나 회화 언어 그 어떤 것으로도 표현되기 이전의…….

역시 이 세상에는 무엇인가가 있는 거였어요. 이렇게 가짜 세상 속에서 가짜 인생을 살고 가는 게 아닌, 진짜의 그 무엇, 진주의 저 안이 있는 걸 거예요.

다시금 말하고 싶은 것은 그 어머니의 손입니다. 그 어머니의 손을 본 것, 아들들의 몸을 씻기고 잠재웠을 그 어머니의 손, 어머니에게만은 자식의 그 어떤 일도 그 어떤 잘못도 노 프라블럼이라는 것, 그것을 지금 이 자리에서 저는 새삼 깨닫고 있습니다.

내가 변호사와 판검사의 질문에 예와 아니오, 혹은 짧게 피력한 얘기 속의 내용은 이런 것이었을 것이다.

나는 증인석에서 내려와 다시 방청석 아까의 자리에 와서 앉았다.

피고인에게 하고 싶은 말이 있는가 판사가 묻고 다음 재판이 열릴 날이 명시되고 그리고 판사들은 법복을 입고 펭귄새처럼 나란히 서서 단 위 저쪽 문으로 사라졌다. 이어 피고인도 교도관에 이끌려 나갔다. 재판은 끝났다.

나는 법원을 빠져나와 여름인데도 누렇게 되어 있는 낙엽을 밟으며 걸어갔다. 차가 도로변에 가득 주차해 있는 길이었다. 가로수들이 차 위에 그림자를 던지고 있었다.

비둘기들이 주차된 차 사이로 여기저기 몰려다녔다. 비둘기들은 거리를 무대로 종종종종 삼삼오오 짝을 지어 모이를 줍기도 조는 듯 꿈꾸는 듯 어딘가를 바라보기도 했다. 겉으로의 정경은 평화라는 상징 그대로 평화로워 보이지만 자세히 살피면 눈알이 빠져 있거나 날개가 찢겨 있거나 다리가 한쪽 부러져 있기도 할 것이다.

나는 사거리 교차로 앞에 가서 푸른 신호등이 켜지기를 기다렸다. 푸른 신호등에서 나오는 푸른빛이 거리를 푸르스름한 빛깔로 물들였다. 나는 지나치게 먼 사거리의 횡단보도를 건너갔다. 횡단보도를 건너 버스정류소 앞에 멈추어 섰다.

낯선 이 거리에서 버스의 행방을 알고 타는 것은 거의 불가능했으므로 그냥 아무 버스나 탈 생각이었다. 어떤 버스를 타더라도 이 세상 안이라는 것은 이미 알고 있었다. 어떤 무겁고 힘든 일도 다 날 안에 있어서 그 날만 견뎌내면 되는 것과 같은 이치였다.

아무리 어려운 일도 다 날 안에 있는 것이었다. 심지어 전쟁도 죽음도 다 날 안에 있어서 그냥 그 날을 이겨내면 되는 것을 나는 이즈음 터득하고 있었다. 이 세상에 못 이겨낼 일은 아무것도 없었다. 못 이겨내면 죽는 것이고 그렇다면 그냥 죽으면 되는 것이 아닌가. 무엇이 그리도 어렵단 말인가라고 생각하는 것이다. 오늘 법원에 나와 증인석에 서는 일도 내게 무거운 일이었다. 안 할 수만 있으면 안 하고 싶었다. 그런데 어느새 끝나 거리에 서 있는 것이다.

나는 달려온 버스를 탔다. 날씨는 깨질 듯 맑았다. 지구가 떠 있느라고 수고하는 것이 느껴졌다. 버스는 바퀴를 굴리며 굴러갔다. 버스에 붙은 라디오에서 광고가 쏟아져 나오고 있었다. 사람들의 골 속에 들어가 박히고야 말겠다는 듯, 사람을 고문하듯, 결박하듯, 어떻게든 주입시킬 목적밖에 없다는 듯, 주입시켜 거리나 백화점으로 내보내기만 하면 사람들은 자동인형처럼 머리에 입력된 것을 구하기 마련이라는 듯…….

인터넷 광고, 전자제품 광고, 침대 광고, 자동차 광고, 스포츠 용품 광고, 약 광고……. 모든 존재하는 것들은 그 존재 자체만으로도 다른 것에게 상처를 주고 있는지 몰랐다.

차창 밖으로 보이는 법원 앞 거리는 넓고 깨끗했다. 깨끗치 않은 것은 모두 어디다 감추어버린 듯했다. 깨끗이 청소된 빌딩의 입구마다 수위가 앉아 있을 것이며 엘리베이터가 불을 켜고 빌딩 꼭대기까지 오르내릴 것이다. 빌딩의 각 창마다에는 사무 보는 사람들로 그득 차 있을 것이다. 차는 신호등에 맞추어 오고 가고 사람들은 인도로 걸어갔다. 모든 것은 질서 정연하게 움직이고 있었다.

그리고 이 질서 정연함의 내부를 우리는 매일 밤 텔레비전 뉴스에서 보았다. 어느 저녁 정신 나간 남자가 칼을 가지고 행인들 아무에게나 휘둘렀다. 슈퍼마켓에서 물건을 사가지고 나오던 여고생이 칼을 가진 그 남자와 맞닥뜨렸다. 여고생은 반사적으로 다시 슈퍼마켓을 향해 달려갔다. 그러나 그 순간 슈퍼마켓의 유리문이 닫혔다. 여고생은 유리문 밖에서 문 열어달라고 울부짖고 칼을 든 정신 나간 남자는 그 여고생을 정신없이 찔렀다. 슈퍼마켓 주인에게 왜 문을 열어주지 않았느냐고 취재기자가 묻자 슈퍼마켓 안의 손님들이 위험하니 열어주지 말라고 했다고 말했다. 그 문은 투명 유리문이었고 여고생이 찔리는 것을 슈퍼마켓 안의 사람들은 모두 멀거니 보고 있었다.

텔레비전은 이 도시의 구석구석을 매일매일 되풀이 비춰주었다. 카메라가 비춰주지 않으면 사람들은 결코 알 수 없을 것이다. 현대인은 사면의 벽이 아니라 텔레비전 화면까지 오면의 벽 속에 갇혀 살고 있다고 하던가. 자정 넘어서까지 텔레비전 앞에 앉아 있다가 애국가와 함께 텔레비전을 끌 때면 사라져버린 화면처럼 삶의 감각 또한 사라져버린 느낌이 내게 들었다. 현실과 마찬가지로 또 하나의 현실이 함께 있는 듯했으며 자신의 인생이 언젠가 한 번 보았던 희미해진 화면 같다는 생각이 들었다.

언제부터인가 나는 그녀이기도 했다. 나는 그녀로서 살고 있었다. 그것은 내가 타인을 보듯 타인 역시 나를 볼 거라는 그런 인지와 자연히 합류한 생각이기도 했지만, 또 하나의 현실에 익숙해진 탓도 있을 것이다. 그녀는 미로 속을 걷는다. 그녀는 아침 설거지를 마치고 두 잔의 커피를 타서 남편과 식탁에 마주

앉는다. 그녀는 남편과 함께 물리치료실에 가기 위해 이를 닦는다. 이렇게 자연스럽게 나의 내부에서 그녀인 듯 되었다.

그렇게 또 하나의 현실이 병행하고 그것을 보기에 익숙해진 탓으로 사람들은 모든 것을 유리벽 너머로 보는 데에 길들여져 있는가. 슈퍼마켓 안의 사람들이 찔리는 여고생을 그냥 멀거니 보고 있는 것도 그 유리벽을 텔레비전 화면으로 착각한 때문은 아닐까. 아니, 우리는 모두 보는 역할을 맡아서 방송국에 취직한 사람들이다, 이런 생각이 들 때도 있었다. 탤런트, 아나운서, 개그맨들이 방송국에 취직하여 늘 오가며 한 프로가 끝나면 다음 프로, 또 다음 프로에 출연하면서 지내는 것과 마찬가지로 그 나머지 사람들은 시청자로 취직해 있다는 생각이 들었다. 시청자로 취직해 오직 화면 속을 보면 되었다. 그런 생각이 들 때면 텔레비전에 출연하는 사람과 시청자, 둘로 이 세상이 나뉘었다. 그럴 때 그녀에게 이 세상은 너무 협소해 보였다. 애개개 하는 소리가 저절로 나왔다. 무엇인가의 스캔들을 해명하기 위해 기자들 앞에 나서는 사람, 작가가 책을 써서 출판하고 화가가 그림을 그려 전시하고 각종 무대에 올리는 공연들, 정치인들의 피 터지는 싸움, 기업인들의 장삿속, 강대국의 머리 굴리기, 이 모든 것이 결국 이 세상 사람을 향해 있다는 것이 맹랑스럽기까지 했다.

애개개 애개개 그래 결국 이 세상이 무대란 말인가, 이 세상을 무대로 그렇게들 몸부림치는가라고 그녀는 생각했다.

바로 동네에 있는 슈퍼마켓에 가는 일도 너무 멀게 느끼면서

이 세상이 협소하다니 이 무슨 마음의 역심리 작용일까. 한 발짝도 헛되이 소모하고 싶지 않으면서도 확률이 없는 쪽부터 가보고 거기에서 1%라도 건져 올려보고 싶어하는 그런 모순된 심리작용과 같은 걸까.

모든 것이 영원히 이어지기를 그녀는 얼마나 바랐던가. 아들아이의 친구가 와서 리포트를 쓰느라 함께 자던 날, 아침에 일어나 보니 보일러가 꺼져 있었다. 그녀는 보일러에 물을 보충한 후 가스를 가동시키고 전기밥솥에 밥을 안치고 배춧국을 끓이고 알커피를 갈고 아들 친구의 새 칫솔을 내놓고 새 타월을 걸고 정신없이 집 안의 모든 것을 원활히 돌아가게 하고 나니까 아들과 친구가 일어나서 욕실을 들락거리며 나갈 차비를 하였다. 그때 집 전체에 풍겨지는 비누 냄새와 젊음의 냄새. 마침 라디오에서는 〈보아라 용사〉가 장엄하게 울려퍼지고 있었고.

아침상을 차려 주고 방에 들어와 앉아 있으려니 아이들이 맛있게 먹을 듯한 안도와 기쁨이 그리고 그녀가 하루 아침의 일을 온전히 해냈다는 기분까지 곁들여 온몸으로 퍼졌다. 아, 이 아이가 이젠 정말 더 크지 말고 그냥 이런 아침이 영원히 이어진다면 하고 그녀는 바랐다. 아들아이가 군대 가기 전이니 이삼 년 전의 일인 것이다.

더 크지 말기를 바라는 마음은 그녀의 두 아이, 시집간 딸에게도 군대에 간 아들에게도 갓난아기 때부터 들었었다. 요람에 누워 있는 아기가 너무 이뻐 더 이상 크지 말기를 바랐었다. 언제나 그때그때가, 세 살 때도 열 살 때도 가장 이뻐서 그렇게 생각했었다. 그 순간에서 다음 순간으로 넘어가면 마치 그 이쁨이 사라져 버리기라도 한다는 듯이…….

모든 것이 영원하기를 그녀는 얼마나 바랐던가— 그녀는 차창 밖을 내다보며 의식의 밑으로 지나가는 것들을 떠올렸다 가라앉혔다 하고 있었다.

버스가 정차한 곳에 공중전화 부스가 보이자 그녀는 내렸다. 그녀는 공중전화 부스로 들어가서 백 속에서 통장을 꺼내어 은행 번호를 돌렸다. 온라인으로 보낸다던 돈이 들어와 있는가 알아보고자 했다. 은행 안내원의 목소리가 나올 줄 알았는데 의외에도 기계로 조작된 여자 목소리가 흘러나왔다.

— 안녕하십니까. 텔레뱅킹입니다. 잔액 조회 1번, 무통장 입금 내역 조회 2번, 금융상품 안내 3번, 사은행사 당첨 안내 4번, 송금 안내 5번, 환율조회 6번, 기타 서비스 코드 안내 9번입니다.

묻고자 하는 번호를 발견하지 못했으므로 그녀는 기타 서비스 안내인 9번을 눌렀다. 안내인이 나올 줄 알았는데 다시 기계로 조작된 목소리가 들렸다.

— 조회 1번, 송금 2번, 신용카드 3번, 분실 신고 4번, 서비스 비밀번호 등록 및 변경 5번, 팩스 6번, 대출 7번, 자동납부 및 예금 신고 8번, 상담원 안내 0번입니다.

묻고자 하는 해당사항이 어디에 맞는지 몰라 그녀는 다시 1번을 눌렀다. 그러자 다시 기계에서 소리가 흘러나왔다.

— 예금 및 신탁계좌 안내입니다. 문의하실 계좌번호 열한 자

리를 눌러 주십시오.

그녀는 망설이다가 다시 1번을 눌렀다. 다시 목소리가 흘러나왔다.

— 잔액 조회 1번, 무통장 입금 2번, 송금 내역 3번, 입출금 내역 조회 4번, 환율 조회 5번, 자기앞수표 조회 6번, 기타 조회 9번, 다른 안내를 원하시면 #버튼을 누르십시오. 상담원 안내는 0번입니다.

끝없이 이런 소리만 계속되었다. 안내원은 결코 나오지 않았다.

그녀가 다시 버튼을 누르자 비숍의 〈홈 스위트 홈〉이 흘러나왔다. 그녀는 귀를 기울여 그 노래를 들었다. 수화기를 팔베개처럼 베고서 끝없는 미로 속에서 잠시 휴식을 취하는 기분으로.

1절이 끝나고 2절이 계속되었다.

정오를 넘긴 해는 뜨거워지고 있었다. 그러나 정작 해가 보이지는 않았다. 그녀는 감색 여름 양복의 단추를 풀었다. 한 할머니가 꼬부라진 허리를 지팡이에 의지하고 걸어가는 것이 유리부스 너머로 보였다. 그 모습은 너무 생경하여 옛날이 잘못 현재 속에 삐어져 나온 듯했다. 이 넓은 거리, 들어갈 곳 하나 없는 빌딩가에서 할머니는 무엇을 어떻게 당해내려고 거리를 걷고 있는가.

그녀는 부스에서 빠져나와 감색 정장 윗도리를 벗어 들었다. 흰색 반소매 블라우스 차림으로 시선을 멀리 둔 채 한동안 망설이다가 이윽고 지하철 쪽을 향해 걸어가기 시작했다.

지하철은 끊겨 있었다.

그녀가 계단을 달려 내려갔을 때 계단으로 올라오던 사람이 지금 막차가 막 지나갔다고 했다. 지하철은 떠나고 없었다. 스르륵 문을 닫고 불을 켠 채 텅 빈 몸인 채로 승강구를 빠져나갔을 지하철이 그녀의 눈에 선했다. 그녀는 계단 끝까지 내려가서 그녀보다 먼저 와서 서 있던 한 무리의 사람들과 아쉬운 듯 얼굴을 마주했다. 방금 떠난 그 차가 막차라는군요— 그들은 하나같이 그런 표정을 담고 있었다.

계단을 다시 오르는 사람들 틈에 끼여 그녀는 계단을 올랐다. 충무로에서 갈아타야 했는데 한 발 늦었다. 단 일 분이라도 아꼈다면 탈 수 있었을 것이다.

그녀는 빠른 걸음으로 지상으로 나왔다. 같이 지상으로 올라온 사람들은 어느 틈에 밤거리에서 뿔뿔이 흩어졌다.

버스정류소에 몇 사람이 버스가 올 방향을 보며 서 있었다. 그녀는 버스 길 저편을 되도록 뚫힌 시야 멀리까지 내다보았다. 간혹 반대 방향 쪽에서 버스가 전속력으로 달려가는 것을 볼 수 있었는데 정작 그녀가 탈 버스는 오지 않았다.

그녀는 한없이 서 있었다. 같이 기다리던 사람들은 이윽고 나타난 버스로 혹은 택시로 하나 둘 가버렸다. 마지막까지 함께 서 있던 젊은 아가씨가 합승으로 가버리자 그녀는 혼자 남았다. 그러나 곧 새로운 두 사람, 젊은 남자와 아주머니가 정류소에 와서 섰다. 그들은 붙박이처럼 서서 어두운 길 저편을 바라보았다. 한동안 그들은 그렇게 서 있었다. 그녀는 새로 온 두 사람에게 버스가 끊긴 것 같다고 말했다. 그녀가 그렇게 말해도 그들은 아랑곳없이 어두운 저편만을 바라보았다. 길 건너 아스토리아 호텔의 네온사인이 보이고 멀리 남산 타워의 불빛도 올려다 보였다. 지금은 하나도 살아 있지 않은 사람들이 예전에 살고 있었던 것처럼 지금 이 거리와 이 거리의 사람들 그대로가 고스란히 옛날이 되어 버리는 듯 그녀에게 느껴졌다. 언젠가 그들은 옛날에 살던 사람이 되어 있을 것이다. 옛날에 살았던 사람들, 더욱이 20세기 말이라는 수식어를 후세 사람들은 꼭 붙일 것이다.

"버스가 끊긴 것은 틀림없어요. 내가 여기 온 지 40분이 지나고 있는데 집 방향이 어디세요?"

그녀는 두 사람을 향해 말했다.

"합승을 하는 게 어떻겠어요."

그녀는 다시 말했다. 그들은 다행히 방향이 모두 같았다. 그때 반대편에서 버스 한 대가 요란한 소리로 자빠질 듯 커브를 틀며 달려와 저편으로 사라졌다.

"조금 더 기다려 봅시다. 저것 보세요. 저쪽 방향으로 가는 차는 아직 있잖아요."

젊은 남자가 말하자 아주머니도 그러자는 뜻을 표했다. 그녀는 할 수 없이 다시 아까의 방향을 바라보고 섰다.

"저— 택시를 타지요. 우리, 돈을 합해서 — 그런데 사실 미안하지만 지금 내가 돈을 가진 게 없어요. 차비가 없는데, 대신 버스카드가 있어요. 5000원 정도 남아 있을 텐데. 누구라도 버스는 타니까 현금이나 마찬가지지요. 이것을 낼 테니까…….”

그녀는 그녀보다 훨씬 나이가 아래인 두 사람에게 말했다. 그 두 사람은 그녀가 돈이 없는 것을 알자 더욱 버스 쪽으로 마음을 굳히는 것 같았다.

“이것 보세요. 버스가 끊긴 것은 이제 확실해요. 내가 아까부터 거의 한 시간이나 서 있는 셈인데 그냥 좀 갑시다.”

그들도 이제 정말 가망이 없다고 판단했는지 그녀에게 그러자고 했다. 그들은 돈을 계산했다. 가장 멀리 가는 남자에게 아주머니가 삼천오백 원을 주겠다고 했다. 어떻게 셈한 것인지 모르나 그렇게 낙착이 되었다. 그녀는 오천여 원 남은 버스카드를 꺼내 젊은 남자에게 주었다. 젊은 남자는 돈과 버스카드를 거머쥐자 갑자기 리더가 되었다.

그들은 달려오는 택시를 잡아탔다. 택시를 타기 전에 그들은 합의를 보았다. 즉 돈이 빠듯하니 집까지 데려다 줄 수는 없고 젊은 남자가 자기 집으로 가고 있으면 가장 가까운 길에서 두 사람은 각자 내리기로 했다. 아주머니는 택시 지나는 길목에 다행히 집이 있었다. 그녀는 버스로 열 정거장 정도 걸어야 했다. 그러나 집을 향해 한 발짝이라도 가까이 가는 것만도 다행이었기에 그녀는 만족했다.

그런데 일단 택시를 타고 나자 집 근처에 새로운 길이 뚫렸으며 그러면 다른 사람들의 거리도 훨씬 단축된다는 것에 생각이 미쳤다. 그녀는 택시기사에게 말했다. 그러자 택시기사가 왜 탈 때와 말이 다르냐, 혼란이 온다, 이 차가 자가용인 줄 아느냐고 말했다.

그녀는 실은 우리는 서로 모르는 사람들이고 밤 거리에서 차가 끊겼기 때문에 함께 탔는데 편리를 좀 보여달라고 했다. 택시기사는 화를 냈고 그들은 택시기사의 요구에 따라 택시를 내렸다.

두 사람에게서 그녀에게 비난이 날아왔다. 왜 택시에 타고 나서 말이 달라지느냐 우리가 같은 일행인 듯 보여야 한다고 주의를 주었다. 그녀는 그렇게 하겠다고 대답했다. 자신 때문에 간신히 집으로 갈 수 있게 된 일이 틀어진 것을 미안해했다.

택시에서 내린 장소는 그들이 가는 방향의 버스를 탈 수 있는 가능성이 있는 장소라고 사방을 살피던 리더가 말했다. 그는 두 여자를 데리고 신호등 앞에 가서 섰다. 푸른 신호등이 켜지자 그들은 길을 건넜다. 버스정류소가 있었고 그곳에는 아직도 버스가 오고 있었다.

"이것 보세요. 오잖아요."라고 젊은 남자가 두 여자에게 말했다. 아주머니가 리더에게 아까 택시비로 준 돈 삼천오백 원에서 택시값 오백 원을 빼고 삼천 원을 달라고 했다. 그러자 리더가 주머니에서 돈을 꺼내 주었다. 그들은 달려온 버스에 탔다. 리더는 그녀가 준 버스카드를 사용했다. 혹시 조금 남았을까 봐 조마조마했으나, 다행히 그녀가 말한 금액보다 천 원 정도 더 찍혀 나왔다. 아주머니는 버스카드로 찍지 않고 자신의 차비는 자신이 내었다. 버스가 두 정거쯤 갔을 때 버스에 붙은 노선을 올려다보던 아주머니가 잘못 탔다고 말했다. 리더도 가까이 다가가 확인하였고 그들은 내렸다.

그들은 아주 딴 곳으로 와 있었다. 이제 어떤 버스도 오지 않을 시각이었다. 그들은 다시 택시를 타기로 했다. 리더는 그녀에게 천삼백 원을 주며 택시에서 내린 후 이 돈으로 기본요금만 내고 기본요금만큼만 다시 택시를 타고 가보라고 했다. 그러면 거진 집 가까이까지 가게 될 것 아녜요?라고 말했다.

세 사람이 탄 차는 굴러갔고 그리고 그녀는 집과 가까운 곳을 지날 때 택시에서 내렸다.

택시 문이 닫히고 차가 떠났다. 행인은 거의 보이지 않았다. 길 저쪽에서 허공중에 손을 들어 택시를 잡는 사람이 보였고 연인인 듯싶은 젊은 남녀가 팔짱을 끼고 네온사인 밑을 지나는 것이 보였다. 술 취한 사람이 비틀비틀 무어라 중얼거리며 그녀 옆을 지나갔다. 상점가의 불빛도 거의 잠재워지고 가로등과 네온사인만이 빛을 뿜어내고 있으나 길은 그늘지고 어두웠다.

그녀는 무수한 창 속의 한 곳을 체험한 듯했다. 같이 택시를 타고 온 사람들은 그녀처럼 오늘 돈이 없었는지 모른다. 아니면 오늘만 유독 백 원까지도 계산하게 되는 심리상태였는지 모른다. 아니면 그들의 일상이었는지도. 그녀 역시 버스카드를 살 때 냈던 밑에 깔린 천오백 원이 뒤늦게 생각나 아까웠다.

버스정류소 표지판 밑에 쓰레기가 함부로 버려져 있었다. 담배꽁초와 휴지와 빈 캔들이 쓰레기더미 가장자리에 흩어져 있었다. 그녀는 신호등 앞에 멈추어 섰다. 푸른 신호등이 켜지자 거리는 푸른빛으로 물들여졌다. 가라는 신호가 켜졌으나 그녀는 그대로 서 있었다. 이곳이 어딘지 알 수 없었다. 그녀가 알고 있는 거리가 아니었다. 길을 건너야 할지 오른쪽으로 가야 할지 왼쪽으로 가야 할지 전혀 감을 잡을 수 없었다. 확률이 없는 쪽에서 1%라도 건지고 싶은 평소 그녀의 룰 같은 것은 지금 해당되지 않았다. 그녀는 겁이 나서 두리번거렸다. 그러나 이곳이 한국이고 한국 말을 알고 있는 이상 길을 못 찾을 리 없다고 스스로 위안했다.

공중전화 부스로 들어가서 집에 전화를 걸 수도 있을 것이다. 그러나 아들은 군대에 갔고 딸은 시집을 갔으며 남편은 투병중이었다.

남편은 이미 잠들어 있을 것이다. 어쩌면 아직 그녀가 들어오지 않았기 때문에 텔레비전의 꺼진 화면 앞에 그대로 앉아 있을 것이다.

"엄살은 신에게나 부려야지 사람 앞에서는 약점을 보이면 안 돼요."

남편은 스스로 터득한 것을 그녀에게 일러주었다. 그녀는 그 말을 아이들에게 일러주고 싶었다. 그러나 그 말이 비집고 들어갈 틈새가 아직 없었다. 딸아이는 노래에도 나오는 멋진 장밋빛 스카프를 쓰고 남편을 따라 멀리 떠났다. 외국어에 능통한 딸아이인지라 외국생활의 두려움, 불편함보다 호기심 쪽이 많아 보였다. 국제전화로 듣는 목소리는 언제나 밝고 힘이 있으며 향수 냄새 같은 것이 묻어났다. 공항을 빠져나가던 때의 장밋빛 스카프가 그 아이 인생에 대한 표상처럼 그녀에게 새겨 있다.

군대에 간 아들 역시 마찬가지다. 군대에 가기 전날 밤 친구들과 술을 너무 많이 마시고 들어와서 괴로워할 때 그녀는 꿀물을 타서 주고 배 위에 손을 얹고 앉아 있었다. 아들아이는 너무 괴로워 몸을 뒤채이며 잠을 못 이루었는데 그녀는 무엇엔가 속죄하는 기분으로 앉아 있었다.

부엌에 켜둔 전등이 방문 틈새로 은은히 비쳐들고, 아이의 괴로워하던 얼굴이 어느 순간부터 조금씩 편안해지며 잠 속으로 빠져들던 그 스미는 듯한 시간— 그녀는 아이의 육체적 고통과 거기에서 해방되는 잠을 같이 맛보고 있었다. 그리고 살아오면서 처음인 듯 그 방을 둘러보았다. 모르고 있었지만 그 방에는 꿈이 어려 있는 것을 발견했다. 어려서부터 부모에게 반항도 해오고 한 자취가 깃들여 있지만 무엇보다 그 아이의 꿈이 깃들여 있음을 처음 강하게 느꼈다. 이튿날 아직 어린 아들은 군대를 향해 떠났고 그 전날 밤에 느낀 꿈의 방만이 그녀에게 표상처럼 간직되어 있다.

그녀가 오늘 증언해준 뒷모습만 보았을 뿐 아직 얼굴도 모르는 정우일 역시 미래의 아이일 것이다.

언젠가 베를린 장벽이 무너지던 날을 뉴스에서 다시 비추고 있을 때 그녀는 장벽을 허물어뜨리고 그 위에 새카맣게 올라가 앉아 있는 많은 사람들을 보았다. 그리고 그 많은 사람들이 거의 전부 젊은이들이라는 것을 뒤늦게 깨달았다. 아무 생각 없는, 아무런 생활의 지혜가 없는 젊은이들일 것같이 평소 보이지만 그러나 행동으로 그 위에 올라가 앉은 사람들이 바로 젊은이들이라는 것이 그 순간 그녀에게 놀람을 주었다. 그때 그 인상은, 미래는 역시 그들의 것이며 그들은 새로워야 한다고 그녀에게 되일러주고 있었다.

그녀는 붉은 신호등 그리고 다시 푸른 신호등이 반복해서 꺼지고 켜지는 것을 바라보았다. 밤은 어둡고 거리는 지나치게 넓었다. 거리 이편에서 저편으로 저편에서 이편으로 차들은 쌩쌩 달려갔다. 삐이익 굉음을 내며 급커브를 틀어 돌아가기도 했다. 그녀는 자신을 타인으로 느꼈으며 그 타인마저도 이 밤 속에서 지워져 없어져 버리는 것 같았다. 이 밤은 어디서 왔으며 이 날들은 도대체 무엇이란 말인가.

어디선가 생선 굽는 냄새, 오래된 신문지에서 나는 냄새, 부패한 음식 찌꺼기 냄새 같은 것이 전해져 왔다. 화장실 물 내려가는 소리, 전화벨 소리 같은 것도 들려왔다.

갑자기 그녀 앞에 높이 서 있는 거대한 아파트 단지가 모습을 드러냈다. 아파트 단지는 불 꺼진 건물들 사이에서 거대한 유령선처럼 창마다 불을 켜고 있었다. 놀란 듯 그녀는 그 유령선을 고개를 제껴 바라보았다. 바라보고 있는 어느 순간 갑자기 아파트 앞면이 허물어져 버리고 그 안에 사는 사람들의 양상이 드러났다. 침대가 있고 소파가 있으며 부엌과 화장실이 있고 텔레비전, 커튼, 꽃병이 있었다.

어느 집이나 같았다. 방 위에 방이 있고 또 방이 있으며 욕조 위에 욕조가 있었다. 화장실 배수관은 길디긴 파이프로 천당에 오르려는 듯 세워져 있었다. 사람들은 저마다 무엇인가 고물거리고 있었는데 결국 자기를 부둥켜안고 울고 웃고 있는 것처럼 보였다. 부둥켜안은 자기란 남과 별로 다르지 않았다.

그 남과 같은 자기를 안고 몸부림치는 그곳이 이 세상이었다. 이 세상은 하나의 무대였다. 모든 사람들이 난리치며 한 세상 살아보는 그곳은 애개개 바로 이 세상이었다. 사람들은 그냥 존재하는 그 자체만으로도 타인에게 상처가 되는지 몰랐다.

붉은 신호등이 켜지고 다시 푸른 신호등이 켜졌다.

그녀는 어느 방향으로든 움직여 볼 마음을 먹었으나 한 발짝도 움직일 수 없었다. 점점 서 있는 그 자리에 붙박히는 듯했다. 그녀는 어떤 혼란 속에서 발을 떼기 위해 안간힘을 썼다. 정신의 줄이 팽팽히 당겨지고 마침내 끊어질 것만 같은 어느 순간 그녀는 어떤 대상과 정면으로 마주 섰다고 느꼈다. 이제껏 미로 속을 헤매인 것은 바로 지금 이 순간을 있게 하기 위해서였다고 생각되었다.

그녀는 모든 창마다의 일들이, 모든 사람들, 아니 개미, 햄스터, 무엇무엇, 모든 만물의 몸짓이 다 그 하나의 대상을 향한 몸짓이었다고 느꼈다. 버스에서 솔잎을 꺼내어 먹는 사람, 여장을 한 남자, 펭귄새 같은 법관, 투병중인 남편, 표상만을 남긴 채 떠나간 아이들, 무너진 베를린 장벽 위의 젊은이들까지……. 이 세상의 모든 것은 다 그 하나의 대상을 향한 몸짓이었다고 지금 순간 느꼈다.

그녀는 이제야말로 증언대에 나선 기분이었다. 그녀는 이제부터 정말 자신을 벗고 서서 진실을 말해보리라 생각했다. 공항의 분위기를 마음에 들어한 미국의 감독처럼 이제야말로 남이 알아 들어 줄 것을 염려할 것 없이 있는 그대로 자신의 얘기를 해볼 생각이었다.

그녀는 한 판 씨름이라도 할 것처럼 숨을 거칠게 몰아쉬었다. 사방은 턱없이 고요하였다. 만물이 숨죽이고 그녀의 말을 들을 태세를 취했다. 아무리 외쳐도 귀와 뇌 속에 솜방망이 같은 것들이 들어차 들리지 않고 보이지 않는 듯한, 물 속 세상 땅 속 세상과 같은 이 세상에서 만물은 조용히 숨죽이고 그녀의 말을 기다리고 있었다.

그러나 그녀는 정작 무엇이라고 해야 할 말을 잃었다. 나이, 주소, 주민등록번호, 이름은 말할 수 있으리라. 그러나 그뿐 그 외에 무엇이 있는가. 긴장된 시간은 숫자를 세듯 조금씩 연장되며 흘렀다. 다섯 여섯…… 열둘 열셋…… 스물아홉 서른…… 의식의 아주 깊은 곳을 지나가는 오래된 기억 하나를 그녀는 구원처럼 간신히 붙잡았다.

전시였을까. 아니 전쟁이 지나고 한참 후인 것 같다.

어린 시절 그녀가 살고 있던 집 앞에 산이 있었다. 산은 아이들의 놀이터였다. 산꼭대기에 성터가 있고 갈대와 풀이 자라고 있는 넓은 들판이 있었다. 남쪽나라 십자성은 어머님 얼굴…… 이런 노래를 부르며 남자 어른이나 청년들이 성터 저편으로 사라지곤 했다. 아이들은 저편 끝에 십자성이 있고 어머니가 있으려니 하는 상상을 품었다. 먼 곳에 있는 십자성과 어머니 얼굴을 그려 보았다.

어느 날 산꼭대기에 비행기가 추락했다는 소문이 퍼졌다. 어머니는 그녀에게 비행기가 떨어졌으니 당분간 산에 올라가지 말라고 주의를 주었다. 그래서 그녀는 산에 올라가지 않았다. 그런데도 추락된 비행기와 그 잔해를 본 느낌이었다. 갈대와 풀이 자라고 있는 산꼭대기 위 들판에서 추락해 있는 비행기를 본 느낌이었다. 갈대와 풀이 기체와 상관없이 바람에 흔들리고 있었다. 동네 어른들이 길 어귀에 서서 그 비행기에 대해 무엇이라고 얘기하는 것을 들은 것도 같다. 미군과 국군이 타고 있었다, 이런 말이 바람결에 스며들어 온 것도 같다.

산에 올라가지 말아라, 그 말을 들은 그녀는 꽤 깊이 새겨들었던 듯 지금 느낀다. 그 일을 금기시하며 입 밖에 내서 말하는 것조차 삼갔던 것 같다.

어머니는 단순히 그냥 아이에게 추락된 비행기를 보이고 싶지 않았을 뿐인지 모른다. 그 외에 달리 무슨 이유가 있겠는가. 그러나 아이인 그녀는 커가면서, 보지 않은 그 부분이 어떤 공백으로 남아 몸 속에 세포화되었던 듯하다. 그녀는 늘 보이지 않고 들리지 않으며 이해하지 못할 미로의 심연과도 같은 부분을 안고 있었던 듯하다.

그녀가 공중전화 부스에서 나와 지하철을 타고 어딘가 다녀온 그 공백의 부분 역시 심연일까.

그녀는 어디를 다녀온 것일까. 혹 어린 시절의 산에 올라가 추락된 비행기를 보고 온 것은 아닐까. 아, 살고 있는 것은 살아 있다는 환상일까.

푸른 신호등에서 나오는 푸른빛이 거리를 푸르스름하게 물들이고 있었다. 시간이 지나도 푸른빛은 바뀌지 않았다. 그 빛은 안개처럼 거리를 부드럽게 감싸고 있었다.

— 진주의 저 안 — 어머니 — 십자성 —

아니, 이렇게 언어로 표현되기 이전에 이미 있는 원래의 세계. 푸른빛은 그곳을 가리키고 있었다. 그녀는 푸른빛 저 너머에서 (→)표를 본 것 같았다. 그녀가 그쪽으로 발걸음을 떼어놓으려 하자 (→)표는 안개 속으로 사라져 버렸다.

삶의 실상(實相)을 찾으려는 끝없는 몸부림

김정자(문학평론가 · 부산대 국문과 교수)

1. 인간과 그 실체, 가상과 진실의 세계

김채원의 소설에서는 언제나 한없는 우주의 고독이 부유(浮遊)하고 있음을 느낀다. 이 고독한 부유 입자들은 크고 작은 미소를 띠면서 우리를 맞이하는데, 그들은 실상 만나고 싶지 않은 떠돌이군이다. 그럼에도 불구하고 우리는 그의 소설 속에서 숙명적으로 그들을 만나야 하며, 끝내 수긍할 수밖에 없는 무리들임을 체감하게 된다.

그런데 그들은 환상과 실상의 극간을 왕래하면서 우리를 애매한 삶의 논리에 좌절하게 하고 때로는 절망하게 한다. 이렇듯 무엇이 삶의 논리이며 우주의 심오한 질서인가를 새삼스럽게 되짚어보고 거듭 그 혼란한 논리에 골머리를 앓게 하는 것이 김채원 소설의 특징이다.

만유의 진상(眞相)이라고 할까 실상이라고 할까 그런 것들은 대체 무엇인지 끊임없이 되물어 보아야 하는 것이 김채원 소설의 깊이라면, 〈푸른 미로〉 또한 그 범주에 속하는 작품이라고 할 수 있다. 마르쿠스 아우렐리우스는 만물의 진상이 골편(骨片)과 진애(塵埃), 더러운 악취와 수액, 핏덩어리에 불과하다고 하였다. 그는 황제의 현요한 도포도 실상은 먼지에 불과하고 영성의 거룩한 정기가 서린 인간도 실상은 몇 개의 뼈조각과 피의 구성체에 지나지 않는 존재임을 갈파하였다. 이렇게 만물은 가상에 불과하고 실체는 허망한 것에 불과하다면 우리가 살고 있는 세상은 과연 무엇인가. 우리는 '정말 세상'에 살고 있는 것일까.

그런데 이 세상이 도대체 무엇이라고 땅 속의 세상, 물 속의 세상마저 생각하는가. 이 세상이 불변의 확고한 세상이란 믿음 때문일까. 이 세상은 정말 있는 것일까. 이 세상은 정말인 세상이고 정말이 아닌 세상, 이 세상을 닮은 세상이 땅 속에도 물 속에도 있다는 얘기인가.

김채원은 우리가 살고 있는 세상이 아닌 저 깊숙하고 아늑한 어떤 곳에 '진주의 안'과 같은 진실한 세상이 있다는 것을 믿고 싶어한다. 그곳은 가상이 아닌 진실의 실체가 보석처럼 자리잡고 있는 현란하고 아름다운 세상일 수도 있고, 영원한 어머니의 십자성이 찬연히 빛나고 있는 세상일 수도 있다. 그 아름다운 세계를 끝없이 추구하는 인간은 언제나 고독하고 허전하다. 그렇기 때문에 김채원의 소설에서는 항용 고독이라고 하는 입자들이 부유하고 있음을 느끼게 되는 것이다.

2. 존재의 허상, 나와 타자의 양가성

319호 법정의 '정우일' 이라는 존재는 미로를 벗어나 '진주의 저 안' 을 찾고자 하는 존재의 상징물이다. 그의 실체는 표명되지 않고 뒷모습만 있다. 증인대에 나서서 정우일의 행적을 설명하고 있는 '나' 는 정우일이라는 인물을 이야기하는 것이 아니고 어쩌면 증인인 '나' 를 설명하고 있는지도 모른다. 정우일이 여장을 하고 거울 속을 들여다보며 대화를 하고 있는 것은 결국 '내 안' 에서 양립하는 두 개의 나를 의미한다. 그것은 '내 안' 에 있는 나와 타자성의 대면이고 서로간에 낯설고 계면쩍은 상호관계를 가지고 있을 뿐이다.

나는 타자일 수도 있고 나일 수도 있다. 그 어느 것도 나의 본체가 될 수 없고 고독한 관계성 속에서 맴돌게 되는 양가성적 허상들이다. 어디에서도 자기가 없다는 느낌, 나마저 타인과 같이 느껴지는 절대절명한 고독감이 김채원의 〈푸른 미로〉 속으로 방황하고 있다. 뿐만 아니라 정우일이 찾고자 하는 '정말의 세상', '진주의 저 안' 은 푸른 신호의 (→)가 사라지듯이 영원히 미로 속으로 사라지는 존재의 영역일 뿐 존재하지 않는 것일 수 있다. 우주의 실상을 찾고자 하는 정우일이라는 존재 그 자체마

저도 뒷모습만 보이고 있어 그 실체가 보이지 않기 때문이다.

3. 유린된 파토스

〈뻐꾸기 둥지로 날아간 새〉의 주인공은 철저히 유린된 타자이다. '정말의 세상'을 희원하던 주인공은 정신병원에 감금되어 전기고문을 당하고, 마침내 죽음으로 치닫게 된다. 김채원의 〈푸른 미로〉 속에 등장하는 정우일은 '나'가 초등학교 교사 시절에 담임을 맡았던 우수한 청년이다. 높은 지위를 가진 연상의 여자에게 나체사진을 보냈다는 이유로 그는 정신병원에 감금되고 마침내 법정에까지 서게 된다. 뿐만 아니라 〈뻐꾸기 둥지로 날아간 새〉의 주인공처럼 정신감호소에 유치된다. 그리고 정신이상으로 몰려 쇠줄로 포박되고 강제 주사를 맞게 된다.

'나'는 법정의 증인대에 나서서 한 인간의 짓밟힌 파토스가 얼마나 비극적인 결말을 가져올 수 있는가를 비판하며 변호하고 나선다. 그러면서도 성이라고 하는 것이 이 세상에서 감추어져야 할 유일한 비밀 부분이어야 한다는 상식의 논리를 벗어나지 못한다.

4. 푸른 신호등과 미로

아, 살고 있는 것은 살아 있다는 환상일까. // 푸른 신호등에서 나오는 푸른빛이 거리를 푸르스름하게 물들이고 있었다. 시간이 지나도 푸른빛은 바뀌지 않았다. 그 빛은 안개처럼 거리를 부드럽게 감싸고 있었다. // ㅡ진주의 저 안ㅡ어머니ㅡ십자성ㅡ // 아니, 이렇게 언어로 표현되기 이전의 원래의 세계. 푸른빛은 그곳을 가리키고 있었다. 그녀는 푸른 빛 저 너머에서 (→)표를 본 것 같았다. 그녀가 그 쪽으로 발걸음을 떼어놓으려 하자 (→)표는 안개 속으로 사라져 버렸다.

〈푸른 미로〉 속에 등장하는 '푸른 신호등'의 의미는 이 세상을 안개처럼 부드럽게 감싸는 어머니의 손길 같은 것이다. 어머니의 손길은 가짜의 인생에서 진주의 저 안에 있는 아름답고 영롱한 진실 그것을 깨닫게 하는 것일 수 있다. 또 그것은 정우일의 실체를 깨닫게 하고 냉혹한 현실의 법정에서 우리를 구원해 줄 따뜻한 품안일 수도 있다. 그것은 남쪽 나라 십자성에서 그리운 어머니의 얼굴을 발견했던 1940년대의 민족 정서와도 혈맥이 통하는 서정이기도 하다.

그러나 그 푸른빛, 어머니의 십자성과도 같은 아름다운 푸른 신호등의 (→)표는 그쪽으로 우리가 발걸음을 떼어놓자마자 안개의 미로 속으로 사라지는 삶의 환상일 뿐이라는 것을 우리는 마지막으로 또 한 번 절감하게 되는 것이다.

현 대 문 학 교 수 3 5 0 명 이 뽑 은

느티나무 아래서

문 순 태

- 1941년 전남 담양 출생.
- 조선대 국문과와 숭실대 대학원 국문과 졸업.
- 1974년 《한국문학》 신인상에 소설 〈백제의 미소〉가 당선되어 등단.
- 주요 작품으로 《징소리》, 《타오르는 강》, 《느티나무 사랑》, 《시간의 샘물》, 《그들의 새벽》 등이 있음.
- 현재 광주대학교 예술대 문예창작과 교수로 재직중.

문순태

느티나무 아래서

도심을 빠져나간 장의 버스는 소나무며 떡갈나무, 참나무가 한데 어우러진 야트막한 산자락을 휘돌아 화장터로 달렸다. 서둘러 병원을 출발했는데도 어느덧 초봄의 성급한 태양이 하늘의 한가운데 덩싯 떠올라 있었다. 그나마 명징한 햇살이 초라한 장례식에 큰 위안이 되어 주었다. 나는 형님이 이렇게 눈부신 봄날에 저 세상으로 갈 수 있어 다행이라 생각했다. 형님의 생애에서 오늘의 화창한 날씨처럼 밝고 평화로웠던 날이 과연 며칠이나 되었을까. 형님은 한때나마 나의 우상으로 머물러 있었던 소년 시절과 청년 시절을 제외하면 평생을 불안하게 쫓기거나 어둠 속에 갇혀 살아온 것 같았다.

국도에 접어들자 이제 갓 떡잎이 파릇하게 피어나기 시작하는 메타세쿼이아 가로수가 두 줄로 가지런히 늘어서 있었다. 똑같은 크기에 똑같은 모습으로 질서 정연하게 늘어선 가로수가 보기에 좋았다. 어쩌면 형님이 평생 어둡게 살아오면서 꿈꾸어온 것은 높고 낮음이 없는 이 가로수 같은 세상이었는지도 모른다는 생각이 들었다. 나는 이 가로수에 초록의 잎이 무성해질 때를 생각하며 운전석 정면의 차창 유리를 통해 먼발치로 저수지를 바라보았다. 바람이 살랑거릴 때마다 연초록 물비늘이 햇살 속으로 튕겨날리는 저수지 수면 위로 죽은 형님의 소년 시절 얼굴이 떠올랐다. 내 기억 속에 가장 확실하게 각인된 형님의 모습은 반질반질하게 다듬어 놓은 박달나무 목각인형 같은 얼굴이었다. 얼굴이 가무잡잡해서 검둥이라고 놀림을 받은 나는 박꽃처럼 새하얀 형님의 얼굴이 부러웠다. 중학교에 다닐 무렵 형님은 여름방학 때만 되면, 하얀 얼굴로 고향 운천저수지 둑 가장자리의 앙바틈한 느티나무 그늘 아래서 낚싯줄을 드리우고 온종일 책을 읽곤 하였다. 내 기억 속의 형님은 검정 중학생 교복에 차양이 넓고 둥근 모자를 비뚜름히 눌러쓴 소년의 모습으로 남아 있었다.

어른이 된 형님의 얼굴은 희미했다. 대학에 들어가던 해에 마지막 본 후 43년 만에 다시 먼발치로 얼핏 바라본 형님은 어느덧 낯선 할아버지의 모습이 되어 있었다. 43년의 긴 공백이 낯설게 만든 것이다.

버스 안의 조문객들은 회색의 그림자처럼 표정이 없었다. 그들은 장의 버스가 출발한 후부터 모두 음울한 침묵의 깊은 바다에 빠져 있었다. 어둠의 생애를 마친 외롭고 불쌍한 노인의 죽음 앞에서의 처절한 무력감보다 조문객들의 그림자 같은 음울한 표정 때문에 장의 버스 안 분위기는 더욱 납작하게 가라앉았다. 조문객이라야 나와 나의 두 아들 외에 모두 열 명에 불과했다. 운전석 바로 뒷좌석에는 나와 검정 원피스를 입은 내 큰아들이 한 번도 직접 만나본 적이 없는 큰아버지의 영정을 안은 채 애써 슬픈 표정을 하고 다소곳이 앉아 있었다. 큰아들 원철(본인이 불러주기를 원하는 이름은 원지)은 성전환 수술을 준비하고 있다. 나와 아내는 오랜 실랑이 끝에 아들의 성전환 수술을 허락해주기로 했다. 아들의 행복을 위해서 부모가 져주기로 한 것이다. 아들의 삶을 부모가 대신 살 수는 없기 때문이다. 원철의 성전환 수술은 가족회의에서 결정되었다. 두 아이들은 처음부터 찬성하고 나섰고 아내는 적극 반대였다. 내가 아내의 편을 들어준다면 원철의 성전환 수술은 불가능한 것이었다. 망설이는 내 심중을 읽은 아내는 만약 내가 아이들의 손을 들어준다면 집을 나가버리겠다고 으름장을 놓았다. 나는 심각한 고민에 빠졌다. 무엇이 원철의 삶을 행복하게 할 수 있는가를 생각했다. 내 의사를 말하기 전에 나는 나와 부모님이 형님 때문에 한평생 빠져나올 수 없는 덫에 걸린 삶을 살아온 이유에 대해서 생각해 보았다. 나는 나와 형님과의 관계를 반성해 보았다. 형님은 결코 내 인생과 무관하지 않으며 내 삶의 한 부분이라고 생각해 왔다는 것을 부인할 수 없었다.

나는 형님과 나 사이에 홀맺힌 숙명과도 같은 관계를 지금의 내 세 자식들과 비교해 보았다. 형님과 나와는 달리, 나의 세 아이들은 서로의 삶에 끼어들거나 상처받지도 않으면서 서로를 존중하고 잘 어울리며 살고 있다. 둘째나 셋째는 형이 트랜스 젠더가 되는 것에 대해 비난하거나 부끄러워하지 않는 것 같았다. 결국 나와 우리 부모의 삶이 고통의 깊은 수렁에 빠진 것은 형님에 대한 강한 집착 때문이었다는 결론을 얻어냈다. 나는 아내를 설득하기로 하고 원철의 성전환 수술을 승낙해 주기로 했다. 원철에게 삶의 자유를 주는 동시에 부모 또한 자유로워지기 위해서였다. 결국 아내는 가출 대신 몸져눕고 말았으며 끝내는 간이 나빠져서 병원에 입원하게 되었다.

내 뒤로는 권투 선수인 둘째 아들 경철이가 철이른 가죽 점퍼를 입고 아무 생각 없이 혼자 앉아 있다. 큰 시합이 일주일밖에 남지 않아 연습을 해야 한다면서 한사코 화장장에 가기 싫다는 것을 억지로 끌고오다시피 하여 처음부터 기분이 뚱해 있는 거였다. 방송국 백댄서인 셋째 아들 계철은 쇼프로 녹화가 끝나는 대로 화장장으로 오기로 했다. 세 아들 중에서 자기 하는 일에 가장 행복을 느끼며 살아가는 것은 셋째 계철이다. 녀석은 하루하루가 마냥 즐겁기만 한 표정이다. 이렇듯 세 아들들은 각기 다른 삶을 살고 있다.

나는 얼핏 고개를 돌려 조문객들을 둘러보았다. 둘째 아들 뒤로 '평화의 집'에서 형님과 함께 기거했던 비전향 장기수 동료 네 명이 두 사람씩 짝을 지어 서로 몸을 바짝 붙어 앉아서 슬픈 얼굴로 창 밖을 바라보고 있다. 닮은꼴처럼 몸피가 왜소하고 초라한 입성의 그들은 형님과 비슷한 나이로 주름진 얼굴이 까끌까끌해 보였고 외로움의 무게에 눌린 삶을 지탱하기가 너무 힘들어 곧 허물어져버릴 것처럼 보였다. 형님의 동료들은 한결같이 영안실에서부터 나를 곱지 않은 시선으로 대했다. 그들은 내게 한마디도 말을 걸어오지 않았다. 그동안 내가 단 한 번도 평화의 집으로 형님을 찾아가지 않은 것에 대해 무척 마뜩찮게 여기고 있음이 분명했다. 그들은 형님이 여러 차례 나를 만나기를 원했으나 내 쪽에서 일부러 피해 왔었다는 사실을 알고 있을지도 몰랐다. 평화의 집 식구들 뒤로는 유별나게 머리통이 크고 체격이 우람한 보안 감찰 담당 형사가 팔짱을 낀 채 눈을 감고 무료하게 앉아 있다. 담당 형사와는 몇 차례 만난 적이 있다. 형님이 형무소에서 풀려난 것을 처음 나에게 알려준 것도 그였다. 그가 나에게 형님이 출소하게 된 날짜와 시간을 알려주면서 마중 나가줄 것을 요청했을 때 나는 그런 형님이 내게는 없다고 완강히 부인했다. 그는 그런 나를 이상한 눈으로 찍어 보았었다.

3·1절 특사로 형님이 출소하게 되었다는 연락을 받던 날 밤 나는 밤새도록 바람 소리에 놀라 몸을 뒤척이며 잠을 이루지 못했다. 나는 몰라보게 변해버렸을 형님의 모습을 상상하면서 이불을 뒤집어쓰고 소리없이 눈물을 흘렸다. 그리움에 사무쳐 마음속으로만 형님을 여러 차례 외쳐 불렀다. 형님을 만나고 싶은 간절함과 두려움이 동시에 엄습해 왔다. 필수네 가족들과 빨갱이 동생이라고 나를 놀려대던 고향 사람들, 수시로 집 안에 들어와서 아버지를 윽박지르던 경찰들이 영화 필름처럼 줄줄이 떠올랐다. 형님이 출소한 사실이 알려지게 된다면 살아남은 필수

네 가족들과 나를 놀려대던 사람들이 한꺼번에 몰려올 것만 같았다. 나는 눈물을 흘리다 말고 진저리치듯 몸을 떨었다.

형님이 출소하던 날 아침 나는 두근거리는 마음을 꾹꾹 눌러 진정시키며 서둘러 교도소행 시내 버스를 탔다. 교도소 앞에는 3 · 1절 특사로 출소하는 석방자들을 마중 나온 가족이나 친지들이 몰려와 있었다. 카메라를 든 기자들도 보였다. 나는 마중 나온 사람들과는 멀리 떨어진 전봇대 뒤에 바짝 붙어 몸을 숨기고 교도소 정문 쪽에 시선을 못박았다. 먼발치로나마 형님의 모습을 보고 싶었다. 잠시 후 헌털뱅이 미니 버스 한 대가 매연을 뿜으며 도착했고 한 무리의 사람들이 웅성거리며 플래카드를 펼쳐들고 내렸다. 나는 그 플래카드에 형님의 이름이 씌어 있는 것을 발견하고 소스라치게 놀라 그곳에서 도망치려고 하였다. 나는 애써 덜컹거리는 가슴을 누르고 플래카드를 바라보았다. 플래카드에는 큰 글씨로 '통일의 씨앗, 장기수 박기출 선생 출소 환영' 이라고 씌어 있었다. 내가 더욱 놀란 것은 잠시 후였다. 출소자들이 교도소 정문을 나오기 시작하고 있었다. 중간쯤에 칠순의 허름한 쥐색 양복에 안경을 끼고 키가 큰 노인이 구부정하게 허리를 구부리고 겅중대는 걸음으로 걸어나오자 플래카드를 든 사람들이 일제히 그를 에워싸며 만세를 부르는 것이었다. 노인을 향해 카메라를 든 기자들이 부산하게 움직였고 노인은 승리자처럼 여유를 보이면서 손을 번쩍 들어 흔들어 보이더니 플래카드를 든 사람들 쪽으로 몸을 돌려 카랑카랑한 목소리로 짧은 연설을 했다. 나는 연설 내용을 자세하게 알아듣지는 못했으나 여러 차례 되풀이한 조국 통일이라는 말만은 분명하게 뇌리에 박혔다.

아, 나는 이날 43년 만에 먼발치로나마 너무 많이 변한 형님의 모습을 본 것이다. 그런데 반가움에 앞서 심신이 두려움으로 더욱 움츠러들었다. 아마 형님 혼자서 출소를 했더라면 그에게로 달려가서 와락 부둥켜안고 통곡을 했을 것이었다. 그러나 플래카드와 만세, 형님을 에워싼 인파, 짧지만 절도 있고 카랑카랑한 연설 때문에 도망치다시피 하여 그곳을 빠져나오고 말았다. 문득 43년 전 형님을 마지막으로 보았던 날이 생각났다. 허리에 비뚜름히 권총을 차고 어깨에 힘을 주고 당당한 모습으로 마을에 나타나 연설을 하던 형님의 모습이 떠오르면서 와락 알 수 없는 두려움에 떨었다. 나는 다시 형님을 만나지 않기로 결심했다. 형님이 출소한 후에도 담당 형사는 계속 전화를 걸어 형님을 만나보라고 했다. 그는 시청 앞에 있는 콧구멍만한 내 인장가게까지 몇 번 찾아와서는 형님을 만나기 싫어하는 이유를 물었다. 그때 나는 형님 때문에 더 이상 피해를 보기 싫다고 말했다. 담당 형사는 내 말을 이해 못하겠다는 듯 고개만 갸웃거렸다. 그는 형님이 내 인장가게로 찾아와서 멀찌막이 서서 먼발치로 나를 바라보고 간 날이면 어김없이 전화가 걸려 왔고 형제의 상봉 여부에 대해 묻곤 했다. 나는 담당 형사가 우리 형제의 상봉에 대해 비상한 관심을 갖고 있다는 사실조차도 두려웠다.

장의 버스 출입구 쪽 의자에는 평화의 집 후원회를 이끌고 있는 스님과 그동안 TV나 신문에서 가끔 보았던 인권단체 인사들이 두 사람씩 자리를 차지했다.

"날씨 한번 환장하게 좋네요. 이렇게 화창한 봄날에 저승길 떠나는 것도 다 박 선생님 복이지요."

맨 뒷좌석에 자리잡은 뿔테 안경의 인권단체 사람이 창 밖을 보며 말했다. 대학교수인 그는 한때 반독재투쟁을 하다가 감옥살이를 하기도 했다.

"대자대비하신 부처님께서 박 선생님한테 따뜻한 봄햇볕으로 큰 부조를 하신 게지요."

스님이 뿔테 안경의 말을 받았다.

"병이 깊어 기동을 못하고 자리보전한 후부터 봄이 언제 오느냐믄서 애타게 봄을 기다리더니 봄을 맞고 가니 다행이디요."

깡마른 체구에 도수 높은 안경을 낀 평화의 집 노인이 혼자말처럼 중얼거렸다.

"시신이라도 북쪽에 있는 가족 품으로 돌아가게 해야 하디 않겠시오? 시신을 못 보내는 이유가 도대체 뭡네까?"

평화의 집 동료 한 사람이 시큰둥한 목소리로 누구에겐가 불만을 퉁겼다. 그러나 아무도 그의 말에 반응을 보이지 않았다. 영안실을 출발한 후 처음 그들의 짧은 대화로 장의 버스 안에는 비로소 산 사람들의 호흡이 느껴지기 시작했다.

형님을 마지막 본 것은 형님이 대학에 들어가던 해 늦가을이었으니 내가 초등학교 5학년 때였다. 형님은 스물한 살이었고 나는 겨우 열두 살이었다. 나이 차이가 많아서였는지 나는 형님을 아버지만큼이나 어려워했다. 긴 장마가 끝나고 오랜만에 하늘이 깊은 적벽강의 물빛처럼 말갛게 갠 어느 날 대낮에 형은 완장을 두른 한 무리의 청년들과 함께 책가방 대신 권총을 차고 어깨를 흔들고 으스대며 마을에 나타났다. 형님은 면장을 지낸 내 친구 필수네 가족들을 고기 두름처럼 묶어 늙은 느티나무 아래 끓어앉힌 채 마을 사람들을 모아놓고 일장 연설을 했다. 형님은 연설을 하면서 결박당한 채 바들바들 떨고 있는 필수네 가족들을 손가락질해대며 큰 소리로 윽대기고 있었다. 나는 그때 필수에 대해 무척 미안하다는 생각을 했다. 솔직히 권총을 차고 연설을 하는 형님이 자랑스럽기보다는 필수 할아버지와 아버지를 마구 윽박지르는 태도가 마음에 들지 않았다. 그런 형님을 말리고 싶었다. 그날 밤 필수 할아버지와 아버지는 배추색 제복에 완장을 두른 사람들에게 끌려가서 다시 돌아오지 않았다. 물론 형님도 그 후로 마을에 나타나지 않았다.

나는 얼핏 차창 밖으로부터 시선을 회수하여 원철이가 두 손으로 받쳐 안은 형님의 영정을 내려다보았다. 찍은 지 오래된 것 같지 않은 형님은 검은 리본의 액자 속에 아무 느낌 없이 허공에 가볍게 떠 있는 듯한 자세로 앉아 있었다. 절망도 희망도 아닌, 세상사 모든 것이 다 귀찮아져서 금방 눈을 감아버리고 싶다는 듯 그냥 멀뚱하게 눈을 뜨고 있을 뿐이었다. 그것은 대상을 보기 위한 것이 아니라 그냥 사진을 찍기 위해 눈을 뜨고 있는 상태였다. 황량하고 쓸쓸한 액자 속의 형님의 시선은 힘없이 눈앞에서 멈추고 있었다.

지난 겨울 형님은 뜻밖에 인장가게로 전화를 걸어왔다. 형님은 깊은 샘에서 두레박으로 물을 퍼올리듯 무겁게 가라앉은 목소리로, 형구야 하고 내 이름을 부르고 나서, 한동안 다음 말을 잇지 못했다. 내 이름을 부르는 형님의 목소리가 오랫동안 내 명치끝에서 맴돌았다. 어딘가 형님의 전화 목소리가 심상치 않다는 느낌이 왔다. 나는 아무 반응 없이 형님의 다음 말을 기다리고만 있었다. 형님은 다시 간절한 목소리로 내 이름을 두 번 부르고 나서는 나와 함께 고향에 가고 싶다고 했다. 청매화꽃 필 때 고향에 가서 부모님을 찾아뵙고 싶다면서 동행을 부탁했다. 고향 옛집 사랑채 두엄자리 돌담 모퉁이에 아버지와 형님이 심은 청매화나무가 찢어지게 꽃을 피워 맑은 향기를 솔솔 안방까지 날려보냈다. 형님이 집을 떠난 후에도 청매화는 해마다 3월이면 어김없이 꽃을 피웠다. 나는 청매화꽃을 보면서 형님을 생각했다. 아이들한테 빨갱이 동생이라는 놀림을 받은 날이면 괜히 씩씩거리면서 청매화나무를 몸살나도록 흔들어대고 발길질을 하면서 분을 삭이곤 하였다.

나는 형님에게 부모님이 세상을 뜬 후 고향을 떠나와 30년이 넘도록 한 번도 가보지 않았다면서 다시 가고 싶지 않다고 냉정하게 잘라 말했다. 형님도 고향에 가봤자 마을 사람들이 반겨주지 않을 것이라는 말도 잊지 않았다. 어쩌면 필수가 형님을 반겨줄지도 모르겠다는 말을 하려다가 그만두었다.

"큰아버지 가족은 이북에 있는 거예요?"

말 한마디 없이 다소곳이 앉아 있던 큰애가 궁금증을 오랫동안 참아왔다는 듯 갑자기 뚜벅 물었다. 옷차림도 머리 모양도

영락없는 여자 모습인 아들에게서 갈갈한 남자 목소리가 튕겨나오자 옆좌석에 앉았던 조문객들의 시선이 자신들의 귀를 의심하며 모두 내 쪽으로 쏠렸다. 나는 룸미러에 시선을 박고 의뭉스러운 눈빛으로 원철을 뜯어보는 운전사의 시선과 마주치자 얼른 고개를 돌려버렸다. 순간 얼굴이 홧홧하게 달아올랐다가 이내 정상으로 돌아왔다. 이제는 원철에 대한 사람들의 놀라워하는 반응에 많이 둔감해진 편이었다.

"북한에서 결혼을 하셨다면 가족이 있을 거 아녜요."

큰애는 조문객들의 시선을 의식하지 않고 다시 물었다.

"형두 참, 북한에 가족이 있다고 해도 돌아가셨다는 것을 알릴 수가 없는데 그건 알아서 뭘 해."

잠자코 있던 둘째였다.

"북한에 가족이 있다면 시신이라도 가족들에게 보내주는 게 옳지 않아요?"

원철이가 따지듯 내게 물었다. 나는 주위를 살피며 원철을 향해 눈을 끔적여 보였다.

"큰아버지 국적은 어디죠?"

원철이 다시 물었다.

"전향을 하지 않았으니까 큰아버지 국적은 북한이지."

둘째가 담담하게 받았다.

"북한이라고? 이상한데?"

원철은 고개를 갸웃거렸다. 세 아이들은 큰아버지에 대해 궁금한 것이 많은 듯싶었다. 담당 형사로부터 형님이 운명을 했다는 전화를 받은 날 저녁에 처음으로 형님 이야기를 꺼냈을 때, 아이들은 왜 지금껏 큰아버지가 있다는 사실을 숨겨왔느냐고 내게 따졌다. 그러면서 큰아버지는 왜 공산주의자가 되었느냐, 할아버지 할머니가 큰아버지 때문에 일찍 돌아가신 게 아니냐, 그동안 왜 한 번도 집에 모셔오지 않았느냐는 등 이것저것 거듭 물었다. 아이들은 그동안 형님을 외면한 채 살아온 아버지에 대해 크게 실망하는 눈치였다. 그러나 나는 차마 아이들에게 형님 때문에 참을 수 없는 고통을 당하며 살아왔다는 이야기를 절절이 토해낼 수는 없었다.

나는 고향에서 귀에 못이 박히고 가슴에 멍이 들도록 빨치산 동생놈이라는 비난의 손가락질을 당하며 살았다. 공부를 잘해도 빨치산 동생놈이 공부를 잘하면 세상을 뒤엎게 될 것이라며 윽박질렀다. 공부뿐 아니라 싸움질만 해도 빨치산 동생이라서 싸움을 잘한다고 비난했다. 심지어는 달음질만 잘해도 형처럼 빨치산이 되려고 달음질 연습을 했다고 놀렸다. 잘하면 잘한다고 못하면 못한다고 손가락질을 했다. 그래서 나는 잔뜩 주눅이 들어 언제나 중간에 머물러야만 했다. 조회 때나 체육시간에조차 한껏 더수구니를 내리고 목을 움츠려 중간쯤에 줄을 서려고 했다. 눈에 띄는 일은 하지 않으려고 애썼다. 그것이 마음 편했다. 남의 눈에 띄는 일을 해서는 안 된다는 생각이 머리 속에 굳어져 결국 나를 소극적인 사람으로 머물게 했고 이렇듯 실패한 삶을 살아갈 수밖에 없도록 만든 것이었다. 아버지가 나를 대학에 보내지 않고 농사꾼으로 만들려고 했던 것도 돈이 없어서가 아니라 순전히 형님 때문이었다. 아버지는 내가 특별한 사람이 되는 것을 원치 않았던 것이다. 한때 나는 형님 때문에 내 인생을 망친 것이라고 생각하고 형님을 원망했었다. 내가 더욱 괴로워했던 것은 그 이야기를 아무에게도 말할 수 없다는 사실이었다. 내 자식들이나 아내한테까지도 차마 그 이야기는 속시원히 털어놓을 수가 없었다. 담당 형사가 왜 그렇게 하나밖에 없는 형님을 외면하느냐면서 은근히 비난하는 투로 물었을 때도 나는 지난 시절 공산주의자 형님 때문에 우리 가족이 당했던 고통에 대해서 말하지 않았다.

나는 팔짱을 풀고 아무 생각 없이 오른손을 양복 저고리 호주머니 속에 깊숙이 집어넣었다. 호주머니에는 오늘 아침 형사한테서 건네받은 형님의 유품이 고스란히 들어 있었다. 형님이 남기고 간 것은 결코 크지 않은 내 한 손 안에 다 들어왔다. 낡은 검은 뿔테 안경과 오래된 회중시계, 사각봉투 속의 사진 두 장과 편지 한 통이 전부였다.

나는 회중시계를 손으로 꼭 쥐었다. 금속성의 회중시계는 매끈매끈하고 살아 있는 사람의 체온처럼 따뜻했다. 형님의 손을 쥔 기분이었다. 호주머니에서 회중시계를 꺼내 보았다. 줄 대신 은빛 고리에 한 뼘 정도 길이의 검정 고무줄에 묶인 회중시계는 두 개의 바늘이 겹친 채 죽어 있었다. 아마 오래 전에 멈추어버린 것 같았다. 조심스럽게 태엽을 감은 다음 귀에 가까이 대보았더니 신기하게도 시계는 책깍책깍 소리를 내기 시작했다. 너무 기뻐서 하마터면 환호성을 지를 뻔했다. 나는 마음속으로만 다정하게 형님 하고 외쳐 불렀다.

옆자리의 원철은 큰아버지의 영정을 두 팔로 가슴에 껴안은 채 자울자울 졸기 시작했다. 나는 시계를 호주머니에 집어넣고 안경을 꺼냈다. 안경 역시 오래된 것으로 검은 뿔테 여러 군데에 흠집이 있었고 안경알에도 머리카락이 엉겨붙은 것처럼 긁힌 자국이 많았다. 나는 안경알에 호호 하고 입김을 불어 소맷자락으로 여러 번 문지른 다음 내 눈에 걸치고 창 밖을 보았다. 신기하게도 세상이 뚜렷하게 잘 보였다. 차창 밖 저수지 뒤쪽 부옇게 출렁여 보이던 야산이 야청빛으로 성큼 다가와 있었다. 근시인 형님은 중학교에 다니면서부터 안경을 썼다. 안경 낀 하얀 얼굴이 멋져 보였다. 형님한테 한 번만 써보자고 여러 차례 사정을 했으나 거절당하기 일쑤였다. 끝내 형님의 안경을 써보지 못했다. 나는 안경 쓴 형님이 너무 부러워 한동안 수수깡으로 안경을 만들어 쓰고 다녔었다.

안경을 벗어 호주머니에 넣고 사각봉투 속에서 사진 두 장을 꺼냈다. 색이 누렇게 바랜 명함 크기의 흑백사진을 들여다보던 나는 이내 눈을 감아버리고 말았다. 그것은 고향 마을 앞 느티나무 아래서 형님과 내가 함께 찍은 사진이었다. 형님은 중학교 교복에 모자를 쓰고 있었고 대여섯 살쯤 된 나는 윗도리만 잠방이를 입었고 아랫도리는 새끼손가락만한 고추를 내놓은 벌거숭이인 채였다. 형님은 오른손으로 키가 겨우 형님의 허리춤에 닿은 내 어깨를 다정하게 감싸고 있었다. 사진 아래쪽에는 '1948년 사랑하는 아우 형구와 함께' 라고 흘림체로 씌어 있었다. 나는 형님이 집을 떠난 지 15년 만인 1965년 가을, 남파 간첩으로 체포되었을 때 우리 가족이 또 형님 때문에 시달림을 당할 것을 예상하고 이 사진을 태워버렸다.

또 다른 한 장의 사진은 낯선 사람들이었다. 퍼머 머리에 눈이 우묵한 젊고 자그마한 체구의 한복 차림 여자가 가운데 앉고 열 살 안팎의 남매인 듯한 두 어린이가 양쪽에 두 손을 무릎 위에 가지런히 올려놓고 앉아 있었다. 사진의 위쪽에 기와집 처마가 보였고 처마 위로 빨갛게 익은 감이 매달린 감나무 우듬지가 삐주룩이 솟아 있었다. 나는 이 사진 속의 주인공들이 북에 있는 형님의 가족이라는 것을 직감했다. 나는 오랫동안 사진 속의 형수님과 두 조카들을 들여다보았다. 매달린 눈과 새까만 눈썹의 사내조카의 얼굴이 느티나무 아래서 나와 함께 찍은 사진 속의 형님 모습을 그대로 닮았다. 심장이 후끈거리면서 명치끝이 싸아해 왔다. 형님은 이 가족들이 눈에 밟혀 어떻게 눈을 감았을까.

나는 마지막으로 형님이 내게 남긴 유서 같은 편지를 꺼내서 펼쳐들었다. 기력이 쇠진할 무렵에 쓴 듯 초록색 볼펜의 글씨가 희미했다.

보고 싶고 사랑하는 아우 형구에게.

이 못난 형은 그동안 네가 얼마나 보고 싶었는지 모른다. 내가 너에게 크나큰 고통의 짐을 지워주었다는 것을 엄연히 알면서도 그동안 너를 만나보고 싶은 속된 욕심을 차마 끊어버리지 못했던 것을 생각하면 부끄럽기 짝이 없구나. 너에게 진심으로 용서를 빈다. 하나, 나의 욕심은 이 세상에 하나뿐인 아우를 무한히 사랑하기 때문이었다는 것을 이해하기 바란다. 아우라는 말은 극히 짧지만 내게는 이 세상에서 둘도 없는 매우 귀한 존재다. 나는 그동안 부모님과 형구 너, 그리고 고향을 한 번도 잊어본 적이 없다. 고향과 너는 내 생명과 같다. 너를 다시 만나 고향에 가보고 싶은 희망 하나로 지금껏 교도소 안의 삶을 지탱해 왔는지도 모른다. 나에게 너와 고향이 없었다면 나는 오래전에 삶을 포기해버렸을지도 모른다.

나는 이 시대의 패배자이다. 오로지 자신의 이상과 신념만을 좇느라 부모에게 불효를 저지르고 하나뿐인 아우의 인생까지 망친 사람이다. 나의 이상은 허망하게 무너져버렸고 신념만이 구차하게 내 자존을 지키고 있는 것 같아 서글프다. 따지고 보면 우리 가족이 고통에 휘말린 것은 우리가 동강난 이 땅에 태어난 운명일지도 모른다. 하나 나는 내가 살아온 삶을 후회하지는 않는다. 나는 단지 내가 선택한 길을 저버리지 않고 한결같이 걸어왔을 뿐이다. 세상은 바뀌어도 신념은 변치 않는다는 것을 보여주고 싶었는지도 모른다. 다만 고통스럽다면 고통스러운 내가 살아온 이 고통이 통일의 밑거름이 되었으면 하는 것이 마지막 바람이다. 보고 싶고 사랑하는 아우 형구야. 마지막으로 너에게 부탁이 있다. 통일이 되는 날 북에 있는 내 가족을 찾아봐주기 바란다. 사진 뒤에 주소와 이름을 적어놓았다. 죽어서도 가족 품으로 돌아갈 수 없는 조국의 현실이 안타까울 따름이다. 죽은 다음에 시신이라도 아내와 자식들에게로 보내달라고 간청을 해 보았지만 마지막 내 소원마저 이루어지지 않을 것 같구나. 내가 죽거든 화장을 하여 네 손으로 아늑한 저수지에 뿌려주기 바란다. 저수지에서 한가하게 낚시나 즐기며 통일을 기다리련다. 통일이 되는 날 내가 네 곁에 있다는 것을 잊지 말아다오.

1999년 3월 17일 못난 형이.

편지를 다 읽고 난 나는 한동안 후비칼로 오려내듯 가슴이 메면서 머리 속이 복잡해졌다. 용서라는 말과 신념이라는 초록색 단어가 내 머리 속에서 오랫동안 꿈틀거렸다. 나는 진심으로 형님에게 용서를 받고 싶었다. 그런데 반대로 형님이 내게 용서를 구하다니 가슴이 무너질 것만 같다.

형님이 출소한 다음날 형사가 가게로 찾아와서 형님이 나를 만나고 싶어한다는 말을 전했다. 나는 형사에게 비전향자와 전향자의 차이에 대해서 물었다. 형사는 전향자와 비전향자의 차이에 대해 짧게 설명을 했다. 그렇다면 그는 아직도 공산주의자가 아닙니까. 나더러 공산주의자를 만나라는 것입니까. 도대체 전향을 거부하는 이유가 무엇이랍니까. 형사의 말에 나는 따지듯 거듭 물었다. 나는 형님을 만나지 않겠다고 단호하게 말했다. 형사는 그런 내 행동에 대해 이해할 수 없다는 표정을 흘리며 돌아갔다. 그날 밤 나는 못 마시는 술을 진창으로 마시고 열두시가 넘어서야 흘러간 노래를 통곡처럼 흥얼거리며 집에 돌아갔다.

나는 형님의 신념은 고집이라고 생각했다. 형님은 고집이 세서 아무도 꺾지 못했다. 자기가 한번 옳다고 선택한 일은 끝까지 밀고 나가는 성격이었다. 그 때문에 아버지한테 여러 차례 종아리를 맞기도 했다. 형님이 끝까지 전향을 하지 않은 것은 단순히 고집 때문이라고 생각했다. 그것은 형님의 성격이고 삶이라고 생각했다.

공산주의자를 만날 수 없다면서 형사를 돌려보낸 지 일주일쯤 후에 형님한테서 전화가 걸려왔다. 형사한테 전화번호나 가게 위치, 우리집 주소를 알려주지 말라고 신신당부를 했었는데도 결국 가게 전화번호를 알려주고 만 것이었다. 43년 만에 형님의 목소리를 듣는 순간 숨이 막히는 듯했다. 전류를 타고 흘러온 형님의 목소리는 뜻밖에도 담담했다. 떠는 쪽은 오히려 나였다. 형님은 힘있고 컬컬한 목소리로 내 이름을 두 번 거듭 부르고 나서는 우리 한번은 만나야 하지 않겠냐, 나를 만난다고 해서 너나 네 자식들에게 아무런 피해도 없을 거다, 그러니 한번 만나자꾸나, 삼 일 후 이번 금요일 점심 먹고 네 가게로 찾아가겠다 하고 차분하고도 담담하게 말했다. 떨고 있던 나는 수화기를 놓아버리고 말았다. 떨리는 마음으로 형님의 전화를 받고 나서의 그 삼 일 동안 나는 불안과 기대감 속에서 심신이 한꺼번에 옥죄어들었다. 지난날처럼 올무에 걸린 기분이었다. 식욕이 떨어지고 불면의 밤이 계속되었다. 형님이 찾아오겠다고 한 금요일에 나는 아예 가게에 나가지 않고 몸이 불편하다는 핑계로 이불을 둘러쓰고 누워 있었다. 12시가 지나자 차라리 잠을 자버릴 생각으로 아내가 사다준 수면제를 먹었으나 오히려 머리 속이 형광등이 켜진 것처럼 맑아졌다.

다음날 가게에 나가서도 계속 불안에 떨었다. 나는 문방구 귀퉁이에 붙은 1.5평 공간 속의 평화를 잃고 싶지가 않았다. 겨우 작은 책상과 긴 소파 하나를 놓을 수 있을 정도로 답답한 공간이었으나 한 번도 내 가게가 좁다고 생각하지 않았다. 가정을 지키고 마음의 평화를 가꾸기 위해서 결코 좁은 공간이 아니었다. 이 속에서 나는 형님에 대한 집착과 원망과 속박의 덫으로부터 벗어나 비로소 자유로울 수가 있었다. 나는 펜촉처럼 작고 날캄한 칼끝으로 직경 2센티미터의 나무에 자유롭고 평화로운 나의 꿈을 찬란하게 새겼다. 나는 1.5평의 이 공간 속에서 우리 가정을 작은 천국으로 만드는 꿈을 키워왔다. 그런데 형님의 출소 후로 불안을 느끼고 있다. 옛날에 수없이 되풀이되었던 것처럼 경찰들이 들이닥쳐 가게를 뒤엎고 나를 쫓아낼 것만 같았다. 이 공간이 자꾸 좁아지는 기분이었다. 숨이 막혀 도망치고만 싶었다. 그 다음주 금요일 오후였다. 도장을 파고 있다가 화장실에 가 오줌을 털기 위해 밀창문을 열고 밖으로 나가다 말고 나는 후닥닥 놀라 가게 안으로 기어들어오고 말았다. 나는 밀창문 뒤 벽에 몸을 감춘 채 허리를 꺾고 길 건너편을 보았다. 길 건너 가게 맞은켠 은행나무 가로수 밑에 형님이 구부정하게 서서 빤히 나를 건너다보고 있는 것이 아닌가. 머리가 희끗한 형님은 교도소를 나오던 옷차림 그대로였다. 나는 처음엔 책상 밑으로 숨고 싶었지만 자신도 모르게 벽에서 벗어나 조금씩 밀창문 가까이 다가가서 형님을 바라보았다. 잠시 후에는 형님을 좀더 가까이 보기 위해 밀창문을 열고 밖으로 나갔다. 어쩌면 형님이 나를 자세히 볼 수 있도록 하기 위해서였는지 모른다. 우리는 큰길을 사이에 두고 한동안 눈 한 번 깜짝거리지 않고 마주 보고 있었다. 바로 그곳에 횡단보도가 있었고 여러 차례 푸른 신호등으로 바뀌었으나 나는 길을 건너지 않았다. 마음은 이미 형님에게로 달려가고 있었지만 몸이 그 자리에 굳어져 버렸다. 형님도 건너오지 않았다. 마주 보고 있는 6차선 큰길이 건널 수 없는 강처럼 아득하게만 느껴졌다. 43년이라는 긴 시간이 단단한 화석으로 굳어져 형님과 나 사이를 가로막고 있었다. 형님은 한참을 그렇게 잎이 노랗게 물든 은행나무 가로수 아래 굽은 나무처럼 서서 나를 바라보다가 천천히 걸음을 옮겼다. 나는 형님이 보험회사 빌딩 모퉁이를 돌아설 때까지 그 자리에 서서 형님의 뒷모습을 바라보았다. 지난날, 형님이 방학이 끝나 도시로 떠날 때 동구 밖 느티나무 아래에 서서 형님의 모습이 작은 점이 되어 바람모퉁이로 가물가물 사라질 때까지 눈이 시리도록 하염없이 바라보았던 것처럼. 그날 밤 나는 오랜만에 단잠을 잘 수 있었다. 꿈속에서 부모님도 만났다.

그 후로도 형님은 일주일에 한 번씩 같은 시간에 어김없이 인장가게 건너편 은행나무 가로수 앞에 나타나서 한참 동안 나를 바라보고 가곤 하였다. 언제나 그렇듯 쓸쓸히 돌아서는 형님의 뒷모습은 겨울날 해질 무렵의 산그림자처럼 슬퍼 보였다. 그로부터 한 달쯤 지나서였다. 보도 위에 수북이 쌓인 은행잎이 찬

바람에 쓸리는 계절이었다. 나는 더 참지 못하고 단숨에 횡단보도를 뛰어가 형님의 손을 꼬옥 잡아줘고 창백한 얼굴을 찬찬히 들여다보았다. 형님은 연신 고개를 끄덕이며 햇살처럼 밝게 웃었다. 우리는 오래전부터 여러 차례 만나왔던 사이처럼 손을 잡은 채 나란히 걸어서 가까운 음식점의 식탁이 하나뿐인 자그마한 방으로 들어갔다. 식탁을 사이에 두고 마주 앉은 우리는 한동안 말없이 마주 보고만 있었다. 형님과 나는 정신나간 사람처럼 마주 보며 히죽히죽 웃었다. 그렇게 웃다가는 누가 먼저랄 것도 없이 식탁 위로 두 손을 올려 맞잡은 채 어깨를 들먹이기 시작했다. 나는 손을 회수하며 대뜸 왜 여지껏 전향을 하지 않느냐고 물었다. 힐난하듯 따져 묻고 있는 나는 문득 자신이 누구에겐가 화를 내고 있다는 것을 느꼈다. 그때 나는 형님으로 인하여 받았던 지난날 고통의 기억들이 되살아나고 있음을 알았다. 나는 갑자기 경찰들이 우리집에 몰려오거나 마을 사람들에게 빨치산 동생놈이라는 손가락질을 받을 때마다 마을 앞 느티나무 위로 올라가곤 했던 일이 떠올랐다. 사람들이 나를 볼 수 없도록 높이 올라가서 오랫동안 숨어 있으면 마음이 편했다. 학교 선생님한테서 나무에 높이 올라가서 기도를 하면 소원이 이루어진다는 동화의 이야기를 들은 나는 형님이 빨치산을 그만두고 돌아와서 나와 부모님을 구해주기를 간절히 빌었다. 형님으로부터 구원을 받을 수만 있다면 나는 땅에 떨어져 박살나는 한이 있어도 느티나무 꼭대기까지 올라갈 수 있을 것 같았다.

"공산주의가 다 망했다는데 왜 전향을 하지 않지요? 해마다 탈북자가 늘어나는 것도 몰라요? 혹시 북쪽에 있는 식솔 때문인가요?"

나는 복받쳐오르는 감정을 억제하려고 애쓰면서 다시 물었다.

"내가 선택한 길을 그냥 걸어갈 뿐이다. 어차피 목적지는 같은데 한 번 선택한 길이 가시밭길이라고 해서 다른 길로 바꿀 수는 없지 않겠냐. 나는 오직 신념만을 위해 살아왔다. 그래서 내 인생은 이렇게 실패하고 말았다만…… 변하지 않는 신념은 아름답다는 믿음을 갖고 있다."

"신념이라고요? 세상이 달라졌어요. 형님도 아시죠?"

"한번 변한 세상은 다시 변한다는 것도 알아야지. 아무리 세상이 변해도 신념만은 변하지 않을 수 있다."

"아직도 미련이 남았어요?"

"세상이 바뀌었다고 해서 신념까지 변하라는 법은 없다."

"나는 공산주의자를 집으로 모셔갈 수 없어요. 공산주의자인 형님을 집사람한테나 자식들한테 소개할 수 없다니까요."

"네 심정 안다. 이렇게 만났으니 됐다. 그러니 내 걱정은 하지 않아도 된다."

형님은 시종일관 웃음을 잃지 않았다. 화가 풀리지 않은 나는 거듭 소주잔을 기울였다. 형님은 겨우 소주 한 잔을 마신 후 검정 고무줄로 바지의 허리띠 고리에 묶은 회중시계를 꺼내서 들여다보더니 그만 가봐야겠다면서 서둘러 일어섰다. 우리는 그렇게 만났고 다시 헤어졌다. 형님과 헤어져서 가게로 돌아오던 나는 자꾸만 두 다리에 힘이 풀려 아무데나 주저앉아버리고 싶었다. 그 후 형님은 내 가게 앞에 다시 나타나지 않았다. 물론 전화도 걸려오지 않았다. 형님이 병원에 입원했다는 소식을 들은 것은 한참 후였다.

어느덧 장의 버스는 소나무가 빼곡하게 들어찬 작은 고갯길을 내려가 보리이삭이 푸른 물결처럼 일렁이는 들길을 달렸다. 진달래가 무더기로 핀 북풍받이 산자락을 휘돌자 화장터 굴뚝이 보였다. 굴뚝 위로 곧게 치솟아 햇살 속으로 흩어지는 회색 연기가 마치 영원한 망각 속으로 사라지는 죽은 자의 마지막 영혼처럼 슬프고 쓸쓸해 보였다. 화장장 입구 작은 화단에 한 무더기의 흰 이팝꽃이 저승꽃처럼 어우러져 있었다.

장의 버스가 정차하자 조문객들이 모두 달려들어 관을 화장장 안으로 옮겼다. 화장을 위한 간단한 수속을 마친 후 스님의 염불과 함께 마지막 제를 올렸다. 나는 스님의 귀띔에 따라 화장장 화부의 손에 만 원짜리 지전 몇 장을 쥐어주었다. 그러자 화부는 관뚜껑을 열고 두 손으로 시신의 허리를 감고 안아 익숙한 솜씨로 소각통에 넣었다. 시신을 나무토막 다루듯 하는 화부의 행동이 기계적이었다. 그가 소각통 철문을 닫고 불을 당기는 순간 뜨거운 불길이 무서운 힘으로 시신을 끌어안는 소리가 선명하게 들렸다. 휘익 하고 불길이 형님을 휘감는 소리에 나는 자신도 모르게 두 손을 합장하고 눈을 감았다. 나는 다시 스님이 시킨 대로 화부에게 지전을 쥐어주었다. 그래야 뿌리기 좋게 뼈를 잘 부수어준다고 했다.

막내가 차를 몰고 도착한 것은 형님의 뼛가루가 담긴 작은 항아리를 들고 화장장 앞마당으로 나가고 있을 때였다. 막내는 쇼프로의 녹화를 끝내자마자 허겁지겁 달려온 듯 노랑머리에 번쩍이는 은박 옷을 입고 있었다. 조문객들의 시선이 막내에게로 쏠렸다. 첫째와 둘째는 반갑게 동생을 맞았다. 둘째는 늦게 도착한 막내를 나무라는 대신 권투 시합 폼을 잡고 잽을 넣듯 주먹으로 가볍게 동생의 어깨를 툭툭 쳤다. 짙은 화장과 여자옷 차림에 갈갈한 목소리를 내고 있는 첫째와 노랑머리에 은박 옷을 입고 나타난 막내를 번갈아가며 흘금거리던 조문객들은 나에게 악수를 청하고 장의 버스에 다시 올랐다.

"아우님께서 수고가 많으셨소. 우리가 전향서를 쓰지 않은 거는 살아서 북으로 돌아가 가족을 만나고 싶은 희망 때문이라오. 세월은 덧없이 흘렀지만서두 우리는 지나간 삶을 후회하기가 싫은 게요."

깡마른 체구에 도수 높은 안경을 쓴 형님의 동료가 장의 버스에 오르기 전 내 손 안의 하얀 항아리를 쓰다듬으며 말했다.

나와 세 아들은 장의 버스가 출발하기를 기다렸다가 막내 차에 올랐다. 우리는 곧 출발했다.

"큰아버지 뼈를 어디에 뿌릴 거죠?"

"여기 오면서 봐둔 곳이 있다. 조금만 더 가면 된다."

막내의 물음에 내가 대답했다.

자동차를 멈추게 한 곳은 초록빛 물빛이 일렁이는 저수지 둑 근처였다. 도로 아래쪽 저수지 둑으로 이어진 산자락 허리에 백

년쯤 되었음직한 느티나무 한 그루가 의연한 모습으로 서 있었다.

"니들은 여기서 기다려라."

도로 한켠에 자동차를 세우게 한 나는 유골 항아리를 조심스럽게 가슴에 안고 차에서 내려 느티나무 쪽으로 내려갔다. 도로에서 저수지까지는 가파른 황톳길이 곧게 나 있었다. 띠풀이며 질경이, 쑥, 광대수염, 망초 등이 파릇하게 돋아나기 시작하는 느티나무 아래 평평한 공간은 서너 명이 돗자리를 깔고 누울 수 있을 만큼 제법 널찍했다. 나는 느티나무 아래 서서 햇살을 담뿍 받아 청록색으로 반짝이는 저수지를 내려다보고 서 있다가 천천히 물가로 내려갔다. 바람이 건듯 불자 수면이 조금 일렁였다. 나는 낚시하기에 좋은 자리를 골라 쭈그리고 앉아 물 속을 들여다보았다. 저수지 바닥이 말갛게 보였다. 수면의 물이 잔조롭게 일렁일 정도로 바람이 불었으나 신기하게도 물 속은 전혀 움직임이 없었다.

"형님, 여기서 낚시질이나 하면서 통일될 날을 기다리세요."

나는 유골 항아리 뚜껑을 열고 하얀 뼛가루를 한 움큼 집어 물에 뿌렸다. 유골은 꽃가루처럼 날렸다. 코발트 그린의 수면 위로 이팝나무꽃들이 무수히 피어나는 것 같았다. 하얀 꽃가루는 아주 잠깐 동안 물 위에 떴다가 눈이 녹듯 이내 가라앉았다. 꽃가루가 가라앉자 중학생 교복 차림의 형님 얼굴이 하얗고 커다랗게 떠올랐다. 나는 마음속으로 형님을 여러 번 외쳐 불렀다. 어느 사이에 조금 전까지만 해도 한 마리도 보이지 않았던 물고

기들이 꼬리를 치고 춤을 추며 뼛가루 주위로 몰려들었다. 나는 계속 뼛가루를 뿌렸다. 더 많은 물고기떼가 몰려들었다. 붕어, 잉어새끼, 어름치, 버들치, 피라미, 치리, 납자루 등 크고 작은 여러 종류의 물고기들이 어울려 물에 가라앉은 꽃가루를 쪼아먹었다. 햇볕이 차단된 물 밑의 세상은 참으로 평화롭고 조용하고 아름다웠다. 나는 문득 물 밑 세상에 빠져들고 싶은 유혹을 느꼈다. 그리고 그 유혹을 뿌리치기라도 하려는 듯 후닥닥 시선을 들어올려 느티나무 쪽을 쳐다보았다. 세 아이들이 느티나무 아래서 저들끼리 뭐라고 떠들어대며 놀고 있었다. 아마 한 번도 본 적이 없는 큰아버지에 대해 이야기하고 있는지도 몰랐다.

"큰아버지 영정은 어쩌지요? 물 속에 던질 건가요?"

원철이가 영정을 머리 위로 흔들어 보이며 물었다.

"집으로 모셔가자."

나는 아이들을 향해 큰 소리로 대답하며 다시 물 속 세상을 들여다보았다. 물고기들은 좀처럼 흩어지지 않았다. 물고기들이 검은 뿔테 안경을 낀 모습으로 눈을 크게 뜨며 일제히 나를 쳐다보고 있는 것 같았다. 바람이 건듯 불자 수면 위에 물비늘이 일었다. 그때 어디선가 형님의 다정한 목소리가 들려왔다. 나는 신념을 위해서 살아왔다. 인생은 실패했지만 변하지 않는 신념은 강하고 아름답다는 것을 알았다. 물비늘이 사라지면서 형님의 목소리는 물 속으로 깊숙이 가라앉았다. 마음이 물 속에 잠긴 나는 오랫동안 형님의 곁을 떠나지 못했다.

비전향 장기수의 신념과 혈연 의식의 복원

송현호(아주대 인문학부 교수)

〈느티나무 아래서〉는 6 · 25 전쟁으로 인하여 형성된 우리 민족의 비극적 현실을 다룬 소설이다. 작가는 분단 상황으로 형성된 가족 구조의 파괴 내지는 혈연 의식의 훼손이라는 우리 시대의 비극을 파헤치면서 어떻게 하면 분단의 현실을 극복할 수 있을 것인가에 대하여 그 나름의 조심스러운 타진을 하고 있다.

이 작품은 작가의 작품 〈철쭉제〉와 비슷한 유형인 듯 보이나 그와는 조금 다르다. 좌우익 이데올로기와 직접적인 관련이 없으면서도 공산주의자였던 형님으로 말미암아 큰 피해를 입은 인물을 서술자로 설정하여, 그의 시각에서 바라본 이 시대 이데올로기의 힘과 비전향 장기수의 신념 그리고 혈연 의식의 복원이라는 문제를 민족 화해와 동질성 회복의 차원에서 다루고 있다.

이야기는 중층 구조로 이루어져 있다. 외화 · 중화 · 내화가 얼마간은 무질서하게 나열되어 있으나 그렇다고 구성이 완전히 해체된 것은 아니다. 이야기를 읽고 그들을 정리해 보면 그 구조가 보다 선명해진다. '나'의 현재 이야기와 형과 '나'의 과거 이야기 그리고 형과 '나'의 최근 이야기가 중첩되어 있다. '나'의 현재의 이야기가 외화라면 형과 '나'의 과거 이야기는 내화이고, 형과 '나'의 최근 이야기는 중화이다.

외화에는 서술자의 현재 심경이 잘 드러나 있다. 서술자는 형의 장례를 치르기 위하여 화장터로 향하는 장의 버스에서 자식들과 조문객들을 바라보면서 자신의 뇌리를 스쳐간 상념들을 보여준다.

그리고 성전환 수술을 준비하는 큰아들 원철, 권투 선수인 둘째 경철, 방송국 백댄서인 셋째 계철의 상처받지 않으면서도 서로를 존중하며 살아가는 자유분방한 삶과 '평화의 집'에 기거하는 비전향 장기수들의 신념을 위한 가족의 희생을 강요하는 삶을 통해 혈연 의식이 파괴되어 버린 우리 시대의 비극적 현실을 떠올리게 한다. 더불어 형의 유품을 보거나 화장 후 유골을 저수지에 뿌리면서 형에 대한 회한과 혈연의 정을 은연중에 드러내고 있다.

중화에는 형님의 출소 직전, 감찰 담당 형사가 찾아와 형님의 출소 날짜와 시간을 알려주면서 시작되는 '나'의 방황과 갈등이 잘 드러나 있다. '나'는 형님이 출소한다는 충격적인 소식을 듣고 숨기고 싶었던 과거를 떠올린다.

형님이 마을 사람들을 괴롭히고 떠난 뒤 '나'는 엄청난 시련을 겪는다. 그 후로 고향을 떠나 지금은 서울 시청 앞에 조그만

인장가게를 열고 소시민적 삶을 영위하고 있다. 그 후 '나'는 한 번도 고향을 찾지 않았으며, 자식들에게 형님의 존재를 알리지도 않는다.

며칠 동안 잠을 이루지 못하고 안절부절하다가 형무소로 형님을 찾아갔지만, 형님의 출소를 환영하는 민권단체 사람들의 만세 소리와 그에 화답하는 형님의 연설을 듣고 43년 전에 느꼈던 두려움이 되살아나 자리를 뜨고 만다. 얼마 후 형님이 가게로 전화를 걸어 한번 만나자고 제의해 왔지만 '나'는 냉정한 반응을 보이며 거절한다. 형님은 몸소 가게 맞은편에서 '나'를 지켜보다가 돌아가곤 한다. 그러던 어느 날 허름한 식당에 마주 앉아 그들은 그리움 섞인 원망과 위로의 말을 주고받는다.

이러한 일련의 사건에는 혈육의 정과 제도적 폭력 사이에서 갈등하고 번민하는 '나'의 모습이 잘 드러나고 있다. '나'의 모습을 통해 무엇이 혈연 의식을 파괴시켰고, 공포에 떨게 했는가도 보여준다. 그러나 한편으로 자신의 삶에 결정적으로 영향을 미친 형에 대한 그리움과 두려움, 원망이 교차하면서 정신적 혼란에 빠져든다.

내화에는 어린 시절 우상이었던 형이 공산주의자가 됨으로써 '나'가 받은 고통이 드러나고 있다. 내화는 주로 형님을 회상하는 장면으로 표현된다. 그래서 한 덩어리가 아니라 작품 곳곳에서 여러 부분으로 나뉘어 제시되고 있다.

'나'는 책가방 대신 권총을 찬 형님이 완장을 찬 청년들을 데리고 나타나 필수의 할아버지와 아버지를 윽박지르고 결국 그들을 데리고 어디론가 사라진 끔찍한 사건과 그로 인해 '나'가 감당해야만 했던 끔찍했던 일들을 회고한다. 여기에서 '나'가 한사코 형님을 외면하려 했던 이유를 발견할 수 있다.

형은 유품으로 검은 뿔테 안경, 오래된 회중시계, 사진 두 장, 편지 한 통을 남긴다. 오래된 회중시계는 이미 멎어 있었는데, 이는 형의 죽음을 의미한다. 검은 뿔테 안경은 어린 시절의 형과 '나'를 이어주는 매개물이다. 43년 동안 단절된 혈연의 관계가 두 개의 유품을 통하여 스스럼없이 복원되어 간다. 그리하여 '나'는 태엽을 감아보기도 하고 안경을 써보기도 하면서 잊혀진 과거를 생각한다.

두 장의 사진 가운데 한 장은 느티나무 아래서 제복을 입은 중학생 형과 윗도리만 입은 대여섯 살의 벌거숭이 소년 '나'가 함께 찍은 것이다. 다른 한 장은 형님이 북쪽에 남겨두고 온 가족들의 사진이다.

느티나무 아래서 찍은 사진은 '나'로 하여금 어린 시절과 고향에 얽힌 많은 사연을 되살려준다. 카메라에 잡히지 않은 고향의 풍경과 집안에 심은 청매화나무를 연상케 하여 훼손되어버린 혈연 의식의 회복을 위한 불씨를 되살려주기도 하고, 잊고 지냈던 43년 전의 끔찍했던 사건과 그로 인해 자신이 입은 피해를 일깨워주기도 한다.

형님의 가족 사진은 '나'와 무관하다고 생각하면서 살아온 형님의 가족들이 자신과 무관하지 않음을 상기시켜준다. 그리고 그들도 자신과 같은 피해자임을 깨닫게 한다. 형님은 6 · 25 전쟁이 끝난 뒤에 월북하여 북한에서 가정을 이루고 살았다. 15년을 함께 살아온 가족이지만 그에게는 가족을 초월하는 사상이 있었다. 그 사상에 대한 신념으로 가족을 북쪽에 남겨두고 남파되어 활동하다가 1965년 가을 체포되어 일생을 감옥에서 보낸 것이다.

그런데 그는 왜 두 장의 사진을 남긴 것일까? 그것은 신념을 지키면서 장기수로 일생을 보낸 사람의 행위에 부합하는가?

그가 전향을 하지 않은 것은 사회주의의 우월성을 믿어서도, 남한의 공산화가 가능할 것이라는 신념에서도 아니다. 그는 이미 사회주의 국가의 몰락을 알고 있었다. 그렇다면 그의 행동은 부모와 동생 그리고 가족들에게 지은 죄를 사죄하기 위한 몸부림에서였을까? 아니면 통일에 대한 염원에서였을까? 그에 대한 대답은 그가 남긴 유서에서 찾을 수 있다.

그는 부모님과 아우 그리고 고향을 한 번도 잊어본 적이 없으며, 아우를 만나 고향에 가보고 싶은 희망 하나로 교도소 안의 삶을 지탱해왔다고 밝히고 있다. 아울러 자신이 살아온 삶이 통일의 밑거름이 되기를 바라고, 통일이 되는 날 북에 있는 가족을 꼭 찾아봐 달라는 부탁을 남기고 있다. 그의 행동들은 이데올로기적 관점에서의 접근을 불가능하게 한다. 공산주의자의 신념과 훼손된 혈연 의식의 복원이라는 소망은 어울리지 않는 듯 보인다.

그러나 단일 민족의 터전인 한반도에서 훼손된 혈연 의식의 복원 없이 진정한 의미의 통일이 이루어질 수 있을 것인가? 남편이나 아내 이전에 사상을 생각해야 하는 것이 북한의 현실이다. 혈연 때문에 사상을 배신하는 일은 상상할 수 없다. 최근 햇볕정책의 일환으로 이루어지고 있는 장기수들의 송환 과정이나 남북 이산가족의 상봉 과정에서도 그 점은 분명하게 드러나고 있다.

통일 운동이나 분단 극복의 노력은 이데올로기를 초월하여 민족 화합의 정신에 바탕을 두어야 할 것이다. 그러나 남북의 위정자들은 분단 상황을 정치적 주도권을 장악하기 위한 수단으로 이용했고, 분단 극복을 위한 노력마저도 정략적으로 이용해 왔다. 장기수들이나 혹은 우리 모두는 그들의 장단에 맞춰 춤을 춘 것은 아니었던가?

이러한 분단의 현실 속에서 우리의 삶은 왜곡될 수밖에 없었다. 열강의 이해 관계 앞에서 진실은 항상 견제를 받아 분단으로 형성된 상처를 치유하기는커녕 자꾸만 내면화시키는 결과를 낳았다. 분단 문제가 만지면 만질수록 덧나는 민족의 상처와 같다고 한 것은 바로 그 때문이다.

그러한 시각에서 볼 때 박 노인의 행동은 새로운 전망에 맞닿아 있는 것으로 보인다. 그는 이데올로기적 차원이 아닌 실존의 차원에서 분단 문제에 접근하고 있다. 그가 느티나무 아래서 찍은 사진을 소중히 간직할 수 있었던 것은 그에 연유한다. 그는 자신의 진실을 은폐하지 않았고, 진정으로 통일의 밑거름이 될 수 있는 자의 모습을 보여주었다.

이를 통하여 작가는 오랫동안 우리들의 뇌리에 각인되고 굳어버린 분단 이데올로기를 비판하고, 그 극복의 가능성을 조심스럽게 타진한 것으로 보인다.

현 대 문 학 교 수 3 5 0 명 이 뽑 은

댈러웨이의 창(窓)

박 성 원

- 1969년 출생.
- 1994년 《문학과 사회》 가을호에 단편 소설 〈유서〉로 등단.
- 작품집으로 《나를 훔쳐라》, 《이상 · 이상 · 이상》이 있음.

박성원

댈러웨이의 창(窓)

창(窓)은 진실을 엿볼 수 있는 기회이다. 만일
창이 없다면 사각의 벽 속에 갇혀 있는 진실을 어찌
구해낼 수 있단 말인가. —사진작가 댈러웨이

내가 댈러웨이에 대해 알게 된 것은 이층으로 새로 이사 온 젊은 사내 때문이었다. 이층에는 그 동안 내가 취미 생활을 하는데 필요했던 암실과 작업실이 있었다. 하지만 살림 살기에도 충분한 공간을 취미 생활 때문에 놀리기에는 아까운 감도 없지 않았고 또한 경제적인 문제도 걸려 있었기에 나는 세를 놓기로 했었다. 암실과 작업실을 지하로 옮긴 나는 장판과 도배를 새로 했고, 세를 놓는다는 광고를 생활정보지에 냈었다. 그리고 그 자리에 아주 간단한 이삿짐을 가진 한 사내가 들어왔다.

내가 살고 있는 집은 신도시가 내려다보이는 야산에 홀로 위치해 있었는데, 시내와 거리가 먼 문제 때문인지 방은 쉽게 나가지 않았다. 그러나 장마 같지도 않던 장마가 끝날 무렵 산 위에서 내려다보는 야경이 멋지다는 이유로 한 사내가 이사 왔다. 언젠가 사내는 이 부근에 왔다가 서울로 가는 길을 잃고 헤맸는데, 길을 찾기보다는 야경에 반해 동틀 무렵까지 앉아 있다가 갔다고 했다. 그래서 마음이 울적한 날에는 이곳을 자주 들렀고, 그러다가 우연히 광고를 보았다고 했다.

사내가 가계약을 하고 간 그날 나는 사내를 배웅하면서 야경을 다시 보았다. 하지만 사내가 감탄하는 야경을 찾을 수 없었다. 네온사인은 날을 잘 간 칼처럼 번뜩이긴 했지만 아래 위로, 또는 좌우로 단조롭게 방전되고 있어 자유롭지 않아 보였다. 또 멀뚱하게 켜져 있는 가로등은 오징어잡이 배의 늘어선 전구처럼 하리망당하게 보일 뿐이었다. 많은 사람들이 발광(發光)을 찬양하며 아치랑거리고 돌아다니고 있었다. 하지만 빛에 반사되어 허옇게 들뜬 얼굴 때문에 그들은 사람이 아니라 꼭 유령 같았다. 뭉청뭉청 잘려나간 게시판의 광고지처럼 해진 옷을 입고, 어둠을 탈색시킨 강렬한 빛에 부유물처럼 떠다니는 그들의 모습은 반사물 이상 아무것도 아니었다.

사내의 이삿짐은 그가 몰고 다니는 4륜 구동에 알맞게 들어가 있었다. 냉동 칸과 냉장 칸이 함께 있는 소형 냉장고를 같이 들어준 것말고는 힘쓸 만한 짐이라곤 없었다. 나는 사내의 여행용 가방 —— 아마도 사내의 옷가지가 들어 있을 듯한 —— 을 내려놓으면서, 하다 못해 텔레비전도 없는 이삿짐은 처음이라고 말했다. 그러자 사내는 과장된 소리로 홍감스레 웃으면서 무언가를 꺼내 보였다. 그것은 가느다란 긴 원통에 숨겨져 있었는데, 사내는 원통의 가운데 부분을 잡아당겼다. 그러자 꼭 지도가 펼쳐지는 것처럼, 백색의 전지가 펼쳐졌다.

"이건 일종의 스크린이에요. 저기 슬라이드기처럼 생긴 기계 있죠? 저것이 새로 나온 액정빔인데, 방송은 물론 DVD까지 볼 수 있는 최신형이에요."

그러면서 사내는 무언가를 열심히 설명했지만 나는 손을 가로저으며 그만두라고 했다. 암산이 빠른 주산기 세대이니, 그런 설명은 필요치 않다고 덧붙였다. 그러자 사내는 시퉁하게 웃으면서 손바닥으로 자신의 머리를 툭 쳤다. 미처 몰라본 자신의 실수를 용서하라는 식으로.

이삿짐을 모두 풀어놓은 사내의 방은 아주 넓어 보였다. 내가 사용하던 책상 위에 노트북과 최신형 스캐너가 놓여진 것말고는 마치 빈방 그대로인 듯했다. 사내는 책상 서랍을 세차게 열고 닫았는데, 그 모습은 꼭 불결한 무엇이 서랍 안에 있어 그것을 찾아 제거하려는 듯한 모습이었다. 순간 내 머릿속에는 작업실을 옮기면서 책상 정리를 하지 않았다는 생각이 들었다. 역시 사내는 나를 불렀다. 그러면서 사내가 내 손에 쥐어준 것은 네거필름 쪼가리와 필름을 건조할 때 걸어두기 위한 클립 몇 개와 수세 후 필름을 닦을 때 사용하는 스펀지, 그리고 필름을 현상할 때 감도를 높여주기 위해 사용하는 후지(富士) 제 팬도루 한 통이었다.

"취미로 사진을 하시는 모양이죠?"

사내는 양손에 가득 담긴 잡다한 물건을 건네며 내게 말했다. 내가 어떻게 대답해야 할지 몰라 시들먹한 표정으로 사내의 손에 있던 물건을 집어들었다. 그러자 사내는 다시 말을 이었다.

"저도 비슷한 일을 합니다. 저기 보이는 스캐너와 노트북으로 광고용 스틸을 편집하죠. 그래픽으로 색 보정하고, 노광과 콘트라스트 보정하고…… 사진을 해보셨으니 잘 아시겠네요. 하지만 가끔은 제 직업을 말하기가 부끄러워요. 컴퓨터로 작업한다는 게 원본 사진에 없는 사실을 덧붙이는 것이니까요. 진실을 외면하고 거짓을 만들어내는 게 제 직업이죠."

사내가 이사 온 그날 밤, 나는 새로 옮긴 지하 암실에서 밤늦도록 작업을 했다. 수제 프린터로 밀착구이를 하였고, 인화지 조각으로 테스트 프린트를 서너 번 하였다. 테스트 프린트를 서너 번까지 한 것은 십여 년 전에 실습할 때 이후로 처음이었다. 적절한 노광 시간을 알기 위해 보통 한 번 정도 하는 테스트를 서너 번이나 반복한 나는 암실을 그만 나와버렸다. 그리고 시적거리는 걸음으로 지하 계단을 올라온 나는 바람을 원했다. 그러나 내가 뜸지근하게 내뱉는 호흡말고는 단 한 점의 바람도 없었다. 밤인데도 폭짝폭짝 찌는 열기에 속옷까지 땀에 절어 꿀쩍거렸다. 나는 바람이 불지 않는 골목길에서 손을 휘휘 저어 인위적인 바람을 두어 번 만들어냈다. 그러나 그런다고 해서 후줄근한 더위가 물러나고 또 맞바람이 불어오는 것은 아니었다.

그렇게 하릴없이 골목길을 흥뚱항뚱 오가고 있을 때, 골목길

아래에서 자동차의 하이빔이 빠른 속도로 올라왔다. 마치 갈라지고 쪼개진 땅 속에서 시뻘건 지구핵이 뿜어내는 빛처럼 확확 타오르던 하이빔은 언덕 위에 있던 나를 발견하고는 일순간 멈추었다. 나는 뒤로 물러날 틈도 없이 그 자리에 주저앉았고, 하이빔이 꺼지지도 않은 자동차 안에서 내린 누군가가 나를 일으켰다.

"어머, 죄송해요. 언덕이 높아서 미처 못 봤어요."

자동차에서 내린 사람은 젊은 여자였다. 그러나 얼굴은 볼 수 없었다. 그녀의 자동차가 던진 강렬한 하이빔 때문에 눈앞에는 형체를 알 수 없는 빛들이 둥둥 떠다녔기 때문이었다. 그녀는 내 엉덩이를 손바닥으로 치면서 먼지를 털어주었다. 나는 괜찮다면서 그녀의 손을 제지했지만 그녀는 내 엉덩이를 한사코 건드렸다.

"가만 있어봐요. 그쪽은 댁의 손이 안 닿는단 말이에요."

나는 바르작거리며 그녀의 손에서 막 벗어났지만 그녀는 못내 아쉬운 듯했다. 그때 이층에서 사내가 여인을 부르는 소리가 들렸다. 나와 여인은 동시에 올려다봤고, 어렴풋이 새로 이사온 사내가 손을 흔드는 것이 보였다.

그녀가 자동차의 시동을 끄는 소리가 들렸고 이층으로 향하는 철제문을 여닫는 소리가 들렸다. 나는 하이빔이 던진 후유증에 한동안 빛과 어둠을 구분할 수 없었다. 빙초산을 너무 섞은 인화지가 기포를 발산하며 타들어가는 것처럼 사물이 온통 점점이 번뜩였다가 사그라들었다. 그러나 그 와중에도 소리는 멀쩡하게 들렸다. 굽 높은 구두로 계단을 밟는 소리가 동굴 속에서 울리는 공명처럼 전해져 왔다. 눈이 어느 정도 정상으로 돌아왔을 때 이미 그녀는 사내와 문 앞에서 부둥켜안고 있었다. 그러고는 몇 번의 입맞춤을 서로 나눈 뒤 문 안의 사각 공간으로 사라져 버렸다.

나는 엄지와 검지로 눈을 지압한 뒤 그녀와 사내가 사라진 이층의 암갈색 벽돌을 응시했다. 내가 총총히 사라진 그들의 행방을 쫓아 끝까지 시선을 거두지 못한 것은 이상하게도 외로움을 느꼈기 때문이었다. 그들이 사라져버린 암갈색의 벽돌이 나에게 묘한 단절감을 전해주었고, 골목길에 아직도 혼자 남아 있다는 사실에 나는 진한 외로움을 느꼈다. 하이빔에 잠시 눈이 멀어 나를 일으켜주던 여인의 모습을 제대로 보지 못한 것이 우울했고, 하다 못해 집주인으로서 누굴 찾아왔는지 물어보지 못한 것도 씁쓸했다. 왜 그런지는 알 수 없었다. 낡아서 이제는 초점도 제대로 맞추지 못하는 확대기와 폐독극물처럼 방치된 정착액과 현상액 병들이 대신 눈앞을 오갔다.

나는 그들이 있을 사각 공간의 벽을 한동안 쳐다보았다. 그러다가 내 시선이 다시 고정된 곳은 창문이었다. 이전에 내가 암실로 사용할 때 설치한 흡혈귀의 망토 같던 두꺼운 커튼은 보이지 않았다. 아마 도배를 하면서 일꾼들이 치웠을 것이었다. 그러나 커튼이 없어서인지 창은 창다웠다. 언젠가 나는 이층 작업실을 올려다본 적이 있는데 그때는 도시 어느 것이 창이고 또 어느 것이 벽인지 분간할 수 없었다. 두껍게 창을 가린 커튼 때문에 암갈색의 벽돌이나 창은 매한가지였다. 그러나 커튼을 뗀 창은, 특히 불이 환하게 비치고 있는 창은, 마치 숨구멍을 틔워주는 듯했다. 나는 그때 암갈색의 벽돌 사이에서 시원하게 빛을 내뿜고 있는 창을 보면서, 창이란 게 사진기의 뷰파인더와 비슷한 것이라고 생각했다. 만일 창이 없다면 벽돌의 사각 속에 갇힌 실제의 모습을 어떻게 볼 수 있을까.

어쨌든 그날 나는 이유 모를 외로움 속에서 한동안 창을 보고 있었는데, 창을 통해 그들의 그림자가 보였다. 한 그림자는 다른 그림자의 머리카락을 만지고 있었고, 이어 다른 그림자는 옷을 벗고 있었다. 신체적 특징이 그림자를 통해 한껏 드러났기 때문에 나는 옷을 벗고 있는 그림자가 내 엉덩이를 털어주던 여인임을 알 수 있었다.

나는 다음날도, 또 그 다음날도 작업을 제대로 하지 못했다. 몇 개는 인화를 해보았지만 그것은 증명사진 수준의 한계를 벗어나지 못하고 있었다. 필터를 이용해서 찍은 사진이나 아니면 고감도 필름을 사용해서 찍은 굵은 입자의 흑백사진을 몇 개 건졌지만 새로운 것은 전혀 없었다. 현상액을 고온으로 처리해 사진 입자를 거칠게도 만들어보았고, 여러 종류의 인화지로 노광시간을 조정하기도 했고, 네거필름을 합성시켜 몽타주 포토를 만들어도 보았지만 소용이 없었다. 이미 유행마저도 지난 구식 기법에서 벗어나지 못하고 있을 뿐만 아니라, 더군다나 피사체에서도 아무런 의미를 구하지 못할 것 같았다.

자극이 필요해. 아, 나에겐 새로운 자극이 필요해, 하고 중얼거렸지만 그것은 뜻모를 소리에 지나지 않았다.

하릴없이 골목길을 서성이는 시간이 늘어갔고, 또 그때마다 이층에 달린 창을 바라보는 횟수가 늘었다. 그날 밤 이후 내게는 좋지 못한 버릇이 생겼다. 그것은 사내가 사는 이층의 불 켜진 창을 몇 시간이고 지켜보는 것이었다. 특히 제대로 얼굴을 보지 못한 사내의 여자친구가 온 밤이면 더욱 그러했다. 혹시 사내가 창문을 세차게 열고는, 어둠 속에서 숨죽이며 지켜보고 있는 나를 보면 어찌하나 하는 두려움도 가끔씩 들었다. 하지만 그런 두려움이 클수록 나는 창이 보이는 어둠 속에서 벗어날 수가 없었다.

사내가 이사온 지 사흘이 지난 주말 밤에는 사내가 직접 지하 암실로 내려왔었다. 집들이를 할 텐데 나도 참석했으면 한다고 말했다. 친구들이 모두 사진과 관련된 일을 하니 서로 좋은 이야기를 나눌 수 있을 거라는 말도 덧붙였다. 그러면서 사내는 내 작업실을 둘러보며 새근발딱거렸다. 손가락을 오므린 채, 수전증에 걸린 사람처럼 덜덜 떨며 허공에 대고 감탄사를 뿜기도 했고, 바람 빠진 풍선처럼 나달대며 뛰어다녔다.

"세상에…… 여긴 완전히 박물관이군요."

그러면서 사내는 과장된 몸짓으로 보는 용구마다 만지며 괴성을 질렀다.

"이 확대기는 반세기는 넘은 것 같아요. 오우, 이 이젤 좀 봐. 사진은 이렇게 해야 제 맛인데. 감각적인 영상만을 좋아하는 요즘 인간들의 입맛에 맞추려고 컴퓨터로 모조리 조작하니…… 하긴 쩝. 사진일을 한다는 나 또한 그러고 있으니……."

그러면서 사내는 잊었다는 듯이 내 손을 잡고 올라갔다.

집들이에 온 사내의 친구는 모두 여섯이었다. 여자는 세 명이었는데, 그 중에서 누가 사내의 여자친구인지 찾을 수는 없었다. 집들이에 오가는 통상적인 말들이 지나고, 여느 술자리에서처럼 야지랑스런 음담패설이 오갔다. 빈 술병이 비닐 봉지 하나를 꽉 채웠을 무렵 사내의 친구 중에 한 명이 해죽이 웃으며 가방에서 뭔가를 꺼냈다.

"드디어 구했지. 댈러웨이의 〈미지의 창〉. 병식이는 이 사진을 구하러 미국까지 직접 간댔는데, 글쎄 이놈의 사진이 어떤 아마추어 사진 동호회의 사이트에 떡 하니 있더라니까."

그러면서 친구는 닝글닝글한 웃음으로 건방을 떨었다. 하지만 그 사진을 본 사내의 친구들은 먹이를 받아먹는 동물원의 사슴처럼 눈알을 뙤록하게 뜨고는 눈썹을 씀벅거렸다. 그러고는 마치 비밀 교시를 수령하는 신자들처럼 아주 공손하게 돌려 보았다.

"야, 역시 댈러웨이야. 그냥 봐서는 도저히 모르겠는걸. 일단 스캐너로 긁어 확대해야겠는데……."

이층에 사는 사내가 말은 그렇게 했지만 장대비를 맞은 풀포기처럼 풀 죽은 모습을 잠깐 비쳤다. 그 모습은 극히 짧은 순간에 나타났다가 이내 사라졌지만 무척 의외였다. 다른 친구들은 긴장하긴 했지만 자신의 차례가 어서 돌아오라는, 약간의 호기심과 흥분감이 감도는 밝은 얼굴이었다. 그러나 이층의 사내는 밝게 말하면서도 분명 물에서 갓 건진 춰나물처럼 척척한 모습을 감추지 못하고 있었다. 이어 사진을 건넨 친구가 사내의 표정을 보지 못했는지 실팍한 웃음을 지으며 말했다.

"아서라, 이미 내가 다 해봤다. 그게 그리 쉽게 찾아질 것 같으면 괜히 백만 불이겠냐?"

"하긴, 이미 일 년이 넘도록 파악하지 못했는데, 우리가 그걸 찾을 수 있겠어? 난 댈러웨이 때문에 사진을 그만뒀잖아. 이젠 더이상 댈러웨이에 대해선 듣고 싶지도 않아."

사내의 옆에서 가랑가랑히 미소를 보이며 술을 한모금 적시던 여인이 말했다. 그러자 저마다 고개를 숙이며 여인의 말에 동의했다.

"댈러웨이는 더이상 넘을 수 없는 완벽을 찍은 사람이야. 그 사람 이상의 사진을 찍는다는 것은 무리야. 댈러웨이 때문에 사진 그만둔 작가들 많지, 아마?"

빨랑거리며 오가던 술잔이 금세 수그러들었고, 살뚱스럽게 오가던 대화는 더이상 나오지 않았다. 가끔씩 안주를 집는 시적거리는 젓가락질이 오갔고, 집들이가 아니 초상집에 온 사람들처럼 하리타분하게 술잔만 응시할 뿐이었다.

집들이가 있은 다음날, 나는 이층에 사는 사내를 찾았다. 사내는 모니터로 전날 보았던 댈러웨이의 사진을 보고 있었다.

"도대체 저 창 안에 무엇이 있단 말이지……."

사내는 마우스를 거의 던지다시피 내려놓으며 말끝을 흐렸다. 그리고 한 손으로 흘러내린 머리카락을 쓸어올리며 나를 돌아다보았다. 나는 사내에게 댈러웨이가 누군지 물었다. 그러자 사내는 어스러질 듯 몸을 감싸며 믿어지지 않는다는 표정으로 되물었다.

"댈러웨이는…… 얼마 전에 죽으면서 유명해진 사진작가로…… 아니 정말 댈러웨이를 모른단 말이에요?"

그렇게 시작한 사내의 말은 내게 충격적으로 다가왔다.

사실 댈러웨이의 사진을 처음 본 사람은 그가 왜 그렇게 유명한 사진작가인지 알지 못한다. 댈러웨이의 사진은 그림으로 말하자면 정물화나 인물화 같다. 정물화처럼 식탁 위에 있는 쟁반과 병, 그리고 과일을 찍은 사진이라든지, 인물화나 자화상처럼 사람의 두상을 찍은 사진이 대부분인데, 도저히 예술사진이라고는 볼 수 없는 사진들뿐이다. 더군다나 식탁 위에 놓여 있는 피사체들의 구도도 평범하기 그지없는 것이고 또한 인물사진도 특별한 표정이나 위인을 찍은 사진은 없다. 오히려 댈러웨이가 찍은 인물사진은 이력서 귀퉁이에 붙어 있는 증명사진보다 더욱 형편없어 보인다. 그래서 댈러웨이는 생전에 사진전 한 번 열지 못한 무명의 작가였다. 댈러웨이의 사진이 유명해진 것은 그가 죽기 바로 전, 매우 눈이 나쁜 한 아마추어 사진작가에 의해서였다. 매우 눈이 나쁜 사진작가는 사진을 관찰할 때면 언제나 돋보기를 가지고 관찰했는데, 어느 날 아마추어 사진작가는 역시 확대경을 들고 한 사진을 관찰하고 있었다. 그러다가 그 사진 속에 있는 피사체에서 어떤 모습이 반사되고 또 비춰지는 것을 발견했다. 그것이 댈러웨이 사진에 대한 첫 발견이었다.

가령 정물화 같은 〈식탁 위의 세상〉이라는 사진을 보면 어느 한가한 농가의 식탁을 그대로 찍은 듯하다. 아직도 뜨거운 김이 소락소락 올라오는 수프라든지, 막 베어먹은 듯한 빵과 노랗게 잘 익은 감자를 보면 누군가의 식사 도중에 잠시 양해를 구하고 찍은 것처럼 보인다. 그래서 몇 컷의 사진 찍기가 끝나면 이내 자리에 다시 앉아 빵을 수프에 찍어 먹을 것 같은.

하지만 식탁 위에 놓여 있는 스푼을 자세히 보면 무언가 희미하게 보인다. 그것을 확대하면 그 안에는 한 군인이 농부를 총으로 살해하는 모습이 담겨 있다. 댈러웨이는 그 사진을 유고 내전 당시에 실제로 찍었는데, 그는 그 순간에도 슬라브족 민간인을 학살하는 정부군의 사진을 직접 찍기보다 반사되는 물체에 담아서 사진을 찍었다. 그래서 사진을 보는 사람에게 두 번 다시 식탁의 주인공은 돌아오지 않을 것이며, 또 막연히 평화롭고 한가로이 보이던 어느 농가의 식탁은 사실 죽음의 만찬과 같다는 공포감을 주게 만든다. 그의 사진은 대부분 그런 것이다. 사진 자체보다는 스푼이나 병, 그리고 안경이나 눈동자처럼 사진 속에서 반사되는 또 다른 눈을 통해서 찍는다. 그래서 댈러웨이의 사진은 평범해 보이지만 고도의 기술과 주제의식이 들어간 최고의 작품이다. 댈러웨이의 사진을 볼 때면 가장 먼저 작품 전체를 보고 다음에는 항상 반사되는 물체를 찾아야 한다. 그것도 마치 숨겨져 있는 듯한 반사체를. 가령 안경알이라든지, 유리라든지 아니면 스푼 같은. 댈러웨이는 그렇게 간접적으로 그리고 의미를 찾으려는 사람에게만 말하는 것이다.

댈러웨이의 사진 중에서도 〈미지의 창〉——이 제목은 댈러웨이 자신이 붙인 것은 아니다. 댈러웨이는 이 사진을 자신이 죽는 날까지 발표하지 않았는데, 댈러웨이가 죽던 날 그의 침대 머리맡에서 발견되었다. 그런데 이전까지 댈러웨이의 작품과는 달리 창이라는 반사체에 보이는 물체가 너무나 희미해 제대로 볼 수 없다——은 아직까지 해독되지 않은 유일한 사진이다. 댈러웨이의 다른 사진들과 마찬가지로 피사체인 창 속에는 무엇인가 보인다. 그러나 너무도 흐려서 정확히 알 수가 없다. 아니 그것이 창 속에 있는 것인지, 아니면 창에 비친 것인지도 아직 밝혀지지 않았다. 그래서 필름 회사인 아그파와 댈러웨이가 활동하던 나라의 사진작가협회에서는 창 속에 있는 모습을 정확히 해독하는 사람에게 백만 달러의 상금을 내걸기도 했다.

사내는 댈러웨이의 사진책이 있으면 이해하기 쉬울 거라고 말했다. 그러나 댈러웨이는 자신의 작품을 한 장씩만 현상한 뒤 네거필름까지 모두 태운다고 했다. 대량생산과 대량복제를 무척이나 혐오했던 댈러웨이의 사진은 그래서 전시된 작품말고는 볼 수가 없으며, 고인의 뜻을 따라 사진집도 아직 나오지 않았다고 했다.

이야기를 마친 사내는 댈러웨이에 대해 아는 이야기를 다 했다는 식으로 손을 소들소들 흔들어댔다. 그러고는 나에게도 복사한 댈러웨이의 〈미지의 창〉을 한 장 주었다.

"프린터로 카피한 것이라 해도 댈러웨이의 작품이라고 하니 잘 보관하세요."

사내는 휘파람을 불면서 다시 스캐너에 정중하게 사진을 올렸다. 하지만 없는 사실도 완벽하게 만들어낸다는 그의 컴퓨터도 〈미지의 창〉을 분석하지는 못했다. 확대를 하면 할수록 입자가 커지는 바람에 그것은 먹장구름 같은 회색의 괴물에 불과했다.

사내는 나에게 이 사진을 해독하려면 백만 달러치가 넘는 장비가 필요하겠다고 시시껄렁하게 웃으면서 말했다.

"아참, 그리고 댈러웨이는 이런 말을 했어요. 워낙 말도 아낀 사람이라서 아마 그가 죽을 때까지 한 몇 안 되는 말 중에 하나일 거예요. '창은 진실을 엿볼 수 있는 기회이다. 만일 창이 없다면 사각의 벽 속에 갇혀 있는 진실을 어찌 구해낼 수 있단 말인가. 나는 그 창을 사진기에 있는 뷰파인더를 통해서 본다.' 어때요, 멋있지 않아요?"

사내는 다시 허공에 대고 팔을 가볍게 흔든 뒤 모니터에 집중했다.

내가 사내에게서 복사한 사진을 가지고 온 것은 상금보다도 신선한 자극이 필요했기 때문이었다. 나는 사내가 이사온 후로 단 한 컷의 사진도 제대로 현상하지 못하고 있었다. 스멀스멀 오염되듯 인화되는 인화지를 보면서 대체 이것들이 무슨 소용이 있을까 하는 생각들뿐이었다. 그리고 그것은 사진에 찍힌 사람들이나, 피사체나, 동작을 보면서도 마찬가지였다. 도무지 어떤 의미도 찾아지지 않는 것들뿐이었다. 댈러웨이는 뷰파인더라는 창을 통해 사각의 벽 속에 있는 진실을 엿본다고 했는데, 내가 찍은 사진은 온통 거짓투성이였다. 내가 찍으려는 의도는 고사하고 당시에 찍은 상황도 제대로 담겨져 있지 않았다. 진실이나 실제의 모습은 차라리 뷰파인더 밖에 있던, 내가 찍으려고 마음먹던 그 순간뿐이었다.

나는 자극을 위해서라도 댈러웨이의 사진을 해독하고 싶었다. 그래서 댈러웨이에 대한 연구를 시작한 것이었는데, 한 가지 이상한 점은 내가 만난 모든 사람들이 댈러웨이에 대해 아는 게 사내로부터 들었던 이야기와 똑같다는 점이었다.

예전에 다녔던 사진 아카데미의 원우수첩을 꺼내서 같이 수업을 받았던 동료들에게 물어도 마찬가지였고, 사진 여행을 같이 했던 사람들에게 물어도 마찬가지였다. 모두가 '댈러웨이? 후우…… 대단한 사람이었지. 얼마 전에 죽은 사진작가로…….'로 시작해서 댈러웨이 사진의 특징에 대해 말했고, 댈러웨이 때문에 더이상 사진을 찍는 게 별 의미가 없다는 말을 하였다. 그러고는 전화를 끊을 때쯤이면 마침 생각이 났다는 식으로 댈러웨이가 했던 유명한 말을 들려주는 것이었다.

나는 댈러웨이의 작품 사진을 수배했지만 그것을 구하기란 더욱 어려웠다. 댈러웨이의 사진을 보려면 댈러웨이의 생가로 가서 보는 수밖에 없다고 말했다. 그 중에는 사진을 직접 보기 위해 돈을 모으는 사람도 몇이 있었다. 하지만 사진 전시장의 장소에 대해선 의견이 분분했다. 댈러웨이의 사진이 생가에만 있는지, 아니면 뉴욕에 있는 아트 센터에 있는지, 런던에 있는 테이트 미술관에 있는지 저마다 달랐다. 그 문제에 대해서 이층에 사는 사내는 충분히 그럴 수 있다고 말했다.

"겉멋, 겉멋 있잖아요. 그게 다 댈러웨이가 죽고 나서 유명해지니까 사람들이 겉멋이 들어서 그런다니까요. 댈러웨이에 대해 한마디라도 더 하면 자신이 똑똑한 줄 알고 말입니다. 참으로 웃기는 일이지요. 제 주위에도 그런 인간들 많아요. 댈러웨이가 이랬니, 저랬니…… 하면서 말입니다. 댈러웨이의 사진을 특별한 장소에서 보고 왔다는 말은 모두 거짓일 거예요. 제가 알기로는 댈러웨이의 사진은 특별한 전시장이 아닌 불특정 장소에서 전시된대요. 그것도 우리 주위에서 흔히 볼 수 있는 곳에 말입니다. 사진 기법이 그렇듯이 사진 전시 또한 아주 평범한 장소에 있죠. 그러나 특별히 숨겨져 있는 것이 아닌데도 사람들은 쉽게 찾지 못한데요. 그런 식으로 전시를 하는 이유는 허위의식에 길들여진 인간들을 혐오하기 때문이래요. 만일 광고나 설명을 듣고 전시장을 찾는다면 누구나 감탄을 하면서 댈러웨이의 진가를 알겠지만, 댈러웨이는 그런 식으로 자신의 작품이 알려지길 원치 않았나봐요. 의미를 찾으려는 사람에게만 답을 보여주는 자신의 사진처럼, 각자 스스로 진실과 허위를 가려내라는 마지막 메세지인 것 같아요. 제가 하는 말이 모두 진실입니다. 믿거나 말거나지만……."

그런 문제들은 실상 중요한 문제도 아니었고, 또한 사내의 말대로 믿거나 말거나 할 계제였다. 하지만 댈러웨이의 작품 사진은 상상하는 것만으로도 내게는 너무나 충격이었다.

"댈러웨이 사진 중에 한 사내가 그냥 웃고 있는 표정을 찍은 게 있어요. 그냥 함박웃음 같은 그런 표정으로 말이에요. 그런데 그 사내의 눈동자를 확대해서 자세히 보면 한 산모가 막 출산하는 모습이 있어요. 아마 사내의 아내겠죠. 그 모습을 보고 나서 사내의 웃는 모습을 다시 보면 소름이 쫙 돋죠. 그리고 사내의 웃음이 평범한 웃음이 아니라 얼마나 많은 감정을 담고 있는지도 새삼 느끼고 말입니다. 그리고 또 다른 사진 중에는 〈야경〉이라는 제목의 작품이 있어요. 그 사진은 낮은 언덕 같은 야산에서 도시의 밤 풍경을 찍은 것인데, 역시 네온사인이나 가로등을 자세히 보면 뭔가가 보이죠……."

그렇군요. 그렇군요…… 사내의 이야기가 이어지는 동안 나는 잘 훈련된 강아지처럼 고개만 까닥일 뿐이었다.

그 후로 내 눈에는 오직 댈러웨이의 사진만이 드레드레 흔들리며 떠올려질 뿐이었다. 침대에 누워 창도 없는 퀭한 벽을 쳐다볼 때도 그랬고 꿈 속에서도 마찬가지였다.

아, 사진은 흑백이었을까, 컬러였을까. 렌즈는 광각이었을까, 망원이었을까. 필름의 감도는 무엇이고 또 피사체의 구도는 어떤 것이었을까. 요란한 컴퓨터의 도움이 없이도, 몽타주 같은 후반 작업이 없어도 그런 사진을 찍을 수 있다니. 댈러웨이, 그는 어떻게 그런 생각을 할 수 있었을까.

댈러웨이의 사진을 상상하면 상상할수록 숨이 막혔다. 취미로 찍는 사진이었지만 나 또한 사진을 더이상 찍고 싶지 않았다. 아니 더이상 다른 사진들을 찍어봤자 소용이 없을 것 같았다. 순수 사진 기술로써 찍을 수 있는 극한이었기에, 새로운 사진 찍기란 더이상은 불가능한 것 같았다.

나는 더욱 심한 외로움을 느꼈다. 특히 창도 없는 지하 암실에서 작업을 할 때면 더욱 그러했다. 직장 동료들이나 친구들에게 댈러웨이에 대한 이야기를 해주었지만 그들의 반응은 시퉁했다. 돈도 되지 않는 그깐 이야기로 괴로워하는 나를 되레 이해하지 못하겠다는 대답이 대부분이었다.

"한 남자가 웃고 있는데, 웃고 있는 남자의 눈에 온통 빨간색으로 전 종목 상한가를 기록한 주식 전광판이 보이는 그런 사진은 없냐?"

동료는 물비누처럼 툽툽한 침이 흐르는 입술을 씰긋거리며 말했다. 그러고는 자신이 한 말에 스스로 웃음을 참지 못하고 맥주잔을 안고 쓰러졌다.

왜 그랬을까. 이유는 알 수 없었지만 나는 동료의 해반닥거리는 눈에서 순간적으로 그녀의 모습이 감실감실 피어오르는 것을 보았다. 그러나 너무나 순간적이어서 그녀가 이층 사내의 여자친구라는 걸 직감만 할 뿐 생김새를 자세히 떠올릴 수 없었다. 그러나 생김새 따위는 어찌되어도 상관없었다. 나는 다만 그 여인이, 이층에 달린 창으로 비친 그 여인이, 댈러웨이에 대해서 아무런 사실도 몰랐으면 좋겠다고 생각할 뿐이었다. 그래서 내가 생각하는 댈러웨이를 그녀에게 들려주고, 그녀로부터 위안을 받고 싶을 뿐이었다.

그러나 그 여인을 제대로 만난 적은 없었다. 후에도 여인은 이층에 사는 사내를 자주 찾아왔지만 나와 마주친 적은 한 번도 없었다. 내가 퇴근해서 오르막을 한참 오를 때면 그녀의 차가 하이빔을 뿜으며 교차하듯 내려갔다. 또 출근하기 위해 잔달음 질치며 내려가면, 그녀의 차는 산길을 오르는 힘겨운 경운기처럼 그르렁거리며 올라왔다. 가끔 작업을 한다고 지하실에 있다가 나오면 그녀의 차만 있을 뿐 그녀는 없었다. 내가 그녀의 존재를 확인할 수 있는 길은 오직 이층에 난 창을 통해서뿐이었다.

댈러웨이의 열풍은 여름 내내 이어졌다. 댈러웨이의 기법을 이용한 방송과 영화가 선보였고, 하다 못해 폭주족의 오토바이에도 댈러웨이의 이름이 스티커로 나붙었다. 언젠가 핀잔을 주었던 동료들도 여직원들과 술자리를 가질 때면 으레 댈러웨이에 관한 이야기로 말을 시작했다. 내가 사내를 가끔씩 찾아가 댈러웨이의 열풍에 대해 이야기를 하면 사내는 밝게 웃으면서도 우울한 표정을 짓곤 했다.

"이런…… 아깝다. 내가 먼저 써먹는 건데……."

말은 그렇게 하면서도 사내의 모습에는 순간적으로 깊은 슬픔이 느껴졌다.

사내는 더이상 댈러웨이 사진을 해독하지 않았다. 대신에 원본 사진에 없는 영상을 입히는 자신의 직업에 충실했고, 그래픽이나 몰핀 기법으로 자신이 합성시킨 사진을 보고 며칠씩 깔깔대며 웃는 것이었다. 나 또한 주말이면 사진기를 들고 나가 필름을 두어 통 소비하고 왔지만 갈수록 느껴지는 것은 무력감뿐이었다. 창도 없는 벽에선 외로움이 쏟아졌고, 나는 다른 댈러웨이 중독자들처럼 그저 망연히 사진기를 멀리서 바라볼 뿐이었다.

사내는 그런 나를 보고 슬프다고 했다. 그러면서 나를 위로한답시고 알 수 없는 말들만 늘어놓았다.

"세상은 어차피 허위에 중독되어 있어요. 그것도 거대한 거짓에 말입니다. 그 거대한 거짓은 빈틈없이 잘 물려 돌아가는 바퀴와 같아 일부분이라도 마모되거나 닳아서 너슬해지면 전체가 정지할지 모르죠. 그래서 누구도 거짓이란 걸 알지만 적당히 감추는 것이 미덕이 되었고, 이제는 거짓이 진실인지, 아니면 진실이 거짓인지 그 누구도 알 수 없게 되었어요. 댈러웨이? 까짓것 잊으세요. 어차피 댈러웨이가 상품화된 마당에 진정한 댈러웨이 정신은 죽었잖아요? 당신이 진정으로 댈러웨이를 아낀다면 차라리 그를 잊는 게 위하는 길일 겁니다."

나는 알 수 없다는 표정으로 사내를 한동안이나 쳐다보았다. 그러자 사내는 자신의 노트북 화면을 보여주면서 말을 이었다. 화면에는 천사 날개를 한 원숭이가 사과를 맛있게 먹으면서 웃고 있었다.

"이 장면을 봐요. 실제는…… 우리가 살고 있는 진짜 현실 세계는 차라리 이런 모습이에요."

내가 황학동을 찾은 것은 며칠 전이었다.

나는 사내의 말대로 댈러웨이를 잊기로 했다. 아니, 잊어야만 한다는 강박관념에 잡혀 있었다. 사내의 말이 완전하게 이해되지는 않았지만, 댈러웨이라는 영문 이름이 박힌 티셔츠를 단복처럼 입고 다니는 사람들을 보면서 막연하게 잊어야겠다는 생각이 들었다. 애정이 증오로 치닫고, 또 그리움이 혐오로 쉽게 바뀔 수 있다는 것을 나는 그때서야 알았다. 댈러웨이라는 이름만 들어도 이상하게 구토가 속을 우비고 올라왔고, 댈러웨이 사진을 응용한 광고를 보면 가눌 수 없는 분노가 치밀어올랐다.

해독할 수도 없는 댈러웨이의 사진은 언젠가 재활용 종이와 함께 수거되어 갔고, 지하 암실에 있던 암실 용품과 기자재를 처분할 날만 차일피일 미루고 있었다. 내 엉덩이를 털어주던 여인의 얼굴이 더이상 그립지도 않았고, 알 수 없던 외로움도 첫 몽정의 기억처럼 순식간에 사라졌다.

그리고 며칠 전에는 갑자기 불어닥친 집중 호우 때문에 어쩔 수 없이 지하실을 정리했어야 했다. 그러나 중고 물건만 전문으로 취급한다던 황학동의 수많은 가게에서도 내가 가지고 있던 기자재를 받아주는 데는 없었다. 돈을 받지 않을 테니 그저 맡아만 달라고 해도 씰기죽거리며 입술만 내밀 뿐이었다. 그러면서 손짓으로 가게 안을 가리켰는데, 햇빛이 잦아들지 않는 어둠 속에는 내가 가지고 온 기자재와 똑같은 것들이 여럿 있었다.

나는 기자재들을 다시 차에 싣고 집으로 가려다 예전에 내가 다녔던 사진 아카데미에 기증하려고 퇴계로로 방향을 틀었다. 강사진과 직원들이 대부분 바뀌어서 나를 알아보는 사람은 거의 없었다. 하지만 기자재를 기증하고자 한다는 내 말에 그들은 의자까지 내주며 커피까지 뽑아주었다. 그러면서 원장 선생이 강의를 마치고 곧 나올 테니 인사라도 받고 가라고 했다. 나는 커피를 건네는 여직원에게 몇 시쯤 되었냐고 물었다. 여직원이 몇 시라고 대답을 했지만 나는 듣지 않았다. 시간을 물어본 것은 약속 있는 사람처럼 보이려는 의도였기 때문에 그녀가 밝힌 시간은 들리지도 않았다. 나는 늦었다는 표정만 대충 지으며 나가려고 했지만 여직원은 그럴 수 없다며 지나친 호들갑을 떨었다. 사실 약속이 있는 것도 아니었고, 특별히 어디로 가려는 곳도 없었다. 그러나 원장의 인사를 받기 위해 커피를 마시며 앉아 있기에는 조금 쑥스러운 점이 없지 않았다. 마치 특별한 날이면 학용품과 옷가지를 들고 고아원을 방문한 정치인과 비슷한 꼴이라는 생각이 들어서였다.

나는 그만 자리를 털고 일어나려다 문득 벽에 있는 사진 때문에 멈출 수밖에 없었다. 내가 앉아 있던 방의 벽에는 일정한 간격을 두고 같은 크기의 사진이 한가득 붙어 있었다. 그것은 아마도 사진을 배웠던 원생들의 졸업작품을 비치해둔 것 같았는데, 거기에는 댈러웨이의 작품이라고 들은 사진이 붙어 있었다. 언젠가 사내에게서 들은 〈야경〉이라는 작품이었다. 사내가 설명한 것과 똑같았다. 확대기나 돋보기가 없어 확인할 순 없었지만 네온사인과 가로등에는 사내가 설명한 것 같은 모습이 희미하게 나마 담겨 있었다. 더욱 놀란 것은 사진 아래에 있는 이름 때문이었다. 16기라는 기수와 함께 명조체로 인쇄되어 있는 이름은 계약서를 쓸 때 보았던 사내의 이름이었고 또한 근 일 년 가까이 내가 사내를 부를 때 사용했던 이름이었다.

"아이구, 반갑습니다. 들어오면서 미스 김한테 이야기 들었습니다. 그래 암실 용품을 기증하시겠다구요."

원장이 다시 커피를 주문했지만 나는 사양하였다. 대신 원장에게 혹시 댈러웨이에 대해 잘 아느냐고 물어보았다. 원장은 겸연쩍은 듯이 너털웃음을 지어 보였고, 미스 김이라는 여직원이 커피를 갖다주자 말을 꺼냈다.

"벌써 몇 주째 댈러웨이의 사진에 대해 특강을 하고 있습니다만…… 지금도 댈러웨이에 대해 토론을 하고 나오는 길이죠. 허참…… 부끄럽습니다만, 사실 저도 댈러웨이에 대해 처음 알게 된 것은 작년인가 재작년쯤에 한 수강생으로부터 들었을 때였어요. 제가 A. F. I.까지 유학을 다녀와서도 처음 듣는 이름이었죠. 저는 당시에 댈러웨이에 대해 처음 들었지만 모른다고 할 수는 없었어요. 그래서 질문한 수강생에게 댈러웨이에 대해 어떻게 생각하느냐고 오히려 물어보았지요. 그러면 혹시 댈러웨이가 누구였는지 생각이 날까 해서요. 그랬더니 수강생이 댈러웨이에 대해 설명하더군요. 사실 저도 그때 처음 알았어요. 그 뒤로 저도 댈러웨이에 대해 연구를 했고, 비단 저뿐만 아니라 강사들과 수강생 모두 댈러웨이 증후군에 빠졌지요. 댈러웨이 증후군이라 이름붙일 만하지요. 더군다나 얼마 전에 죽었다고 하니 아마 그에 대한 연구는 이제부터가 본격적이겠지요?"

그러면서 원장은 커피로 목을 축였다. 내가 혹시 댈러웨이의 사진을 구했냐고 물었지만 원장은 고개를 저었다.

"어디 그 사진을 쉽게 구할 수 있겠어요? 미국에 있는 동료에게까지 구해달라고 했지만 그 친구도 사진을 구하는 것만은 두 손 들겠다는군요. 그래서 다음 달에는 저희 아카데미에서 댈러웨이 사진 기행을 떠나지요. 그런데 준비를 하다 보니 걸리는 게 너무 많아요. 도대체 댈러웨이가 어느 나라 사람이었는지 아무도 모른다는 거예요. 워낙 비밀에 가려진 사람이라 구라파다, 호주다, 미국이다…… 여러 설만 난무하니까…… 댈러웨이 사진을 직접 보았다는 사람을 수소문해서 물어보았지만, 이 사람들이 끝까지 어디서 봤는지 말하지 않는 거예요. 나 참, 더러워서…… 자기들만 지식을 소유하겠다는 건지 뭔지…… 원…… 댈러웨이 증후군이 대단하긴 대단합니다. 댈러웨이 강좌를 개설한 후 실기나 실습을 배우러 오는 사람들보다 댈러웨이에 관한 토론 수업을 원하는 사람이 더 많아요. ××광고 보셨죠? 댈러웨이 기법으로 촬영한……."

당시에 댈러웨이에 대해 처음으로 질문했던 수강생이 누구였는지 물었지만 원장은 이름을 기억해내지 못했다. 나는 대신에 16기생들의 사진집이 있으면 한 권 줄 수 없냐고 물었고, 원장은 흔쾌히 한 권을 캐비닛에서 꺼내주었다. 나는 사진집을 받으면서 원장에게 혹시 작년이나 재작년 졸업생들 중에서 댈러웨이 사진을 흉내내 찍은 사람이 있냐고 물어보았다. 원장은 단호하게 고개를 저으며 말했다.

"댈러웨이가 국내에 알려진 게 불과 얼마 전인데…… 그리고 딴에는 작가주의 정신을 가진 학생들인데 모두가 뻔하게 아는 댈러웨이 기법을 따라해서 뭐하겠어요? 광고나 영화면 몰라도……."

그날 나는 이층 창이 보이는 어둠에 앉아서 사내를 지켜보았다. 그리고 아카데미에서 가져온 사진집을 펼쳤다. 책 안에 숨겨진 지폐를 찾는 것처럼 빠른 동작으로 책장을 넘기던 나는 어느 한 사진에서 시선을 멈추었다. 사내의 이름이 또박 박혀 있었고 또한 사내의 증명사진이 아래쪽에 붙어 있었다. 그리고 사내의 증명사진 위에는 사내의 작품사진 한 장이 있었는데 그것 역시 댈러웨이 작품으로 알려진 사진이었다. 한 사내가 평범하게 웃고 있는 인물사진이었고, 사진 속 남자의 눈동자를 자세히 보면 뭔가가 분명히 비치고 있었다.

"가끔은 제 직업을 말하기가 부끄러워요. 진실을 외면하여 거짓을 만들어내는 게 제 직업이죠."

순간 사내가 이사온 날 내게 했던 말이 떠올랐다. 그리고 사내가 집들이 때 댈러웨이 사진을 보면서 왜 그렇게 풀죽은 표정을 지었는지 그때야 알 것 같았다.

사내의 그림자가 오가는 이층의 창이 마치 사내가 말하는 컴퓨터 같았다. 없는 사실을 실제처럼 만들어낸다는 커다란 컴퓨터.

창으로 사내의 그림자가 오가는 것이 보였다. 하지만 사내가 창으로 비칠 때 외에는 사내의 모습이 암갈색의 벽에 가려 있어 사내의 흔적을 확인할 수 없었다. 그래서 창으로 비친 그림자가 사내라고 단정할 그 무엇도 내겐 없었다. 어쩌면 지금 비친 그림자는 사내가 아니라 사내의 여자친구일지도 모른다. 아니, 어쩌면 사내의 여자친구는 창으로 볼 수 없는 암갈색의 벽돌 뒤에 숨어서 웃고 있는지, 아니면 울고 있는지도 모른다. 아니, 어쩌면 사내의 여인이 방 안에 아예 없는지도 모른다. 아니다, 어쩌면 창으로 비친 그림자는 사내가 아니라 다른 사람일지도 모른다. 도둑일 수도 있고 아니면 사내의 남자친구일 수도 있다. 아니 아니, 어쩌면 창으로 보이는 그림자는 안에 있는 것이 아니라 밖에서 만든 그림자일 수도 있다. 그러니까 아예 창문 안에는 애초부터 아무것도 없는지도 모른다.

창을 통해서 사각의 벽 속에 있는 실제를 엿볼 수 있다고 했지만 그것은 실제가 아닌 그림자일 뿐이다. 바로 빛이 만들어낸 그림자.

진실이 창을 향해 스스로 움직이지 않는 한, 우리는 그림자를 보고 생각할 수밖에 없다. 실제는 아직도 사각의 벽 안에 웅크리고 있는데 말이다. 결국 창은 진실을 보여주지 않는다. 실제는 사각의 벽 속에 온전히 있을 뿐이고, 창은 다만 진실을 향한 허망한 갈망일 뿐이다.

나는 어지러웠다. 지구의 위성이 되어 지구 주위를 공전하는 것처럼 내 몸이 허공에서 돌고 있는 것 같았다. 사내는 왜 댈러웨이라는 거짓의 인물을 만들었을까. 사내는 왜 자신의 사진 기술을 이름도 괴괴한 댈러웨이라는 가상 인물의 기술이라고 말했을까. 나는 아무것도 알 수 없을 것 같았다. 그러나 어쩌란 말인가. 세상은 거짓을 진실로 알고 있고, 그것만이 우리가 알 수 있는 실제인 것을.

사내는 이사올 때와 마찬가지로 아주 간단한 짐만을 가지고 내려왔다. 사내는 계약 기간이었던 일 년을 채우지 못하고 떠나서 미안하다고 말했다. 나는 떠나는 사내에게 악수를 건넸고, 사내는 유쾌한 표정으로 악수를 받았다.

사내의 자동차가 컴퍼스처럼 선회하였고 이어 언덕을 내려갔다. 순식간에 사내의 자동차는 보이지 않았지만 격발음 같은 디젤 소리는 골목을 떠나지 않았다. 나는 사내에게 댈러웨이에 관한 이야기를 정말 지어낸 것인지 물어보지 않은 것이 후회되었다. 하지만 후회하는 마음은 마술사가 숨기는 토끼처럼 이내 사라졌다. 나는 사내가 떠난 이층을 올려다보았지만 불이 꺼져 있어 그림자조차도 볼 수 없었다. 대신 저 아래에는 사내가 멋지다던 도시의 불빛만이 어둠을 탈색시킨 채, 한가로이 감실거리고 있었다.

그렇게 사내는, 아직도 똘똘 뭉쳐 거짓을 믿는 도시로 헌걸차게 사라져갔다.

죽은 예술가의 사회

최혜실(문학평론가, KAIST 인문사회과학부 교수)

1. 예술가의 전설

소나무 벽화를 그렸더니 새들이 정말 나무인 줄 알고 와서 앉으려다가 벽에 부딪쳐 죽었다는 솔거의 일화가 있다. 또 한국 사람이라면 누구나 석가탑과 다보탑의 전설을 알 것이다. 백제의 도공이 신라로 불려와 심혈을 기울여 탑을 완성하는 동안 사랑하는 여인은 기다림에 지쳐 탑이 보인다는 연못에 몸을 던진 이야기를……. 한편 고구려 출신의 화가 담징은 고국을 걱정하며 금당 벽화를 완성한다.

예술을 위해서 예술가는 자신의 모든 것을 던진다. 부귀와 공명은 물론이거니와 애인도, 조국도 버린다. 대개 예술가의 천재성은 처음에는 인정받지 못하기 때문에 그들이 겪는 고난은 불확실하고 처절하다. 그러나 그 고통의 대가로 솔거처럼 예술가의 명성이 예술 작품을 넘어서 존재하는 경우도 있다.

예술가의 재능은 타고나는 것이다. 어느 누구도 그들의 천재성을 따라잡을 수 없다. 그래서 주위 사람들은 모차르트를 보는 살리에르처럼 질투에 이글거리는 눈초리로 그들을 바라볼 수밖에 없다. 이런 매력 때문에 지금도 프랑스 몽마르트르에서, 독일의 슈바벤에서 예술가들은 절대 빈곤을 자랑으로 알고 자신이 천재라는 확신을 보석처럼 끌어안으며 살고 있는지 모른다.

그런데 실은 이런 전설들이 근대에 이르러서 비로소 부각되고 체계화되어 하나의 각본으로 나타난다는 사실을 우리는 깨닫지 못하고 있다. 고대 기록에 잠깐 언급되었던 예술가들의 이야기는 근대에 이르러서야 사람들의 시선 속으로 들어올 수 있었다. 김동인이 〈광화사〉, 〈광염소나타〉를 썼고 정한숙이 〈금당벽화〉를 썼으며, 이 전통이 이청준 등에까지 이어져 내려온 것도 아주 최근의 일이다.

근대에 들어 분업과 대량 생산의 영향으로 예술가의 전문성과 예술의 일회성이 강조되었고, 이 상황은 예술가를 신비로운 존재로 몰아갔다. 여기에 편승하여 예술이 목적성에서 자유로워져 즉 그 자체가 목적이 됨으로써 그들의 지위는 더욱 공고해졌다. 예술이 종교에 봉사하는 부속물이거나 공예품이 되어서는 그런 아우라가 작품을 휘감을 수 없는 것이다.

이제 예술가의 이야기는 하나의 공식으로 변하여, 예술가가 되고자 하는 사람들은 선배들이 만든 '미리 짜여진 삶'을 살아야만 하게 되었다.

2. 시뮬라크르, 예술가의 죽음

그러나 어느 정도 성공한 이 화해, 즉 각본과 실연의 일치는 현대에 이르러 실패하고 만다. 기술 복제의 방식은 이미 생활의 곳곳에 스며들어 있다. 특히 디지털 미디어에 이르면 원본과 모사품의 개념이 사라진다. 모든 정보가 전기의 꺼짐과 켜짐으로 저장되기 때문에 컴퓨터 모니터를 백 번 켜도 늘 같은 그림이나 글자가 화면에 떠오르게 된다. 이 상황은 보드리야르의 말처럼 현실과 환영의 구별이 무의미해지는 시뮬라크르의 그것일 것이다.

이런 시대에 '진짜'를 만들려고 하는 노력은 헛되게 끝날 수밖에 없는데, 박성원의 〈댈러웨이의 창〉은 바로 이 실패한 예술가의 모습을 그리고 있다. 소설의 화자가 사진 작가로, 주인공이 광고용 스틸 편집인으로 설정된 것 자체가 이 시대 예술의 아이러니를 적확하게 보여준다. 복제가 가능한 사진의 예술성 추구, 거기에 컴퓨터 기술과 광고가 들어간다. 이 세상에 하나밖에 없고 이 장소에서만 공연된다는 일회성의 휘황한 아우라를 형성하는 예술성에 사진이라는 기술 복제의 산물, 무목적성이 바로 성스러운 목적이 되는 예술성에 상품을 많이 팔려는 뚜렷한 목적성이 특징인 광고가 대비되면서 '가짜의 시대에 진짜 찾기'의 모순은 증폭된다.

주인공의 집에 세든 사내는 광고용 스틸을 편집하는 사람으로 원본 사진에 없는 '진실'을 덧붙이는 자신의 작업을 부끄러워하며 그것에 대한 일종의 보상 심리로 댈러웨이라는 가상의 사진 작가를 만들어낸다. 여기서 아주 전형적인 예술가 소설이 액자 소설 형식으로 전개되는 듯 보인다. 뛰어난 재능을 지녔으나 평생 인정받지 못하고 불우하게 지내다가 최근에야 그 작품의 비밀이 밝혀지면서 진가를 인정받았다는 사실은, 그러나 후반부로 가면서 이 댈러웨이가 사실은 사내가 만든 가상의 인물이라는 사실이 밝혀지면서 이야기는 반전된다.

댈러웨이는 대량 생산과 대량 복제를 혐오하여 자신의 작품을 한 장씩만 현상한 뒤 네거 필름까지 태우는 사람이었다는, 예술가 소설에 으레 나타나는 작가적 장인정신에는 이미 모순이 내재되어 있다. 사진은 본질적으로 복제를 위해 만들어졌음에도 복제를 혐오해 한 장만 남겨놓고 필름을 불태운다면 댈러웨이는 차라리 그림을 그렸어야 했다. 사진이 처음 발명되었을 때 미술가들이 대량 생산된다는 사실 때문에 그것을 얼마나 경멸하고 경계했던가!

댈러웨이 작품의 비밀은 평범한 현상 속에 감추어진 삶의 진실에 있다고 한다. 예를 들면 표면적으로는 농부가 식탁에서 평화롭게 식사를 하는 모습이지만 스푼에 민간인이 학살당하는 모습이 비쳐져 사진의 의미가 마지막 만찬, 죽음의 식사라는 비장한 인생의 진실로 반전된다.

현상의 본질을 꿰뚫으려는 이 노력은 광고 작업의 하찮음과 비교된다. 주인공의 친구는 "한 남자가 웃고 있는데, 웃고 있는 남자의 눈에 온통 빨간색으로 전 종목 상한가를 기록한 주식 전광판이 보이는 그런 사진은 없냐?"고 농담으로 말을 한다. 이런 기법은 요즈음 광고에서 아주 흔하게 보이고 있다.

그렇다면 댈러웨이의 사진과 주인공 친구가 말하는 사진의 차이는 무엇인가? 첫째, 댈러웨이는 그 기법을 최초로 발견한 사람이고 후자는 그것을 모방하는 자에 불과하다. 둘째, 댈러웨이의 또 다른 눈은 전쟁 같은 진지한 주제를 다루고 있지만 후자는 인간의 속물근성 정도를 재치 있게 다루고 있을 뿐이다.

첫째의 경우, 위대한 예술가는 기법을 처음 발견하는 사람이라는 점에서 필요 조건에 해당한다. 그러나 둘째의 경우, 전쟁이나 양민 학살의 현실이 금전만능의 현실보다 더 중요하고 무게 있는 주제라는 논리가 과연 성립될 수 있는 것일까? 이 시대 개개인에게는 유고 지방의 강 건너 불보다도 자신의 삶 속에 드러나는 서글픔, 허위의식이 더 의미 있을 수 있다.

아무튼 소설 전체를 흐르는 작가의 의도는 참으로 모호하다. 작가는 예술가의 장인정신이 사라져버린 시대를 비판하는 것인지, 아니면 그것을 찾는 것이 시대착오적인 발상법이라고 주장하려 하는 것인지.

그의 의도는 슬그머니 끼여들어온 플라톤의 '동굴 우화' 때문에 좀더 명확해지기도 혹은 좀더 모호해지기도 한다. 우리가 보는 사물은 램프에 비친 그림자에 불과한 것이지 그 본질을 볼 수 없다는 플라톤의 진단은 예술가에 이르면 훨씬 가혹해진다. 자연이 이데아의 모방이라면 예술가는 그 자연을 모방하는, 즉 현상계의 그림자를 모방할 뿐이라는 것이다. 목수는 그 사물의 본질에는 못 미치지만 그래도 생활에 유용한 침대를 만들지만, 화가는 그 침대를 모방하여 그리는 사기꾼에 불과하다.

창의 그림자 모티프는 소설의 곳곳에 나타나면서 작품의 흐름에 의미를 더하고 있다. 화자는 창에 비친 두 그림자를 보고 그것이 사내와 그의 여자친구이고 두 사람이 서로를 애무하며 옷을 벗기고 있다고 '확신' 한다. 그러나 작품 말미에 가면, 같은 창에 비친 그림자가 사내인지 혹은 그의 여자친구인지 아니면 도둑인지 알 수 없다고 회의한다. 우리는 단지 그림자를 보고 추측할 수 있을 뿐이지 그림자를 통하여 진실을 알 수는 없다는 논지이다.

상품을 파는 것이 목적이라고 해서 광고에 예술성이 없다고 단언한다면 그것은 참으로 단순한 발상이다. 요즈음 광고는 물건을 많이 파는 목적보다 그 회사의 이미지를 관리하기 위한 방법으로 인종 문제, 여성주의, 생태주의 등 이 시대의 화두를 잘 담아내고 있는 것이 많다. 특히 많은 돈과 인력이 투입되기 때문에 우수한 메시지를 예술적으로 형상화시키고 있다. 문제는 이 광고가 동시에 많은 사람에게 보여지기 때문에 쉽게 진부해진다는 데 있다. 소비의 시대에는 광고도 생산되고 교환되며 소비된다. 그렇다면 많은 예술 작품들은 소수의 수용자들에게 소리 없이 감상되었기 때문에 오랫동안 사랑받으며 생명을 유지했다는 결론이 나온다.

그 증거로 댈러웨이도 사람들 사이에 회자되고 '유행' 되며 선풍적인 인기를 끌자 아우라를 상실하고 마는데, 그렇다면 한 장의 작품만 남기고 네거 필름까지 모조리 태운 댈러웨이의 태도가 소량 생산, 고가 정책으로 나아가는 요즈음 기업가와 무엇이 다른 것일까?

이렇게 따지고 들어가면 예술가 댈러웨이에게는 자학적인 감춤의 생활과 수용자와의 소통 거부로 인한 작품의 해독 불가능만이 남는다. 그의 작품 〈미지의 창〉은 그림 속에 비친 물체를 아무도 해독해내지 못하기 때문에 그 명성이 더욱 높아만 간다. 예술을 위해 일체를 거부하고 집중하기 때문에 그 태도를 높이 사야 하며, 너무 어려워서 사람들이 알 수 없기 때문에 그에 대한 평가를 유보할 수밖에 없는 논리. 예술가를 둘러싼 신비의 정체가 이것이라면 너무 서글픈 일이다.

3. 모든 사람이 믿는 '거짓'은 진실이다

사내는 마치 사라져버린 예술가처럼 화자의 집을 슬그머니 빠져나간다. 댈러웨이라는 가상의 인물을 지어낸 사내의 태도를 통해 작가는 사라지지 말아야 할 것을 지키려는 안간힘을 드러내려 한 것인지 아니면 우리가 굳게 믿고 있는 예술가의 장인정신이 실은 가짜라는 것을 말하려는 것인지 확실하지 않다.

그러나 작품의 끝 구절에서 작가는, 궁극적으로는 아직도 진실이 있는데 이 세상이 '거짓'을 믿고 있다고 감히 단언함으로써 이분법의 세계관을 노출하고 있다.

그렇게 사내는, 아직도 똘똘 뭉쳐 거짓을 믿는 도시로 헌걸차게 사라져갔다.

진짜와 가짜, 현실과 환영이 구분되지 못하면 그것이 현실이고 진실이 된다. 누구나 요즈음 사람들은 품질로 그 상품을 평가하지 않고 광고 등으로 포장된 브랜드의 이미지로 상품을 평가한다고 비판한다. 그러나 실제로 이미지는 상품의 중요한 가치이다. 스웨터가 따뜻하거나 색감이 좋아서 소비자가 만족하는 것과 좋은 브랜드의 옷을 입었다는 생각 때문에 만족하는 것에 어떤 질적인 차이가 있는가? 스웨터의 디자인이 좋아 세련되어 보인다는 사람들의 공감대와 베네통 브랜드는 세련된 도시인이 입는다는 소비자층의 공감대는 둘다 주관적 보편성을 지닌다는 점에서 같을 수 있다. 모든 사람이 똘똘 뭉쳐 거짓을 믿으면 그 거짓이 객관성을 획득하는 것이 아닐까?

현 대 문 학 교 수 3 5 0 명 이 뽑 은

사심(邪心)

서 하 진

- 1960년 경북 영천 출생.
- 경희대 국문과 졸업.
- 1994년 《현대문학》 신인 추천에 〈그림자 외출〉로 등단.
- 소설집 《책 읽어주는 남자》, 《사랑하는 방식은 다 다르다》가 있음.
- 현재 재능대학 문예창작과 교수로 재직중.

서하진

사심(邪心)

나는 스물아홉, 아름답고 위험하고 나쁜 여자입니다. 어릴 적부터 나는 나쁜 아이였고 그 후로 죽 나쁜 여자로 살아 왔습니다. 다른 사람들처럼 이제부터는 착하게 살겠다, 이런 결심을 한 적이 없다는 뜻입니다. 나는 내가 본질적으로 사악한 인간이라는 것을 알고 있었어요. 어떻게 알았는지 그런 것은 말하기 힘듭니다. 절로 알게 되는 것이 아닐까요? 자신에게 솔직하기만 하다면.

내가 알고 있는 사람, 나와 이런저런 관계를 맺은 이들은 모두 나쁜 사람들입니다. 부지런하고, 무서운 정열에 휩싸인 사람들이지요. 겉보기에 그들은 전혀 악해 보이지 않습니다. 강인하고 헌신적으로 보이지요. 스스로 악의 편에 선 사람, 악인임을 인정한 사람은 그 때문에 고통받지 않거든요. 나쁜지 어떤지 그런 것은 상관하지 않는 사람은 남편입니다. 그는 돈과 관련된 일에는 선악이 없다고 믿고 있지요. 젊은 날부터 남편은 돈의 흐름을 좇아 쉬지 않고 달렸습니다. 단 한 여인의 사랑을 쟁취하기 위해 수많은 전투를 치르는 중세의 기사처럼 그는 주위의 그 무엇에도 곁눈을 주지 않았고 마침내 남편은 굉장한 부자가 되었어요. 사람들은 그의 앞에서는 사견을 비치는 어떤 말도 하지 않지요. 그는 강한 사람입니다. 백 명이 살아도 넉넉할 사무실에 있었을 때나 휠체어에 앉아 지는 해를 보고 있는 지금에나 그의 표정에는 변화가 없습니다.

남편이 애틋한 눈으로 보는 유일한 존재는 일곱 살 난 미미였어요. 하얗고 조그만, 눈이 예쁜 개지요. 미미는 낯가림이 심했어요. 나와 처음 눈이 마주치던 날 미미가 끼깅 이상한 소리를 내며 구석으로 숨었던 일이 기억나는군요. 내가 온 처음 며칠 동안 미미는 통 음식에 입을 대지 않아 남편의 애를 태웠어요. 낯을 익힌 후에도 미미는 나와 그다지 친해지지 못했습니다. 얌전히 있다가도 갑자기 생각난 듯 그릉, 낮은 소리로 적개심을 드러냈지요. 남편의 차 소리가 들릴 때면 누구보다 먼저 달려나가는 것도 미미였어요. 남편은 언제나 미미를 무릎에 앉히고 식사를 했어요. 고깃점을 잘게 찢어 입에 넣어주고 오물거리는 입에 자신의 입술을 마주대곤 했지요. 이따금 휠체어를 밀고 산책을 나갈 적마다 미미는 남편 무릎에 달랑 올라앉았습니다. 흰머리의 남편이 하얀 미미를 안고 있는 정경은 아름다웠습니다. 마치 영화의 한 장면 같았지요. 그럴 때의 남편은 정말 나쁜 사람 같지 않았습니다. 품위 있게 늙어가는, 은퇴한 노인처럼 보였어요. 나는 가끔 그 둘을 해변에 버려두고 돌아오곤 했지요. 물이 들어올 시각에 즈음해서.

나쁜 년. 내게 처음으로 그렇게 말한 사람은 나를 낳아준 엄마였어요. 그 여자도 나쁜 년이기는 마찬가지였지만 내 적수가 되지는 못했습니다. 변덕이 심한 여자였지요. 게다가 불처럼 급한 성격이었습니다. 진정한 악녀가 되기에는 결격 사유라 할 수 있겠지요. 그 여자는 내게 악이 무엇인지 알게 한 사람입니다. 그 여자가 나타나기 전까지 내게 악이란 단순하고 명료한, 무엇보다 격렬하고 순수한 감정이었습니다. 잘 벼린 칼처럼 나 자신이나 상대의 심장을 찌르고 말 어떤 것이었지요. 그것은 존재 자체와 맞서는 절대적인 무엇이었습니다. 그 여자로 하여 나는 음모를 배웠습니다. 그 여자에 대해 특별히 나쁜 감정은 없었어요. 열다섯 살의 여자 아이에게 낯선 여자가 나타나 네 엄마다, 한다면 어떻겠습니까. 혐오스럽고 당황하게 되고 그러리라 생각됩니까? 나는 그러기 이전에 몹시 짜증이 났습니다. 그때 나는 간신히 엄마라는 그늘에서 벗어났다고 생각하고 있었으니까요.

그 여자는 비가 추적추적 내리는 마당을 가로질러 걸어왔습니다. 촌스러운 꽃무늬 우산 속에서 나를 쳐다보고는 네가 지은이구나. 아버지는 아직 안 오셨니? 하고 물었지요. 꽃무늬가 어른어른 비친 여자의 얼굴이 붉게 상기되어 있었습니다. 여자는 우산을 접어 탁탁 물기를 털어내더니 마루 끝에 걸터앉아 내 얼굴을 뚫어져라 쳐다보았습니다. 처지기 시작한 눈꼬리에 마스카라가 번져 있었어요. 나는 대뜸 여자를 쏘아보았지요. 여자가 나를 보다 뻔뻔하게 물었습니다. 아버지가 얘기 안 하셨니? 나는 발딱 일어나 방으로 들어갔습니다. 물론 나는 여자가 오리라는 것을 이미 오래전부터 알고 있었어요. 네게는 엄마가 필요하다. 아버지는 그렇게 말했지요. 그건 거짓말이라고 나는 생각했습니다. 집안일이라면 알맞은 물을 부어 스위치만 누르면 알아서 익혀주는 밥솥이 있고 성능 좋은 세탁기도 있었으니까요. 일주일에 세 번 오는 파출부 아줌마는 알맞은 찬거리를 사다줄 줄 알았고 나는 학원 시간을 챙겨주어야 할 정도의 게으른 아이가 아니었습니다.

엄마라니. 내게는 죽은 엄마로 충분했습니다. 유달리 사랑했다든가 해서가 아닙니다. 잠깐 앓았던 엄마가 거짓말처럼 죽었을 때 나는 정말 믿어지지 않았습니다. 죽은 엄마는 지독한 구두쇠였고 독설가였어요. 나는 언제나 실밥이 나달거리는 운동화를 신었고 드라마에나 나오는 구멍난 양말을 신고 다녔습니다. 엄마는 시장에서, 그것도 일부러 골라온 듯 싸구려 티가 덕지덕지 나는 옷만을 입게 했지요. 그걸 나무라는 사람은 없었습니다. 엄마의 옷도 늘 그랬으니까요. 옷 같은 것은 아무래도 좋았습니다. 내가 늘 우울했던 것은 옷 때문이 아니었습니다. 엄마의 악다구니. 그것에 평생 시달리며 살아야 하는 건 내 숙명이라 치더라도 우울해지는 것은 어쩔 수가 없었지요. 나는 가끔 엄마가 죽었으면 하고 바라기도 했습니다. 악다구니를 쓰다 가슴을 움켜쥐고 쓰러지는 상상을 하곤 했지요. 그런데 엄마가 덜컥, 죽다니. 믿기 어려웠습니다. 엄마는 말〔馬〕처럼 건강했거든요. 늘 시들시들 앓는 것은 아버지였지요.

아버지는 소심한 사람입니다. 어쩌다 엉뚱한 여자에게서 나를 낳았고 그 때문에 죽은 엄마에게 시달리고 죄책감에 괴로워했지요. 내가 죽으면 그년을 데려오겠지. 죽기 전까지 엄마는 악을 썼습니다. 눈을 희번덕이며 머리채를 흔들었어요. 엄마는 아버지와 그 여자가 자기를 죽이려 한다는 망상에 사로잡혀 있었습니다. 사실일지도 모릅니다. 그 여자는 매일 짚으로 만든 인형에 바늘을 꽂으며 저주를 퍼부었을 수도, 엄마의 베개 속에 몰래 부적을 넣어두었을 수도 있었을 테지요. 자궁에 무슨 혹이 생겼다던가, 그랬습니다. 단 한 번의 생산도 하지 못한 그 기관 때문에 엄마는 어쩔 수 없이 나를 받아들였고 결국 그곳에 병을 키워 죽었습니다. 참 이상한 일입니다.

아버지가 솔직했다면, 내게 여자가 필요하다, 고 말했다면 좋았으리라고 나는 생각합니다. 나도 한 번쯤은 악다구니 쓰는 여자가 아닌, 다정하고 따뜻하고 애교스러운 아내를 가져보고 싶지 않겠니. 그렇게 말했으면 나는 충분히 이해하고 받아들였을 텐데. 하긴 아버지에게 그런 일을 기대한다는 것은 어리석지요. 아버지는 말 한마디도 함부로 하는 사람이 아닙니다. 체면을 깎이는 일을 고통스러워하고 남들이 무어라 할까 늘 신경을 곤두세우고 사는, 전형적인 중년 남자였지요. 중학교의 아이들을 몇십 년 동안 가르친다는 것은 어떤 기분일까요. 매일같이 그 아이들에게 용언의 활용, 시의 형식, 소설의 주제 따위를 이야기하였을 것을 생각하면 나는 아버지의 어떤 일도 다 용서할 수 있을 듯한 느낌이 듭니다. 족제비가 글쎄, 이러지 않겠니. 아이들은 내가 있거나 말거나 아버지를 그렇게 불렀습니다.

그 여자와 아버지, 그리고 내가 부대끼며 지낸 날들을 길게 이야기하고 싶지는 않습니다. 그 여자는 그때까지의 날들을 보상받으려는 듯 보였어요. 가구를 바꾸고 화단에 꽃을 심었지요. 마루에는 어항을 들여놓았고 창문마다 하늘거리는 커튼을 달았습니다. 집은 나날이 변해갔습니다. 아침이면 하얀 크랙 화장대 앞에 앉아 정성스레 화장을 하는 여자와 어울리게 깔끔하고 어느 정도 촌스러웠지요. 집을 꾸미는 일이 시들해질 때쯤 여자는 외출이 잦아졌습니다. 산부인과와 한의원들을 섭렵한 것이지요. 여자는 아이를 원했습니다. 도대체 무슨 생각을 하고 있는지 알 수 없는 조용한 여자 아이가 아닌, 웃고 투정부리고 온 집안을 휘저어놓을 남자 아이가 필요했겠지요. 그 여자가 사내 아이를 한 다스쯤 낳더라도 내가 상관할 일은 아니었다고 생각합니다. 아이가 생긴다면 나는 좀더 자유로워질 수 있었을 테니까요.

아이, 라는 것은 정말 신비한 존재입니다. 나는 나쁜 여자이지만 아이들에게는 이상하게 약해집니다. 마치 급수가 다른 상대를 만난 것 같다고 할까요. 내게도 아이가 있었다면 좀 달라졌을까요? 그랬으리라 생각합니다. 그렇지만 너무 늦은 일입니다. 남편에게는 이제 생산 능력이 없습니다. 그의 정액을 채취하는 것은 가능하다지요. 요즘은 무슨 일이든 가능하니까요. 문제는 그렇게 해서라도 이세를 만들고 싶은 욕망이 내게도 남편에게도 없다는 것이지요. 그걸 제일 기뻐하는 사람은 시누이입니다.

시누이는 꿈에 부풀어 있습니다. 시누에게는 다 자란 아들이 둘 있거든요. 거실 벽에는 발효된 빵처럼 뚱뚱한 두 아들이 여윈 시누를 사이에 두고 찍은 사진이 걸려 있습니다. 남편이 사고를 당했을 때 시누가 지었던 어설픈 표정을 기억합니다. 남편이 영영 걸을 수 없게 되던 날 시누가 터뜨렸던 울음을 기억합니다. 시누는 누군가 뒷머리를 내리친 듯 무릎을 꺾으며 울음을 터뜨렸어요. 그 울음이 거짓이었다고는 생각하지 않습니다. 남편과 시누는 내가 살아온 날보다 더 오래 함께 살았으니까요. 남편이 칩거하기 시작한 이후로 시누는 늘 나를 감시하고 있습니다. 남편의 약을 챙기거나 식사를 준비하는 동안 시누의 명을 받은 가정부의 침착한 눈이 내 손의 움직임을 따라옵니다. 약에 이상한 것을 섞지 않을까, 소화가 어려운 재료를 쓰지는 않는가 의심하는 것이지요. 시누는 모릅니다. 나는 나쁜 여자이지만 비겁하지는 않습니다.

시누가 그 사진을 내게 디밀었을 때도 나는 당당했습니다. 사진 속의 남자와 나는 선글라스를 쓰고 있더군요. 국도를 따라 오래 달려갔던 날이었습니다. 그 남자와 나는 다섯 번째 나타난 숲속의 모텔에 들었었지요. 오래 머물렀던 것은 아닙니다. 그가 성급하게 나를 안았을 때 뉘엿뉘엿 지는 해가 보였고 방을 나왔을 때까지도 밖은 환했습니다. 그 남자와 나는 남은 길을 마저 달려갔어요. 꽃지, 라는 이름의 해수욕장이 나타났습니다. 차를 세우고 우리는 붉게 물드는 바다를 바라보았습니다. 황량한 주차장에 두어 대의 차가 서 있었던 것으로 기억합니다. 그 중의 하나에서 누군가 카메라를 들고 우리를 보고 있었을 테지요. 성능이 썩 훌륭한 제품은 아닌 듯 남자의 얼굴 윤곽은 흐릿하게 찍혀 있었습니다. 시누는 내게 물었습니다. 이 남자가 누구냐. 나는 잠깐 망설였습니다. 자세히 보라, 당신도 잘 아는 사람이다. 이렇게 말해줄까, 어쩔까. 사진의 배경에는 바다 저편의 바위가 희미하게 잡혀 있었습니다. 저게 할매바위야, 라고 그가 말했었지요. 그는 사소한 것들을 많이 알고 있습니다. 하나하나, 주머니 속에서 예쁜 돌을 꺼내듯이 자잘한 것들에 대해 이야기를 하지요. 어쩌면 밤새도록 인터넷을 뒤적이는지도 모릅니다. 그는 여자들을 만나기 위해 무척 세심한 준비를 하는 사람이니까요.

아무도 아니에요. 잠깐 만났을 뿐이죠. 내가 말했습니다. 시누의 눈꼬리가 조금 올라갔습니다. 지난 한 달 동안 너는 이 남자를 네 번 만났어. 그때마다 어딘가의 호텔로 갔어. 부인할 생각은 하지 말아. 내게는 네 행적이 기록된 서류들이 있어. 부인할 생각은 없었습니다. 다만 나는 조금 짓궂은 생각이 들었습니다. 다섯 번이었어요. 한 번은 놓치셨군요. 시누의 얼굴이 일그러졌습니다. 절인 오이지 같은 근육을 파들파들 떨면서 시누가 말했습니다. 넌 이제 끝이야. 오빠는 널 용서하지 않을 거야. 아아, 시누는 정말 모르고 있었습니다. 남편은 말했었지요. 하고 싶은 대로 해라. 여행을 가든 남자를 만나든 나는 상관하지 않겠어. 다시 영화를 찍는 것도 좋겠지…… 다만 이혼은 안 돼. 나는 시누에게 그대로 말했습니다. 그녀는 믿을 수 없다는 표정을 지었습니다. 이 사진을 그에게 보여줄 수는 있겠지요. 그렇지만 당신이 원하는 것을 얻어낼 수는 없어요. 시누는 손을 떨며 사진을 집었습니다. 시누가 그것을 들고 남편에게 갔을까요? 어쩌면 그랬을 수도 있지요. 시누는 나를 믿지 않으니까요. 그렇지만 아무 일도 일어나지 않았습니다. 남편은 나와의 약속을 잘 지키는 편입니다. 그의 표정은 아무것도 알려주지 않습니다. 변함없이 고요하지만 눈을 들여다보면 그 안의 무서운 격랑이 느껴지지요. 이따금 생각합니다. 남편이 배우였다면 어땠을까. 숀 코넬리보다는 조금 나은 표정 연기의 대가가 되지 않았을까.

나의 연기 선생님은 나를 낳은 여자였습니다. 그 여자는 재주꾼이었지요. 꽃처럼 환한 얼굴을 어느 순간 그늘지게 만들고 곧 눈물을 뚝뚝 흘릴 듯한 눈으로 상대를 바라보지요. 서른여덟의 나이에도 나긋한 처녀처럼 보이기도 했고 내게 눈을 흘기며 비난을 퍼부을 때는 어두운 동네에서 젊은 날을 다 보낸 중년 여인 같았습니다. 아버지가 집에 있을 때 치맛자락을 살랑거리며 부엌과 안방 사이를 오가는 그 여자는 정녕 온순하고 평범한 아낙입니다. 아버지는 생애 처음인 듯 고요한 날들을 어리둥절해 했어요. 여자가 가져다준 한약 사발을 힐끗 보며 뭐야? 또 약이야? 하며 시큰둥한 표정을 지었지만 그건 오랜 습관일 뿐이었습니다. 아버지로서는 쑥스러웠겠지요. 이따금 아버지가 찡그리듯 어색하게 웃는 얼굴을 보고 있으면 가슴이 아팠습니다. 죽은 엄마가 아버지에게서 앗아간 웃음이 그렇게 뒤틀린 형상으로 되돌아온 것이었지요. 아버지는 두 개의 세계에 끼어 있는 사람이었습니다. 살뜰한 여자를 보는 아버지의 얼굴에는 언제나 그늘이 있었어요. 죽은 엄마 때문이었겠지요. 아버지는 무척 도덕적인 사람이었으니까요.

그렇거나 말거나 여자는 행복해 보였습니다. 여자의 하루를 지켜보고 있으면 행복하기 위해 기를 쓰는 것이 안쓰러울 정도였지요. 임신을 향한 그 여자의 노력에도 집요한 구석이 있었습니다. 고등학교 이학년이 된 나는 그 여자가 만들어놓은 시간표가 무얼 뜻하는지 알고 있었습니다. 식단, 아버지의 퇴근 시간 같은 것들이 여자의 계획에 따라 조절되었어요. 그렇지만 그해 가을이 지나도록 여자는 임신하지 못했습니다. 여자는 초조해하고 신경질이 늘었지요. 어느 날부터인가 나는 여자에게서 좀 야릇한 느낌을 받았습니다. 늘 집안을 감돌던 한약 냄새가 가실 무렵이었지요. 여자는 웬일인지 더 이상 약을 먹지도, 산부인과를 찾지도 않는 것 같았습니다. 외출이 뜸해지고 어두워질 때까지 방에 혼자 앉아 있는 시간이 늘었지요. 그리고 단 하루, 여자는 어디론가 가서 밤이 지나도록 돌아오지 않았습니다. 무언가 그럴듯한 핑계가 있었던 듯 아버지는 아무런 말도 하지 않았지요.

생의 불가사의한 일들이 번쩍, 섬광처럼 다가와 스쳐간다면 얼마나 좋겠습니까. 모래시계처럼 천천히 다가오더라도 감지할 수 있다면 또 얼마나 다행이겠는지요. 내게 그것들은 늘 안개와도 같았습니다. 별이 맑은 밤하늘을 보고 잠든 아침, 밤사이 조용히 다가온 적군처럼 창밖에 있지요. 그것에 대항할 방도 같은 건 어디에도 없습니다. 올 때처럼 물러가주기를 기다릴밖에요. 해가 높다랗게 떠오르면 안개는 사라지지만 밤이 지나면 어김없이 온 세상을 가득 메웁니다. 그 겨울은 그렇게 시작되었습니다. 여자의 임신. 그것이 모든 일의 시작이었지요.

아버지는 드러내놓고 기뻐했습니다. 주책스러워 보일 만큼 웃음을 감추지 못했지요. 여자는 새색시처럼 조심스레 걷고 나직나직 속삭이듯 말했습니다. 그런데 왜 그랬을까요? 여자를 보면 이상한 느낌이 들었습니다. 여자는 임신을 핑계로 집안일을 전혀 하지 않았습니다. 돌보지 않은 어항 속의 금붕어는 죽었고 온 마당은 지저분한 낙엽으로 가득했지요. 묵은 신문지가 여기저기 쌓이고 냉장고가 텅 비었지만 여자는 파출부를 부르라는 아버지의 말을 듣지 않았습니다. 여자는 불안해 보였어요. 전화벨이 울릴 때면 깜짝깜짝 놀라는 일이 잦았습니다. 그리고 어느 날 그 일이 일어났습니다.

나는 학교에서 돌아온 참이었습니다. 닫힌 문 너머로 여자의 나직한 목소리가 들렸습니다. 여느 때처럼 그냥 지나치던 나는 야릇한 호기심이 일었습니다. 나는 방문 틈에 귀를 가져다 대었습니다. 여자의 목소리는 분명하지 않았어요. 안 돼, 그건 안 돼, 하는 말만 귀에 잡혔습니다. 나는 발소리를 죽이며 내 방으로 돌아와 가만가만 송수화기를 들었습니다. 여자는 어떤 남자에게 사정을 하고 있었습니다. 남자는 치한처럼 끈질기게 여자에게 치근대고 있더군요. 그러니까 내 말대로 하면 돼. 축 처진 목소리. 남자는 여자를 살살 달래고 있었습니다. 그들은 똑같은 대화를 반복했습니다. 그들 사이의 줄다리기가 무엇 때문인지 알게 할 결정적인 단어는 나오지 않았지요. 나는 여자를 좀 놀래주고 싶었습니다. 왈칵 소리나게 송수화기를 내려놓았지요. 두 사람이 충분히 알 수 있도록. 짐작대로 여자는 몇 분이 지나지 않아 내 방문을 열어제쳤습니다.

언제 왔니? 여자가 상냥한 목소리로 물었습니다. 나는 여자에게 아무런 말도 하지 않았습니다. 여자는 내가 언제부터 엿들었는지 알고 싶어 안달이 났지요. 두어 번 조심스러운 질문 뒤에 여자가 발끈 화를 내기 시작했습니다. 무슨 애가 쥐새끼처럼 남의 전화는 엿듣는 거야? 넌 도대체 무슨 애가 그렇게 생겨먹었니? 나는 여자를 째려보았습니다. 당신이 한 일을 다 알고 있다, 그렇게 보이길 바랐지요. 여자는 내가 미쳐, 하면서 몸을 획 돌렸습니다. 그때 내가 말했어요. 아빠에게 이야기할까요? 그 끈끈한 목소리를? 여자는 멈칫하는 것 같았습니다. 나는 여자의 뒤통수를 노려보고 서 있었습니다. 막 미장원에서 빠져나온 듯 단정하던 머리가 부스스하게 변해 있었습니다. 여자는 어지러운 듯 벽을 짚었지요. 등만 보아도 여자의 표정 변화를 알 수 있었습니다. 붉으락푸르락한 얼굴. 이 난관을 빠져나갈 방법을 모색하느라 미친 듯 돌아가는 눈동자. 여자가 천천히 내게로 몸을 돌렸습니다. 넌 뭘 알고 싶은 거지? 여자가 물었습니다. 얼마만큼 체념한 듯한 표정이어서 나는 이쯤에서 그만둘까 싶기도 했습니다. 그렇지만 나는 알고 싶었어요. 여자를 감싸고 도는 불안의 정체를. 그건 한 발만 물러서면 바로 보일 무엇처럼 느껴졌지요.

내가 가만히 있는 것이 여자를 더 불안하게 했던 모양입니다. 여자는 표정을 바꾸었어요. 금세 사춘기의 딸을 대하는 다정한 엄마로 돌아갔지요. 말이야, 엄마는 지금 좀 불안정한 상태야. 너도 알겠지? 십육 년 만의 임신이야. 네가 좀 이해해 주었으면 해. 여자는 한 발 다가서서 내 어깨에 손을 올려놓았습니다. 내 키는 여자보다 한 뼘쯤 컸기 때문에 여자는 나를 올려다보아야 했지요. 화장을 하지 않은 그 얼굴은 기미로 가득했습니다. 여자의 입가에 미세한 경련이 일었습니다. 나는 무엇에 사로잡혀 있었던 걸까요? 여자의 흔들리는 눈을 들여다보며 말했습니다. 한 번으로 충분하지 않나요? 임신을 미끼로 아빠를 괴롭힌 것은. 내 목소리는 섬뜩할 만큼 낮았습니다. 여자는 불에 덴 듯 화들짝 놀라며 손을 내렸습니다. 숨을 멈추고 나를 노려보았지요. 그 눈에 천천히 공포가 떠올랐습니다. 여자는 온몸을 부들부들 떨었습니다. 얼굴 근육들이 흉하게 뒤틀렸습니다. 너, 너, 다 들었구나…… 나쁜 년. 그래, 너 때문에 내 인생이 이렇게 됐어. 여자는 비칠비칠 뒷걸음을 쳤습니다. 나는 꼼짝 않고 서 있었어요. 다 들었구나, 라고 여자는 말했습니다. 그로써 충분해진 셈이었지요. 허탈했습니다. 그건 열일곱의 여자 아이가 상상할 수 있는 가장 역겨운 상황이었습니다. 여자가 방을 나가자마자 나는 내 행동을 후회했습니다.

여자의 인생에 대해서 나는 자세히 아는 바가 없었습니다. 죽은 엄마에게 나를 데려다준 것은 내가 네 살 때였다고 합니다.

그 후로 남대문의 옷가게에서 일했다든가 양장점을 차렸다든가 하는 말을 들었을 뿐입니다. 하지만 나는 그 말을 믿지 않았어요. 여자의 걸음걸이, 눈매 그런 것들을 보면 절로 알 수 있었습니다. 여자는 남자들을 상대로 일했다고 생각했지요. 그것이 무슨 일이었는지는 알 수 없지만. 책을 펼쳤어도 눈에 들어오지 않았습니다. 다 들었구나…… 여자의 꺼질 듯한 목소리만 귀에 울렸습니다. 임신을 하기 위한 필사적인 노력 끝에 여자가 비정상적인 방법을 찾아냈다…… 나는 점차 이 모든 일들이 권태로워졌습니다.

엄마라는 사람들과 그저, 일상적으로 지내는 일이 이토록 힘겨운 것인가 싶었지요. 고백하자면 나는 그때쯤은 여자를 인정하고 있었습니다. 나는 여자에게 눈을 흘기지 않았고 불손한 언사를 쓰지 않았습니다. 여자가 만든 음식을 말없이 먹었고 가끔은 낮잠에 빠진 여자를 연민에 차서 바라보기도 했어요. 어떻든 그녀는 나를 낳은 여자였으니까요. 겨우 이 년이 지났을 뿐이었습니다. 임신을 향한 여자의 눈물겨운 노력이 조금만 더 이어졌더라면 나는 여자를 깨끗이 이해했을지도 모르겠어요. 여자는 왜 그렇게 조급하게 굴었던 걸까요? 거기에 생각이 미치자 갑작스런 느낌이 등을 쳤습니다. 머릿속에서 무언가 이질적인 물체가 살아 움직이는 것 같았지요. 나는 불안했습니다. 그건 몹시 충격적인 상상이었습니다.

저녁이 오기 전 나의 상상은 완결되었습니다. 여자는 머리를 감아 말리고 검고 긴 홈웨어를 입고 다시 내 방에 나타났습니다. 어찌나 꼼꼼히 화장을 했는지 기미 따위는 전혀 보이지 않았습니다. 화장이 아니라 변장이라 할 만했지요. 가면을 쓴 듯 무표정한 얼굴의 여자가 침대에 걸터앉았습니다. 여자는 나를 쳐다보지 않았습니다. 쟁반에 담아온 배를 깎는 일에 열중했지요. 하얀 손가락을 타고 단물이 뚝뚝 떨어졌어요. 먹어봐. 굉장히 달다. 나는 맵시 있게 놓인 배를 한쪽 집었습니다. 여자는 접시 가득한 배를 두고 또 하나를 깎기 시작했습니다. 네게는 평생 알리고 싶지 않은 일이었다. 여자가 말했습니다. 나는 우적우적 배를 씹으며 여자의 이야기를 들었어요. 여자는 드물게 차분했습니다. 긴 사연이었지만 요점만을 짧게 이야기했지요. 이야기가 끝났을 때까지도 접시에는 조각난 배가 여럿 남아 있었어요. 나는 여자에게 등을 돌린 채 손만을 뻗어 배를 집어먹었습니다. 한동안 여자와 내가 배를 씹고 삼키고 다시 씹는 소리만이 들렸지요. 과육의 단물이 여자와 나의 목을 타고 들어가 몸 속에서 한숨이 되고 충격이 되고 분노가 되고 더러운 음모로 변하는 소리가 들렸습니다. 아버지가 돌아오는 기척이 났습니다. 여자는 껍질이 수북한 쟁반을 들고 방을 나갔습니다.

임신에 성공하지 못한 어느 날 여자는 여느 때와는 다른 일로 산부인과에 갔습니다. 그날 그 여자는 알았지요. 문제는 아버지에게 있었다는 것을. 여자는 아버지의 정액을 어떻게 채취했는지는 이야기하지 않았어요. 컨디션이 나쁜 오늘 같은 날 임신하고 싶지는 않다, 뭐 이러면서 콘돔을 썼겠지요. 어떻든 그건 나중에 떠오른 생각이었습니다. 아버지에게 검사를 받아보자고 말하지 않았던 것은 여자에게 진작부터 무언가 께름칙한 느낌이 있었다는 뜻일 겁니다. 결과적으로 여자는 현명했던 거지요. 나를 잉태한 것에 대해 설명하지 않아도 되었으니까. 여자는 내 아버지일 것으로 짐작되는 남자를 떠올렸습니다. 그는 아마도 만만한 사람이었는지 모릅니다. 집도 절도 없이 떠도는 사람이라고 여자는 말했습니다. 수소문 끝에 그 남자를 만나고, 잊혀졌던 격렬한 욕정에 몸을 맡길 때까지도 여자에게 그를 통해 새로운 임신을 할 계획 같은 것은 없었을 수도 있지요. 또다시 그 남자의 아이를 갖게 된 것을 여자는 운명이라고 말하더군요. 막상 임신을 하게 되니 다행이다, 싶어졌다고 했습니다. 어떻든 그 아이와 나는 같은 남자의 피를 받았으니까요. 참 이상한 논리였지요. 이야기를 하면서 여자는 죄책감 따위는 조금도 보이지 않았습니다. 열일곱의 네게 이런 이야기, 정말 미안하게 생각한다. 그렇지만 너는 똑똑한 아이니까 이해할 거야. 아빠는 너에 대해 전혀 아무런 의심도 하지 않으셔. 너만 참아준다면 우리는 행복해질 수 있어. 그 말을 하면서 여자는 울었습니다. 공범으로 만들기. 여자의 연기는 완벽했습니다.

여자가 원한 것은 행복이었습니다. 그토록 아슬아슬한 벼랑 끝에서 여자는 저 건너의 언덕으로 뛰어넘기 위해 안간힘을 쓰고 있었어요. 나는 여자의 밧줄이었고 또한 벼랑 사이에 아가리를 벌린 끝없는 심연이기도 했습니다. 내 말 한마디에 추락하고 말 것을 여자는 잘 알고 있었습니다. 그래서…… 그러니 여자는 내게 협박을 하고 있었지요. 입을 열면 너도 함께 떨어지는 거야. 너는 이 집에서 쫓겨날 거야. 나는 너 따위는 돌보지 않겠어. 아빠를 잃고 나를 잃고 고아가 되는 거야. 열일곱 살의 여자아이가 갈 곳이란 뻔하지. 너는 헤매게 될 거야. 남자들은 너를 강간하고 여자들은 너를 부려먹을 거야. 모두가 너를 업신여길 거야. 너는 쓰레기처럼 냄새가 나게 될 거야. 나는 그런 일들을 잘 알고 있어…… 여자가 했거나 하려 했던 말들이 귓가를 맴돌았습니다.

그날 밤 나는 심하게 앓았어요. 열이 오르고 뱃속에서부터 무언가 꾸역꾸역 올라왔습니다. 나는 이를 악물고 참았습니다. 신물이 올라오고 온몸이 흔들릴 듯 경련이 일었습니다. 팔과 다리가 조각나는 것처럼 아팠습니다. 날이 훤해질 무렵 나는 까무룩 정신을 잃었어요. 그렇게 사흘을 앓았지요. 사흘째 저녁 으스름한 길을 걷던 일을 기억합니다. 한 발 옮길 때마다 어질머리가 일었지요. 나는 외투 주머니에 손을 넣고 집 뒤의 언덕으로 올라갔습니다. 다닥다닥 붙은 지붕 아래 희미한 불 켜진 창들. 나는 땅 위에 퍼질러 앉았습니다. 좁은 골목길로 한 아이가 올라오는 것이 보였습니다. 그 아이의 이름은 잊었어요. 나와 말을 나누는 몇 안 되는 반 아이 중 하나였을 겁니다. 곧 내 등뒤에 아이의 헐떡이는 숨소리가 들렸습니다.

아픈 내가 걱정스러웠다고 그 아이는 말했지요. 이상하게도 선뜻 그 아이의 말이 귀에 들어오지 않았습니다. 마른 잎 새로 지나는 바람, 흔들리는 이파리들이 생생하게 눈에 잡히는데 아이의 얼굴만은 저만치 딴 세상인 듯 멀게 보였습니다. 나는 아이를 물끄러미 보다 눈을 돌렸습니다. 멀리서 개 짖는 소리가 들렸어요. 몇 마디 더 건네던 아이가 가고 나는 어두워질 때까지 그 자리에 앉아 있었습니다. 나는 짐승을 노리는 사냥꾼처럼 어둠 속을 노려보았습니다. 내 앞의 그 무엇을 정확히 포착하지 못하면 내가 잡아먹힐 것임을 나는 알고 있었지요. 내 안에서 굴절되고 반사된 분노가 나를 삼키고 말 것이라는 생각이 들수록 나는 이를 악물었어요. 나는 두려웠습니다. 후미진 골목에 행려병자가 된 내가 나타나고 혀를 빼문 얼굴, 푸릇하게 변한 맨발이 보였지요. 죽은 엄마의 악다구니, 깔깔거리는 웃음소리가 들렸습니다. 눈알이 뻑뻑해지고 눈동자가 튀어나올 듯 아팠지만 나는 눈을 감지 않았어요. 눈을 깜박이지도, 숨을 쉬지도 않은 동안이 얼마나 지났을까요. 공포가 사라지고 서서히 다른 무언가가 내 속에 들어왔습니다. 그때처럼 선명히 내가 악한 여자임을 인식한 적은 없었습니다. 나는 알았습니다. 악이란 거부할 수 없는 것이며 결코 벗어날 수도, 벗어나려 해서도 안 되는 것임을.

그 골목을 벗어난 것은 스무 살 때였습니다. 나는 운이 좋았지요. 잡지에 나오는 이야기처럼 어느 날 카페에 앉아 있는 내게 두 명의 남자가 다가와 말을 걸었습니다. 남자들은 단도직입적으로 내게 물었어요. 우리는 영화를 찍으려 한다, 여배우를 찾고 있다, 오디션을 받아보지 않겠느냐. 늙은 대학생처럼 보이는 한 남자가 내게 연락처를 적어주었습니다. 감독이었지요. 배우가 되겠다는 생각은 한 번도 해본 적이 없었습니다. 무엇보다 사람들과 얽히는 일을 싫어했으니까요. 그렇지만 나는 그 남자를 찾아갔고 영화를 찍었습니다. 생각만큼 어려운 일은 아니었지요. 단조롭고 진부한 스토리였어요. 실연한 남자와 짝사랑에 빠진 여자가 우연히 얽힌다…… 뭐 그런 거였죠. 카메라가 돌아가면 나는 멍한 표정으로 길을 갑니다. 무언가를 간절히 바라지만 그걸 드러낼 수 없는 얼굴. 내게 그건 연기도 무엇도 아니었습니다. 나는 늘 그런 얼굴이었으니까요. 그리고 영화 같은 일이 일어났어요. 상한가를 치던 상대역의 남자 배우 때문이었겠지만 놀랄 만큼 많은 관객이 들었습니다. 폴란드에서 막 돌아와 만든 첫 영화에서 대성공을 거둔 감독은 연일 인터뷰 공세에 시달렸고 내게도 기자들이 전화를 걸어왔지만 나는 아무도 만나지 않았습니다. 사람들은 그것도 전략의 하나라고 말하더군요. 스크린에 비친 나는 바보 같았어요. 그 때문에 그 남자가 나를 택한 것임을 그때 나는 알지 못했습니다.

두 번째의 영화를 찍기 전 나는 방을 얻어 집을 나왔습니다. 아버지는 깨끗이 포기한 얼굴로 나를 보내주었고 그 여자는 좀 당황한 듯했어요. 내가 집을 떠나는 것이 기꺼웠겠지만 한편 자신의 통제 범위를 벗어나는 것이 불안했겠지요. 첫 영화를 찍을 때 보통의 아버지처럼 아버지는 배우라는 직업에 대해 본능적인 거부감을 보였습니다. 나는 아버지에게 영화의 대본을 보여주었습니다. 어느 장면에도 흔한 키스 신 하나 없었던 것이 그를 조금 안심시켰어요. 내가 말했어요. 영화가 개봉되고 나면 보아달라. 그리고 결정을 해달라. 물론 나는 아버지가 어떤 결정을 내리든 상관없이 계속 그 일을 할 작정이었습니다. 다만 나는 아버지와 싸우고 싶지 않았어요. 그는 막 세 돌이 지난 사내 아이에 푹 빠져 있었지요. 나를 말리는 것은 의무감 때문이었습니다. 그때쯤 이미 아버지는 내게 아무도 아니었습니다.

두 번째 영화에서 나는 벙어리였습니다. 같은 감독이었지요. 그는 현명한 사람이었어요. 언어는 사랑을 기만할 뿐이라는 것을 잘 알고 있었지요. 나는 그 역할이 좋았지만 영화는 흥행에 실패했습니다. 지루한 영화였으니까요. 대신 평론가들의 찬사를 들었지요. 사람들은 수채화 같은 화면이니 동심의 세계니 하는 말들을 질리지도 않고 반복했습니다. 세 번째, 네 번째의 영화에서도 내 역할은 바보 비슷한 여자였습니다. 감독은 내게 그러더군요. 네가 예뻐서 눈길을 끌었던 게 아냐. 너 정도의 인물은 길에 널렸어. 네 얼굴은 이상해. 방심한 듯 쳐다보면 정말 바보 같애. 그런데 말야. 나는 어쩐지 또 다른 느낌이 들어. 설명하기 쉽지 않은 거야. 나는 그에게 설명을 요구하지 않았습니다. 그가 그렇다고 하면 그런 거였겠지요. 그 즈음 나는 좀 지쳐 있었습니다. 내 얼굴을 보이는 것에, 바보 같은 얼굴을 보이는 일에 한계가 온 것이었지요. 나는 평소의 나와 화면 속의 나를 구분할 수 없었습니다. 밤에, 아무런 옷을 걸치고 잠자리에 들 때조차 나는 내 자신이 연기를 하는 듯 느껴졌어요. 나는 바보처럼 보였고 멍청한 얼굴을 하고 있었습니다. 지긋지긋했죠.

그 남자를 받아들인 것은 그토록 극심한 무기력 때문이었어요. 그때 나는 괌에 있었습니다. 네 번째 영화의 제작자가 선심을 쓴 것이었지요. 촬영 팀이 모두 그곳에서 아이들처럼 놀았습니다. 해는 늘 뜨거웠고 물은 차가웠습니다. 사람들은 모두 흑인처럼 까맣게 그을었습니다. 그날은 일정의 마지막 날이었습니다. 몇 사람은 배를 빌려 바다낚시를 가고 몇 사람은 스쿠버를 위해 떠나고 나는 해변의 긴 의자에 엎드린 채 낮잠에 빠졌습니다. 격렬하고 달콤한 잠이었습니다. 나는 평생 그렇게 외딴 바닷가에서 살고 싶었어요. 호텔 식당에서 접시를 나르면서 아무런 야심도 기쁨도 없이 늙어가고 싶었습니다. 나를 깨운 것은 햇빛이었습니다. 비치 파라솔의 그늘은 저만치 물러나 있고 내 몸은 햇살에 고스란히 드러나 고기처럼 바짝 말라 있었습니다. 눈을 떴지만 손끝 하나 까딱하기가 어려웠습니다. 몸이 그대로 굳어버린 것 같았지요. 그때 누군가 파라솔을 돌려놓았습니다. 함께 떠난 줄 알았던 조감독이었지요. 나는 그에게 방으로 데려다달라고 말했습니다.

그 남자는 능숙하게 나를 눕히고 찬 수건으로 얼굴을 닦아주었습니다. 머리가 깨질 듯 아팠지요. 나는 다시 잠에 빠졌다 깨어나기를 반복했어요. 눈을 뜨면 그의 얼굴이 보였고 그때마다 그는 나를 보고 웃었습니다. 어스름녘에 나는 완전히 잠에서 빠져나왔습니다. 두통은 사라지고 머릿속은 물처럼 말갰습니다. 나는 그 남자가 준 찬 음료를 마시고 말린 과일을 먹었습니다. 그는 한 조각 한 조각을, 내가 다 씹고 삼키기를 기다려 내 손위에 올려놓았어요. 언제쯤 그가 내 어깨에 손을 얹었는지, 내 옆으로 옮겨 앉았는지 나는 기억하지 못합니다. 나는 자제력이 뛰어난 편입니다. 그 시간 나의 자제력이 잠시 사라졌는지 자제할 필요를 느끼지 못했는지 그런 것도 기억할 수가 없군요. 나는 그가 이끄는 대로 몸을 맡겼습니다. 조용한 말투와 달리 그는 세밀하고 신중한 편은 아니었지요. 그는 성이 나 있는 것 같았습니다. 정염만큼 불가해한 것이 또 있겠습니까. 그 순간이 지나면 해체되어 사라지는 그 감정이 그 찰나에만은 온 정신과 육체를 통째로 지배합니다. 생생히 살아 움직이는 것은 몸, 몸, 몸뿐이지요. 그는 탐욕스러웠습니다. 자신이 가진 모든 것을 자랑하기 위해 안달이 난 아이처럼 조급해했지요. 거칠고 사나운 물결이 몇 차례고 그에게서 내게로 밀려왔습니다. 정사가 끝났을 때 비로소 등과 다리가 불에 덴 듯 화끈거리는 것이 느껴졌습니다. 내 등을 쓸어내리며 곧 껍질이 벗겨질 것이라고 그가 말했습니다.

그와의 날을 사랑이라고 할 수는 없습니다. 사람들이 말하듯 사랑이라는 것이 함께 있고 싶고 바라보고자 하고, 같이 누리며 아파하고, 그의 늙어가는 것조차 지켜보고 싶은 감정이라면 말입니다. 우리는 언제나 후미진 모텔을 찾기에 바빴습니다. 방을 들어서면 갈급증 환자처럼 서로에게 얽혀들었습니다. 무엇보다 우리에게는 시간이 너무 부족했어요. 나는 새로운 영화를 찍고 있었고 그는 여전히 그 일의 조감독이었습니다. 촬영장에서의 그는 메마른 몸을 쉴새없이 움직였고 휴식시간이면 그의 주변에서 웃음이 끊이지 않았습니다. 그는 거의 경박해 보였지요. 사람들은 그를 속없는 얼뜨기 취급했지만 나는 알았습니다. 그는 가면을 쓰고 있었지요. 공식적인 자리에서 그와 나는 가장 무도회에서 만난 상대에게 그러하듯 가짜의 눈빛과 거짓의 말들을 나누었습니다. 나를 만나면 그가 가면을 벗는다고 믿지는 않았어요. 단지 바꾸어 쓰는 것뿐이지요. 그렇지만 나는 그런 일에 상처받는 타입이 아닙니다. 나는 그와의 만남이 즐거웠어요. 그 아슬아슬함이 나를 긴장시켰습니다. 그는 매번 다른 차를 타고 나왔습니다. 대부분 낡고 더러운 것들이었지요. 그 차들을 타면 나는 편안해지고 딴 사람이 된 느낌이 들었어요. 나는 바보도 악녀도 아니었습니다. 나는 그에게 굴종했지만 비굴하다고 느끼지 않았습니다. 나는 내 감정에 대한 핍박을 그만두었습니다. 그를 만나면 나는 언제나 알몸처럼 자유로웠습니다. 그는 사람들의 시선을 피하는 모든 요령을 알고 있었어요. 이따금 나와 다른 남자와의 염문설이 신문의 가십란을 오르내렸지만 어느 신문도 그의 이름을 언급하지 않았습니다.

그날의 만찬을 이야기할 때가 되었군요. 그 저녁 나는 어쩐지 기분이 좋지 않았습니다. 기분 전환을 위해 나는 전날 시상식에서 입었던 등이 깊게 파인 실크 드레스를 입었습니다. 착 달라붙는 느낌이 나쁘지 않았지요. 만찬은 내가 좋아하는 중국식이었어요. 감독과 그, 나와 어떤 여자는 쌉쌀한 맛이 나는 뜨거운 수프를 먹었습니다. 그 여자는 몹시 신경질적인 얼굴로 접시에 놓인 음식들을 조금씩만 먹었습니다. 깡마른 몸에 나이를 짐작하기 어려운 얼굴이었지요. 그 여자에 대해 감독이 한 말은 이랬어요. 이혼녀야. 애가 둘이고. 모든 취향이 까다롭다고 소문이 나 있어. 여자는 세련된 화장에 값비싼 수트를 입고 있었습니다. 새 영화의 성공을 축하하는 말이 오갔습니다. 전날 받은 여우주연상에 대해서도 여자는 축하를 잊지 않았습니다. 무척 예의바른 태도였지만 나는 좀 껄끄러웠습니다. 여자는 영화를 기획하고 제작하는 일에 관계하는 사람처럼 보이지 않았어요. 감독도 평소와 달리 상냥하기 그지없었습니다. 그는 다음 영화에 대해 엄청난 투자를 기대하고 있었으니까요.

이상한 것은 조감독이었습니다. 그는 잘 웃지 않았어요. 꼭 필요한 말만, 어쩔 수 없이 한다는 듯 천천히 낯선 목소리로 말했습니다. 침묵하는 그는 진중하고 어색해 보였어요. 나는 몇 번 그에게 눈길을 주었지만 그는 예의 가면의 눈으로 나를 볼 뿐이었습니다. 다른 특별한 일이 있었던 것은 아니었습니다. 디저트가 나올 때쯤 나는 그가 그 여자의 손을 보고 있는 것을 알았어요. 손등에 푸른 힘줄이 솟았다 사라지는 것을 그는 신기한 듯 오래 쳐다보고 있었지요. 그 여자의 손놀림은 사실 우아하고 아름다웠습니다. 여자의 손가락에서 엄지손톱만한 사파이어가 신비한 빛으로 반짝이던 것을 선명히 기억합니다.

그날 이후 사소한 일들이 문틈을 갉는 쥐처럼 그와 나를 괴롭혔습니다. 그건 신호였지요. 그럴수록 그와 나는 만나기 무섭게 서로의 몸을 파고들었습니다. 우리는 유산을 탕진하지 못해 안달하는 탕아들 같았습니다. 지진을 감지하고 미친 듯 땅을 달리는 짐승들 같았지요. 화수분 같은 열정이 고갈되는 것은 한순간이지요. 나는 그걸 잘 알고 있다고 믿었습니다. 그가 원하면 언제고 헤어질 준비가 되어 있다고 생각했어요. 상처를 받지 않으리라는 말이 아닙니다. 나는 상처를 곱씹고 그를 기억하고 그가 잊을 만하면 그의 꿈 속에 악몽으로 나타날 것이었습니다. 그와 내가 보낸 광란의 시간들이 그만큼의 가치는 있다고 생각했지요.

어느 하루, 서울로 돌아오는 길에 나는 그에게 말했습니다. 하고 싶은 이야기가 있으면 지금 해요. 아니면 영원히 하지 말든지. 결혼식 하니, 지금? 하고 그가 말했지만 그도 나도 웃지 않았지요. 그는 망설이는 것 같았어요. 우리는 흔히 차 안에서 이야기를 나누곤 했습니다. 차 안에서는 서로의 얼굴을 마주보지 않아도 되니까요. 내가, 혹은 그가 어떤 반응을 보이는지를 즉각 알 수 없다는 것은 무척 편리한 일이었습니다. 막상 서두를 꺼내자 그는 머뭇거리지 않았어요. 그의 이야기는 어쩌면 그렇게 내가 찍은 영화와 닮았는지요. 나는 그를 이해했습니다. 그가 그 여자를 유혹하기 위해 사력을 다했음을 이해했습니다. 알고 있는 모든 방법과 모든 기교를 아낌없이 썼을 테지요. 그는 그 여자가 그만큼의 가치를 지녔다고 말했습니다.

나는 잠자코 들었습니다. 흔한 이야기였으니까요. 그는 조감독이었으니까요. 절망적으로 가난하고 턱없이 취향만 고상하며 영화에 대한 기약 없는 열정에 사로잡혀 있었으니까요. 그는 미래를 말했습니다. 나와는 단 한 차례도 나눈 적이 없는 이야기들이었지요. 나와 그는 언제나 현재를 살았습니다. 그 여자의 안목은 탁월하다고 그가 말했습니다. 그 여자의 돈으로 영화를 만들고 그 여자의 회사에서 홍보를 맡는다면 그는 성공할 수도 있겠지요. 국내와 홍콩과 아시아 전역에 배급을 하고, 어쩌면 그는 단박에 베니스도, 칸도 갈 수 있겠지요. 그는 언제나 베니스, 라는 단어를 무척 조심스럽게 발음했습니다. 말로 설명되지 않은 그의 속마음이 고스란히 내게 전해져 왔습니다. 그렇지만 그의 마지막 말은 몹시 치졸했어요. 나는 내 인생을 걸었어. 급작스레 화가 치밀었습니다. 그가 안쓰럽고 가엾어졌어요. 그가, 또 내가 누더기가 된 느낌이 들었지요. 다행히 길은 얼마 남아 있지 않았더군요. 나는 평소처럼 집에서 좀 떨어진 곳에서 내렸습니다. 그는 한동안 그곳에 서서 움직이지 않았어요. 멀어지는 나를 바라보며 그는 불안했을까요? 그렇지 않았다고 생각합니다. 그가 그처럼 솔직했던 것은 자신감 때문이었지요. 내가 누구에게도 이런 이야기를 하지 못하리라는 확고한 믿음. 그로서는 잃을 것이 없었습니다. 스캔들에 멍드는 것은 나일 테니까요.

며칠 후 나는 어떤 남자를 만나러 갔습니다. 미리 약속은 하지 않았지만 그 남자는 나를 기쁘게 맞아주었지요. 우리는 점심을 함께 먹었습니다. 당신의 최근 영화를 보았다고 그가 말했어요. 놀라운 영화였다고도 했지요. 나는 그에게 그건 거짓말처럼 들린다고 했지요. 도대체 영화 같은 것을 볼 시간이 있을 리 없잖아요, 라고 했지요. 그 남자는 소리내지 않고 웃었습니다. 식사가 끝날 무렵 내가 그랬지요. 다음 만나기 전에 그 영화 꼭 보세요, 좋은 영화였어요. 그는 얼결에 물론 그러겠다고 말했습니다. 그 영화에서 나는 요부였지요. 사랑하고 사랑하고 마침내 그 사랑의 무게 때문에 죽어가는 여자였습니다. 파격적인 역할이었지요. 정말 셀 수 없이 많은 섹스 신을 찍었습니다. 감독은 그가 말했던 나의 다른 면을 탁월하게 그려낸 거였지요. 나는 그 남자가 그 영화를 볼 것이라고 생각했습니다. 최소한 내가 원하는 장면은 볼 것을 믿었지요. 나는 두 번 더 그와 식사를 하고 몇 차례 함께 술을 마셨습니다. 얼마 후 그는 내게 함께 휴가를 가지 않겠느냐고 제의했지요. 나는 그의 제의를 받아들였습니다.

우리는 서산의 그의 옛집에서 사흘을 보냈습니다. 수영을 하고 해변에서 고기를 구워먹는, 지극히 평범한 휴가였어요. 그는 단단하고 아름다운 몸을 가졌더군요. 예순에 가까운 나이를 생각한다면 놀라운 일이었지요. 아침이면 그는 반바지 차림으로 긴 해변을 천천히 달렸습니다. 벌거벗은 상체에 흰 수건을 걸친 그가 깨우러 올 때까지 나는 늦잠을 잤습니다. 밤에는 모깃불을 피워놓고 그의 이야기를 들었지요. 그는 짧았던 결혼 생활과 먼 나라에 사는 딸에 대해 이야기했어요. 딸은 이따금 푸른 눈의 남자와 인형처럼 예쁜 아이들과 함께 찍은 사진을 보내온다고 했지요. 이미 아는 이야기였지만 나는 다소곳이 들었습니다. 마지막 밤까지 그는 내게 아버지처럼 굴었고 나는 자연스럽게 그의 딸 역할을 맡았습니다. 나는 조급해하지 않았어요. 밤이 깊었을 때 그가 물었어요. 그 영화 말이야. 정말 리얼하던데, 실제로도 섹스를 그렇게 난폭하게 하나? 나는 그를 똑바로 쳐다보며 말했어요. 지금 확인해 보시겠어요? 서울로 돌아와 얼마가 지나지 않아 나는 그의 청혼을 받았습니다. 주간 신문에 그와 내가 은밀한 사이라는 기사가 실린 직후였지요.

기사를 읽은 사람들은 천박한 상상력을 했겠지요. 그렇지만 그는 대단히 우아한 사람이었습니다. 결혼 생활은 영화를 찍는 일과 무척 닮았더군요. 그의 집은 촬영장처럼 모든 것이 갖춰져 있었습니다. 완벽한 성품의 시누 덕분이었지요. 나는 느지막이 일어나 지하의 운동실에서 오전을 보냈어요. 결혼 초에는 거의 매일 저녁 누군가의 초대를 받았어요. 나는 성장을 하고 모임에 참석했지요. 밤이 되면 다른 부부들처럼 평범한 섹스를 하고 그의 코고는 소리를 들으며 잠이 들었습니다. 남편은 행복해하는 것 같았어요. 일을 줄이고 나와의 시간을 늘이려 노력했지요. 가을과 겨울과 봄이 천천히 지나갔습니다. 고양이처럼 나른한 날들이었지요. 우리는 죽을 때까지 그렇게 살 것 같았습니다.

사고가 일어난 날은 휴일이었습니다. 그날 아침 남편은 조금 들떠 있었지요. 처음으로 나를 필드에 데려가기로 한 날이었거든요. 나는 막 계단을 내려가다 그 무시무시한 소리를 들었습니다. 엄청난 속도로 달리던 자동차가 급정거하는 듯한 소리, 시멘트 바닥이 긁히는 듯 날카로운 파열음, 그리고 누군가의 끔찍한 비명이 길게 이어졌습니다. 내가 달려나갔을 때 남편은 살아 있는 사람처럼 보이지 않았어요. 그는 대문 옆 담 아래 죽은 듯 눈을 감은 채 널브러져 있었지요. 어디선가 흘러나온 피가 낭자했습니다. 앰뷸런스가 오고 남편이 실려나갈 때까지도 운전사는 넋을 잃고 있었어요. 시동을 걸자마자 차가 미친 듯 튀어나갔다고 했어요. 남편의 몸은 자동차와 집의 외벽 사이에 끼었던 거였습니다. 사고의 원인은 밝혀지지 않았습니다. 급발진 사고가 아니었을까, 추정했을 뿐이죠. 남편은 열 시간이 넘는 대수술을 받았습니다. 어느 곳 하나 성한 곳이 없다고 했지요. 의사들은 조각난 그의 장기를 꿰매고 끊어진 신경을 잇고 피를 갈아넣고 뼈마다 철심을 박았어요. 가장 치명적인 것은 척추의 손상이었지요. 크고 작은 수술이 끝없이 이어졌지만 의사들은 남편을 걷게 하는 데는 실패하고 말았습니다. 어느 나라의 어떤 시설을 들먹이며 시누가 재활 치료를 주장했을 때 남편은 담담한 낯으로 싫다, 고 말했어요. 그는 자신의 변화를 조용히 받아들였습니다. 남편과 나는 짐을 꾸려 서산으로 옮겨왔지요. 남편이 사고가 난 집을 떠나고 싶어했기 때문이었어요. 볼품없고 황량한 곳에서 남편은 난생 처음 한적한 나날을 보냈습니다. 남편의 단단하던 가슴에는 부드러운 살집이 생겼습니다. 그는 운동을 하지 않았거든요. 그를 웃게 하고 그의 팔을 움직이게 하는 것은 강아지 미미뿐이었지요.

그 남자가 찾아왔던 날 남편은 미미와 함께 해변에 있었습니다. 나는 그의 낡은 자동차를 타고 먼 곳으로 갔지요. 아무도 우리를 방해하지 않았습니다. 그는 좀 변한 것 같더군요. 깔끔한 향의 향수 냄새가 풍겼지만 그에게서는 초췌한 느낌이 났습니다. 우리는 서로에 대해 변명하지 않았어요. 짧은 섹스가 끝났을 때 그가 말했습니다. 아직 내게 화가 나 있구나. 나는 긍정도

부정도 하지 않았습니다. 나는 그가 간부(姦夫) 역할에 썩 어울린다는 생각을 하고 있었지요. 그는 조심스럽고 교활했어요. 내 갑작스러운 결혼으로 자신의 계획이 어그러진 것에 대해 한마디도 하지 않았지요. 그는 그가 되찾은 것이 내 몸뚱이뿐이었음을 알지 못했습니다. 내 몸은 다시는 예전처럼 정신을 침범하고 장악하지 못했지요. 만남이 거듭될수록 그에게서는 강한 음모의 냄새가 났습니다. 그건 몹시 사악하고 비열한 거였죠. 나는 그를 제지하지 않았습니다. 그가 스스로 만든 덫에 걸려 신음하고 말라가고 죽어가기를 원했지요. 나는 그의 끝없는 망상이, 망상을 망상으로 인정하지 않는 눈먼 정열이 혐오스러웠습니다. 그는 안달이 나고, 그걸 숨기기 위해 내게 온갖 정성을 기울였지요. 뻔뻔하게도 그는 남편을 미워했습니다. 남편의 세계. 남편이 가졌던, 모든 것이 가능하던 그 세계가 그를 망가뜨리고 우리의 짐승의 시간을, 그 순수하고 아름답던 날들을 앗아갔다고 말했지요. 그는 즐겨 이혼녀가, 혹은 미망인이 된 나를 이야기했어요. 이혼이든 사별이든 내가 남편을 떠날 생각을 하고 있음을 그는 눈치채고 있었습니다. 나는 그의 생각대로 움직일 마음은 없었습니다. 내가 바랐던 것은 완벽한 종말이었지요. 나는 파멸을 원했어요. 기회는 뜻밖에도 손쉽게 찾아왔습니다.

그날 미미는 종일 나를 피했습니다. 개에게도 예감이라는 것이 있을까요? 저녁 무렵 남편의 방에 들어서는 나를 보자마자 미미는 방문 틈으로 빠져나가 밖으로 달아났지요. 따라가 보라, 고 남편이 말했어요. 개는 아직 이곳 지리에 익지 않았거든요.

집 밖으로 나온 나는 길 끝에서 나를 보고 있는 미미를 발견했습니다. 미미, 돌아와. 내가 소리쳤지만 개는 슬금슬금 뒷걸음쳐서 달아났습니다. 우리는 한동안 숨바꼭질을 했지요. 개는 내가 따라잡을 만하면 기다렸다는 듯 다시 달아났습니다. 나는 개를 따라 남편의 사유지를 벗어나고 낯선 집의 열린 문으로 들어갔습니다. 두어 군데의 초라한 가게 옆을 지나고 빈 함지와 조개껍질들이 널린 길을 따라갔습니다. 앙상한 가지만 남은 포도밭 이랑을 달리다 돌부리에 걸려 넘어지기도 했지요. 손에 잡힐 듯 가까워질 때마다 개는 날쌔게 달아났습니다. 어서 와봐, 나를 잡아봐, 하고 약올리는 것 같았지요. 깜박 시야에서 개를 놓쳤을 때쯤 나는 숨이 가빴습니다. 이대로 돌아가버릴까, 영영 비루먹은 개가 되도록 버려둘까 싶어졌지요. 모퉁이를 돌자 저만치 외딴집의 담벼락 아래 서 있는 미미가 있었습니다.

개는 멍하니 서서 창을 올려다보고 있었지요. 가까이 가서야 나는 개를 멈추게 한 것이 무엇인지 알았습니다. 창에서는 아코디언 소리가 흘러나왔어요. 미미는 홀린 듯 넋을 놓고 그 소리를 듣고 있었습니다. 남편은 이따금 흥이 날 때면 아코디언을 켜곤 했습니다. 물론 사고 이전의 이야기지요. 악기를 부채꼴로 폈다 접을 때면 남편의 어깨가 물결치듯 기울던 것이 보기 좋았던 것을 기억합니다. 남편은 유랑 극단의 떠돌이 악사처럼 고즈넉한 표정을 지었고 그럴 때면 미미는 말끄러미 그를 올려다보다 바짓가랑이에 코를 비비곤 했지요. 미미와 나는 한동안 어둠이 내리는 길에 서서 아코디언 소리를 들었습니다. 제목을 알 수 없는 옛 가요였어요. 미미는 꼼짝하지 않았습니다. 단 한 번 끄응, 이상한 소리를 냈지요. 구성지고 슬픈 가락이 멈추었을 때 나는 손을 뻗어 미미를 움켜잡았습니다. 개는 소스라쳐 달아나려 했지만 내 손을 벗어나지 못했습니다.

집으로 돌아오는 대신 나는 바닷가로 갔습니다. 미미는 체념한 듯 얌전히 안겨 있었습니다. 나는 무릎을 지나 가슴에 차오를 때까지 물 속으로 걸어들어갔어요. 그리고 천천히 미미를 물 속에 내려놓았습니다. 바다는 어두웠어요. 물은 얼음처럼 차가웠지요. 미미는 두어 번 내게 엉기려 안간힘을 썼지만 나는 가만히 개를 떠밀었습니다. 아아, 나는 죽는 날까지 그 바둥거리던 작은 몸짓을 잊지 못할 겁니다. 잔파도가 밀려왔다 나갈 때마다 미미는 내게 닿을 듯 다가왔다 조금씩 멀어졌어요. 썰물 때였지요. 그리고 어느 순간 파도가 개를 휩쓸었습니다. 나는 물에 서서 하얀 몸이 떠올랐다 가라앉기를 반복하는 것을 바라보았습니다. 이윽고 너울에 실린 미미는 보이지 않는 먼바다로 흘러갔습니다. 미미의 하얀 털빛 같은 파도가 바다 여기저기에서 일었습니다. 나는 조용한 바다에서 파도의 긴 울음소리를 들었습니다. 머리카락 끝까지 찬 기운이 밀려들었어요. 예상치 못했던 기쁨이 치밀어 나는 흐득 몸을 떨었습니다. 나는 들어갈 때처럼 천천히 물 속을 걸어나왔습니다. 조각달이 떠 있더군요. 달은 차갑고 냉정한 빛으로 나를 비추었습니다. 내 몸에서 물기가 비늘처럼 번득였습니다. 남편에게는 이제 웃을 일도 팔을 들어올릴 일도 없어졌군요. 그는 더 무표정해지고 강해지겠지요.

나는 결코 그를 떠나지 않을 작정입니다. 그가 강해지고, 강해지고 마침내 그의 눈이 텅 빌 때까지는.

뿌리칠 수 없는 운명의 힘

권희돈(청주대 국문과 교수)

이 소설을 읽고 나면 많은 물음들이 떠오른다.

인간은 본질적으로 악한 존재인가. 인간의 비극은 운명의 개입 때문인가. 그 운명으로부터 인간은 결코 자유로울 수 없는가. 비극적인 운명이 끼여드는 곳은 어디인가. 왜 운명이 끼여드는 곳에는 음모와 희생이 따르는가. 우리 인간 사이에 진정 정상적인 인간은 존재하지 않는가.

〈사심(邪心)〉을 읽고 독자가 이렇게 인간의 근원적인 문제를 물을 수 있다는 것은 이 작품이 신화적이라 해도 좋을 듯싶다. 달리 말해 문학성이 높은 작품이라 단정해도 괜찮겠다. 불명료하고 불확정적인, 그래서 작품 내의 빈 자리가 크기 때문이다. 이런 작품일수록 독자는 그 큰 무대(빈 자리) 위에서 다채롭게 뛰어놀 수 있다.

작중 화자는 자신이 본질적으로 사악한 여자라고 공공연히 선포한다. 그리고 자신에게 솔직하기만 하다면, 저절로 깨닫게 되는 것이라고 독자에게 넌지시 알려주기까지 한다. 저마다 각질의 마스크를 벗어버리고 자신의 내부를 솔직하게 주시한다면, 누구든지 자신의 사악함을 발견하기는 그리 어렵지 않을 것이라고. 작가는 작중 화자뿐만 아니라 인간은 본질적으로 사악한 존재임을 작품의 첫소리로 내고 있다. 하여 독자는 앞으로 전개될 내용이 사악한 나와 관련된 사악한 사람들의 이야기일 것이라고 쉽게 예측할 수 있다.

사건은 사악하거나 비겁한 인물들 그리고 결핍된 인물들이 얽히고 설켜 복합적으로 진행된다. 나와 죽은 엄마, 생모가 사악한 계열의 인물들이라면, 나의 생부와 그 남자(조감독)는 비겁한 계열의 인물들이다. 반면 나의 아버지와 남편은 결핍된 인물의 계열이라 할 수 있는데, 역설적으로 이들이 사악하고 비겁한 인물들을 받아들이고 있다.

그러니까 나는 비겁한 생부와 사악한 생모 밑에서 태어났으며, 생모처럼 사악하나 생부처럼 비겁하지는 않은 본질을 갖고 있고, 생식 불능의 아버지 밑에서 자라다가, 스무 살이 되어 더욱 사악한 여자로 성장하여 비겁한 남자를 만나 정사를 나누고, 생식 불능의 늙은 남편과 함께 살고 있는 스물아홉의 여자인 셈이다.

두 번째 물음은 인간 사이에 끼여든 운명을 과연 거역할 수 없는가, 어쩔 수 없이 운명 지워진 삶을 살아갈 수밖에 없는 것이 인간 존재의 한계인가 하는 점이다. 이 작품은 두 번째 물음에 대한 대답 대신 모녀의 삶의 궤적으로 선명히 보여준다. 생모와 나는 관계하는 사람이 다를 뿐 삶의 방식은 동일하다. 나는 나의 생모를 변덕이 심하고 불처럼 급한 성격이며 나에게 악을 알게 하고 음모를 가르쳐준 나쁜 여자라고 말하지만, 어느새 나는 생모로부터 연기를 배우고 마침내 음모를 배워간다. 나의 생모가 음모를 꾸며 죽은 엄마를 이 세상에서 밀어냈듯이, 나는 남편의 미미(애완용 강아지)를 바다 속에 빠뜨린다. 나의 생모가 비겁한 남자와 만나 아이까지 낳아서 생산 불능의 아버지 집을 차지했듯이, 나는 비겁한 남자를 간부(姦夫)로 두고 늙은 남편의 집을 차지하였다.

겉으로 보기에는 모녀가 현실의 한 부분을 차지하였다는 점에서 행복을 찾은 것처럼 보이지만 사실은 그렇지 않다. 관습이나 윤리에 희생당하는 여자의 삶보다 사악함을 유산으로 받아 음모를 통해서만이 현실에 정착하는 이들의 삶은 더욱 비극적이다. 운명은 이렇게 인간의 삶 속에 끼여들어 비극적이게 하는 힘을 가지고 있는 것인가.

그렇다면 비극적인 운명의 손이 뻗치는 곳은 어디인가. 그곳은 아마 무엇인가 결핍된 비정상적인 곳일 것이다. 부족하기 때문에 유혹에 넘어가기 쉽지 않을까. 나의 아버지와 남편은 이런 결핍된 인간의 전형적인 모습을 보여준다. 남성으로서의 비정상성은 여자에 대한 나약함으로 드러난다. 국어 교사인 아버지가 자신의 결핍을 모를 까닭이 없다. 알고 있지만 나의 생모의 음모를 모른 체 할 수밖에 없으며, 나의 남편 역시 나의 음모를 모르는 체 지나칠 수밖에 없다. 운명의 손을 뿌리치기에는 자신들의 힘이 너무도 부족했기 때문에, 그들은 운명에 자신을 맡길 수밖에 없는 것이다. 어느새 음모를 꾸미는 자는 사디스트로, 음모를 당하는 자는 마조히스트로 자리하게 된다.

모든 음모에는 희생이 따른다. 자아 중심의 사악함은 타인의 희생을 요구한다. '아아, 나는 죽는 날까지 그 바둥거리던 작은 몸짓을 잊지 못할 것입니다. …… 미미의 하얀 털빛 같은 파도가 바다 여기저기에서 일었습니다. 나는 조용한 바다에서 파도의 긴 울음소리를 들었습니다.' '나'가 죽는 순간까지 미미의 애처로운 눈빛과 긴 울음소리를 잊을 수 없듯이, 나의 생모는 나의 죽은 엄마의 독설과 악다구니에서 죽는 날까지 자유로울 수 없을 것이다. 그들은 나와 생모의 영혼을 죽는 순간까지 사로잡고 있기 때문이다.

그렇다면 우리 인간 사이에서 정상적인 인간은 존재하는가. 작품의 끝자리에서 묻게 되는 이 마지막 물음은 자연스럽게 작중 화자의 첫소리로 거슬러 올라가게 한다. 즉 자신의 사악함은 자신에게 솔직하기만 하면 절로 알게 되는 것이라는 구절을 상기하게 되는 것이다. 자신을 냉철히 들여다보면 인간은 모두 비정상적임을 스스로 알게 될 것이다. 인간은 모두 사악하고 비겁하고 비정상적이다. 일견 선해 보이고 정상적으로 보이지만, 가면을 쓰고 있기 때문에 그렇게 보일 뿐이다. 가면을 바꿔 쓸 수는 있지만 벗을 수 없는 것이 인간 존재의 한계이다. 따라서 비극적인 운명이 끼여들 틈새는 모든 인간 사이에 존재한다. 이것이 작가가 진정 독자에게 하고 싶었던 말인지도 모른다. 그런 의미로 보면 과학의 발전 속도에 반비례해서 왜소해지고 비틀거리고 훼손되어가는 오늘의 인간 사회는 신화가 마구 쏟아지는 시대인지도 모른다.

현 대 문 학 교 수 3 5 0 명 이 뽑 은

비벌리힐스 서울 사이트

송 하 춘

- 고려대 국문과 졸업.
- 1972년 《조선일보》 신춘문예에 단편 당선.
- 창작집 《한번 그렇게 보낸 가을》, 《은장도와 트럼펫》, 《하백의 딸들》, 《꿈꾸는 공룡》이 있음.
- 현재 고려대 국문과 교수로 재직중.

송하춘

비벌리힐스 서울 사이트

찾았다.

하얀 담벼락이 보이자, 세 아이는 일제히 목표 지점을 향해 달려갔다.

길 위쪽은 푸른 숲이 우거진 언덕이고, 맞은편 언덕 아래로 낡은 단독 주택들이 꼬리에 꼬리를 물고 이어져 있었다. 현주가 민정이를 앞지르고, 민정이는 정아를 따라잡고, 정아는 또 현주를 따돌리고, 그러기를 몇 번이나 반복했는지 모른다.

맞아, 하얀 벽돌담이랬어.

어쨌든 그들은 어느 낯선 집 희끄무레한 담장까지 찾아오기는 왔다. 세 아이 모두 하얀 벽돌담은 내가 먼저 보았고, 그러니까 에이치오티는 각자 내 차지였다.

누가 먼저 그 집을 보았는가.

그것은 그들에게 토끼와 거북이 경주만큼이나 힘겹고 어려운 문제였다. 셋 중에 먼저 본 사람이 에이치오티를 갖게 될 것이기 때문이다.

이제 그들은 그 안에서 에이치오티를 만나 봐야 한다.

세 아이는 그 집을 엿보는 일에 몰두하지만, 담벼락은 키보다 높았고, 굳게 닫힌 대문짝은 철옹성벽이다. 현주는 대문 앞에 붙어 서서 낡은 가림담의 벌어진 틈새로 울 안을 엿보았고, 정아는 그 뒤에서 괴발을 짚고 담장 안을 넘보지만 아무도 볼 수가 없었다. 민정이는 곁에서 망을 보고 있었다.

나온다!

이윽고 짧은 신호음 같은 것이 정아 쪽에서 들려 왔다. 남은 두 아이도 우르르 그쪽으로 달라붙었다.

나온다!의 장본인 황씨는 마침 출근하려던 참이었다.

현관문을 열면 곧 마당이고, 거기서 한 발짝만 더 떼면 대문인 그 집은 황씨가 세들어 사는 단독 주택이다. 대문을 열고 나가면 골목길이고, 길 건너 맞은편 언덕은 아카시아 푸른 숲이다.

"아저씨, 여기가 에이치오티 집인가요?"

황씨가 대문 밖을 나섰을 때, 아이들은 그를 반갑다고 맞이하였다. 중학생 차림의 이 아이들이 황씨는 낯설지 않았다. 경비실 근처에 에이치오티가 사니까, 황씨는 늘 이런 팬들을 겪어 내야 한다. 걸핏하면 구름처럼 몰려들곤 한다. 그건 그렇더라도 오늘은 얘네들이 어떻게 우리집을 점찍었다지? 황씨는 그래서 기분 좋게 아이들을 상대하였다.

"어째서 우리집이 에이치오티 집일 거라고 생각했냐?"

"아닌가요?"

아이들이 주춤거린다.

"전철역에서 바른편 쪽으로 산길을 따라 쭉 걷다 보면 하얀 벽돌담이 나온댔어요. 그 집이랬어요."

"우리집이 바로 그 집이냐?"

황씨는 자기 집 담벼락을 둘러보았다. 하얗게 회칠벽은 아니지만, 희끄무레한 낡은 대리석이 닮은 것 같기도 하다.

"에이치오티네 집은 여기가 아니고……."

황씨는 앞장 서서 걷기 시작하였다.

"날 따라오겠니?"

그 길은 어차피 경비실 쪽으로 가는 길이다. 길은 언덕을 끼고 굽이굽이 뻗어 있었다.

"아저씨, 고맙습니다."

최신식 고급 빌라형 아파트, 호화 맨션 빌라트 쉐르빌, 파크텔 궁전, 비벌리힐스 타운, 레스빌 사이룩스 밸리의 골목길을 아이들은 무감각하게 걸어가고 있었다. 동네가 유난히 예뻐 보이지만 아이들은 관심 없었다. 빨주노초파남보의 무지개빛 기와 지붕들이 초록의 산빛과 어울리자, 눈앞에 펼쳐지는 장면이 영화처럼 아름답다.

어디 사니? 황씨가 걸어가면서 묻고. 남해요,라고 아이들은 쫄레쫄레 따라가며 대꾸하고, 네 사람 주고받는 대화들이 바람 부는 물살처럼 찰랑거린다. 남해? 왜요, 아저씨? 남해 바다 섬,

남해에서 왔단 말이냐? 왜 놀라세요, 아저씨? 서울은 언제 왔는데? 지금 오고 있잖아요. 지금 오는 길이라고? 언제 갈 건데? 이따가요. 오늘? 아저씨는 왜 자꾸 놀라기만 하세요? 촌스럽게시리.

"내가 그랬니?"

황씨는 입가에 보이지 않는 웃음을 머금었다.

레스빌 사이룩스 밸리의 파란 지붕들이 먼 바다의 물결처럼 출렁거리는 것을 보았다.

길은 외길이다. 잊어버리고 가는데 하얀 집 한 채가 그들 눈앞을 가로막고 선다.

"이 집이다."

황씨가 그 집을 턱짓으로 가리켰다.

담벼락도 하얗고, 대문짝도 하얗고, 건물까지도 온통 하얀 회칠벽이지만, 그러나 그것은 생각처럼 아름답지는 않았다.

"이게 에이치오티 집이라구요?"

"왜? 실망했니?"

"그게 아니라요."

감탄일까, 실망일까, 아이들은 하— 입을 벌린 채 얼어붙은 듯 그 자리에 서 있었다.

집은 텅 빈 채 문이 잠겨 있었다. 건물은 낡고 헐었으며, 하얀 회칠벽은 누추하다 못해 천박스러울 지경이다.

"이 낙서들 좀 봐라."

변명일까, 자랑일까, 황씨가 그 집을 아는 체하고 싶어한다.

"이게 다 늬들 같은 팬들이 와서 쓰고 간 거란다. 읽어 보진 않았다만, 이게 무슨 짓들이니? 아마 천 명도 더 될걸?"

"아저씨, 좀 비켜 주세요."

"왜? 재미없니?"

"그건 낙서가 아니라, 편지란 말예요. 우리들 마음을 그냥 쓰는 거라구요."

어처구니없도록 황홀한 침묵이 황씨의 주변을 압도하고 있었다. 새떼들의 지저귐처럼, 에이치오티가 머물다 간 자리, 팬들이 지저귀는 소리를 듣는다. 뱀의 허물인 듯, 만지면 부서져 가루가 되어 버릴 것 같은 낡은 껍질 앞에 문득 허물을 벗고 달아난 징그러운 몸뚱어리를 보는 아이들은 황홀하다.

아이들은 황씨를 잊은 지 오래였다.

"우리도 쓰자." 세 아이가 우르르 편지를 쓴다.

'강타 오빠! 그대 있음에 내가 있고, 김민정.' 민정이가 먼저 강타에게 메시지를 남기고, 안 돼! 현주는 '김민정'을 지웠다. 그리고 그 자리에 '현주 올림.'

"정아야, 너도 써 줄까?"

"싫어. 내가 쓸 거야."

정아는 저만큼 혼자 떨어져 간다.

'천 년에 한 번 우는 새가 있습니다. 그 새의 울음이 모여 바다를 이룰 때까지 오빠, 사랑해. 정아가.'

그리고 세 아이는 서로 싸웠다.

사랑은 나만 가졌다고 생각했을 때 한없이 기쁘더니, 함께 나누어 가졌다고 생각되자 슬프기 짝이 없었다. 세 아이 모두 슬프다. 빗살무늬처럼, 문득 가슴 한복판을 긋고 지나가는 잉크빛 한 줄기 수평선. 그들은 그 남해 바다 푸른 물결과 통화하고 싶었다.

"나, 상식이 부를 거야." 민정이 불쑥 핸드폰을 꺼낸다.

"불러라."

아이들은 그래도 민정이가 부럽고, 민정이는 아이들 듣지 못하도록 가만가만 문자 메시지를 보낸다. '푸우'의 2행시를 적어 보낸다. 푸 : 푸우야 넌 커서 무엇이 될래? 우 : 우루사. 상식이는 뭐라고 써서 답장을 보내 올까? 기다려진다.

황씨는 방금 경비실에 도착하였다. 아침 여덟시가 지난 시각. 성승택 씨는 벌써 사복을 갈아입고 대기중이었다.

"날밤을 샜다니까."

황씨가 경비복을 갈아입는 동안 성승택 씨는 간밤에 일어난 일들을 들려주고 있었다.

"무슨 일 있었어?"

"영화를 찍더라구. 치정극인가 봐. 숲속에서 시체가 나왔더라는 게야."

성승택 씨는 아카시아 푸른 언덕 쪽을 턱짓으로 가리켰다.

"진짜야?"

"영화라니까. 정사 장면을 찍더라구."

"벗었어?"

“벗기는! 저기 아카시아 그늘 아래서였어. 조명만 대낮처럼 밝은데, 두 연놈이 얼른얼른 희끗희끗, 좋다 만 거지, 뭐. 그리고 누군가가 죽었다는 게야.”

“이 동네, 웬 배우들이 그렇게 많이 살지?”

황씨의 푸른 제복에서는 어느덧 구릿빛 견장이 반짝거렸다.

“경동시장 가서 물어 보라구. 한약방은 왜 한약방끼리 모여 사는지, 경동시장 가서 물어 보면 될 거 아냐?”

성승택 씨는 가면서 업무용 쪽지를 하나 건네주고 갔다.

—308호, 할아버지 혼자 계심. 오늘 파출부 안 옴. 11시 주치의 왕진. 12시 30분경 쓰시마사에서 전복죽 배달 올 테니까 안내 바람. 집 안에 들이지 마시오.

비벌리힐스가 텅 빈 듯 고요하다.

황씨는 구릿빛 견장을 번득이며 밖으로 나갔다. 말이 정문 경비지 이런 날 황씨는 뜻밖에 심심하다. 주차장 안에 엘리베이터가 있어서, 들고나는 것을 모두 남문 경비가 상대하기 때문이다. 차를 몰고 남문 주차장 안으로 들어갔다가 거기서 엘리베이터를 타면 곧 자기 집으로 통하고, 자기 집에서 엘리베이터를 타면 그냥 주차장으로 나오도록 되어 있다. 정문 경비가 둘, 남문 주차장 경비가 셋, 전부 다섯이 밤낮으로 번갈아 가면서 비벌리힐스를 지키지만, 바쁘기는 남문 경비가 훨씬 더 바쁘다. 그들은 누가 몇 동 몇 호 사는지는 몰라도 어떤 차가 몇 동 몇 호 차인지는 훤히 꿰고 있다. 에쿠우스, 재규어, 푸조, 벤츠, 볼보, 최하가 그랜저 3.0이다. 소나타 이에프나 프린스 같은 건 창

피해서 끼지도 못한다.

잔디밭에 스프링쿨러를 틀고 있는데 경비 전화가 걸려 왔다.

남문 경비한테서 308호 안부를 묻는 전화다. 주치의가 오셨는데, 308호 문이 안 열린다는 것이다. 시계를 보자, 11시가 조금 지나 있었다.

"잠이 드셨나? 인터폰을 넣을까?"

황씨는 주무시는 영감님을 떠올렸는데, 남문 경비는 뭔가 심상치 않은 눈치였다.

"누구, 다녀간 적 없지요?"

물론, 아무도 다녀간 사람은 없었다.

"비상키가 있지 않습니까? 열고 들어가 볼까요?"

"무슨 소릴 하는 거요? 우리 맘대로 들어갔다가, 그 안에 만일 아무 일도 없다면 그것처럼 우스운 일이 어딨겠소?"

그 말 끝에 그가 한 소리다.

"낯선 자가용이 종종 정문 앞에 차를 대는 수가 있소."

"그러니 날더러 어떡하란 말이오?"

황씨는 조금 화가 나서 물었다.

"가차없이 연락 주시오."

308호 영감님은 작년에 팔십오 세를 넘겼다고 들었다. 지난 겨울까지만 해도 한낮이면 요 앞으로 산책을 나다니곤 했는데, 올들어 그나마 포기해 버린 것 같다. 할머니는 돌아가신 지 오래였다. 언제부턴가 의원님이라고 불리는 그 집 아드님은 현재 이렇다 할 직함은 없지만 원래 빈 택시가 더 바쁜 법이다. 다음 선거를 위해서는 어디든지 뛰어다녀야 하니까, 한시도 집 안에 머무는 걸 못 보았다. 의원님 사모님은 더 바쁜 것 같다. 반드시 정치인 남편을 내조하느라고 그런대서가 아니라, 한 인간이 인간으로서 살자면 남 못지않게 신앙 생활도 해야지, 사회 봉사 활동도 거들어야지, 거기다가 가정 경제도 일으켜야지, 여자로서 할 일이 너무 많을 것이다. 그 빈자리를 파출부 아줌마가 메워 준다는데, 그 메운다는 것이 무엇을 어떻게 메워 주고 채워 준다는 것인지, 낮에는 텅 빈 집 안에 영감님 병 수발을 하는 일이 전부일 텐데, 그도 피차간에 만족스럽지는 못할 것이다.

"아저씨, 여기 사세요? 얘들아, 아까 그 아저씨 여기 있다."
경비실에 낯익은 손님들이 들이닥쳤다. 아까 그 에이치오티 아이들이 몰려온 것이다. 그들은 방금 에이치오티의 성지 순례를 마치고 귀가하는 중이었다.
"에이치오티를 못 만나고 가서 어떻게 하니?"
황씨는 정문 밖 길가에서 그들을 맞이하였다.
"괜찮아요. 다음에 또 올 건데요, 뭐."
황씨와 아이들은 다시 친해졌다.
띠딕띠딕띠딕 핸드폰 소리가 울린 것도 그 때였고, 민정이 돌아서서 전화를 받은 것도 그 때였다. 아니…… 알았어 엄마…… 친구 집이야…… 시험 공부하느라고…… 알았어 엄마…… 늦을지도 몰라. 어쨌든 오늘은 들어갈게…… 알았어 엄마…….
민정이 통화를 하는 동안 다른 두 아이는 황씨 곁에서 놀고 있었다.

"아저씨?"

"왜?"

"아저씨는 어렸을 때 좋아하는 연예인 같은 거 없었나요?"

"연예인?"

"에디슨이나 교장 선생님같이 그런 위대한 사람 말구요. 그냥 보고 싶어서 자다가도 문득문득 눈이 떠지는 그런 사람 말예요."

"자다가 눈이 떠지지는 않았지만, 가만 있자, 그게 누구였더라?"

아이들이 쫑긋 귀를 열고 다가선다.

"옛날에, 백일장 대회를 나갔었다. 늬들만한 중학생 때였지."

황씨가 지난 일을 더듬거리고 있었다.

"아저씨가 시를 썼다구요?"

"왜? 나는 시 못 쓸 것 같냐? 이래봬도 선수로 뽑혀 갔었구나. 새벽 기차를 타고 시 쓰러 가는 중학생을 떠올려 봐라. 감동적이지 않니? 온몸을 쥐어짜기만 하면 눈물 같은 낭만이 주르륵 흘러내릴 것만 같던 그 때는 나도 시인이었거든. 그 날, 어린 시인들이 구름처럼 몰려왔었지."

"아저씨, 지금 뭘 말하고 싶은 거예요?"

"들어 봐라. 드디어 백일장 대회가 시작되었다. 제목은 '나무'. 가슴은 콩당콩당 뛰지, 푸르른 상상력은 하늘을 날지, 그 때 누군가가 그러는 거야. '서울 시인이 오셨다는구나. 보이니?

저기 저분이 유명한 김동리 선생님이셔.' 먼빛으로 보일락 말락 하는 동리 선생님은 유난히 이마가 반짝거렸다. 그러고는 도통 시를 쓸 수가 있어야지? 마음이 가려워서 견딜 수가 없는 거야. 괜히 가서 동리 선생님 주위를 빙빙 도는 거 있지?"

"왜요?"

"보고 싶으니까. 동리 선생님이 연못가 저쪽 소나무 그늘 아래 환하게 웃고 계시는 거야. 낯선 젊은 시인들이 선생님을 에워싸고 빙 둘러 있더라구. 우리 국어 선생님도 그 틈에 끼여 있었어. 잔디밭에 신문지를 깔고 앉아 술잔을 돌리는데, 내가 자꾸만 그 주위를 어정거리는 거 있지? 가까이, 조금만 더 가까이 가고 싶은데 다가갈 수가 없는 거야."

"시는 안 썼나요?"

"시는? 가슴속이 온통 동리 선생님뿐인 걸."

"그래서요?"

"그래서요는 뭐가 그래서요야? 그러고 말았지."

"아, 재미없다. 우리 갈래요. 아저씨 안녕히 계세요."

세 아이가 비벌리힐스의 언덕길을 걸어가고 있었다. 겁도 없이 폴짝폴짝 언덕 너머 저쪽으로 사라져 가는 아이들을 보면서, 서울 시인이 그립던 소년은 다시 네모난 경비실 안으로 들어갔다. 아침 햇살이 머물다 간 자리. 그는 네모난 거울 앞에 섰다. 거울 속에 낯선 사나이가 서 있었다. 짹짹짹짹 새들은 지저귀고, 거울 속에 비친 그는 황금빛 구렁이 한 마리가 광속도로 빠져나간 가시나무 잔가지에 걸린 낡은 허물이었다.

"308호 주문 배달 왔습니다."

젊은 오토바이 철가방 한 대가 들이닥친 것은 정오가 지나서였다.

"쓰시마사?"

황씨는 소스라쳐 놀라면서 308호 인터폰을 눌렀다.

308호 영감님은 아직도 연락이 두절된 상태였다. 황씨는 서둘러 남문 경비를 불렀다.

"308호 전복죽이 왔습니다만, 아직도 연락이 안 되나요?"

"그쪽이 알지, 그 일을 내가 안단 말이오?"

상황은 아무것도 진전된 것이 없었다. 철가방은 전복죽을 책임지라고 우겨댔지만, 황씨는 간신히 따돌려 보냈다. 그러자 허겁지겁 남문 경비가 뛰쳐 올라왔다.

"틀림없지요? 그 사이 아무도 다녀간 사람 없지요?"

남문 경비는 같은 말을 반복하고 있었다.

"오기는 누가 온단 말이오? 우리 함께 들어가 보면 될 것 아니오? 보조키를 쓰자니까……."

"그게 아니라, 사실은."

남문 경비의 목소리가 갑작스레 가라앉는다.

"틈만 나면 영감님을 훔쳐 가겠다는 사람이 있다는 거요. 사모님이 아까 신신당부를 하고 갔소. 누가 압니까? 사람 도둑이란 워낙 감쪽같아서, 혹시 정문 쪽에다 차를 대고 올지? 어쨌든 잘 좀 지켜봐 주시오."

"그게 누구지요? 영감님을 훔쳐 가겠다는 사람이?"

황씨도 속삭이듯 목소리를 죽인다.

"피붙이나 그런 짓을 하지, 남이 그러겠소? 시집간 딸이 하나 있소. 남편이 빵빵하답디다."

"모셔 가라지? 잘 모시지도 못하면서, 왜 안 보낸다지요?"

"결국 돈 싸움이지. 영감님이 한때 굉장한 재산가였거든."

아이들은 지하철 3호선을 교대역에서 갈아타고 남부터미널역에서 내렸다. 남해까지는 하루 네 차례 시외 버스가 가고 온다. 그들은 삼십 분 이상 기다렸다가 열다섯시 사십분 막차를 탔다. 가는 동안 아무도 입을 열어 에이치오티를 말한 아이는 없었다. 늦은 밤 버스는 남해 공용터미널에 도착했고, 거기 어둠 속에 상식이가 나와 있었다. 그들은 터미널 구내 매점에서 떡라면을 한 접시씩 시켜 먹었다. 상식이는 자꾸만 에이치오티가 궁금했지만, 아무도 들려 주지 않았다.

"지하철을 탔을 때였어."

딱 한 차례 민정이가 서울을 입에 담았다.

"일요일이라 그런지 사람들이 많지 않았어. 한낮인데 에어컨도 켜 있지 않았어. 차 안이 후텁지근하더라구. 구석 자리를 잡는다고 잡다 보니, 노약자석이었던가 봐. 뒤늦게 알기는 알았지만 어차피 남는 자린 걸 뭐. 그냥 눈 딱 감고 버틴 거야. 서울도 차 안에 잡상인들이 많더라구. 방금 어떤 아저씨가 요요를 팔고 간 뒤였을 거야. 그 전에 참, 노래하는 맹인 아줌마가 한 차례 느린 걸음으로 지나갔었지. 그러고는 깜빡 잠이 들었던가 봐.

인기척이 느껴져서 눈을 떠 보니 어떤 궁상맞게 생긴 할아버지가 나를 뚫어져라 쳐다보고 있는 거야. 자세히 보니 내 앞에 손을 내밀고 한푼 줍쇼 하는 거야. 이럴 때 어떻게 해야 하는 건지, 얼마를 줘야 하는 건지, 겁이 덜컥 나더라구. 평소에 돈 같은 걸 줘 본 적이 없었거든. 그래서 그냥 모른 척하고 가만 있었지 뭐. 그랬더니 어쨌는 줄 알아? 내 앞에 서서 잠시 나를 째려보더니, 되레 자기 호주머니에서 10원짜리 동전 하나를 꺼내 내 손에 안겨 주는 거 있지? 그러고는 얼른 다음 칸으로 가 버리는 거야."

"왜 그랬다니?"

상식이가 신기한 듯 물었다.

"모르겠어."

"뭔가 이유가 있었을 거 아냐?"

"그게 뭔데?"

세 아이 모두 뭔가 이유가 있을지도 모른다는 생각이 든 것은 그 때가 처음이었다. 상식이 말대로 거기 뭔가 이유가 있었다면 큰 일이었다. 왜 그랬을까. 먼 데서 파도 소리가 들린다.

세 아이는 미조 상주로 가는 마지막 시내 버스를 탔다. 낯익은 풍경들은 어둠 속에서나마 금산주차장이 임박했음을 알리고, 세 아이가 승강구를 빠져나갈 그 무렵, 서울 강남 비벌리힐스 타운 남문 지하 주차장에서는 방금 하얀 앰뷸런스가 한 대 서둘러 빠져나가고 있었다.

"308호, 차 나갑니다."

황씨가 급히 남문 주차장 쪽으로 달려간 것은 앰뷸런스가 이미 꼬리를 감춘 뒤였다.

"왜, 오늘은 경적도 울리지 않고 조용하다지?"

"시체로 나갈 때는 원래 그렇다는군."

남문 경비는 달아난 앰뷸런스의 뒤꽁무니 쪽을 우두커니 보고 서 있었다.

"별 일은 없었군요?"

"산 채로 도둑 맞지 않았으니 그나마 다행이지요."

그들은 가로등처럼 길가에 나와 서서 이야기했다.

"하긴, 낮에 주치의가 왔을 때부터 이상했었어."

황씨는 벌써 어제가 되어 버린 시간을 뒤적거리고 있었다.

"어쩌면 사모님이 나간 직후였을지도 몰라."

"온종일 시체를 지킨 셈이군. 누구 안 왔나?"

"그렇지 뭐. 떠날 때는 언제나 혼자더라구."

둘은 황씨가 꺼낸 담배를 나눠 피웠다. 밤바람 탓인지, 담배맛이 쓰다.

표피와 실체, 혹은 외면의 화려함과 내면의 황폐함

박진(고려대 강사)

〈비벌리힐스 서울 사이트〉는 두 개의 스토리로 이루어져 있다. 하나는 '에이치오티'의 열성팬인 세 명의 여학생을 중심으로 하는 이야기이고, 다른 하나는 강남의 최고급 빌라 '비벌리힐스'에 사는 한 노인에 관한 이야기이다. 이 소설은 얼핏 보아 아무런 관련성이 없는 두 이야기가 서로 교차하면서 전개된다.

첫 번째 이야기의 주인공인 현주와 민정과 정아는 에이치오티의 집을 찾아 남해에서부터 '성지 순례'를 온 중학생들이다. 그들에게 에이치오티는 '보고 싶어서 자다가도 문득문득 눈이 떠지는' 애틋한 존재이지만, 그들의 사랑은 피상적인 겉모습과 실체 없는 이미지를 향한 것일 뿐이다. 그들이 에이치오티의 텅 빈 집 앞에서 황홀해하는 모습은 이를 잘 대변해준다.

그들이 서울까지 온 것은 에이치오티를 만나기 위해서가 아니라 에이치오티의 집을 보기 위해서이다. 에이치오티의 집이라는 허상에 매혹되어, 지저분한 낙서로 뒤덮인 낡고 허름한 실제의 건물은 그들의 눈에 보이지 않는다. 그들은 뱀의 허물처럼 '만지면 부서져 가루가 되어 버릴 것 같은' 껍질에 사로잡혀 있는 것이다.

이들 세 여학생은 순진하게도 그 껍질이 곧 실체이며 전부라고 생각한다. 그들의 이런 태도는 지하철에서 구걸을 하는 할아버지에 관한 에피소드에서도 발견된다. 민정이가 지하철에서 손을 내미는 할아버지를 모른 척하자, 그 할아버지는 민정이를 잠시 째려보더니 10원짜리 동전을 쥐어주고 가버린다. 민정이의 남자 친구 상식이는 그 얘기를 듣고는 할아버지가 왜 그런 거냐고 그들에게 묻는데, 그들 중 아무도 그 질문에 대답하지 못한다. 그들은 할아버지의 그런 행동에 뭔가 이유가 있을 거라는 생각을 해보지도 않았기 때문이다. 할아버지의 표면적인 행동 안에 어떤 속마음이 숨겨져 있을지 모른다는 생각은 그들을 당황하게 만든다. 그들은 눈에 보이는 껍질 이외에 보이지 않는 또 다른 실체가 존재한다는 사실을 이해하거나 받아들일 수 없는 것이다.

여학생들의 이런 모습은 단순히 대중 스타에 열광하는 십대들의 행동이나 그들의 사고 방식을 대표하는 데 머무르지 않고, 표피와 실체를 혼동하거나 동일시하는 태도 일반으로 확대된다. 이것은 요즘 우리 사회의 두드러진 경향이기도 하다. 사이버 세계가 실재 세계를 대체하는 현상에서 단적으로 드러나듯이, 오늘날은 이미지와 허상들이 실체를 지배하고 실체가 되어가는 시대이다.

이런 상황은 십대들의 흠모 대상이 '서울 시인 동리 선생님'으로부터 '에이치오티'로 바뀌어버린 모습을 통해서도 암시되어 있다. 과거의 우상이던 서울 시인이 실체 또는 내적이고 본질적인 세계를 상징한다면, 오늘날의 우상인 에이치오티는 표피 또는 외적이고 가상적인 세계를 상징한다고 말할 수 있다. 광속도로 변화하는 세상은 무수한 허상과 화려한 이미지들로 우리를 현혹시키고, 점점 더 피상적이고 가시적인 세계에만 몰두하게 한다. 그럴수록 실제 세계는 왜소해지고, 우리의 내면적 삶도 빈약해져 간다.

이 소설의 또 다른 이야기는 빌라 비벌리힐스의 겉과 속을 대비시켜 보여주면서, 우리 시대의 이 같은 단면을 포착해낸다. 이 이야기는 한밤의 영화 촬영 에피소드로 시작된다. 경비원 성승택 씨는 비벌리힐스의 아름다운 아카시아 언덕에서 눈부신 조명 아래 촬영되는 정사 장면을 보려고 날밤을 새우지만, 현란한 조명 때문에 그 무엇도 제대로 보지 못한다. 이는 우리를 현혹시키고 욕망을 부추기는 화려함들이 실체도 없는 혹은 실체를 가리는 거짓된 허상임을 말해준다. 밤새 눈길을 붙잡고 놓아주지 않던 이 영화가 알고 보니 시시한 치정극이었다는 점은 비벌리힐스의 매력적인 겉모습 또한 초라한 실상을 감추고 있는 껍질에 불과함을 암시한다. 한편 숲속에서 시체가 발견된다는 영화의 내용은 308호 노인의 죽음을 예고해주는 복선이기도 하다.

비벌리힐스 타운의 그림 같은 풍경과 호화로운 겉모습은 이를 동경어린 시선으로 바라보는 경비원 황씨의 눈을 통해 그려져 있다. 그러나 비벌리힐스의 화려한 겉모습은 거기 사는 한 노인의 쓸쓸한 삶과 죽음을 은폐하고 있다. 상당한 재산가인 308호 노인은 함께 사는 아들 내외의 무관심 속에서 파출부의 병수발을 받으며 고독하게 지낸다. 정치인인 아들과 그의 아내는 바깥일과 겉치레에 바빠서 집안을 돌볼 겨를이 없다. 비벌리힐스의 경비원들은 재산 욕심 때문에 노인을 납치해 가려는 딸로부터 노인을 지키고 있다. 하루 종일 인터폰이 연결되지 않아 미심쩍었던 날에, 노인은 결국 빈 집에서 혼자 숨을 거둔다. 한밤중이 되어서야 발견된 노인의 시체는 경비원만이 지켜보는 가운데 소리도 없이 실려 나간다.

외적인 것들을 추구하느라 내적인 삶이 황폐해지고, 표면적인 것들에 떠밀려 본질적인 가치들이 경시당하는 비벌리힐스 308호의 모습은 이 시대의 초상에 다름아니다. 외양은 화려하지만 그 안의 삶은 피폐하기 그지없는 빌라 비벌리힐스는 우리 사회의 내면적 빈곤을 함축적으로 보여주고 있다.

이처럼 〈비벌리힐스 서울 사이트〉는 상징적인 두 개의 이야기를 통해서 이 시대 우리 사회의 축도를 그려내고 있다. 이 소설의 두 이야기는 서로 독립되어 대등하게 병행하면서도 긴밀한 상호작용을 통해 단일한 주제를 형성하며 하나의 전체로 통합된다. 또한 삽입된 짧은 에피소드들 역시 겉과 속, 표피와 실체라는 동일한 테마를 변주하면서 작품 전체에 유기적으로 결합되어 있다.

이 소설의 치밀한 구성과 통일성 있는 구조는 단편 소설만의 미학과 그 독특한 매력을 새삼 확인시켜 준다.

송하춘은 이 소설을 발표하면서 〈작가의 말〉에 이렇게 썼었다. '단편은 단편이고 장편은 장편이고, 소설은 그래야 하느니. (……) 단편이 갖는 소설의 예지(叡智)를 일깨우고 싶다.'

정교하게 짜여진 완결된 구조 속에 동시대의 삶을 압축하여 담아내는 것이야말로, 그가 말한 단편 소설의 예지일 것이다. 단편도 아니고 장편도 아닌 어정쩡한 소설들의 홍수 속에서 〈비벌리힐스 서울 사이트〉가 지닌 미덕들은 그래서 더욱 소중하게 다가온다.

현대문학교수350명이 뽑은

세상 밖으로 난 다리

신 장 현

- 경기도 이천 출생.
- 한양대 대학원 신문방송학과 졸업.
- 1997년 《문학사상》 신인상에 단편 〈홍콩의 손거울〉 당선으로 등단.
- 작품으로 〈백중기행〉, 〈과자 먹는 시간〉, 〈엉경퀴〉, 〈바다로 난 다리〉 등이 있음.

신장현

세상 밖으로 난 다리

이제 교량의 상부 바닥 강판에는 아스팔트가 깔려가고 있었다. 한여름 폭염으로 강판 위에 얹혀진 그것은 마치 거대한 목판 위에 쩍쩍 눌어붙어 천연스러운 엿처럼 보였다. 독일의 아우토반 보수공사에서 처음 채택된 후 뒤늦게 국내에서도 인기를 얻고 있는 구스라는 그 포장재는 콘크리트 덧칠 없이 철판에 바로 들러붙도록 고안된 소재였다. 저건, 또 얼마나 지구의 숨통을 틀어막을까. 정 대리는 흡사 자신의 몸이 묶이는 듯한 통증을 느끼며 피니셔로 다림질되는 아스팔트 노면을 흘겨보았다. 섭씨 70도가 넘는 강한 열선이 만드는 어지러운 아지랑이 때문이기도 했다.

아니, 그의 의식 속에 아스팔트는 이제 종양의 혹이라든가 범의처럼 자리잡고 있었다. 언젠가 그녀로부터 진짜, 그럴 수도 있다는 얘기를 듣고부터였다. 난, 아스팔트나 다리야말로 우리 인간이 만든 가장 큰 불행이었다고 생각해요. 그녀는 웃지도 찡그리지도 않는 역시 묘한 표정으로 말했다. 금방 이곳에 어른거린 듯하다. 아, 그건 발견이라 할까요, 아니면 발명품이라 할까요. 그리고 고개를 갸우뚱하는 이쪽을 보며 배시시 웃었다. 아무튼 지상에 아스팔트가 깔리며 우리는 꿈을 잃게 된 셈이니까요. 호롱불 밝히며 걷던 길이며, 마차가 터덜거리며 올 때 듣던 말방울 소리며, 개울을 건널 때 발목을 에우는 물살, 하얀 달빛이 뿌려진 바다로 난 길…… 아주 흔하게도, 썩 그럴듯한 감상이다. 그렇지만 아스팔트는 인간이 화석연료를 찾아내고 자동차를 발명한, 그 훨씬 뒤에 쓰게 된 유용한 문명의 부산품이라고 반박하려다 그는 마른침만 삼켰다. 그것뿐인가요, 아스팔트는 벨트처럼 지구를 묶어가고 있는 거예요. 아마 우주선에서 지구를 보면 마치 검은 혁대를 마구 동여매 숨을 헐떡거리는 모습이 아닐까. 진짜 그럴 수도 있겠다는 생각은 마침 그즈음 인공위성에서 잡았다는 중국의 만리장성의 모습을 신문의 해외토픽란에서 보았기 때문이기도 했다. 그리고 고운 모래가루를 날리는 아라비아 사막의 횡단 고속도로가 떠올랐다. 건설회사에 입사하자마자 처음 내쳐진 현장이었다. 그 장대한 역사가 그녀 앞에서 한갓 인류의 불행한 족적으로 깎아내려지고 있다는 사실이 부당했지만 그는 강안의 물결을 내려다보며 스스로 허황해지는 마음을 다독거렸다. 그건, 아무도 모르는 사막에서의 역사였으니까. 그렇지만 그녀의 단정은 정말 가죽 혁대로 가슴을 동여매듯 갑갑증을 불러일으켰다. 그녀는 꿈꾸는 게 아니라 아파하고 있는 게 아닐까. 그 통증이 전이된 듯했다. 뭐냐면, 나는 말이죠. 아스팔트에서 꽃이 피는 걸 보고 싶어요. 그게 가능할까? 순간 그는 그녀의 말을 심중에서 바투 고쳐 외쳤다. 아스팔트를 뚫고! 피는 꽃.

그러고도 여전히 지구를 총총 동여매고 있지 않는가, 이 세상에 가장 큰 악덕처럼. 잠깐 멀미 같던 생각을 거두며 그는 실소를 흘렸다. 트레일러에 실려온 쿠커는 불덩이처럼 이글거렸다. 인부들은 그나마 그늘이라고 15톤 덤프 트럭 밑에서 웅크리고 더위를 피하고 있었다. 햇빛의 반사광도 금방 눈알을 아리게 했다. 후욱— 대번에 안면 가득 몰아친 복사열로 숨이 막히며 현기증이 일었다. 그는 가까스로 다리 난간을 잡으며 사진기자를 흘끔 뒤돌아보았다. 안전수칙이라며 억지로 씌워준 헬멧은 이미 목 뒤로 넘어가 덜렁이고, 흔들리는 임시 발판을 딛고 잔뜩 겁에 질린 채 땀을 뻘뻘 흘리며 올라오는 그의 모습은 거의 희극적이기만 했다.

"햐— 과연 높기는 높구만요. 완전 유격훈련이네."

하긴 임시 가설 계단을 오르내리며 자신도 가끔 공포감을 느끼곤 했다. 발판과 발판 사이의 간격이 너무 벌어진 데다 조금이라도 균형을 잃으면 휘청거리기 일쑤인데 언뜻 발 밑을 보면 아파트 10층 아래는 족히 될 만했다.

"그래도 그림 한번 시원하지 않습니까?"

그는 몇 걸음 비켜서며 재빨리 사진기자의 눈길을 강 저편에서 교각 맞은편으로, 그리고 다시 아래로 돌려주었다. 그들은 그렇게 해줘야 저 아래 세상에서 벗어나 다리 위에 올라와 있음을 실감한다는 걸, 몇 차례 현장을 찾는 기자들을 안내하며 깨달은 바였다. 그들의 관심이란 오로지 한강에 새로운 다리가 건설된다는, 그것도 더블 데크(DUBLE DECK)라고 우리나라 최초의 복층 교량이 들어선다는 사실에만 관심이 있는 듯했다. 교량 아래층은 지하철이 통과하며 위층으로는 도시고속도로와 동부간선도로가 연결된다는 사실 하나만으로도 충분한 기삿거리며, 기대되는 물건이라는 것이다. 이 다리가 한 세기의 마지막, 새로운 세기의 벽두에 열리는 첫 다리라는 그것까지는 아니라도…… 다리 위에 올라서서 무언가 새로운 느낌이나 생각을 말하는 기자를 만나지 못했다는 사실은, 사진기자에게도 역시 물건의 외양만 안내하고 말아야 하는 의무감으로 되새겨졌다. 그들은 그냥 그렇게 다리를 구경하다 갈 것이고, 다리가 완성된 후 다리를 건널 것이다! 그것도 시속 100킬로미터를 넘는 탈것에 실려 눈 두서너 번 깜빡할 새. 아무려나 이제는 만성이 돼버린 업무이건만 정 대리는 가끔, 자신이 엔지니어로서 쓸데없는 망념에 빠져 있는 게 아닌가 흠칫 놀라곤 했다. 때론 쓸개 빠진 감상이며 이미 자신도 자각할 수 없는 뭔가 위험한 지경에 놓여 있는 게 아닌가 자문했다. 너무 지쳤는지 모른다. 다리 위에서 길을 잃은 것일까. 모두가 그냥 스쳐 지나가는 다리이건만. 사진기자는 당장 뜨거운 강판이며 아스팔트 포장 위가 견디기 어려운 듯 겅중겅중 뛰며 셔터를 눌러대기 시작했다. 정 대리는 그가 원하는 장면을 마음껏 잡도록 멀찌감치 떨어졌다.

언제 봐도 시원한 정경이다. 강 상류 쪽으로는 잠실대교가, 아래쪽으로는 영동대교가 굽어보이고 웬만한 강변의 아파트 군상이며 빌딩들은 어깨를 스칠 듯하다. 바로 맞은편으로는 계단식의 무역센터 빌딩과 이제 막 완공되는 아셈 센터가 웅자를 드러내고 있다. 그게 2000년 아시아 · 유럽 정상회의용 빌딩이라는 것도 최근에야 안 사실이지만, 이곳에서 보는 강남은 찬연했다. 종합운동장 옆으로 몇 개의 다리가 원근을 달리하며 걸쳐져 있고, 멀리 수서동의 아파트 군이 준비된 도시의 또 다른 역량처럼 대기하고 있다. 그리고 다리 아래는 바로 뚝섬유원지의 야외풀장이 새파랗게 도색한 파도형 외벽을 배경으로 물고기 대신 일부러 사람들을 풀어넣은 수조처럼 한눈에 들어온다. 그는 양팔을 엇걸어 난간에 올리고 그 위에 턱을 받친 채 싱그러운 열대 인류의 움직임을 좇기 시작했다.

모든 것이 분명해져 있다. 다리가 완공돼 가듯, 아니 완공돼 감으로써…… 그녀와의 만남이 우연이 아니었듯 헤어짐도 우연이 아니었다는, 어쩌면 통속적인 대중가요의 한 줄기를 흘리며 태연한 척 그녀를 보내야 한다는 사실을. 입때 그 사실을 인정하지 않고 오로지 자신의 생각에만 그녀를 꽂아 놓은 게 잘못이었다. 이젠, 물 마른 병에서 꽃을 뽑듯 그녀를 뽑아, 강물에 던질 일이 아닌가. 그것이야말로 벌써 오래전부터 그녀가 바라온 주문이 아니었을까. 그렇게 생각하니 다시 가슴이 싸아 — 하게 저렸다. 애써 외면해온 마음의 기원이 아무런 효험 없이 끝나고 이젠 재처럼 남은 기억의 잔해를 쓸어버려야 한다. 그 빗질마저 힘겹고 꽃 한 송이 던질 마음 없어 는적이는 시간 속에 모든 절차를 맡기고 싶다. 그녀가 다시 나를 부르는 것일까. 그런 막다른 곳에서 걸어나오는 음험한 상상이 더 두려웠다.

그녀를 이곳에 왔던 그대로 돌려줄 수는 없을까. 아무것도 걸쳐지지 않은 강변에 서서 바람을 맞던 그녀는 얼마나 무념해 보였던가. 오로지 꿈꾸고 있던 것이다. 지금 돌아보면, 그 꿈이야말로 자신이 헤집고 들어가서는 안 됐을 구원의 손길이 아니었을까.

"다 큰 처자가 이런 데 혼자 다니다니…… 겁이 없으시군요."

그는 그녀를 안심시키기 위해 호기롭게 말을 건넸다. 회사 패찰이 붙은 현장 근무복이 그 어떤 무장한 인상으로 전해지길 바랄 정도였다.

"……."

그녀는 여러 갈래로 이랑이 진 생머리를 한쪽으로 쓸어내리며 긴 한숨을 내뿜었다. 혼비백산한 모습이란 바로 그런 것일까, 일순 공포와 미안함과 안도감이 뒤섞여 그를 압도했다. 흐트러진 기색이 역력했지만 애써 자세를 고치려 하는 모습, 그녀는 태연을 가장하며 어깨를 움찔거렸다. 그러나 그는 그것이 입동 추위의 떨림이 아니라 불명확한 흐느적임이라는 느낌을 받았다. 그는 마침 부재를 싣던 바지선에 그녀를 태워 강을 건네주었다. 어떻게 강 이편에 와 서 있었는지 그때는 물어볼 경황도 아니었다.

"여기, 다리가 세워질 모양이죠?"

그녀는 예인선에 달려진 고철덩어리에서 내리며 물었다.

"네. 이제 막 현장조사를 끝내고 장비가 반입될 겁니다만……."

"……그런 줄도 모르고……."

뭔가 마음에 켕기는 것을 감추며 저 혼자말을 하고 그녀는 마치 깊은 물 속을 헤집고 나온 새처럼 몸을 떨었다. 올림픽대로의 가로등이며 강변 아파트의 불빛이 겨울의 추위처럼 뼛속을 파고들었다. 아스팔트를 가는 차바퀴의 마찰음이 새되게 바람을 갈랐다. 그녀는 기진한 상태로 휘청거리며 분명치 않게 그의 부축을 받았다. 그때서야 그는 뭔가 께름칙한 일에 끼여들었음을 직감했다. 목덜미 털끝이 쭈뼛 섰다.

"어디 이 근처 사시는가 보죠?"

그녀는 가수 상태에 빠져들며 대답했다.

"네, 저기 언덕 위 상아 아파트 703호……."

그것은 병원이 아닌 집으로 가고 싶다는 명백한 의사 표시와 다름 아니었다. 부랴부랴 그녀를 업고 올림픽대로로 올라서서 그가 집어탄 것은 레커차였다. 그는 갑자기 접촉사고를 당해 파손된 차처럼 끌려가며 그녀의 영혼을 깊이 끌어안았다.

만약, 그때 그녀를 언덕 위 그 아파트로 데려갔다면 어찌 됐을까. 그는 가끔 그런 상상 속에 빠지곤 했다. 그럴 수도 있는 일이다. 왜냐면, 그녀가 정녕 바라고 기대했던 안식이 그렇지 않았던가. 그 조요한 삶의 마지막 한구석에 가서 그녀를 붙들 수 있었다면, 자신 역시 이 지상에서 바랄 수 있는 가장 아름다운 꿈이 아니었을까. 출렁이며 다가오는 강물이며 불빛을 창 안 가득 품고 그녀는 아직 이루지 못한 남은 잠을 완성하는 것이다. 강변을 내다보는 숱한 사연이며 자잘한 일상이 제 안으로 굽어들어 꼬물거리는 행복의 양태. 그러므로 나는 그녀의 영원한 훼방꾼이 아니었을까. 아니라면 도마뱀 꼬리마냥 잘려진 그녀의 몸쪽 하나를 붙들고 이때껏 허덕인 것이 아니었던가. 그는 스스로 부끄러운 회한으로 빈 어금니를 딱딱거렸다.

"왜 그렇게 사람들은 서로 만나야만 하는 걸까요? 꼭 그 굴레를 벗어나지 못하는 쳇바퀴 속의 다람쥐처럼……."

그건 마치 자신과의 만남을 가볍게 원망하는 듯한 물음이었다. 만나야만, 한 경우는 분명 아니었다. 구태여 말한다면, 만나게 된 경우였고 그러므로 우연 같은 운명이었다. 결코 가볍게 스쳐 지나갈 인연이 아니라 실타래처럼 둘둘 말아져 던져진 관계가 아닐까.

"뭐든 만나야 일이 되는 게 아냐?"

그는 변명조로 그녀를 흘겨보았다.

"꼭 만나지 않아도 이뤄질 수 있는, 만들 수 있는 일들이 많을 텐데."

"어떻게?"

"내가 이쪽으로 와서 강을 건너는 것도 그런 이유 때문이에요."

그녀는 잠실 쪽으로든지 영동대교를 건너 이편으로 왔고 감쪽같이 공사장에서 사라지곤 했다. 아무리 뚝섬유원지와 붙어 있어도 현장사무소가 들어선 후부터는 그녀와 강변에 서 있기가 여간 조심스러운 일이 아니었다. 눈치 빠른 기사 몇이 농조를 흘리며 기웃거렸지만 그는 끝내 그녀를 공사장으로 끌어들이지 않았다. 그녀는 아무 예고 없이 나타났다가 그를 만나게 되면 투정하듯 요즘 기분이나 생각을 풀어놨고 어느 틈엔가 사라졌다. 그런 뜻이라면 과연, 아무도 몰래 강을 건너는 특별한 재주가 있을지도 모른다.

"그림을 그리는 것도 아닌데 꼭 이쪽에서 저길 바라보면서 뭘 한다는 거야?"

처음 그녀의 출현을 지켜보았을 때 느낌 그대로 풀리지 않는 의문이었다. 물론 나중에야 자신을 만나러 일부러 이쪽으로 온다고 착각 아닌 착각을 한 적도 있었다. 그리고 그런 시간이나 물리적 번거로움이 머잖아 해소되리라고, 자신이 만들어가는 역사를 다소 과장되게 말하며 실제 그런 날을 손꼽아 기다리는 마음도 넉넉한 것이었다.

"……."

"차라리 아파트에서 건너보는 이쪽 풍경이 제격일 텐데."

그러자 그녀는 오랫동안 머릿속에서 삭인 생각을 털어놓듯 말했다.

"저기, 혼자 있는 나를 상상하는, 그런 일……."

아아, 그것이었던가. 그녀가 만들어가는 역사란! 참으로 앙증

맞을 정도의 재치로 여기면서 그는 그녀의 말을 허실삼아 잊었던 자신의 내면을 뒤적였다. 한때 시인이라 놀림받을 정도로 그는 공사판에 어울리지 못할 감성을 지녔고 그것으로 무척이나 괴로워하질 않았던가. 설계도에 나와 있는 것과 달리 콘크리트 배합 비율이며 철근 중량을 속이는 따위의 구조적인 문제에 대한 여린 생각에서가 아니라, 현장의 환경이며 상황에 따라 견디기 어렵게 찾아드는 절연감이며 저주스런 망상 때문이었다. 자신은 끝내 지상에 어떤 구조물도 완전하게 세울 수 없다는…… 일종의 패배의식이기도 했다. 우선 자신의 뼈대며 심줄조차 제대로 가누지 못하는 나약한 기술자가 아닌가. 무엇이 잘못된 것이었을까. 처음 내게 주어진 이 길이란 어디서부터 분기됐고, 부실을 자초했던 것일까. 그렇게 돌아봄은 기사자격증을 따고 최단기간에 누구나 선망하는 기술사 자격증을 거머쥔 엔지니어로서는 모순된 자세였다. 공식만 딸딸 외우고 연습문제만 잘 푼 탓이 아닌가. 그것도 잘못된 공식을 삶의 방식으로 부려먹고 있는 건 아닐지. 차라리 시멘트 가루를 뒤집어쓰며 비바람을 맞다보면 진짜 노가다가 되지 않을까. 그렇게 풀기 없이 버려진 자신이었다. 그런, 자신에게로 돌아가기를, 아니 돌아보기를 그녀는 주문하는 듯했다.

그때 언덕 위의 상아 아파트는 성곽처럼 딴딴하고 한층 높게 발을 돋운 듯해 보였다. 어쩌다 늦은 밤, 환하게 불이 들어온 아파트 7층 까맣게 비어 있는 그녀의 거처는 이곳을 바라보는 움푹 패인 눈처럼 여겨졌다. 그녀는 말했다. 지금 저기에 누가 있을까요? 참으로 수수께끼 같은 물음이고 저 혼자 수수께끼를 푸는 웅얼거림이었다.

"그 친구가 말했어요. 누군가 가장 간절하게, 빠르게 만날 수 있는 법을."

계속 그 얘기인 듯싶었다.

"그들은 너무너무 사랑하다 어쩔 수 없이 헤어지게 된 불행한 연인이었대요. 10년이 지난 어느 때, 시내 어디서 만나기로 한 그날…… 차를 몰고 고속도로를 달려가던 남자에게 문제가 생겼던 거예요. 갑자기 눈이 내리며 차들이 거북이 걸음을 하니, 도저히 제 시간에 가기가 힘들어진 거죠. 아마 여의도에서 만나기로 했는데 올림픽대로를 거슬러 올라가던 차라고 생각하면 틀림없을 거예요. 너무너무 사랑한 여자와 다시 영원히 헤어질지 모른다는 생각으로 남자는 발을 동동 구르며 액셀을 밟았다 뗐다 하다가…… 어떻게 했는지 알아요?"

"바보처럼…… 그 정도 사랑했으면, 여자가 언제까지든 기다릴 텐데."

그는 이야기의 허구를 짚었다. 그녀가 핀잔했듯 기술자로서 당연한 공식이었다.

"것봐요. 그러니까 세상에 다리가 필요한 거지."

"갑자기 무슨 엉뚱한……."

"그런 식이니까 강을 건너는 데 꼭 다리가 필요하다고 생각한다는 말이죠."

그녀는 여전히 자기만의 방식으로 강을 건너려는 듯했다.

"그 남자는 갑자기 핸들을 틀어 낭떠러지 아래 강 속으로 빠져버렸대요."

그때도 그는 고개를 갸우뚱했다. 물 속으로 차가 잠수를 해서 달려가는 줄 알았더니, 주인공이 자살을 했다는 것이다.

"영혼이 돼서 가장 빨리 그녀를 만나고 싶었던 거래요."

영혼이 되어…… 간다는…… 그 독백은 고막을 후벼파듯 명징하게 울렸다.

그렇게 그녀는 영혼의 게임을 하고 있었단 말인가. 강을 건너, 또 다른 자신에게로 달려가는 사술을 시험하고 있었단 말인가. 그는 눈꺼풀 속에 파르르 떨리는 그녀의 눈망울을 똑바로 꿰어 보았다.

"걔가 물었어요. '너 필요하다면 그렇게 나를 만나줄 수 있니?' ……그때는 섬뜩해서 아무 소리 못했거든요. 왜 그런 얘기를 해야 했는지."

정말 사랑스러운 여자였다. 으스스 떨릴 만큼, 충분히 애틋한 친구를 가졌고 어쩌면 그와 헤어진 아픔을 갖고 자기에게 사랑의 방정식을 설파하는……. 그는 바람에 날려 흐트러진 그녀의 목도리를 여며주고 가녀린 손을 꼬옥 잡았다. 그녀가 다시 그 어떤 시험에 빠져 있다는, 떨리는 짐작이었다.

"나도, 윤하 씨에게 묻고 싶어요."

"뭘……."

"그렇게 언젠가 이 강을 건너올 수 있겠어요?"

그는 피식 웃었다. 그녀가 정말 자신을 시험하고 있질 않는가.

"이거 봐. 우린…… 정말 눈 깜빡할 새 만날 수 있어. 내가 만든 대교에서, 2000년에! 허긴, 천 년 뒤의 일이지만……."

그러나 그녀는 웃지 않았다. 그녀는 가슴 깊은 바닥까지 침전됐던 생각을 드러낸 듯 후회의 빛이 역력했다.

이상하게도 다리가 점점 그 형체를 드러냄에 따라 거꾸로 점점 불안해지던 세월이었다. 처음 강바닥에 우물통을 설치하고 중굴말뚝이며 대구경 현장타설말뚝을 박을 때만 해도 얼마나 가슴 두근거리며 기대에 부풀었던 공사였던가. 국내 초유의 복층 교량이란 점도 그렇거니와 조감도에 나타난 대로라면, 이 대교는 강 π형 라멘교임에도 아래 철교에서 위의 차도를 V자로 만들어 미려한 조형미를 추구해 새로운 한강의 명물로 등장할 게 틀림없었다. 한껏 멋을 드러내는 아치교라든가 사장교와는 또 다른 안정되고 우아한 느낌을 줄 수 있는, 그것이 단지 인도 겸용교가 아니라는 점이 마음에 걸릴 뿐이었다. 여러 가지 신공법이 도입된 점도 교량건설 전문가로 길을 닦아가는 데 도움이 될 듯싶었다. 우물통 기초공사를 위한 재래식 축도 시공을 폰툰이라는 스틸박스를 이용한 것도 특별한 대목이었다. 폰툰은 우물통 시공이 끝난 뒤 자잘한 부재 운반용 바지선으로 유용하게 쓰였다. 언젠가 그녀도 그곳에 실렸던 작은 부재였다. 처음 그녀를 만났을 때, 두려움에 떨며 바지선을 타던 모습과 달리 일부러 깡통을 타는 재미를 즐기려는 듯했다. 모처럼 시내를 나갔다가 그를 위문하러 왔다는 표정 또한 밝았다. 그는 동료들의 부러운 시샘과 응원을 받아 근무시간에 처음으로 그녀와 함께 뚝섬유원지에 가서 즐거운 한때를 보냈다. 그즈음 그녀는 확실한 그의 애인으로 인정받고 있던 셈이었다. 아무리 그녀가 자신의 일을 하찮게 여겨도 그 한때가 대교에 대한 기대를 저버리지 않은 마지막 기억으로 살아 있다.

돌아보면 성수대교가 붕괴되고 당초 착공 계획이 연기되며 얼마나 노심초사하며 보냈던가. 그는 당시 중앙고속도로의 교량공사에서 차출돼 이곳으로 전보될 예정이었다. 어쩌면 그때의 심적 부담과 불안이 제멋대로 파동 치고 있는 건 아닐까. 해외근무를 포함해 현장에 몇 년 있다고 해서 이미 교량 전문 기술자로 인정받았지만 실은 누구 한 사람 도움 없인 성냥개비 하나 제대로 세울 수 없는 자신의 기술력을 비웃기라도 하듯 세상의 다리가 무너졌을 때 받았던 충격……. 그럼에도 바로 그 지척에 다리를 건설하려는 무모한 시도가 이뤄지고 있으며 자신 역시, 그 역사에 불투명한 조각으로 끼워져야 한다는 불안감, 그것이었다. 남들보다 앞서 이런저런 자격증을 따고도 늘 불안해하던 그 스스로의 정체가 백일하에 드러난 듯한 두려움이기도 했다. 자신뿐 아니라 아마 대부분의 건설 기술자들이 겪었을 심리적 공황이었을 것이다. 그러나 그건 오히려 공사 계획을 안전 시공위주로 바꾸는 데 적잖은 도움이 되었던 게 사실이었다. 이중삼중으로 선진국의 교량 설계 전문 회사의 검토를 받고 강종이며 부재 두께, 용접 방법 따위까지 보완이 이뤄졌다. 실제 공사를 보더라도 말뚝 선단을 암반 3미터 이상에 박았고, 공벽은 올

케이싱으로 붕괴를 방지하고, 하부 철도교는 강 케이블로 연결해 하중을 상부 도로교로 분산토록 하는 등 완벽을 기했으며 시공 단계마다 다국적 감리업체의 철저한 감독을 받았다. 사실 이런 일련의 과정이란 현장 소장이나 차장을 비롯한 베테랑 전문가들이 챙길 일이므로 자신이 걱정할 일도 아니었다. 다만, 최고가 돼야 한다는, 그러기 위해 이런 최상의 현장도 없으련만 이와는 또 다른 쪽의 자신감 결여 상태가 문제라면 문제였다.

또 한 가지, 공사가 진척되며 그로서는 전혀 상상치 못하게 현장사무소를 위축시킨 일이 있기는 있다. 전철과 차도가 연결되는 교량 초입의 고가 램프 때문에 인근 아파트 단지의 끊임없는 민원과 항의, 그것은 자신이 가져온 일말 보람이라든가 자부심을 송두리째 흔들고 말았다. 어쩌면 자신은 세상을 편하고 아름다운 공간으로 일궈온 게 아니라 파괴하고 어지럽혀 오지 않았는가 하는, 그것을 이즈음 부쩍 눈에 띄며 위세를 드높이는 환경론자들의 외침이나 언론이라는 괴물에 의해서가 아니라 바로 콘크리트 타설 소리로 놀라 뛰어나온 주부라든가 장차 아파트값이 떨어질 것을 염려해 써붙인 붉은 현수막 구호라든가, 내용증명으로 날라든 집단 민원서류며 소장으로 자각하게 됐다는 것은 분명 불행이라 할 만했다. 이전에 경험한 한적한 시골 공사현장과는 판이한 도심 한복판에서의 일이란 게 그렇게 형편없을 줄 몰랐던 탓이기도 했다. 민원뿐 아니라 늘 안전에 신경이 곤두섰고 현장을 둘러본다고 찾아오는 성가신 인사들이며 잡일이 한 둘 아니었다. 허나 그것도 사실은 별스럽지 않은 엄살이다.

작업 현장이 수많은 눈길에 그대로 노출된 상태로 하루하루 모든 게 아무렇지도 않게, 그저 시간 흐르는 대로 이뤄지고 있다는, 그렇게 어느 때인가 일이 끝나리라는 생각은 끔찍하기만 했다. 오지 협곡에서와 같이 홀연히 나타나, 어느 날 기적처럼 사람의 눈을 휘둥그레 만들어놓는 그 역사가 아닌 것이다. 땀흘려 묵묵히 일한 대가로 일시에 주어지는 희열은 도시 기대할 수 없다. 이제 세상을 잇는 다리가 무지개가 아님이 명확해진 것이다. 미몽이었을 뿐이다! 그는 협곡에 설치된 크레인에 올라 별을 헤던 그 감격을 어른을 위한 동화쯤으로 되새겨 보았다. 역시 순박했던 햇병아리였던 탓 아니었던가.

아니, 그는 강하게 도리질을 쳤다. 이런 장애라야 도대체 공사가 진척되며 점점 커지던 불안과 무슨 상관이 있단 말인가. 결국…… 그녀가 떠나려 했기 때문이라는, 차마 마주하기 싫던 생각을 떠올렸다.

그가 처음 그녀를 찾아간 건 교량의 상판을 다 올린 상량식이 있고 난 며칠 후였다. 그녀는 한 계절을 건너뛰듯 현장에 모습을 나타내지 않았고 그의 작업복 윗주머니에 혹처럼 불거져 별 필요도 없이 불편만 주던 핸드폰 한 번 울려주지 않았다. 그 역시 현장의 일이 바쁘게 돌아가는 통에 그런 데 신경 쓰지 않으려 했다. 집에 돌아가기보다 일부러 현장사무소의 좁은 골방에서 웅크리고 새우잠을 잘 때가 많았고, 그렇게 하루하루를 별 뜻 없이 보내기 바랐다. 그는, 그녀가 가까이하려 하면 뒷걸음 질쳤고 이쪽에 가만히 있으면 조용한 걸음으로 다가왔음을 그 또한 아주 정확한 공식으로 알고 있었다. 그리고 그 공식을 일상에 적용할 수 있는 참을성도 갖고 있었다. 한두 달이나, 한두 해에 끝나지 않는 공사가 보통이었으니 한 계절은 새벽에 잠깨 풀숲에 오줌을 누다 흘겨본 달맞이꽃의 가녀린 시간일 정도다. 그는 엄청난 몸체의 시간이 잘잘 흐르다가 뭉뚱그려져 나타나는 때를 알고, 믿는 편이었다. 세상은 그렇게 만들어져 왔다는 식의 믿음이다.

그러니 그것은 분명 보이지 않던 그녀의 부름이 아니었을까. 그는 잡아 끌리듯 한 걸음 한 걸음 다리 위를 걸어나갔다. 달빛을 받은 강판은 희뿌연 알몸처럼 현란했다. 교각을 핥는 강물 소리만 고즈넉이 들려왔다. 이렇게 세상에 처음, 강을 건너는 것이다. 아무도 몰래, 처음으로……. 그는 가슴 벅찬 떨림을 느꼈다. 그러고 보니 입때껏 다리를 건넌 적이 없었던 듯했다. 누구를 만나기 위해…… 단 한 번도 그런 적이 있던가. 하루에도 몇 번씩 현장을 오갔지만, 그건 볼트에 너트를 끼우듯 자신을 온통 작업 스케줄에 끼어 박는 일 아니었던가. 그는 마른 입술을 축이며 다리가 옮겨주는 발걸음에 몸을 내맡겼다.

"어마! 어떻게 내가 있는 줄 알고?"

인기척에 문을 연 그녀는, 마치 자주 드나든 사람을 대하듯 가벼운 감탄으로 그를 맞았다. 그가 불쑥 낯선 곳에 찾아왔다는 사실은 안중에도 없다는 태도였다.

"불이 켜져 있길래."

그는 차마 자신이 그녀에 대한 생각으로 가득 차 있었단 얘기를 할 수 없었다.

"사실…… 멀리 여행 갔다 오면서 윤하 씨 많이 생각했어요."

아닌게아니라 금방 거실 소파에 널려 있는 가방이며 옷가지들이 눈에 띄었다. 한껏 바람을 맞은 듯한 트렌치 코트며 아직도 운동량이 느껴지는 줄무늬 바지가 흰 블라우스에 치마 차림을 한 그녀와 묘한 느낌으로 대비됐다. 껍질을 벗고 나온 우윳빛 영혼 같은, 고혹적인 모습이기도 했다.

"뭘 해요. 어서 들어오지 않고."

실내에선 고소한 원두커피 향이 풍겼다. 그녀의 가벼운 몸놀림에 따라 베란다 쪽으로 다가간 그는 저절로 벌어진 입을 다물지 못했다. 대교 건설 현장이 한눈에 잡혔고, 하얀 콘크리트 구조물이 자신의 피치 못할 행적처럼 뚜렷했다. 그녀는 어쩌면 현장에서 허리가 짤록한 개미처럼 움직이는 자신을 충분히 붙들 수 있질 않은가. 숨어서 하던 일을 들킨 듯 목덜미가 쭈뼛했다. 그는 애써 마음을 진정시키고 커피 김이 피어오르는 다탁에 앉았다.

"언젠가, 나한테 이 강을 건너오라고 하지 않았던가?"

"피…… 그 얘기 아직 기억하세요?"

물론, 기억하는 이야기의 주인공은 수중 고혼으로 오게 돼 있지만, 그는 가볍게 고개를 끄덕였다.

"며칠 전 교각이 머리를 올렸어."

"그래요? 그래서…… 그 기념으로 오셨나보다!"

그녀는 짓궂은 표정으로 웃었다. 그러나 그 웃음은 어쩐지 보여주기 위한 억지처럼 그의 마음을 쓸쓸하게 했다. 웃음 끝에 일그러진 그늘이 스쳤다.

"왜? 좋지 않아? 이젠 우리가 쉽게 만날 수 있는……."

그러나 그 역시 형식적인 질문을 한 기분이었다. 우리가, 란 말도 콘크리트 반죽에 잘못 끼여든 잡석처럼 가슴을 울렸다. 언제 우리가? 였지. 그녀와 나는 그저 아는 사이가 아니었을까. 애인이란 남들에 의해서 불려진 관계이며, 실은 친구만도 못한 어정쩡한 사이로…… 점점 벌어지고 있질 않았던가. 역시 그녀는 대뜸 말꼬리를 잡고 물었다. 그럼, 그 말도 기억하겠네요. 다리가 다 드러날 때쯤 난 이곳에 없을 거라는……. 마치 바람 든 시멘트 포대를 잘못 건드린 듯 폴폴 시멘트 가루가 날리며 골을 지끈하게 했다.

요즘은 미국에 계신 어머니 성화 때문에 집에 못 있겠어요. 그녀는 한참의 침묵 뒤에 어색한 분위기를 바꾸려는 듯 화제를 바꿨다. 일 나기 전에, 빨리 들어오라는 거예요. 후후— 엄만 그 전에 내가 벌였던 소동을 알고 말았어요. 다 윤하 씨 덕분이지만. 그 대목에서 그녀는 거의 화난 표정으로 말했으므로 그는 움찔 놀랐다. 그녀는 여행에서 돌아오며 그를 생각한 것이 아니라, 그를 잊으려 했던 것이 분명했다. 그는 직감적으로 그녀의 비뚤어진 입술을 느꼈다.

식—뚝—식—뚝—

다 잠그지 않은 수도꼭지에서 낙숫물이 단조롭게 떨어지며 다시 침묵을 만들었다. 마치 끌로 가슴을 찍는 듯한 긴장과 고통의 순간, 그는 더 견딜 수 없는 상태로 말문을 열었다.

"이제야…… 난, 승연일 이해할 수 있을 것 같아. 그리고……."

"이해한다고요? 언젠, 날 뭐…… 이상한 여자라고 힐끔힐끔 쳐다보는 듯하더니……."

그녀는 여태 그의 마음을 의심하고 있는 것이었다. 그가 자신을 생각하는 건, 연민이나 동정일 거라는…… 기껏해야 한참 어린 동생을 생각하는 애틋함일 거라는. 그는 그것을 부정할 수 없는 자신의 입장에 당황했고, 금방 마음속에서 치민 사랑의 감정을 그대로 발설하지 못해 고개를 떨궜다. 사랑한다는, 말은 혀끝에서 흘려지자마자 그녀에게 치명적인 상처를 줄 듯했다. 사실, 그는 그녀에 대해 가까이 가면서도 일말 두려운 환상에서 멈칫하곤 했다. 그녀는 자살 소동 이후로 끝내 누구도 사랑하지 못할 거라는. 그러면서 사랑했다면 그건 오로지 자신의 미욱함일 뿐이 아닌가.

"후후— 윤하 씨 지금, 떨고 있어요? 날 떠보고 있는 거죠?"

그녀는 그 어떤 망념을 털듯 갑자기 벌떡 일어나서, 싱크대 선반 위를 뒤지기 시작했다. 그리고 뭔가를 조심스럽게 찾아내더니…… 그에게 혹시, 생각 있으면 해보라고 권했다. 그는 아주 기묘하게 일그러져 고양이처럼 바뀐 그녀의 표정을 차마 똑바로 쳐다볼 수 없었다.

"날 사랑하지 않는다는 건 당연한 거예요. 잡으려면 사라질 여자니까."

그녀는 폐부 깊은 곳에서 연소됐을 파르스름한 독초의 연기를 내뿜으며 웃었다. 세상이 거꾸로 돌며 뜨기 시작했다. 역겹고 혼란된, 그리고 우스꽝스런 모습이다. 그녀는 곧 풀려진 눈동자로 그를 흔들기 시작했다. 그것은 여태 자신이 만나며 키우고, 꿈꾸던, 사랑하던 여자가 아니었다. 흐트러져 뭉그러진 처음, 그때 그 혼비백산한 여자였다. 어떻게 말릴 겨를 없이 연거푸 독초를 태운 그녀는 그의 무릎에 자지러지고 말았다.

그렇게 한순간에 드러난 풍경은 이때껏 그녀의 방황이 무엇을 의미하는지 설명하기에 충분한 것이었다. 침실엔 가구나 침대가 아닌, 온통 화판으로 어지럽혀 있었고 아무렇게나 몸을 뒹굴리며 선잠을 잤음에 틀림없는 어수선한 흔적뿐이었다. 그녀는 방한 귀퉁이에 놓인 등받이용 소파에 기대 키득키득 웃어댔다. 웃는 건지 우는 건지 모를 신음이며, 어쩌면 환각 상태의 그것이다.

원색 아크릴의 아주 투박한 붓질이 그대로 살아 있는 대형 그림은, 두 소녀가 물 저쪽을 향해 뒤로 허리를 껴안고 서 있는 모습이었다. 붉은 햇살이 바다를 끌어올리는 아침이 아니라면, 빛을 빠뜨려 너무 처연하게 보이는 저녁이다. 저녁이라면 그 뒷모습은…… 죽음처럼 너무 고요한…… 그리고, 이런저런 포즈의 한 소녀의 초상이 마치 그의 출연에 놀란 듯 생생했고, 강변 풍경도 몇 점 눈에 띄었다. 언덕 위 그녀의 아파트는 그러니까, 실물이 아니라 강 저편에서 길어온 상상이 아니었던가. 화판에 점묘된 암울한 회색빛의 구조물은 병동 같기도 하고, 그 어떤 종교적 열기가 풍기는 사원 같기도 했다. 여자는 이제 한껏 환락에 빠져든 듯 입까지 헤벌리고 가볍게 몸을 떨었다. 그는 떠들쳐 보던 화판을 한쪽으로 치우고 그녀의 곁에 팔을 괴고 누웠다.

“불가에서는 교량을 건설해 중생을 편하게 만들어주는 일이 현세에서 할 수 있는 세 가지 공덕 중 하나라고 한대. 대부분 절에 가보면 다리가 많잖아.”

그녀는 딴청을 부리면서 얘기를 듣는 둥 마는 둥 했다. 왜 그렇게 다리에 대해서, 교량을 건설하는 데 대해 알레르기 반응을 보이는지, 수수께끼 같은 일이었다. 누구 혹시 다리에서 빠져 죽었어? 그러면 그녀는 배시시 웃으며 긍정도 부정도 하지 않았다. 얘기했잖아요. 다리나 아스팔트 길이 사람의 불행을 가져오기 시작했다고. 가뜩이나 맹꽁이처럼 더부룩해진 지구를 꽁꽁 동여매고…… 후후. 그녀는 자기 고집에 틀어박혀 말했다. 우리나라에서 교통사고로 죽는 사람이 하루에도 30명이 넘는다잖아요. 빨리 가게 되면서 죽음으로 이르는 길도 빨라진 거지 뭐예요. 딴은 그렇겠군. 그렇지만 다리는 인류가 강가를 중심으로 정착 생활을 하며 가장 실용적인 구조물이 된 지 오래고 사람을 꼬이게 하는 정서며 풍경으로만 말해도 더없는 위안거리가 아닌가. 그는 어떻게 하든 심드렁해진 그녀의 마음을 돌려놓기에 애썼다.

“고대 이집트의 피라미드 있지. 그게 뭔지 알아?”

"무덤 아녜요?"

"아니! 그건 다리였어. 다리였대."

그는 얼마 전 토목학회 학술대회에 참석했다가 들은 얘기를 고쳐 옮겼다.

"다리, 라니요……?"

그녀는 허를 찔린 듯 금방 되물었다.

"내 말 잘 들어봐. 세상에 다리란 게 뭐야. 수평으로 떨어져 있는 두 점을 잇는 구조물 아냐? 수직의 두 점을 잇는 게 아니지? 그런데 피라미드는 계단식으로 만들어졌잖아. 삼각뿔의 꼭지점까지는 수직으로 난 이 세상의 다리였던 거야. 그리고 거기서부터는 세상 밖으로 난, 그러니까 하늘로 이르는 다리인 셈이고. 똑같은 이치로 불국사의 청운교나 백운교의 치켜올려진 서른세 개의 돌계단도 이곳을 떠나 영원한 환희의 세계, 서방정토에 도달한다는 의미지."

전혀 뜻밖이라는 표정이 역력했다.

"내가 무슨 말 하려는지 알겠지?"

"어쨌든 난 어떤 다리도 생각하고 싶지 않아요."

그녀는 턱을 괸 채, 그래도 이쪽의 최면에 넘어가지 않겠다는 듯 단호히 말했다.

"넌, 꼭 악마의 다리에서 도망 나온 여자 같구나!"

스페인의 세고비아에 있는 다리 이름이 그래. '악마의 다리'라고. 그는 심술부리며 보채는 아이에게 도깨비 얘기를 꺼내듯 말을 이었다. 그곳은 산언덕을 일궈 만들어진 도시지. 그래서 그곳 여자들은 평생 산 아래 개울로 물을 길러 다니는 게 일이었어. 그런데 한 아리따운 아가씨가 물을 길어 오다 너무 피곤해 그만 나무 그늘에서 낮잠이 들었지 뭐야. 그런데 악마가 나타나서 속삭이는 게 아니겠어? '나한테 시집오면…… 너뿐 아니라, 마을 사람 모두 이 고생 하지 않고 편히 물을 길어먹게 하겠다.' 고. 아가씨는 비몽사몽간에 승낙을 했어. 꿈이었구나…… 했지만 해가 뉘엿뉘엿 져갈 때, 계곡 저편에 망토를 두른 누군가 열심히 돌을 나르는 게 보였어. 그 악마였지 뭐야. 악마는 정교한 손놀림으로 1층, 2층, 3층 차례차례 석조 아치를 쌓아 마을 저편 계곡을 연결하는 다리를 만들어갔던 거야. 계곡의 물을 마을로 끌어들이기 위한 수로교였어. 아가씨는 불꺼진 창문으로 그 모습을 보며 잠을 이루지 못했지. 그런데…… 수만 개의 돌을 쌓아 이제 막 다리를 완성할 즈음, 꼬끼오 ― 하고 닭 우는 소리가 들렸어. 서양 귀신도 그 소리를 들으면 질겁을 한다더군. 악마는 그만 손에 들고 있던 마지막 돌 하나를 떨어뜨리고 부리나케 도망을 가고 말았대.

"지금부터 2천 년 전 세워진…… 수만 개의 돌로 된 장장 800미터에 이르는 세고비아 다리의 전설이지. 학회에서, 그 다리 견학을 간 적이 있어. 다리 밑에 큰 늑대 동상이 있더군. 꼬마 둘이 늑대의 젖을 빠는 모습이야. 그 아이들이 커서 로마제국을 만들었다지, 아마."

그럴듯한데! 악마에게 팔려갔다 살아온 여자! 그녀는 어쩌다 가벼운 탄성을 실어 동의했다. 강변에는 거의 백수건달과 다름

없어 보이는 낚시꾼들이 일렬로 띄엄띄엄 앉아 고개를 주억거리고 있고 유람선이 강 하구로 내려가며 긴 물살의 파장을 만들었다.

"그렇지만 세상에 다리를 놓는 한, 우린 항상 이별을 생각해야 할 거예요."

"만나기 위한 다리가 이별이라니……?"

"언젠가 그 다리는 무너지거나 사라질 테니까."

"그건 그렇지 않아! 지금 건설하는 다리는 세상의 하중을 다 떠받칠 수 있을 만큼 정교하게, 과학적으로 만든다고."

"세상의 하중?"

그렇지. 교량에 실리는 힘이란 거야. 교량 자체나 부속물의 무게를 사하중(死荷重)이라 하고……. 그는 잠깐 솔깃해하는 그녀에게 다른 쪽으로 접근하고자 한다. 다른 방식으로 세상을 설명하고 싶은 것이다. 그리고 활하중(活荷重)은 교량을 통행하는 차량이나 보행자에 의해 발생하는 하중으로 가속과 감속, 교면의 요철 등 여러 요인으로 적정하중보다 큰 하중을 만들어내는 힘이지. 충격하중을 만드는 거야. 그는 나뭇가지로 땅바닥에 설명을 위한 글자를 새기고 그림을 그린다. 현장에서 늘 해오던 버릇이다.

$$I = \frac{15}{40+L} \leq 0.3$$ (I는 충격하중, L은 활하중이 실린 지간 부분의 길이)

도로시방서에서는 충격계수를 0.3이 넘지 않도록 하고 있지.

쉽게 말하자면 백 킬로그램의 사람이 주는 교량에 대한 충격은 130킬로그램이라고 계상하고 설계를 하는 거야. 수치도 그냥 구해지는 건 아니지. 그는 복잡한 머릿속을 정리하고 싶어진다.

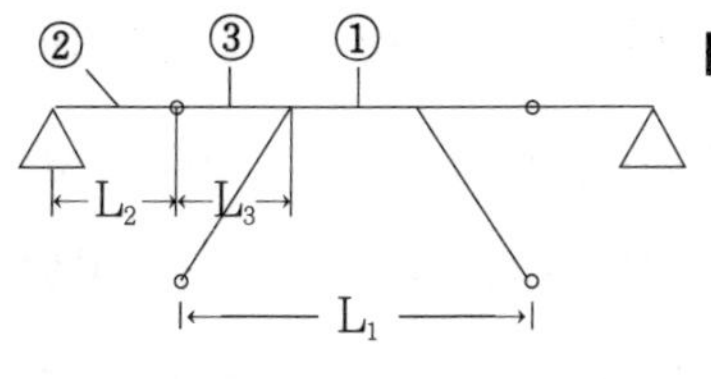

【 충격계수를 구할 때의 지간 】

하중 ①에 대해서는 L_1

하중 ②의 경우, 현수 거더에 대해서 L_2

캔틸레버부 및 라멘에 대해서 L_2+L_3

하중 ③의 경우, 라멘에 대해서 L_1

캔틸레버부에 대해서 L_2+L_3

마치 코흘리개 어린 시절, 수수깡 껍질로 손을 베며 만들었던 안경이며 자전거며 의자 따위 같은 상상을 불러오는 것이다. 분모 쪽인 L을 늘려야 한다. 그녀가 안심하고 이리로 건너올 수 있도록. 그녀는 지금 충격을 두려워하고 있다. 만약 우리가 다리 위에서 만나기로 한다면 몸무게를 줄여야 한다. 42톤, 그녀의 영혼은 그 엄청난 무게로 건너온다. 거기에 더해 58톤은 꼭 100톤…… 곱하기 0.3, 30톤을 플러스하면 130…… 휘청거린다.

"뭐하고 있어요?"

어느덧 나뭇가지로 실연된 도해를 보며 그녀가 물었다.

"당신을 공식에 대입시키고 있는 거야. 나는 사하중이고 당신은 활하중으로 교량에 실리는 힘이 됐을 때, 무엇일까."

그는 적당히 둘러댔다. 그가 공식으로 세상을 정리하려 했던 것과 달리 그녀는 복잡해져 있음에 틀림없다. 그는 내심 쾌재를 불렀다. 수학은 그녀를 얽어맬 수 있는 마력을 발휘한다. 그는 이제 자신의 육질이 수많은 공식과 수치와 그 조합으로 채워져 있음을 의심하지 않는다. 그렇게 되기를 얼마나 소망했던가. 다른 강재를 바꿔볼까. 파괴 강도를 네 배로 늘리고 안전율을 곱한다. 말하자면 일 제곱센티미터가 이겨낼 수 있는 게 4천5백 킬로그램이라면 파괴 강도를 1천2백 킬로그램으로 산정하고, 다시 안전율을 곱해 6백 킬로그램으로 설계하는 거야. 근 여덟 배를 이겨낼 수 있다는 얘기야. 토압, 수압, 부력, 원심하중, 제동하중, 풍하중, 지진하중, 피로강도, 이동하중…… 촘촘히 그물처럼 동원되는 공식과 수치와 그래프, 계산…… 그래도 못 믿겠어? 그녀는 아예 귀를 틀어막고 있는 듯했다. 더 알기 쉽게 얘기해볼까? 여태까지 한 계산, 뻥이었어. 뭐냐면 다리의 하중을 계산하는 데 동원되는 건 삼, 사십 톤짜리 덤프 트럭 따위라고. 당신 같은 무게라면 일 개 사단을 불러놔도 비교가 안 될 무게야. 사람 일 개 무게란 비스킷이나 검불 무게와 별 다를 게 없어. 다리에 전혀 피로를 줄 성질이 못 된다고.

"당신과 난, 천 년 만 년 이 다리를 오갈 수 있을 거야. 뭘 걱정하지?"

"날 어떻게 하려고 하지 말아요."

그녀는 불쑥 내뱉듯 말했다. 몇 차례 만남이 아무런 다음의 기약 없이 끝나곤, 끝나곤 하던 끝에 그는 거의 탈진한 상태였다. 아무런 거부감 없이 이층이 됐던, 그 일이 차라리 함정이었던 양 뉘우쳐지기까지 했다. 그 뒤로 이상하게 마음은 더 멀어지고, 흔들거리며 거의 무너질 듯 위태위태하기만 한 관계가 지속되고 있는 것이다. 너무 큰 충격이 갔는지 모른다.

"난…… 아무런 무게 없이 살다 가고 싶은 그림자니까!"

그는 깃털처럼 바람에 실려 강을 건너는 그녀를 본다. 그는 그림자와 사랑을 했고, 깃털을 잡으려 허공을 내딛고 있다. 어떻게든 하얀 깃털을 잡아 가슴에 꼽는 일. 그것은 안정된 자신만의 울타리를 갖고 싶은 간절한 소망이기도 했다. 모두가 그렇게 아무것도 없는 곳에서 무언가 만들어간다. 무에서 유를 창조하는 게 토목이라고 귀가 따갑게 들었던 말처럼 그렇게 누구나 웬만한 기술자로 나름 나름 결코 무시할 수 없는 무언가 만들며 살아간다. 그는 사막에서 한 떨기 이슬꽃을 만들고 협곡에서 별을 따던 기억을 떠올렸다. 이 황량한 도시에서 그녀는 마지막 꿈이 아니었나. 그러나 마음뿐이다. 그는 한 번도 꿈을 이쪽에서 저쪽으로 옮기려는 당찬 노력을 해오지 않았던 스스로를 자각했다. 너무 오랫동안 혼자였고 다시 혼자만의 길을 가야 하는 것이다. 그녀가 혼자 이곳에 왔듯 자신 역시 저 다리 끝 램프에서 갈라지는 한 길을 택해야 한다.

복층 교량의 아래쪽 전철교가 완성돼 갈 무렵이었던가. 그녀는 마치 만들어지는 무엇을 방해하려는 듯, 그를 허물어뜨리려는 듯 신경질적으로 부단히 그를 거부하기 시작했다. 당신 몸에선, 콘크리트 쉰내가 난다고, 아스팔트 썩은 냄새가 난다고, 몸서리치며 피했고 울먹이며 제발 세상에 다른 일을 찾아보라고 하소연하기까지 했다. 그는 하루에도 몇 번씩 출렁이는 다리 위에서 깨어나곤 했다. 당신은 결코 이리로 못 올 것이다. 그는 입술을 깨물고 찬물에 얼굴을 담그고, 신새벽 강바람을 쐬곤 했다. 떠날 수 없기 때문이 아니라, 그녀에게 다가갈 그 어떤 방책도 실은 없었기 때문이었다. 왜 발을 딛으려 하지 않는가. 왜 그 발로 세상을 건너려 하지 않는가. 그녀는 그렇게 외치는 자신을 영원히 경멸할지 모른다. 이, 공식으로 만들어진 세포 덩어리 같으니! 그녀는 발악하듯 그를 버리고 떠났다.

더 이상 그녀는 현장에 나타나지 않았고, 전화기에서는 부재중 신호음만 되돌려 보냈다.

'지금은 외출중이니 뚜, 뚜, 뚜 소리가 나면 용건을 말씀해 주십시오.'

그녀는 무지개를 만나러 갔을까.

한 차례 소나기가 그친 오후, 그녀는 노란 비닐옷을 걸치고 강 맞은편 방죽을 따라 걷고 있었다고 했다. 그녀를 알고 있던 회사 동료가 전해준 그녀의 마지막 모습이었다. 하지만 그건 그녀가 아닐지 모른다. 그녀는 늘 검정색이나 흰색의 모노톤이었다. 아니, 그러니까 오히려 그녀였을지 모른다. 퍼뜩 그 생각이 스쳤다. 그녀는 그에게 안녕을 고하자고 회색 도시 저편에서 자신을 흔들어주었는지 모른다. 궁금증이 일었지만 끝내 참아야 했다. 어디, 이번엔 무엇을 가져오나 봐야겠다,고 일부러 오기를 부리고 싶기까지 했다. 그녀 스스로의 문제를 정리하지 않는 한, 세상은 늘 공소한 늪으로 아무런 구조물을 필요로 하지 않을 게 뻔했다.

그리고 한 계절을 보내고 또 한 여름 고통스럽게 그녀를 기다릴 때, 그녀가 찾아왔다. 처음 들려주었던 방식으로 알 수 없는 형체가 돼 그를 찾아왔던 것이었다. 짧은 유서와, 굳이 사인을 알고자 하는 경찰과 함께.

사진기자가 다녀간 오후 늦게 취재기자가 찾아왔을 때, 그는 상당히 피로해서 일을 다른 사람에게 슬쩍 미루려 했다. 그러나 중년에 가까워 보이는 그 기자는 일차로 현장 소장에게 자세한 취재를 하고 자료도 충분히 챙겼으니 걱정 말라며 굳이 그에게 현장 안내를 부탁했다. 소장 역시 그의 등을 떠밀며 인심 쓰듯 거기서 바로 퇴근하라는 말을 잊지 않았다. 저녁 햇살은 이미 여의도 쪽의 63빌딩이며 마천루 군을 황금빛으로 물들여놓고 있었다.

사내는 프로다운 능숙함으로 앞장 서서 고가 작업계단을 올랐다. 그 기세가 뭘 취재하러 왔다기보다 잠깐 바람을 쐬러 나온 가벼운 기분을 풍겼다. 그는 쉽게 사내의 이런저런 질문에 응할 수 있었다. 어쨌거나 기왕이면 새로운 다리가 온전한 형태로 신문지상에 드러나길 바라는, 어쩌면 마지막 기대며 그 기대를 피력하고 싶은 손님일지 모른다는 생각이 들었다. 다리 때문이 아니라 다리 위에서 보낸 시간으로 너무 지쳐 있었다. 이번 일이 끝나는 대로 그는 휴가를 떠날 참이었다. 소장은 그의 안전을 생각하는 눈치가 역력했다. 안전사고가 아니라 여자 문제로 발을 헛디뎠다고 동정하는 것이다. 그러니 아무런 부담 없이 떠날 수 있다. 그러나 어쩌면 그 휴가는 길고 아득한, 다시 돌아오기 어려운 다른 길일지도 모른다는 불길한 예감이 일었다.

“아까 소장님 설명으론 이 교량의 피로연한을 백 년으로 잡았다던데, 그게 무슨 뜻입니까?”

“앞으로 백 년은 아무런 문제가 없다는 일종의 보증서인 셈이죠.”

“믿어도 될까요?”

“그건, 믿느냐 안 믿느냐의 문제가 아니라…… 공학적 기대치입니다만…… 사실 백 년이란 아무것도 아니죠. 이미 천 년을 건너는 다리가 아닙니까. 아주 역사적인 다리가 될 겁니다.”

사내는 그의 말뜻을 알아챈 듯 기민하게 웃음을 흘렸다.

“당초 설계가 많이 바뀌었다는데, 그건 또 무슨 뜻인가요.”

“얘기 들으셨겠지만…… 이 대교는 당초 '93년에 계획됐거든요. 그런데 착공을 하기도 전인 이듬해 10월 성수대교 붕괴가 일어난 게 아닙니까. 당연히 설계에 대한 종합적인 검토가 필요했던 거지요. 그러고도 이런저런 일로 '97년 11월에야 공사가 착공됐지만.”

“그렇군요. 그 성수대교 일로…….”

사내는 더 묻고 싶지 않은 듯, 말꼬리를 흐렸다.

“그때 일 기억하십니까?”

“기억이라…….”

사내는 잠시 머뭇거리는 듯했다. 뭔가 피하거나 말하고 싶지 않다는 기색이 역력했다. 사내는 몇몇 알고 싶은 바를 형식적이

다시피 묻고 취재를 끝내는 듯했다. 맞은편 올림픽대로의 가로등이 점점 밝아지며 강물에도 불빛이 어른거리기 시작했다. 그냥 헤어지기도 어려운 꼭 그만한 저녁때였지만, 누가 먼저랄 것도 없이 뚝섬유원지 한쪽에 불을 밝힌 포장마차로 걸음을 옮겼다.

"사실은…… 아까, 소장님한테 정 대리의 아픈 얘기를 들었습니다."

사내는 술 한잔을 권하며 대뜸 운을 뗐다.

"예? 무슨 얘기를?"

"성수대교 붕괴 때 친구를 잃고, 결국 그 상처를 잊지 못하고 자살했다는 애인 말입니다."

아, 그렇게 전해졌구나! 그는 신음소리를 내며 고개를 흔들었다.

"아니, 그게 아닙니다. 그건…… 잘못 알려진 거죠."

"그래요?"

"자살한 게 아니라……."

친구를 찾아간 거라는, 차마 그 얘기가 입에서 떨어지지 않았다. 사내는 이쪽을 위로하려는 듯 먼저 말을 돌렸다.

"그러고 보면 난, 이때껏 세상일을 아무렇게나 전하던 사이비 기자가 아니었나 생각됩니다. 얼마 전 장 아무개 일도 교통사고쯤으로 다루곤…… 사실, 부끄럽습니다."

장씨라면, 성수대교 희생자 유족회장을 맡아 위령비를 세우곤 자살했다는 그 인물 아닌가. 고등학교 3학년 딸을 잃고 5년 동안을 방황하다 스스로 목숨을 끊었다는 그 기사의 말미엔 정신과 의사의 짧은 코멘트가 덧붙여 있었다. 전형적인 외상 후 스트레스성 장애 운운…… 하는. 그는 불쾌해진 사내의 얼굴을 뜯어보았다. 그가 무슨 말을 하려는 것일까.

"형씬 그날 어디서, 뭐 하셨습니까?"

드디어 그가 마지막 신문을 하듯 물었다.

"또 다른 다리 공사를 하며, 넋을 놓고 말았죠."

"그만하면 다행이군요. 난, 사회부 기자면서도 부끄럽게도…… 때아닌 식중독에 걸려 침대에서 14인치 텔레비전으로 그 참상을 보았던 겁니다. 끔찍한 악몽이죠."

14인치, 그것도 흘려지지 않는 어떤 공식의 명확한 수치로 들렸다. 참상이 악몽이라는 건지 현장을 제대로 보지 못한 것이 악몽이란 건지 확실치 않았지만 사내는 충분히 고통받고 있는 표정으로 말했다.

"그런데…… 그 아가씨는 그 정도가 심했던 모양이군요."

"아니라니까요. 그게 뭐냐면……."

"뭐, 자살이라는 극단 저 너머엔 강한 생존의 의지가 있는 거겠죠."

사내는 뭔가 꼭 짚어내려는 듯 집요했다.

"뭐, 그거까지 기사로 쓸 건 아니겠죠?"

그는 자리에서 일어서며 피식 웃음을 흘렸다.

"가십 한 토막으로 써볼까 하고…… 그 아가씨가, 승연이라는 이름을 대신 써왔다고 하던데……."

승연이? 그건, 당시 사망자였던 친구의 이름이었다. 그녀가 남긴 유서는 손가락 길이만도 못하게 짧았다. 나중에야 분명해진 일이지만, 그녀는 그렇게 친구에게로 달려간 게 아닌가. 그녀는 그날, 시내 한복판 종로서적에서 친구를 만나기로 하고 기다리고 있었다고 했다. 세상에 둘도 없던 친구를 왜 그렇게 불러내야 했던 것일까. 10분, 20분, 30분…… 그리고 영원히…… 달려왔어야 할 친구가 오지 않은 시간, 그 시간은 정지된 상태로 얼어붙은 것이다. 물에 빠졌던 갈색 손가방, 아이들을 위한 학습계획표, 자신과 함께 나눠 읽던 시집 한 권, 하얗게 웃는 얼굴들. 아이들을 가르치는 선생님이 되고 싶었던 우리의 꿈은 종이처럼 구겨졌던 거예요. 마지막 한 자 한 자가 한 마디 한 마디로 바뀌며 바람결처럼 귓가를 스쳤다. 그러므로 늘 친구에게로 다가갈 수 있는 가장 빠른 길을 꿈꿔 온 것이 아닌가. 돌아보면 처음 한강에서 그녀를 만난 그 이후 한때, 그는 그녀의 시간을 잡아두었을 뿐이었다. 이 세상에 아주 짧은 시간 동안.

"내가 알기엔…… 그녀가 말이죠. 미국에 들어오라는 어머님 성화에 못 이겨 아마 극단적인 상태에 몰린 듯했습니다. 매우 불안해했거든요."

왜 그렇게 말을 고쳐 둘러대야 했는지 몰랐다.

"사랑하던 애인 아니었습니까?"

"남들이 그렇게 말했지만……."

사내는 뭔가 꼭 짚어내려는 듯했다. 왜 잡질 않았느냐고. 왜, 그녀를 떠나보내야 했느냐고. 그리고 아무렇지 않게 그녀의 죽음을 증거하고 있는 그를 몰아붙일 기세였다. 사내가 기자라는 사실을 상기한 그는 금방 거북한 입장이 되고 말았다.

그녀는, 단지 자신의 방식으로 다리를 건너고 싶었던 겁니다. 아주 영원한…… 그러므로 내게로 올 것이라는…… 그 말을 어떻게 설명할 수 있단 말인가. 그는 알전구를 따라 몰려드는 각다귀떼를 털어내려는 듯 머리를 흔들었다. 기자가 찾으려는 진실이 무언지 두려웠다. 성수대교 붕괴 사고로 딸을 잃은 아버지가 5년 동안 딸에 대한 그리움을 삭이다 끝내 목숨을 끊었다. 말하자면, 또 그렇게 친구를 잃고 정신적 가책을 받던 여자도 음독 자살했다는 그런 뉴스가 무슨 의미로 전달될 것인가.

사내는 열없게 일어서며 담배를 피워 물었다. 담배 타들어가는 빨간 불이 그의 속마음처럼 비쳤다. 그는 새로운 세기의 대교가 아니라, 지금 잃어버린 다리의 그림자를 찾지 못해 섭섭한 것일까. 그 자신이 놓치고 만 엄연한 고통의 진상을 느끼지 못해 여태 동강난 파편을 주우러 다니는가.

"아참. 이거 사진기자에게 전해주십쇼."

그는 종이에 둘둘 만 물건을 사내에게 전했다.

"아까, 사진기자가 상판 사이에 흘려진 볼트를 기념이라고 주워 갔거든요. 강판을 연결하는 고장력볼트를. 마침 너트가 한 개 있어서 마저 전해주는 겁니다. 한 쌍으로 간직하라고."

"아하, 그거 재미있군요. 뭐든 암컷 수컷이 맞아야 하는 거니까."

사내는 패배하지 않으려는 마지막 몸부림처럼 비틀거리며 물건을 가방에 쑤셔넣었다.

이제 모든 게 분명해져 있었다. 그 어떤 부재나 공식을 사용하지 않고 강을 건너는 법. 그것을 어찌 수천, 수만 년 전부터 내려온 인간의 불운한 유전이며 똑같은 양식일 뿐이라고 얘기할 수 있을까. 그는 사내가 건넨 불에 담뱃불을 붙이고 돌아서서 다시 강변에 섰다.

다리에 관한 문명비판적 성찰

신희교(우석대 국문과 교수)

지난 1990년대 온 국민을 충격 속으로 빠뜨렸던 성수대교 붕괴 사고가 있다. 1994년 10월 21일 오전 7시 40분에 발생한 이 사고로 32명의 무고한 생명이 희생되었다.

이 사고는 서구를 따라잡기 위해 지나치게 서둘러 왔던 한국의 경제 성장이 한낱 허구에 불과한 것일 수도 있음을 알리는 신호탄이기도 했다. 이후 엄청난 인명 희생을 가져온 대구 지하철 폭발 사고나 삼풍백화점 붕괴 사고는 말하자면 성수대교 붕괴 사고의 확대편이었던 것이다. IMF 또한 이의 연장선상에 있었던 것으로 선진국으로 가는 경제대교가 붕괴된 대형사고였다.

신장현의 〈세상 밖으로 난 다리〉는 바로 이 성수대교 붕괴 사고를 중심으로 한 소설이다. 세상을 놀라게 한 실제 사건을 다루는 데 있어 소설은 그 사건의 전면이 아니라 이면을 다루어 그 의미를 더욱 깊이 생각하게끔 한다.

소설의 의미를 생각하기에 앞서 먼저 내용을 거칠게 요약하면 다음과 같다.

성수대교 붕괴 사고가 일어난 직후 그와는 다른 복층의 교량 건설에 관여하는 엔지니어 정윤하 대리는 자살을 시도하려던 승연을 구하게 된다. 다리가 기초 공사에 들어갈 무렵 두 사람은 좋은 관계를 유지하지만 다리가 점차적으로 완성됨에 따라 지독한 다리(교량) 혐오증이 있는 승연은 그를 거부해 버리고 만다. 그렇게 떠난 그녀는, 성수대교 붕괴 사고 때 죽은 친구로 인한 그간의 죄책감을 견디다 못해 음독 자살을 하게 된다. 승연은 그녀다운 방식, 즉 영혼을 통해 저 세상으로의 강을 건넜고 친구에게 다가갈 수 있었던 것이다.

복층 교량 공사의 시공 직전, 기초공사, 공사의 진행, 상량식, 하층의 전철교 완성, 상층의 아스팔트 깔기에 따라 두 사람의 관계는 점차적으로 깊어졌다가 멀어진다. 그러나 두 사람의 관계에 있어 주도권은 언제나 승연에게 있었다. 즉 정 대리가 그녀에게 다가가고 심지어 육체 관계까지 맺게 되지만 그녀는 그를 향해 결코 마음을 열지 않았다. 아니 마음을 열 수 없었던 것이다. 왜냐하면 친구를 잃은 후, 그녀는 이미 온전한 정신이 아니었기 때문이다.

죽은 친구의 이름을 빌어 자기의 이름으로 삼음으로써 친구의 삶을 이 세상에서 연장시키고, 자살로써 속죄하고자 한 승연의 일말의 죄책감이란 무엇인가? 이 수수께끼의 해답은 〈세상 밖으로 난 다리〉의 말미에서 주어진다. 성수대교 붕괴 사고가 있던 그날, 그녀는 '시내 한복판 종로서적에서 친구를 만나기로 하고 기다리고 있었다고 했다. 세상에 둘도 없던 친구를 왜 그렇게 불러내야 했던 것일까. 10분, 20분, 30분…… 그리고 영원히…… 달려왔어야 할 친구가 오지 않은 시간, 그 시간은 정지된 상태로' 얼어붙었던 것이다. 그 이후 그녀는 '늘 친구에게로 다가갈 수 있는 가장 빠른 길을 꿈꿔' 왔던 것이다.

〈세상 밖으로 난 다리〉에 나타난 사건의 양면은 이와 같다. 그러나 성수대교 붕괴 사고를 매개로 하여 이 소설이 좀더 깊이 있게 다루고자 한 것은 '다리'로 상징되는 문명 일반에 관한 것이다. 말하자면 다리를 중심에 놓고 우리가 그 속에 매몰되어 살아가는 문명이란 것이 과연 무엇인가에 대하여 심각한 반성을 제기한다.

이 작품의 첫머리부터 나오는 '아스팔트나 다리'란 무엇인가? 그것은 바로 인류 문명을 가속화시킨 한 원천이다. 아스팔트나 다리는 자동차의 발명과 함께 필요성이 더욱 절감되었고 그로 인해 문명은 급속하게 발전하였다. 우리나라의 경우, 경부고속도로 건설이 가져온 경제 발전을 생각해 보면 짐작이 갈 것이다. 그러나 아스팔트 콘크리트 또는 이를 대체한 '구스' 포장의 도로나 다리는 환경 파괴는 물론이고 차량으로 인한 무수한 생명을 앗아가고 있다는 점에서 전적으로 환영할 만한 일은 못된다.

성수대교 붕괴 사고는 물론 무리한 경제 성장이 얼마나 많은 생명의 희생을 불러오는가에 대한 한 경종이 되었지만, 그와 함께 문명의 어두운 이면을 보여준 사건이기도 했다.

이 작품을 통해 우리는 인간이 자연을 정복하고 사회가 정신적 · 물질적으로 진보된 상태를 뜻하는 문명이 기실은 그 속에 야만의 얼굴을 감춘 것임을 알게 된다. 즉 문명은 그 속에 생명을 살상하는 비수를 이미 감추고 전개되어 온 것이다.

이 점에서 〈세상 밖으로 난 다리〉는 문명 이전, 우리가 흔히 야만이라고 부르던 그것을 꿈꾸고 있음을 보게 된다. '지상에 아스팔트가 깔리며 우리는 꿈을 잃게 된 셈' 이라고 말하는 여주인공 승연이 꿈꾸는 세상, 그 세상에 난 길은 어떠한 길이었던가? 그것은 곧 '호롱불 밝히며 걷던 길이며, 마차가 터덜거리며 올 때 듣던 말방울 소리며, 개울을 건널 때 발목을 에우는 물살, 하얀 달빛이 뿌려진 바다로 난 길' 이었던 것이다.

성수대교 붕괴 사고가 인식의 한 전환점이 되었겠지만 승연의 의식은 이 점에서 결코 비관적이지도 염세적이지도 않다. 이는 이별의 순간 그녀가 정 대리를 향해 '공식으로 만들어진 세포덩어리 같으니!' 라고 일갈한 데서도 잘 알 수 있다. 그녀는 각종 공식과 수치를 들먹이는 정윤하를 다리와 동일시하고 있는 것이다. 즉 그녀의 의식 밑자리에는 생명을 무참하게 앗아가는 현대 문명에 대한 비판의식이 내밀히 자리하고 있다.

'세상 밖으로 난 다리' 는 수평의 두 지점을 연결하는 세상의 다리가 아니라 이 세상에서 저 세상 또는 이 세상에서 하늘로 연결되는 다리를 말한다. 그것은 실재하지 않는 다리이며, 죽음을 통해서만 갈 수 있는 다리이다. 그리고 영혼으로만 갈 수 있는 다리이다.

작품 말미에서 작가가 '그 어떤 부재나 공식을 사용하지 않고 강을 건너는 법. 그것을 어찌 수천, 수만 년 전부터 내려온 인간의 불운한 유전이며 똑같은 양식일 뿐이라고 얘기할 수 있을까.' 라고 한 데에는 다리로 대표되는 문명 일반에 대한 작가의 날카로운 비판적 성찰이 담겨 있는 것이다.

아무튼 다리(정윤하) : 승연으로 정리되는 〈세상 밖으로 난 다리〉는 문명 : 문명 비판의 의미를 띠고 있는 바, 특히 후자를 긍정적으로 형상화한 작품이라 할 것이다.

현 대 문 학 교 수 3 5 0 명 이 뽑 은

흑백 텔레비전 꺼짐

윤 대 녕

- 1962년 충남 예산 출생.
- 1990년 《문학사상》으로 등단.
- 창작집 《은어낚시 통신》, 《남쪽 계단을 보라》, 《많은 별들이 한곳으로 흘러갔다》와 장편 소설에 《옛날 영화를 보러갔다》, 《추억의 아주 먼 곳》, 《달의 지평선》, 《코카콜라 애인》이 있으며 산문집에 《그녀에게 얘기해주고 싶은 것들》 등이 있음.

윤대녕

흑백 텔레비전 꺼짐

두더지처럼 어둠 속을 응시한다, 하원. 적막하고 푸르구나. 귀가 차게 고독을 느낀다. 뜨거운 설탕이 먹고 싶다, 하원.

1

그녀의 소식을 들었다. 떠난 지 칠 개월 만의 일이다. 엊그제 종로에 있는 밀레니엄 플라자 33층 탑 클라우드에서 그녀의 이복 언니라는 사람을 만났다. 그녀는 스튜어디스 복장을 하고 있었고 도르래가 달린 승무원용 검은 가방을 휴대하고 있었다. 그녀는 내 옆 테이블에 앉아 데킬라 선셋을 마시며 SK 빌딩 쪽을 내려다보고 있었다. 승무원 복장이었으므로 그녀의 모습은 쉽게 눈에 띄었다. 무심결에 나도 그쪽으로 두어 번 눈길이 갔다. 하지만 그때까지만 해도 나는 그녀가 잠시 후 내게 말을 걸어올 거라는 사실을 모르고 있었다.

나는 강남에 변호사 사무실을 가지고 있는 친구와 일곱시에 만나기로 돼 있었다. 사흘 뒤 김 의원의 비서관을 만나기 전에 몇 가지 자문을 구해놓을 생각이었다. 김 의원에게 문건을 넘겨준 박 기자를 수소문하고 다니기에는 이미 때가 늦어 있었다. 박은 김 의원 계보에 속한 이른바 KS 장학생 기자 중의 한 사람이었다. 정치적 야심 때문에 그가 절도에 해당하는 일을 저질렀다면 참으로 위험천만한 발상이다. 아무튼 문건을 입수한 김 의원이 현재 어떤 생각을 가지고 있는지가 문제였다. 만약 문건을 공개하기로 마음을 먹는다면 단순히 양당간의 문제로 끝날 일이 아니었다.

약속시간이 되었지만 그는 오지 않았다. 매주 목요일은 그가 법원에 들어가는 날이었다. 공판 결과 때문에 늦어지는가 싶어 나는 먼저 캐네디언 클럽을 한 잔 주문했다. 신라호텔에서 운영하고 있는 탑 클라우드는 매우 소란스러웠다. 음향 조건을 제대로 고려하지 않은 설계 탓인지 마치 증권거래소에 들어와 있는 것처럼 귀가 웅웅거렸다. 그런데다 한쪽 벽에 멀티비전을 설치하고 생음악을 연주하기 위한 무대까지 마련돼 있었다. 카페테리아로 만들어놓은 라운지를 호텔 가격으로 운영하기 위한 발상이려니 싶었지만 그 때문에 테이블을 꽉 메운 사람들은 저마다 목청을 있는껏 높일 수밖에 없었다.

멀티비전에서는 리키 마틴의 야릇한 뮤직 비디오가 상영되고 있었는데 그것이 끝나자 알토 색소폰을 든 검은 양복의 남자와 피아노 반주를 맡은 드레스의 여자가 무대 위로 올라왔다. 그리고 곧 영화 〈타이타닉〉의 주제곡을 고성능 스피커를 통해 연주하기 시작했다. 그러나 테이블에 앉아 있는 사람들은 시시각각 목이 쉬어가면서도 아무런 불만도 없어 보였다. 하긴 입구에는 단지 커피나 술을 한잔 마시기 위해 종로까지 와서 또 엘리베이터를 타고 33층까지 현기증을 견디며 올라온 사람들이 줄을 지어 입장 순서를 기다리고 있었다.

변호사에게서 휴대폰이 걸려온 것은 약속한 시간에서 이십 분이 지났을 때였다. 짐작했던 대로 그는 소송 의뢰인과 함께 있었고 십 분 뒤에 출발할 거라고 했다. 평소에 시간 약속을 잘 지키는 친구여서 나는 쉽게 이해했다. 대신 장소를 좀 바꿨으면 한다고 나는 말했다. 여덟시에 웨스틴 조선호텔 1층 바에서 만나기로 하고 간단하게 통화를 끝냈다. 여덟시까지는 앞으로 사십 분이 남아 있었다. 조선호텔까지 걸어서 간다 해도 시간은 넉넉했다.

옆자리에 앉아 있던 그녀가 변호사와의 통화 내용을 엿들었는지는 모르겠다. 테이블에 놓여 있던 휴대폰과 담뱃갑과 지포라이터를 챙기고 막 일어나려는 참에 그녀가 내 쪽으로 몸을 틀며 의자에서 일어났다. 그녀와의 거리는 약 이 미터쯤 떨어져 있었다. 그녀는 가방을 놓아둔 채 내가 있는 테이블로 또박또박 걸어왔다. 그때 주위에 앉아 있던 사람들의 시선이 그녀에게 혹은 내게로 쏠렸다. 항공사의 서비스 직원이었으므로 그녀의 몸매는 균형이 잘 잡혀 있었고 태도나 표정에도 빈틈이 없었다. 그녀는 기내에서 하듯 고개를 숙여 인사부터 했다. 당황했지만 나는 잠자코 있었다.

"처음 뵙겠습니다. 저는 서정원이라고 합니다. 드릴 말씀이 있으니 잠깐 시간을 내주시면 감사하겠습니다."

라운지는 여전히 소란스러웠으나 나는 한마디도 놓치지 않고 그녀의 말을 알아들었다. 그녀의 훈련된 화술 때문이었을 것이다. 케니 G로 연주곡이 바뀌면서 분위기가 얼마간 차분하게 가라앉아 있었다.

서정원. 그 이름을 듣는 순간 나는 이마에 바늘이 찔린 느낌이었다. 비록 낯선 여자였지만 나와 연루돼 있는 사람이라는 것을 깨달았던 것이다. 나는 엉거주춤 도로 자리에 앉아 담배부터 피워물었다. 그녀는 검은 가방을 들고 와 내 맞은편에 가 앉았다. 역시 유니폼 때문인지 그녀의 인상은 매우 깔끔하고 반듯해 보였다. 색동 마크가 있는 아시아나 항공 유니폼이었다. 그녀는 웨이터에게 새로 데킬라 선셋을 주문하고 가방에서 말보로 라이트를 꺼내 입에 물었다. 그런 다음 어쩐지 의아스런 표정으로 슬쩍 나를 바라보았다. 불을 붙여달란 얘긴가 싶어 나는 그렇게 했다.

담배에 불이 붙는 동안 그녀는 내 오른손 검지손가락에 난 상처를 흘겨보고 있었다. 연기를 길게 내뿜으며 그녀는 고개를 빼고 다시금 서울의 야경을 내려다보았다. 비행기에서 그러하듯이. 잠시 후 그녀는 고개를 돌리고 테이블 위에 있던 지포라이터를 집어들었다. 그제서야 나는 담배에 불을 붙일 때 그녀가 내 손이 아니라 라이터를 보고 있었다는 것을 알았다. 그것은 미국의 할리 데이비슨(HARLEY DAVIDSON) 사가 만든 것으로 독수리 문양이 깊게 새겨져 있는 꽤 고급스러운 제품이었다. 언젠가 하원이 사준 것이었다. 그녀는 얼마간 생각에 잠긴 얼굴로 있다가 내 앞으로 라이터를 똑바로 밀어놓았다. 침묵이 좀 길어진다고 생각될 즈음 데킬라 선셋이 왔고 그녀는 담뱃불을 껐다.

"저는 하원이의 언니 되는 사람입니다. 미리 말씀드리자면 서로 배다른 자매입니다."

이복 자매. 하원에게서 들은 바가 없다. 몰론 언니가 있다는 말조차 듣지 못했다. 나는 주의 깊게 그녀의 얼굴부터 살폈다. 얼른 보기에는 하원과 닮은 점이 없었다. 둘 다 직업상 유니폼을 입는다는 사실만 빼놓고는. 그쯤에서 나는 정신을 가다듬고 어떻게 내가 탑 클라우드에 와 있는 것을 알았는지 물었다. 그녀는 공항에서 곧장 종로로 온 복장을 하고 있었다. 미행을 하지 않은 이상 옆 테이블에 와 앉아 있을 수는 없는 일이었다. 입가의 야릇한 웃음을 거두고 나서 그녀가 되받았다.

"네, 미행을 했습니다. 원하시면 나중에 자세히 말씀드리죠."

나는 다소 긴장하고 있었다. 우연한 일이 아니고 저쪽에서 미리 계획했던 일이란 뜻이었다. 손목시계를 내려다보며 그녀에게 찾아온 용건을 물었다. 뭔가 용건이 있을 것이다.

"하원이의 소식을 전하기 위해섭니다. 그애가 일도 씨를 한번 만나달라고 제게 부탁을 했습니다. 죄송합니다. 벌써 오래전의 일인데 차일피일 미루다 많이 늦어지고 말았습니다. 작년부터 국제선을 타고 있어 쉽게 시간을 낼 수 없었습니다."

사정이야 알겠지만 그런 일이라면 벌써 찾아왔어야 했다. 결혼식장으로 오던 여자가 중간에서 갑자기 사라졌고 무려 칠 개월 동안 아무 소식을 전해오지 않고 있었다. 이런 경우 차라리 다른 남자와 살고 있다는 소식이라도 빨리 듣는 게 한결 낫다. 그래야 이쪽에서도 뭔가 정리를 하고 다시 시작할 수 있는 것이다. 지난 칠 개월 동안 나는 항아리 안에 빠져 있는 청개구리처럼 살아왔다. 그런데 이제 와서 불쑥 이복 언니라는 사람이 나타나 그녀의 소식을 전하겠다는 것이었다. 그나마 고마운 일이다. 나는 의식적으로 숨을 고르며 주위를 한번 둘러보았다. 그녀는 칵테일 잔을 코로 가져가 냄새를 맡고 아주 조금 마신 다음 테이블에 내려놓았다. 담뱃불이 덜 꺼졌는지 재떨이에서 연기가 풀려나오고 있었다.

"지난달까지는 필리핀의 엘니도에 있었습니다. 그후론 연락이 되지 않고 있습니다. 마지막 통화에서 싱가포르나 스리랑카 쪽으로 옮겨갈 거라는 얘길 했는데 지금 어디 있는지는 잘 모르겠습니다."

필리핀, 싱가포르, 스리랑카. 그런 곳에서 그녀는 무엇을 하고 있는 걸까. 계절이 세 번이나 바뀔 때까지 말이다.

"예식이 있던 날 신부복 차림으로 공항으로 와서 괌으로 떠났습니다. 저도 그게 그애를 본 마지막입니다."

괌은 그녀와 내가 신혼여행을 가기로 한 곳이었다. 그런데 혼자 쿠폰을 들고 떠나버렸다는 말이었다. 이만하면 전후 사정은 얼마간 알 것 같았다. 그러나 정작 궁금한 건 그녀가 왜 혼자 떠났으며 왜 아직까지 동남아에 머물고 있느냐는 것이었다. 서정원은 물끄러미 나를 바라보다 말없이 고개를 가로 저었다. 모르겠단 말인지 얘기를 할 수 없다는 것인지 알 수 없는 표정을 하고서.

"일도 씨한테 미안하단 말 전해달라고 제게 여러 번 부탁했습니다."

그런 말은 아무리 들어봐야 소용이 없다. 사람을 물에 빠뜨려 놓고 뒤늦게 나타나 아무리 사과를 한들 물에 빠진 사람은 그다지 고마워하거나 감동하지 않는 것이다. 아무튼 하원은 동남아에서 긴 휴가를 즐기고 있는 모양이었다. 그럴 만한 형편이 아니라고 알고 있지만 어쨌든 사정이 됐기 때문에 그러고 있을 터이었다. 이제 와서 내가 신경쓸 문제가 아니었다.

"그뿐입니까. 달리 전할 말은 없습니까?"

이제 가봐야 할 시간이었다.

"네, 더 이상은 없군요."

눈썹을 약간 찡그리며 그녀가 지루하게 사이를 두었다가 되받았다. 그녀의 말대로라면 하원은 금방 돌아올 것 같지 않았다. 무사한 것 같으니 그나마 다행이다. 뭔가 더 묻고 싶은 얘기가 있었으나 말문이 열리지 않았다. 당사자가 아니면 대답할 수 없는 질문이다.

"실은 조금 더 할 얘기가 있었습니다. 하지만 오늘은 바쁘신 것 같으니 다음에 한번 더 뵙고 싶습니다. 저도 이만 공항으로 가봐야 합니다. 내일 아침 말레이시아 운항이 예정돼 있습니다. 저로서는 마지막 탑승입니다. 30일 오후에나 돌아올 겁니다. 때가 어떤지 모르지만 31일 밤 9시에 이곳에서 다시 만났으면 합니다. 들어주시리라 생각합니다."

어떻게 대답을 해야 할지 몰라 나는 우선 테이블을 정리하고 의자에서 일어났다. 그녀도 뒤따라 일어나며 의자 옆에 놓여 있던 가방을 챙겨들었다.

"당장 약속을 할 수는 없습니다. 그날 저녁에 모임이 있습니다."

"아, 그랬군요. 이해하겠습니다. 하지만 저로서는 그날 꼭 만나뵙고 싶군요."

이쪽 사정을 이해하고 받아들이는 말투가 아니었다. 굳이 반박하고 싶지 않아 나는 입을 다물고 그녀의 유니폼 캡만 바라보고 있었다. 자연스럽고 재빠른 동작으로 그녀는 내가 마신 캐네디언 클럽 값까지 계산했다. 그런 다음 잠깐 기다려달라며 입구 옆에 있는 화장실로 들어갔다. 나는 엘리베이터 앞에서 그녀가 맡겨놓은 가방 손잡이를 잡고 우두커니 서 있었다. 무얼 하고 왔는지 그녀는 불과 십여 초 만에 돌아왔다. 내가 가방을 들고 사라지기라도 할 것처럼. 거울만 확인하고 왔나? 여자들이란 도무지 알 수가 없다.

엘리베이터 안에서 그녀가 딴전을 피우는 얼굴로 내 옆에 바투 서서 이런 말을 중얼거렸다. 물론 나는 다 듣고 있었다.

"그날 전해드릴 물건이 있습니다. 꼭 나와주시기 바랍니다."

나는 슬쩍 그녀에게 고개를 돌렸고 그녀는 뚝 시침을 뗀 채 똑바로 문을 마주 보고 있었다. 뭐냐고 물어보기에는 엘리베이터 안이 너무 복잡하고 어수선했다. 그런데다 33층에서 국세청이 있는 1층까지 내려오는 데 그녀가 화장실에 들어갔다 나온 정도의 시간밖에는 걸리지 않았다. 어느 회사에서 만든 엘리베이터인지 무소음에 하강 속도가 굉장했다.

회전문을 열고 나가 종로 거리에서 그녀와 눈인사를 주고받고 헤어졌다. 돌아서기 직전 그녀가 뜬금없이 이런 질문을 던져왔다.

"여기가 화신백화점 자리였죠?"

나는 뜨악한 표정을 하고서 고개만 두어 번 주억거렸다.

"화신백화점이 없어진 게 언제였죠?"

그것까지는 모르겠어서 나는 고개를 가로 저었다. 그녀는 제풀에 웃어 보이고는 때마침 구 화신백화점 앞을 지나던 모범택시에 올라탔다.

2

웨스틴 조선호텔에 도착했을 때는 약속시간에서 십 분이 늦어 있었고 변호사 친구는 오 분 전에 와 있었다. 저녁을 거른 터였지만 그냥 바에 앉아 있기로 하고 발렌타인을 혀에 적시며 그와 무거운 얘기를 주고받았다. 바에는 손님이 없었다. 나는 사흘 후 저쪽 비서관을 만날 거라는 얘기를 먼저 그에게 털어놓았다. 그는 말을 아껴가며 간간이 뒤를 살피는 신중함을 보였다.

"문제가 커지면 어디까지 가는 거지?"

"높은 데까지라고 생각해야겠지."

"그럼 자네 영감은?"

"최소한 가처분 상태가 되겠지."

"아니, 역으로 이용될 수도 있어."

"영감 말이야?"

"그전에 자네겠지."

"……."

"문건이 그쪽으로 흘러들어간 경위부터 다시 얘기해 봐."

"최초의 문건을 작성한 건 이쪽 계보에 속한 R신문사의 기자였어. 영감의 지령이 있었는지는 정확히 모르겠어. 그런 일은 늘 아래에서 만들어 올리는 형식으로 진행되니까. 아무튼 그 과정에서 내가 좀 개입됐지. 초안이 마련된 것은 지난 4월의 일이고 5월에 제주도에서 내가 다듬어 올라왔지. 유출 경위는 박 기자가 이쪽 사무실에 들렀다 우연히 편철사본을 발견하고 몰래 빼내 김 의원에게 넘긴 거야. 이쪽에서 부주의했지."

"영감은 알고 있나?"

"보고는 해야지."

"최선은?"

"그야 물론 문건을 회수하는 일이지. 그것이 안 되면 거래를 시도해 봐야지. 그렇게라도 되면 다행이지만 만에 하나 김 의원이 국회에서 발언하면 언론이 발칵 뒤집히겠지."

"그렇게 되면 영감은 뒤로 빠지겠고 애초에 문건을 작성한 기자와 사본을 빼낸 박 기자가 우선 타깃이 되겠군. 안 그래도 정치 기자 문제가 요즘 심심찮게 거론되고 있잖아. 물론 자네도 안전지대에 있는 건 아니지."

"……."

"문건 내용을 알 수 없나?"

"선거 전략 문건. 총선 직전에 가동하면 저쪽에 치명타가 될 수도 있지. 자세한 건 밝힐 수 없어. 실은 휴지가 될 가능성이 컸던 문건이야. 그게 밖으로 빠져나가버리는 바람에 일이 이렇게 됐지."

"결국은 위에서 수평으로 해결해야겠군."

"가능하면 아래서 끝내길 바라고 있지."

"저쪽은 그게 아닐 텐데."

"……."

"일이 잘 해결돼도 자네에겐 부담이 남게 되겠군."

"그렇겠지."

"가능한 움직이지 않았으면 좋겠군."

"그럴 만한 가치가 못 돼."

"그럼 역시 저쪽부터 만나봐야겠군."

"그래."

"아무튼 움직임을 최소로 줄여. 혹시 일이 커진다고 해도 말이야."

이렇듯 대안이 없는 얘기를 그와 되풀이하다 지하 오킴스 바로 옮겨 맥주를 마셨다. 한동안 말없이 맥주를 마시던 그가 스탠드 위를 손가락으로 툭툭 쳤다. 옆사람의 주의를 끌 때 나오는 그의 습관이었다.

"자네, 그것말고도 다른 문제가 있는 것 같군. 숨소리가 몹시 흐트러져 있어. 어때, 얘기할 텐가?"

픽, 웃으면서 나는 고개를 가로 저었다. 타인의 고독 같은 것이 거북이 껍질처럼 차갑게 등에 달라붙어 있었다. 오백 두 잔을 다 비웠을 때 그가 이런 말을 넌지시 던져왔다.

"좀 쉴까? 약간 멀긴 하지만 말이야."

그럴까 말까 싶었지만 저녁시간을 뺏은 대가다 싶어 나는 고개를 끄덕거렸다. 바를 나와 호텔 앞에서 택시를 타고 그가 이따금씩 들르는 강남의 룸살롱으로 갔다. 이미 자정이 넘어 있었다.

술상은 이미 차려져 있었고 반라 차림의 여자 둘이 대기하고 있었고 뒤끝이 좋지 않은 시바스를 마셨고 밴드를 불러들여 〈선창〉과 〈하숙생〉을 불렀고 술자리가 끝나고 잠깐 근처 모텔에 들러 사정을 하고 나서 집에 돌아오니 새벽 3시가 넘어 있었다.

양치질을 하고 잠자리에 들려다 말고 나는 인터넷에 접속해 필리핀의 엘니도를 검색해 보았다. 벌겋게 취한 눈으로.

태초의 숨결 간직한 '블루 라군' 비경 마닐라 공항을 떠나 남중국해의 푸른 바다를 날던 19인승 도니어 228 쌍발프로펠러 추진 경비행기가 고도를 낮추며 착륙을 시도했다. 출발한 지 1시간 50분(거리 430km) 만에 팔라완 섬 북단의 작은 마을 엘니도에 다다른 것이다. 엘니도(El Nido)는 스페인어로 바다제비의 둥지라는 뜻.

라겐 섬 아침은 파란색 마치 바다 위에 앉을 듯 수면 위에 닿을 듯 말 듯 아슬아슬하게 날던 비행기는 해변을 가로질러 야자수 숲을 밀어 만든 흙바닥 활주로에 사뿐히 내려앉았다. 흙먼지를 날리는 창 밖으로 커다란 트로피컬 샬레(열대 원두막형 가옥). 엘니도의 공항 터미널이다. 망고 주스로 비행기 피로를 푼 승객들은 지프니(지프형 자동차)를 타고 해변으로 간다. 그리고 바지를 걷고 물 속을 걸어 방카라는 필리핀 전통 목선에 오른다. 귓불을 간질이는 바닷바람에 기분이 날아갈 듯 상쾌하다. 잔잔한 바다 위로 영화 〈쥬라기 공원〉에 나오는 공룡섬처럼 불쑥 튀어나온 모양의 섬들이 나타난다. 방카는 대문처럼 버티고 서 있는 두 섬 사이의 좁은 바다를 빠져나간다. 뱃길로 사십 분, 라겐이라는 작은 리조트 섬에 닿았다. 선착장에는 순한 얼굴의 필리핀 처녀 총각 7, 8명이 기타 반주에 맞춰 노래를 부르며 승객들을 환영한다.

딴 세상에 온 듯한 느낌 라군(환초로 둘러싸인 얕은 바다) 위로 지어진 수상가옥형 호텔 발코니의 야외 침대에 누워 남중국해의 청명한 밤하늘을 바라본다. 쏟아지는 별빛 달빛이 아름답다. 라겐 섬의 아침은 블루 일색이다. 하늘과 바다, 모두가 파랗다. 방카에 바다 카약을 싣고 뱃길로 이십 분 거리의 빅 라군, 스몰 라군으로 여행을 떠난다. 아무도 없는, 그래서 아무 소리도 들리지 않는 석회암 바위로 둘러싸인 옥빛 바다의 '작은 호수'에 들어가 배를 젓다 보면 외계에 온 듯한 느낌마저 든다. 천국의 문에 가까이 온 듯하다. 스몰 라군은 한 사람이 겨우 빠져나갈 수 있는 바다 카약을 탄 채 통과해 나가는 비밀스러운 곳. 태초의 정적 같은 절대의 침묵 공간. 스노클링 장비를 갖추고 호수 같은 바다에 뛰어들었다. 형형색색의 열대 물고기들이 노는 바닷속은 바깥에 비할 바가 아니다. 엘니도에서는 이 모든 것을 즐길 수 있다.

3

텔레비전에서는 손석희 아나운서와 영화배우 심혜진이 진행하는 밀레니엄 특집 방송이 방영되고 있었다. 세계 87개국으로 위성 생중계되는 방송은 그때 남태평양의 통가를 보여주고 있었다. 통가는 지구상에서 가장 먼저 서기 2000년을 맞는 곳이었다. 통가의 현재 시각은 11시 59분 41초로 19초 후면 새천년을 맞이할 것이라는 손석희 아나운서의 멘트를 들으며 나는 벽시계를 올려다보았다. 7시. 그녀를 만나기로 한 시간에서 아직 두 시간이 남아 있었다.

드디어 날짜 변경선을 막 지나며 이천 명의 남녀 합창단이 부르는 〈할렐루야〉가 흘러나오기 시작했다. 나는 무덤덤한 심정으로 남태평양의 네모난 야경을 쏘아보고 있다가 주방에 들어가 커피와 바게트를 들고 나왔다.

카메라는 광화문 축제 준비 현장으로 옮겨가 있었다. '2000년 앞으로 4시간 58분 10초'라는 자막이 화면의 왼쪽 상단에 표기된 가운데 현장 리포터는 상계동에서 온 시민과의 인터뷰를 진행하고 있었다. 8시에 남산 하얏트에서 대학 동창회 모임이 예정돼 있었으나 나는 참석 시간을 자정께로 미뤄놓고 일단 종로에 나가 하원의 언니를 만나볼 생각이었다.

4

하원을 만난 것은 지난 봄 제주도 협재에서였다. 나는 서귀포에 있는 별장을 빌려 나흘째 혼자 묵고 있었다. 바람이나 쏘일까 싶어 일주 버스를 타고 협재에 갔던 날이었다. 저녁 무렵이 되어 해수욕장을 빠져나오는데 아가씨 둘이 석양을 등지고 내 뒤를 게처럼 따라왔다. 해수욕철이 아니었으므로 바다엔 사람이 없었다. 한눈에 그녀들이 서울에서 왔다는 것을 알았다. 몇 발자국을 사이에 두고 뒤를 따라오며 그녀들은 내가 들으란 소리로 장난기 섞인 농담을 주고받고 있었다. 걷는 게 좀 헐렁해 보인다 얘. 그래도 어딘가 분위기는 있어 보이지 않니? 키는 큰데 너무 말랐다. 이런 데 혼자 오는 남자는 도대체 뭐야? 실연했나? 살살 좀 얘기해. 들리겠다 얘. 키득키득. 쑤군쑤군…… 따위들.

못 들은 척 나는 걸음을 서둘렀다. 내 그런 꼴이 재미있었는지 그녀들은 자꾸 귀에 거슬리는 소리를 내뱉었다. 장난이 통한다고 생각한 모양이었다. 그러더니 마침내는 겁없이 말까지 걸어왔다. 여자 둘이니까 혼자인 남자가 만만해 보였을 줄로 안다. 스카이호텔 앞을 막 지나고 있을 때였다. 그 중 한 녀석이 걸음을 서둘러 옆으로 다가왔다.

"아저씨, 저희 커피 한잔 사줄래요?"

서울이었다면 당치도 않을 말이었고 상상도 할 수 없는 일이었다. 돌아보니 잘해봐야 대학교 이삼학년쯤으로 보이는 앳된 녀석이었다. 이런 경우 거절하게 되면 영원히 옹졸한 남자로 남게 될 게 뻔했다. 어쨌든 여행지에서나 가능한 일이었다. 훗날 이 어린 벗들의 추억 속에 이왕이면 분위기가 있는 남자로 남는 편이 그래도 낫겠다 싶어 나는 커피 정도는 사주기로 마음을 먹었다. 손목시계를 보니 이십 분 후에 서귀포로 가는 버스가 있었다. 늦게 되면 택시를 타고 가기로 하고 나는 삼촌의 심정으로 호텔 로비로 들어갔다. 내 선선한 태도에 그녀들은 잠시 당황스러운 기색을 보이더니 서로의 손을 꼭 잡고 내 뒤를 주춤주춤 따라 들어왔다.

내게 말을 걸어온 녀석은 핫팬츠 차림에 맨발이었고 까무잡잡한 피부에 속살이 단단한 인상을 주었다. 망아지처럼 여기저기 함부로 돌아다닐 나이이고 물론 혼자서는 못하겠지만 좀 헐렁해 보이는 남자를 만나면 아까처럼 얼마든지 껄렁한 농담을 던질 만한 관상이었다. 짐작대로 그녀는 삼 년째 대학에 다니고 있었고 생물학을 배우고 있었다. 그 옆에 따라온 여자는 키가 무척 크고 단정한 옷차림이었는데 막상 자리에 앉아 웃을 줄도 말을 할 줄도 몰랐다. 대학생보다 두세 살이 더 들어 보였다. 사이사이 그녀들끼리 주고받는 말 사이에서 언니, 라는 말이 튀어나와 짐작을 확인시켜 주었다. 언니는 얇은 은테 안경을 끼고 있었는데 눈이 무척 깊고 시원해 보였다. 등까지 길게 늘어뜨린 생머릿결도 탐스러웠다. 탄력이 살아 있는 하얀 피부의 미인이었다.

그녀들과 나는 차디찬 맥주를 마시며 바다에 붉게 내려앉는 노을을 창 밖으로 내다보고 있었다. 5월이었다. 저녁이 되자 어디선가 기분 좋은 냄새가 스며들어왔다. 맥주는 맛있었고 생물학과가 혼자 떠드는 소리도 그다지 지루하지는 않았다. 무슨무슨 얘기를 하다 그녀는 음담패설을 늘어놓으며 내게 이런 짓궂은 질문까지 던져왔다. 아직 어린 녀석이.

"아저씨, 혹시 육구(69) 아세요? 당연히 아시겠죠."

다시금 나는 고개를 돌려 핏빛 바다를 내다보았다.

"다소 불편 부적절한 체위 중의 하나라고 전에 어디선가 들은 적이 있습니다만."

"그거 느낌이 어때요?"

생머리 여자가 창으로 쏟아져 들어온 노을에 그을린 얼굴로 생물학과의 허리를 팔꿈치로 툭툭 쳤다.

"팔자에 없었느니라."

"진실만을 말하세요."

"성경을 구해오면 손을 얹고 다시 생각해보지."

"호텔 방 경대 서랍에 들어 있던데 갖다 드릴까요?"

"그만두게. 애비는 종이었고 형은 부처였느니."

"의외로 재밌는 아저씨네요."

그렇게 말하는 그대는 참으로 철이 없는 아가씨였다. 세상이 얼마나 무서운지 모르고 까부는 강아지와 다를 바가 없었다. 사방 일 미터 간격으로 세상 전역에 덫이 놓여 있음을 앞으로 한 달씩 힘겹게 나이를 먹어가면서 차차 깨닫게 되리라. 왜 이렇게 엔들리스 소변이 마렵지? 맥주를 먹어서 그런가? 생물학과가 이렇게 소란을 피우며 화장실에 간 사이 나는 사이를 두었다가 생머리에게 말을 건넸다. 혼자 있게 되자 그녀는 불안한 기색이 역력했다. 안쓰러울 지경이었다. 일단 안심을 시켜주고 생물학과가 돌아오는 대로 그만 일어나야겠다는 생각이 들었다.

"둘이 어떤 관계지?"

"그냥 아는 후배예요. 제대로 얘기하자면 좀 복잡하구요."

그래, 그런 관계도 있겠지.

"이 호텔에 묵고 있나?"

"내일 오전에 서울로 돌아가요."

"그게 더 나을는지도 모르지."

"네?"

"너무 긴장하고 있어서 그냥 해본 소리야. 무서운가?"

그녀가 재빨리 되받았다.

"아니에요."

아니긴. 남자 경험이 제대로 없는 여자였다. 이런 여자를 보면 오히려 마음이 착잡해진다. 제아무리 순결해도 다른 여자들이 겪어야 하는 일은 역시 다 겪게 돼 있다.

"……그쪽은 언제까지 제주도에 있나요?"

"글쎄, 며칠 더 있겠지."

"거기서 뭐 하는데요?"

"꿈꾸고 밥 해먹고 꿈꾸고 밥 해먹고."

슬쩍 흘겨보며 그녀가 되받았다.

"좋겠어요."

"그쪽이 한결 낫지. 서둘러 돌아갈 데가 있으니까. 거기에 가면 물론 아이스크림도 있고 동화에 나오는 좋은 친구들도 많겠지."

"꼭 그런 것만도 아녜요."

"……."

"심심하면 낚시 같은 것도 해요?"

"꿈을 꾸다 보면 가끔 고래도 잡지."

"……음담패설을 참 좋아하시나 봐요."

그게 그런 말이었던가? 내가 손목시계를 확인하고 담배를 챙기자 그녀가 화장실 쪽을 돌아보며 메마른 소리로 이런 말을 던져왔다.

"혹시 거기 전화 있어요? 서귀포에 말예요."

은근히 당돌한 데가 있었다.

"그냥 서울 가서 생각나면 전화 한번 해볼까 싶어서요. 물론 안 하게 될지도 모르겠지만 말예요."

왜냐고 나는 묻지 않았다. 낯선 남자와 마주 앉아 있는 것이 불안했던 나머지 엉겁결에 튀어나온 말이었는지도 모른다. 그 무의미한 어떤 순간을 모면하기 위하여. 그녀에게서 문득 외로움이 전해져 왔다. 봄은 외로운 계절이다. 따뜻한 물처럼 온몸 구석구석으로 외로움이 스며든다. 제주도에 와 있으면서 알게 됐다.

생물학과는 화장실에서 무얼 하는지 아직 돌아오지 않고 있었다. 혹시 방으로 성경을 가지러 올라간 건 아닐까, 라는 생각을 하며 나는 호텔 명함을 빌려 그녀에게 슥슥 전화번호를 적어주었다. 자청했음에도 불구하고 그녀는 창피하기 짝이 없는 얼굴로 그것을 받아 주먹 안에 꼭 쥐었다. 그런 다음 고개를 푹 숙이고 다시는 들지 못했다. 그런 모습을 보는 게 또 어쩐지 답답해 나는 호텔 프런트에 콜택시를 부탁하고 그녀를 남겨둔 채 밖으로 나왔다.

다음날 정오께 그녀에게서 전화가 걸려왔다. 자전거를 타고 나가 밭에서 감자를 사가지고 돌아왔을 때였다. 서하원이라고 그녀는 제 이름부터 댔다. 목소리를 듣고 금방 누구인지 알았다. 그녀는 뜻밖에도 서귀포에 와 있었다. 어쩐 일이냐고 물으려다 나는 그만두었다. 일부러 찾아온 손님을 불편하게 하고 싶지는 않았다. 이유는 만나서 물어보기로 하고 나는 나가겠다고 말했다.

그녀는 버스 터미널 앞에 스포츠 신문을 펴들고 서 있었다. 혼자였다. 어깨에는 커다란 숄더 백을 메고 있었고 물방울 무늬가 있는 하늘색 블라우스에 흰 면바지 차림이었고 검은 구두를 신고 있었다. 렌즈로 바꿔 꼈는지 얼굴에 안경은 보이지 않았다. 날씨가 좋았다. 어제는 미처 느끼지 못했던 이상한 밝은 빛의 아름다움이 그녀의 주위를 에워싸고 있었다. 나를 발견하자 그녀는 화닥 신문을 구기고 머리를 푹 숙여 인사부터 했다. 일단 제 얼굴을 감추고 싶었을 것이다.

놀라셨죠? 하고 그녀가 가로로 어깨를 흔들며 물었다. 나는 여간한 일에는 놀라지 않는다. 하지만 나는 그랬다는 식으로 맞받았다.

"느닷없이 찾아와서 죄송해요. 한 번만 더 전화해 보고 없으면 공항으로 가려고 했는데 마침 받더군요."

내가 감자를 사러 밭에 나간 사이에 그녀는 빈 집으로 세 번 전화를 했다. 묻지도 않았는데 그녀는 어제 동행했던 후배 얘기부터 꺼냈다.

"걔는 예정대로 아침에 서울로 올라갔어요. 실은 강의를 빼먹고 놀러온 거거든요. 곧 중간고사가 시작되는데 말예요."

벌써 중간고사 시즌인가. 점심때였다. 그녀가 우동이 먹고 싶다기에 근처에 있는 중국식당으로 들어갔다. 나는 간자장을 시켜 먹었다. 젓가락으로 깨작깨작 면발을 건져 먹으며 그녀는 제 얘기를 털어놓았다.

그녀는 강남의 모 이벤트 회사에 소속된 도우미였다. 생물학과는 그녀가 속한 이벤트 회사에서 역시 도우미로 아르바이트를 한 적이 있는데 그때 서로 알게 됐다고 했다.

"여고 졸업하고 오 년째 이 일을 하고 있는데 실은 많이 지쳐 있어요. 하루 종일 미니 스커트를 입고 자동차 옆에 서서 웃고 있을라치면 정말 싸구려 달력에 나오는 여자가 된 기분에 빠지곤 해요. 이해할지 모르지만 남자들이 하도 다리를 훔쳐봐서 이젠 의족처럼 느껴져요. 심지어는 바지를 입고 다녀도 말예요. 처음엔 일 년만 하고 동남아 쪽으로 한 달쯤 여행을 하는 게 꿈이었는데 돈을 모으지도 못했죠. 야구장의 치어 걸들도 다 똑같지만 일만 고되고 보수는 형편없거든요."

그녀는 한 달에 보름쯤 일하고 팔십만 원 가량을 받았다. 원래는 화장품 모델이 되는 게 꿈이었다. 하지만 그런 기회는 아직까지 찾아오지 않고 있었다. 어쩐지 불가능한 꿈처럼 여겨졌다. 한데 그녀는 왜 서울로 올라가지 않고 서귀포까지 나를 찾아온 것일까. 문득 그런 생각을 하며 냅킨으로 입을 닦고 있는데 그녀가 부탁이 있는데 꼭 들어줬으면 좋겠다고 했다. 내가 생뚱하게 바라보고 있자 그녀가 서둘러 말을 이었다.

"나쁜 일은 아니에요."

중국집에서 나와 그녀는 버스 터미널 건너편에 있는 농협 매장으로 갔다. 그러고는 대뜸 카운터 옆의 유리관 속에 들어 있는 시계를 꺼내더니 이거 어때요? 하며 나를 돌아보았다. 무슨 뜻인지 몰라 나는 뜨악하게 그녀의 얼굴만 바라보고 있었다. 그녀는 지갑을 꺼내 값을 지불하고 내게 시계를 내밀었다.

"선물이니까 받아주세요. 아까 시간이 남아서 여길 기웃거리다 봤는데 예쁘더군요."

그것은 팔각형의 진한 코발트 빛 시계였다. 가죽끈도 역시 같은 색으로 차고 다니기에는 부담스러운 물건이었다. 아니, 이제 이름만 겨우 알게 된 여자한테서 시계를 선물받는다는 것 자체가 우선 달갑잖은 일이었다. 그게 아무리 가벼운 팬시 제품이라고 하더라도 말이다.

"받아주세요. 저한테 우동 사주셨잖아요."

우동과 시계는 성질이 사뭇 다르다. 무슨무슨 법칙을 들먹이지 않더라도 우동은 한나절이면 소화가 돼서 없어지지만 시계는 손목에 차고 있으면 몇십 년이라도 일 초 간격으로 쉼없이 재깍거린다. 그래서 또한 변함없음을 뜻하는 금반지와 함께 예물로 쓰이는 것이다.

"무슨 뜻이지?"

여자들에게는 좀처럼 따지거나 묻는 스타일이 아닌 나로서도 그때는 이렇듯 차갑게 묻지 않을 수 없었다. 그러자 그녀의 크고 맑은 눈이 금세 흐려졌다. 아연하게도 얼굴 윤곽 자체가 순식간에 흐트러졌다.

"싫어요?"

싫고 좋음을 말하는 게 아니었다. 어제 우연히 잠깐 만났던 여자가 불쑥 찾아와 시계를 내밀고 무턱대고 받으라고 하는 것이다. 나는 몸을 돌려 먼저 밖으로 나왔다. 한동안 기척이 없어 돌아보니 맙소사! 카운터 앞에서 그녀가 손수건으로 눈을 훔치며 병신처럼 서 있었다. 버림받은 시계 케이스를 들고.

오후에 그녀와 일주 버스를 타고 중문단지 아래에 있는 대포동으로 갔다. 내 손목에는 그녀가 사준 시계가 퍼렇게 채워져 있었다. 연초록빛 바다가 부시게 내려다보이는 야외 찻집 흰 플라스틱 의자에 앉아 잠자코 그녀의 얘기를 들었다.

"오래전부터 남자한테 이런 거 해주고 싶었는데 막상 사람이 없었어요."

그런데 그게 왜 하필 나란 말인가. 솔직히 기분이 썩 유쾌하지 않다. 하이틴 잡지의 소도구로나 써야 어울릴 물건이다. 그런데다 나는 가죽끈은 냄새가 나서 싫어한다. 어디까지나 메탈이어야 한다.

"내일 당장 코엑스에서 행사가 있는데 이러고 있어요."

내가 알 바 아니다. 헤어지는 즉시 시계부터 풀어버릴 작정이다.

"그렇지만 당장은 마음과 바다가 모두 조용해서 좋군요. 돌고래처럼 바다에 몸이 반쯤 잠겨 있는 기분이에요. 왜 신부들이 5월에 결혼을 하는지 이제 알겠어요."

아까 중문단지에서 내려오다 본 비릿한 신부의 무리들이 떠올랐다. 내 눈엔 그녀들이 그다지 행복하거나 평화로워 보이지가 않았다. 화장으로 감추고 있었지만 다들 눈은 토끼처럼 충혈돼 있고 이루 말할 수 없이 피곤해 보였다. 사실 얼마나 피곤하겠는가.

"뜨거운 설탕이 먹고 싶어요. 늘어붙지 않게 잘 볶을 수 있는데."

그녀가 이렇게 중얼거린 건 바다 위로 넓은 구름의 그림자가 느릿하게 지나가고 있을 때였다. 구름이 지나가고 나자 차츰 날이 어둑신하게 변해갔다. 바람결이 습하게 흐트러져 있었다. 한 차례 비가 뿌릴 기세였다. 나는 슬그머니 고개를 돌려 그녀의 얼굴을 살폈다. 달걀 속껍질처럼 엷은 막의 외로운 빛이 그녀의 얼굴에 드리워져 있었다. 뜨거운 설탕. 그것은 누구도 손대주지 않는 고독한 아름다움을 견디기 위한 그녀만의 진정제처럼 생각됐다.

그녀는 저녁 비행기로 시간을 늦춰놓고 있었다. 방향을 잃은 바람이 언덕에 피어 있는 작은 꽃들의 모가지를 무참하게 뒤흔들고 있는 가운데 하늘이 검은 빛으로 꾸물거렸다.

커피를 마시고 나서 여미지로 올라가다 급기야 비를 만났다. 유리 식물원 안에 갇혀 그녀와 나는 새우깡에 캔맥주를 찔끔거리며 비가 그치기를 기다렸다. 금방 울고 가는 소나기가 아니었다. 휴대폰으로 그녀는 공항에 전화를 걸었다. 항공사에서는 이륙 결정을 한 시간 전에나 할 수 있다며 6시에 다시 문의를 하라고 했다. 나는 서귀포로 돌아가야겠다는 생각을 하고 있었다. 한데 손목에 차고 있는 시계가 자꾸 신경에 거슬렸다.

그녀는 내게서 무얼 보았던 것일까. 내가 집도 없고 대문도 없는 사람이라는 것을 어찌 알았을까. 도대체 무슨 생각으로 찾아온 것일까. 왜 함부로 내게 발을 들여놓는 것인가. 내게는 위험이 있다. 옆에 오면 안 된다. 어차피 대문이 없으니 나가고 싶으면 언제든 돌아나가면 된다고 생각하고 있는 것인가. 그런 사내를 필요로 하는 여자들이 내 주위에도 가끔 있다. 우산 하나를 둘이 쓰고 여미지를 나오면서 나는 그녀를 돌려보낼 수 없다는 것을 깨달았다. 그녀 자신도 그걸 알아차리고는 굳게 입을 다물고 있었다.

서귀포로 돌아오니 밤이었다. 입은 옷 그대로 그녀와 아침에 밭에서 사온 감자를 삶아 먹었다. 음악을 들으며 소주잔을 건성으로 주고받았다. 정원의 풀꽃들을 두드리는 빗소리를 들으며. 아무런 말도 없이. 그녀는 정물화처럼 내내 무릎을 포개고 앉아 있다가 다리를 절룩거리며 화장실로 들어갔다. 이어 샤워를 하는 소리가 들려왔다. 그녀가 나오기 전 나는 시계를 풀어 책상 위에 올려놓고 불을 껐다.

두더지처럼 어둠 속을 응시한다. 검고 푸르다. 귀가 차게 고독을 느낀다.

내가 있는 어둠 속으로 그녀가 들어왔다. 뜨거운 하얀 설탕. 늘어붙지 않게 잘 볶아야 할 텐데. 좋은 몸을 가진 여자였다. 물론 처녀는 아니었다. 그러나 위험이 느껴질 정도로 깨끗했다. 그녀의 첫남자가 누구인지 잠깐 궁금증이 일었다. 이런 여자를 누가 처음 가져간 것일까.

나란히 천장을 보고 누워 있었다. 오월의 밤 냄새가 어디선가 스며들어와 둘의 벗은 몸을 은은히 감싸안고 있었다. 빗소리가 꺼끔해지고 있었다. 잦아들고 있는 빗소리 때문이었을 것이다. 그녀가 먼저 입을 열었다. 잠이 들기에는 밤이 길었고 밖은 지나치게 고요했다. 여자와 있을 때 조용하면 잠이 안 온다. 여자들도 마찬가지리라.

"무섭도록 아름답군요. 이 덧없는 밤의 흐름이."

어리게만 봐서는 안 될 사람이었다. 속에 짐승이 들어 있었다. 어느덧 이쪽이 사로잡힌 것이다. 책상 위에 놓아둔 저 시간의 푸른 흐름 속에. 앞으로 이 여자는 나를 제 안에 가둬 제멋대로 할 것이다. 침묵 속에서는 뭐든지 알 수 있다.

스물다섯 살. 가족이 없다고 그녀는 쉽게 말했다. 그래서 순간순간 혼자 존재하는 일이 벅차다고 했다. 그래서 함부로 자신을 남에게 내줄 수 없었노라고 했다. 그래, 혼자란 그런 것이다.

"그런데 왜 내게."

한참 만에야 가까스로 대답이 돌아왔다.

"그쪽도 저와 마찬가지잖아요."

그 건방진 말에 뜻밖에도 송곳에 찔린 듯 명치끝이 후끈하게 달아올랐다. 동공에 눈물이 배었다 도로 몸 안으로 스며들었다. 눈물 따위는 결코 흘리고 싶지 않다. 그렇게 다정다감한 사내가 되어서는 혼자 살아갈 수 없다. 세상의 어느 도시도 걷다 보면 내겐 모두 미로가 되었다. 길은 아무 때나 자주 바뀌고 가로수는 봄마다 톱질에 무참하게 쓰러지고 자동차 사고가 난 현장에는 피에 범벅이 된 두개골이 쓰레기처럼 굴러 있고 때마침 사나운 바람이 불어갔다.

아침이 되자 날이 금은빛으로 환하게 개어 있었다. 신혼여행을 온 여자처럼 그녀는 새옷으로 갈아입고 바다 앞 내 옆에 맨발을 드러내고 앉아 담배를 피우고 있었다. 수만의 풀꽃들이 이루 말할 수 없이 향기로운 냄새를 풍기며 뒷전에 와 웅성거리고 있었다. 그러한 사이, 아주 잠깐 동안, 그녀가 돌아나가기 전에 있지도 않은 대문을 닫아걸고 싶다는 열망이 목덜미로 뜨겁게 몰려왔다. 그녀도 비슷한 생각을 하고 있었던 것일까? 아마 그랬던 것 같다. 바람에 떠는 목소리로 그러나 어디까지나 똑바른 소리로 그녀가 이런 말을 던져왔다. 무엄하게도 목소리에서 은장도가 번뜩였다.

"우리 결혼할까요?"

나는 놀라지 않았다. 다만 가슴이 크게 뛰었다. 또 몸이 조금 더워졌다. 이만큼 좋은 여자는 만나기 힘들다. 아름다움은 후천적으로 만들어지는 게 아니다. 타고난 아름다움만이 늙어도 변하지 않고 곁에 남는다. 뜨거운 설탕을 만들 줄 아는 여자를 어디 가서 또 만나겠는가. 그러나 역시 내가 문제였다. 전에 실패한 적이 있는 것이다. 아니, 꼭 그래서가 아니라 다시 실패할 것이 두려웠다. 내겐 나만이 아는 위험이 있었다. 결국 상대에게 상처를 주고야 마는 타고난 위험. 그런 얘기를 주섬주섬 늘어놓자 그녀가 친구처럼 내 등을 툭툭 두드렸다. 그러더니 천연덕스럽게 김하정의 〈살짜기 옵서예〉를 부르기 시작했다. 비타민 C가 풍부하게 느껴지는 목소리로. 종잡을 수 없는 사람이었다. 하지만 여자가 이렇게 예쁜 것이었다니.

꿈에도 못 잊을 그리운 님이여
살짜기 살짜기 살짜기 옵서예

"서둘러 아이를 낳고 제 명의로 적금을 세 개쯤 들면 실패할 확률은 그만큼 줄어들 거예요."

그 말이 진심이란 걸 알았으나 그녀를 불과 엊그제 만났다는 사실이 다시금 뇌리에 빨간 공처럼 떠올랐다. 추억과 문화재가 없이 결혼을 한다는 것은 돈 없이 결혼하는 것보다 훨씬 위험하다.

"단 하루의 추억도 문화재가 되는 거잖아요. 영원이 한편 순간을 부르는 이름이듯이 말예요."

그녀와 사흘을 더 서귀포에서 지내고 서울로 올라왔다. 비행기에 오르자 비로소 내 인생에 커다란 일이 벌어져 있음이 선연히 느껴졌다.

제주도에서의 사박 오일. 훗날 돌아보면 그것이 그녀와의 신혼여행이었다. 협재와 중문과 여미지와 또 삼 일 동안 성산과 산굼부리를 오갔던 한 남녀의 궤적이 그걸 말해준다. 산방산 밑 유채밭에 오백 원을 내고 들어가 함께 찍었던 사진이 또한 그걸 뒷받침해준다. 몸과 마음이 5월처럼 풋풋하게 되살아나던 순간들이었다. 다시 태어난 느낌이었다. 그리고 그 며칠새 나는 그녀를 사랑하고 있었다.

5

8시에 패딩 점퍼를 걸치고 집에서 나와 지하철 3호선을 탔다. 광화문 주변은 새벽까지 교통을 통제하고 있어 차를 몰고 나갔다가는 아침까지 발이 묶일 터이었다. 불광역을 지나면서부터 전철이 붐비기 시작했다. 대부분 가족을 동반한 사람들로 광화문 축제 현장으로 가는 모양이었다. 예상대로 경복궁역에서 절반의 사람들이 내렸다. 나는 안국역에 내려 조계사 건너편 길을 따라 종로로 내려갔다. 그쪽도 발 디딜 틈이 없기는 마찬가지였다.

밀레니엄 플라자 빌딩은 자정을 전후에 몰려들 사람을 예상해서인지 입구를 폐쇄시켜 놓고 전경들이 에워싸고 있었다. 9시가 되었건만 그녀의 모습은 보이지 않았다. 지하철 종각역으로 내려가는 입구에 서서 나는 플라자 빌딩 앞에 대형으로 설치돼 있는 멀티비전을 무의미하게 올려다보고 있었다. 오지 않는 걸까. 나는 담배를 피워물고 빌딩 주위를 한 바퀴 돌아서 제자리로 돌아왔다.

그녀는 내가 조금 전에 서 있던 지하철 입구에 와 있었다. 쥐색 롱코트 차림에 단색 자줏빛의 스카프를 목에 두르고 있었다. 승무원 복장을 하고 있을 때와는 썩이나 달라 보여 알아보는 데 잠깐 시간이 걸렸고 눈빛이 마주치자 저쪽에서 먼저 알은 체를 해왔다.

"죄송합니다. 오늘 빌딩이 문을 닫을 줄을 미처 몰랐습니다."

그녀는 예의 그 또박한 말투로 단정하게 사과부터 했다. 주위를 두리번거리다 나는 인파에 휩쓸려 왔던 길로 되돌아갔다. 조계사 쪽으로 올라가다 마땅히 갈 데가 없어 인사동 길로 빠져 '아지오' 라는 스파게티 전문집으로 들어갔다. 배가 고팠던지 그녀는 보졸레 누보를 두 잔이나 곁들이면서 해물 스파게티를 단 십 분 만에 먹어치웠다. 눈을 접시에 떨어뜨린 채 단 한마디의 말도 없이. 묘한 집중력이 느껴졌다. 냅킨으로 입을 닦고 나서야 그녀는 코트를 벗어 의자에 걸고 말보로 라이트를 꺼내 입에 물었다. 나는 주머니에서 지포라이터를 꺼내 그녀가 물고 있는 담배에 불을 붙였다. 그때 그녀의 목에 걸려 있는 사파이어 목걸이가 눈에 걸려들었다. 하원이 가끔 걸고 다니던 것이었다.

"예정은 어제였지만 오늘 오후 여섯시에 서울 공항에 도착했습니다."

그녀는 쾰라룸푸르에서 왔고 집에 들렀다가 급히 옷을 갈아입고 나온 길이었다. 점심때부터 식사를 못해 무척 배가 고팠다는 말도 덧붙였다. 그러고 나서 월전 장우성 화백의 집 근처 일본식 적산가옥에 세들어 살고 있다고 그녀는 자신의 집 위치를 비교적 자세하게 설명했다. 하지만 나는 장우성 화백의 집이 어디 있나를 모르고 있었다.

아무려나 나는 그녀가 오늘 내게 전해주겠다던 물건만 받으면 될 터이었다. 그러나 그녀는 커피까지 마시고 나서도 그것에 대해서는 귀띔조차 없었다. 그래서 나는 묻지 않을 수 없었다. 그녀는 난처한 표정으로 있다가 좀 기다려주면 안 되겠냐고 부탁을 하듯 말했다. 물론 나는 기다릴 것이다. 하지만 자정까지는 동창회 모임에 가야 한다. 어쩌면 지금 내게 닥쳐 있는 문제를 풀어줄 친구를 거기 가서 만나게 될지도 모른다.

테이블에 남겨놓은 포도주를 그녀와 나눠 마셨다. 그 사이에도 하원에 대한 얘기는 없었다. 그녀는 묘하게 분위기를 조절하며 시간을 지연하고 있었다.

"저번에도 말씀드렸지만 이번 말레이시아 왕복이 제 마지막 탑승이었습니다. 사실 두 세기에 걸쳐 하늘에 떠 있고 싶지는 않았습니다."

서툰 농담을 하는가 싶었지만 막상 그녀는 웃지 않았다. 그녀는 내부자 근무를 신청해놓고 있었다. 영업직이었다. 육 년 동안 비행기를 타다 보니 몸에 좋지 않은 변화가 많이 찾아왔다며 그녀는 쓸데없는 애기까지 늘어놓았다. 가령 탑승 첫해부터 생리통에 생리불순이 시작됐고 올해 건강 진단에서는 자궁내벽증과 더불어 만성적인 장출혈 경세가 있음이 발견됐다. 곧 수술을 받아야만 했다. 그런 다음 또 수개월에 걸쳐 정기적으로 통원치료를 받아야만 했다. 따분하고 우울한 얘기였다.

카운터 위에 걸려 있는 벽시계는 열시 삼십분을 막 지나고 있었다. 한 시간 반 뒤면 남들이 그렇게도 떠들어대던 새 천년이 되는 것이다. 하지만 내게는 별 의미가 없는 일이었다. 자칫하면 정치적 희생양이 되어 오랜 세월 마룻바닥을 닦아야 할 일이 생길지도 모르는 처지였다. 하긴 별 같던 열 살과 스무 살엔 내가 서른다섯이 될 줄 몰랐다. 이제 곧 서른여섯이다. 어쩌면 서

큰여섯 개로 늘어나는 나. 오히려 줄어들어야 할 텐데 감당하기 힘들 만큼 삶의 숫자가 늘어나고 있다.

"우리도 광화문에 나가볼까요?"

이렇게 말하며 그녀는 벌써 자리에서 일어나 코트를 걸치고 허리띠를 묶고 있었다. 깜빡 잠에서 깨어난 기분으로 나는 점퍼를 집어들고 그녀의 뒤를 서둘러 따라나갔다. 날씨는 대체로 맑았고 사람들로 붐벼서 그런지 추위도 그럭저럭 견딜 만했다.

그녀와 나는 공평빌딩 앞에서 길을 건너 종로 경찰서 쪽으로 걸어갔다. 그러한 참에 나는 그녀가 이끄는 대로 서서히 유인되고 있음을 깨닫고 있었다. 지금이라도 하얏트로 가면 동창회엔 참석할 수 있었다. 그러나 나는 그녀가 잡고 있는 줄에 묶인 강아지처럼 얌전히 끌려가고 있었다.

하원. 그래, 너를 만나고 싶다. 뜨거운 설탕의 갈망이 다시금 목울대로 차오르고 있다. 너만이 내 고독을 가져갈 수 있다. 어디 있는지 말해다오. 가겠다. 그게 곧 도망을 뜻하는 것일지라도.

미대사관을 끼고 돌아 그녀와 세종로로 나갔다. 오는 길에 청진동 골목을 엿보니 거기도 장날처럼 사람들로 북적거리고 있었다. 세종로를 관통하는 축제 현장은 말할 것도 없고 건너편 세종문화회관 부근은 그야말로 아수라장이었다. 대낮처럼 불을 밝혀놓은 주위의 빌딩 건물에도 창마다 사람들이 죄수처럼 매달려 있었다.

그녀와 나는 한국통신 앞 버스 정류장에 서 있었다. 행사는 이 천년의 첫 새벽까지 계속될 예정이었다. 삼백 명의 남녀 합창단이 부르는 〈역사는 흐른다〉가 막 끝나고 광화문 앞으로 사물놀이패가 입장해 한반도의 역사적인 인물을 태운 '역사의 수레'를 끌고 12지간지 순서로 플라자 호텔이 있는 쪽으로 행렬을 이어가고 있었다. 이제 자정까지는 채 한 시간도 남아 있지 않았다.

남들처럼 그저 구경이나 나온 사람들처럼 그녀와 나는 가로수 옆에 우연하게 서 있었다. 기이한 일이었다. 하원의 이복 언니와 함께 새해 새 천년을 세종로 축제 현장에서 맞고 있었다. 숱한 의혹을 뒤에 단단히 감춘 채 그녀는 왜 이곳으로 나를 데리고 온 것일까. 옆을 돌아보니 그녀는 태연한 얼굴로 세종로 거리만 물끄러미 내다보고 있었다. 그제서야 나는 며칠 전 만났을 때 이후로 그녀가 더 이상 하원의 소식을 들은 바가 없다는 것을 깨달았다. 엊그제도 말했지만 그녀 역시 하원이 지금 어디에 있는지 모르고 있는 게 분명했다.

하원, 너는 몸 하나만 겨우 빠져나갈 수 있는 바위틈을 지나 어디로 간 것이냐.

6

돌아보면 단 며칠 간의 위험하고 아름다운 장난 같은 일이었다. 그런 일은 누구한테나 생에 한 번쯤 일어날까 말까 한 일이다. 오랜 열망 끝에 우리가 결국 힘들여 얻어내는 것은 남들이 이미 가지고 있거나 받아들일 수 있는 범위 안의 것들이다. 그것이 조금 특별한 것일 때 세상은 절대 용납하려 들지 않는다. 사람들은 아무 이해의 노력 없이 자신들의 인식 범위 안에서 모든 일이 이뤄지길 바란다. 그것이 조금 예외적인 것일 때는 자신들에게 아무런 피해나 부담이 가지 않는데도 저마다 얼굴을 숨기고 차갑게 고개를 가로 젓는다. 가족이나 집단 혹은 친구의 이름으로. 법보다 더 완고한 힘을 가진 상식의 이름으로.

하원과 나의 관계도 예외는 아니었다. 그들은 일시적이고 돌발적인 일이 내게 발생했다고 단정하고 차이라는 말을 가지고 청하지도 않은 자신들의 생각들을 굳이 늘어놓았다. 어느 한쪽이 아니고 하원과 나 둘 다에 해당되는 말이었다. 나이와 직업과 연고와 처지 따위를 들먹이며 꽤 심각한 얼굴로 추인을 거부하며 끝내는 고개를 가로 저었다. 그러나 그들이 보여준 것은 고작해야 가볍고 잔인한 관심 정도였다.

하원은 서울로 올라와 도우미 일을 그만두고 결혼 준비를 시작했다. 우리는 남들에게 더 이상 방해받고 싶지 않아서 서둘러 날짜를 잡아 식장을 예약하고 아주 가까운 사람이 아니면 연락을 하지도 않았다. 결혼은 이 주 앞으로 다가와 있었다. 신혼여행에서 돌아와 그녀는 내가 살고 있는 집으로 들어오기로 돼 있었다.

그즈음 그녀는 종일 집에 있었다. 저녁이 돼서야 가벼운 옷차림으로 나를 만나러 나왔다. 낮 시간을 이용해 필요한 물건들을 보거나 사러 다니는 일도 그녀는 혼자 하고 싶어하지 않았다. 그래서 늦은 시각에 수첩에 적어놓은 목록을 확인하며 가구나 가전제품을 보러 다녔다. 그리고 자정쯤에 늘 경복궁 앞에서 헤어졌다. 하원은 자신이 살고 있는 집을 보여주지 않았다. 사정이 있겠거니 싶어 그때마다 나는 이해한다고 말했다.

때때로 그녀는 흔들리는 모습을 보였다. 제주도에서처럼 얼굴이 맑고 투명하지가 않았다. 그늘이 깊어져 아주 딴 사람으로 보이는 순간도 있었다. 염려가 돼서 물어보면 말없이 고개만 가로 저었다. 결혼을 며칠 앞둔 어느 날 나는 그녀에게 다시 생각할 기회를 주겠다고 했다. 원하는 바가 결코 아니었지만 그녀가 제자리로 돌아가겠다면 그제라도 보내줄 각오를 하고 한 말이었다. 그녀는 절대 그런 게 아녜요, 라며 설움이 북받친 얼굴로 나를 바라보는 것이었다.

결혼식 전주 토요일과 일요일에 주문해놓은 가구와 가전제품을 들여놓고 드레스를 맞추고 백화점에 가서 반지와 목걸이와 시계를 사서 주고받았다. 청첩장은 돌리지 않고 몇몇 친구들만 전화로 부를 생각이었다. 드레스를 맞추고 돌아온 그날 밤 그녀가 내게 이런 말을 했다. 아주 어려운 표정이 되어 어항 속의 금붕어 얘기를 꺼냈다.

"그 속에서 벗어나려고 그렇게 몸부림을 쳤는데 막상 두려운 게 사실이에요. 실은 저, 보고 배운 게 없어 당신에게 뭘 어떻게 해줘야 할지 전혀 모르고 있어요. 금방 저를 싫어하게 될 거예요. 짐만 될 테니까요. 오랫동안 따뜻한 사람들의 세상을 원했는데 그게 저에게는 갈 수 없는 나란가 봐요. 가끔 찬장 안에 있는 먹이나 소리없이 꺼내 먹으면서 검은 어항 안에 있는 것이 그래도 제겐 편하다는 생각이 들어요."

나는 굳이 반박도 대꾸도 하지 않았다. 다 듣는 게 좋다고 생각했다.

"마치 세상에 떠도는 소문이나 거짓말처럼 살아왔어요. 우리가 제주도에서 함께 보낸 며칠이 그렇듯이 말예요. 그렇게 덧없는 기쁨의 시간은 처음이었는데 그래서 그게 또 마지막이란 생각이 들어요. 앞으로 그런 날들이 계속되지 않으면 불안해서 견딜 수 없을 것 같고 또 계속된다 해도 머지않아 미쳐버릴 것만 같아요. 제 말 이해하기 힘들다는 거 알아요. 하지만 이게 지금의 제 진심이에요. 지금껏 누구를 선택하거나 선택받은 일이 없어요. 삶은 수많은 선택의 연속으로 이루어진 것일 텐데 말이죠. 실은 혼수품을 사러 다니면서도 내내 두려웠어요. 남의 물건을 사러 다니는 기분이었단 말이죠. 그것들이 앞으로 하나하나 저를 점령해버릴 거라는 느낌이 들어서 말이죠."

그녀가 무슨 말을 하는지 알 것 같았다. 모르는 부분은 내가 남자이기 때문이었을 것이다.

"일도 씨. 저 버리지 말아요. 어려운 부탁인 줄 알지만 저 좀 잘 붙들어주세요."

그 말을 들으며 새삼스럽게 내가 그녀에 대해 터무니없이 아는 게 부족하다는 사실을 깨달았다. 그녀는 그것을 내게 알려주려고 안감힘을 쓰고 있었던 것이다. 그러나 나는 충분히 그녀의 말을 알아듣지 못하고 있었다. 그녀는 누군가에게 버려져서 혼자 커온 여자였다. 그리고 불안스럽기 짝이 없게 스물다섯의 나이를 먹어오는 동안 보통 사람들과는 전혀 다른 의미를 가진 사람이 되어 있었다. 그녀는 그것을 세상에 떠도는 소문이나 거짓말이라고 자기만의 언어로 표현했다.

이십오 년 동안 그녀에게는 남들과 함께 한 생이 존재하지 않았다. 타인과 함께할 때 필요한 게 무엇인지 그녀는 몰랐다. 흔히 일컫듯 상식 말이다. 사람들이 저마다 가슴에 품고 있는 이기심의 합의를 일컬어 우리는 한편 상식이라고 부른다. 대개는 서로 간섭받지 않고 비밀을 보장받기 위해 만들어놓은 세속의 법. 그것이 때로는 실정법보다 더 효과적으로 어떤 사람을 궁지로 몰아넣을 때가 있다. 거기엔 눈에 보이지 않는 엄격한 룰이 존재하고 있고 그것에 동의하지 않고 똑같이 이기심을 갖고 배우지 않으면 잔인한 처벌이 기다리고 있다. 어떤 경우엔 상식이 이렇듯 무서운 힘을 발휘한다는 것이다.

결혼식 전날 그녀를 데리고 있었어야 했다. 아무래도 생각 부족이었다. 밤을 새우더라도 함께 있으면서 말없이 안심을 시키고 믿음을 줬어야 했다. 내가 도맡을 생각을 버리고 그녀가 할 수 있는 일을 미리 하나씩 알려줬어야 했다. 이쪽에서 모두 다 알아서 하겠다는 섣부른 생각은 그녀에게는 일종의 위협이었을 것이다. 그녀는 아직 아이였으므로 그런 나를 옆에서 지켜보며 내심 두려웠을 것이다. 왜 뒤늦게서야 이런 사실들을 깨닫게 된 걸까. 제주도에서 그녀가 내게 청혼을 한 것은 그곳이 외따른 공간이었기 때문에 가능했을지도 모른다. 그러나 그녀는 실제로 결혼이 가능하다고 믿고 있었던 것이다.

그녀가 식장에 도착하는 시간이 늦어질 때 나는 알고 있었다. 그녀가 오지 않을 거란 사실을. 떠나서 쉽게 돌아오지 않을 것이란 사실을. 또 회복이 불가능할 만큼 스스로 크게 상처받았다는 것을.

7

"아버지는 5 · 16 군사 쿠데타에 가담한 군인이었습니다. 박정희가 정권을 잡은 후로 군복을 벗고 요직을 두루 거치며 5공 때는 장관까지 지냈죠. 우리 자매는 그 사람이 함부로 뿌린 씨앗입니다. 저의 어머니는 요정 출신이고 하원의 어머니는 배우였습니다. 결국엔 그네들조차 우리를 버렸죠. 세 살 아래인 하원을 다섯 살 때 처음 보았습니다. 그러고 나서 열아홉 살 때 다시 만났죠. 고등학교를 졸업하던 해였는데 어느 날 장관이 보낸 사람이 불쑥 찾아왔더군요. 그러고는 차에 태워 무작정 삼청동의 낡은 적산가옥으로 데려가더군요. 어려서부터 그런 일에 익숙해 있었기 때문에 놀라지는 않았습니다. 운명으로 받아들였죠. 거기서 막 중학교를 졸업한 하원이를 다시 만났습니다. 키가 무척 커져 있었는데 굉장히 떨고 있더군요. 집 문서와 식량이 든 봉투를 전해주고 검은 양복의 남자는 곧 가버렸습니다. 그후 저는 전문대학을 졸업하고 스튜어디스가 됐습니다. 이듬해 장관이 패혈증으로 죽었습니다. 별다른 느낌은 없었습니다. 하원이는 대학을 포기하고 모델이 되기 위해 여기저길 찾아다녔죠. 또래 아이들이 있는 곳을 싫어했으니까요. 그 몇 년 동안 우리는 약속이나 한 것처럼 어머니를 찾아가지 않았습니다. 매달 보내오는 생활비도 취직을 하고 나서는 받지 않았습니다. 가정을 가지고 있는 그네들에게 우리는 부담스런 존재였습니다. 그네들이 장관과 상의해 우리 자매를 이 허름한 일본식 집에 갖다 버렸다는 것을 처음부터 알고 있었습니다. 가끔 찾아와도 우리는 결코 만나지 않았죠."

그녀의 말이 끝나갈 즈음 교보빌딩 옥상에서 은하의 사절단이라 이름 붙인 119 구조대원들이 빌딩을 타고 하강을 시작했다. 세종문화회관 쪽으로 쏘아댄 조명을 받으며 그들은 스파이더맨처럼 차례차례 줄을 타고 아래로 미끄러져 내려왔다. 일대에 다시 소요가 일며 환호성과 박수 소리가 터져나왔다. 그녀의 말을 더 듣고 싶었으나 인파에 떠밀려 몸을 가누기조차 힘들었다. 그녀와의 거리가 순식간에 몇 미터 사이로 벌어졌다.

그때 세종로 일대의 빌딩에 켜져 있던 불들이 일시에 꺼졌다. 자정이 임박했음을 알리는 신호였다. 불현듯 그녀를 놓칠지도 모른다는 생각이 뒤통수에 꽂혀 왔다. 눈에 보이는 것은 유령의 집단처럼 빽빽이 사방을 에워싸고 있는 군중뿐이었다. 사지를 허우적거리며 나는 그녀가 사라진 쪽으로 안간힘을 쓰며 다가갔다.

새 천년을 알리는 카운트다운이 시작됐다. 열— 아홉— 여덟— 일곱…… 군중들은 저마다 옆에 있는 이의 손을 굳게 잡고 카운트다운을 따라하고 있었다. 그러한 사이 예기치 못했던 일말의 불안과 초조함이 가슴 밑바닥에서부터 뿌옇게 부상해 왔다. 나는 엉겁결에 그녀의 이름을 부르며 사방을 두리번거렸다. 그러나 어디로 사라졌는지 그녀의 모습은 찾을 수가 없었다.

뒤에서 누군가 내 손을 잡아온 것은 새 천년의 삼 초 전이었다. 식은땀이 배어 있는 손이었다. 손이 엉키는 순간 나는 상대 또한 애타게 나를 찾고 있었다는 것을 알았다. 그녀의 손을 거머쥔 채 나는 두울—과 하나—를 속으로 조용히 외쳤다. 이어 사방에서 폭죽이 하늘로 튀어오르며 서기 이천년을 알리는 아나운서의 멘트가 거리에 우렁우렁 울려퍼졌다. 그와 함께 교보빌딩과 한국통신과 동아일보 누드 사옥과 세종문화회관 옥상에서 하얀 종이꽃들이 쏟아져내리기 시작했다. 그로부터 하늘이 잘게 조각난 것처럼 오래오래 세종로 일대가 분분했다. 무얼 하려는지 그녀는 내 머리와 어깨에 날아와 앉은 종이꽃을 주워 조심스럽게 핸드백에 집어넣었다.

불꽃놀이는 십여 분 간 계속됐다. 그녀와 나는 손을 움켜잡은 채 굳게 입을 다물고 밤하늘에 터져오르고 있는 불꽃들을 지켜보고 있었다. 삐걱이는 긴 나무 다리를 힘겹게 건너온 표정들을 하고서. 불꽃놀이가 끝나갈 즈음 그녀와 나는 세종로를 벗어났다. 쳇바퀴 돌듯 종로 쪽으로 걸어나와 조계사로 들어갔다. 아무 말도 없이 그저 그렇게. 다만 어제와 오늘 사이에 불가해하게 맞잡고 있던 손을 쉽게 놓을 수가 없어 그랬는지도 모른다. 그녀는 금세 목이 쉬어 있었다.

"배가 고프군요."

경내에는 절에서 나눠준 떡국을 무릎 위에 올려놓고 어둠 속에 앉아 있는 사람들의 모습이 보였다.

"먹을까요?"

아니라고, 하며 그녀가 슬그머니 손을 빼갔다. 추웠다. 무의미하게 혹은 의미가 있을지도 모르는 동작으로 그녀와 나는 향을 꽂고 손을 모아 꾸벅 절을 했다. 그런 다음 조계사 경내를 그림자를 감추며 벗어났다. 안국동 쪽으로 향하며 그녀가 입을 열었다.

"아까부터 제가 붙잡고 있다는 것을 아셨을 텐데요."

나는 잠자코 있었다. 이미 남산으로 가기엔 늦은 시각이었다. 아니 지금이라도 갈 수 있겠지만 또다른 의미의 때가 늦어 있었다. 이제는 그녀가 뒤에 감추고 있는 것을 알게 될 때까지 끄는 대로 따라갈 수밖에 없게 돼버렸다. 안국동 로터리에서 육교를 타고 올라갔다. 육교 한중간에서 그녀는 계동 쪽을 바라보며 잠시 서 있었다.

"동생과 이 육교를 참 많이도 넘어다녔습니다. 지금은 없어졌지만 '공간' 사옥 안에 있는 벽돌 찻집에 나란히 앉아 조그만 유리창을 통해 어깨를 떨면서 밖을 훔쳐보곤 했습니다. 풍문여고와 정독도서관에도 자주 갔죠. 둘이 손을 잡고 해가 질 때까지 벤치에 앉아 있곤 했습니다. 삶이 어떤 건지 모르는 노루 새끼 두 마리처럼 말이죠. 누가 와서 잡아가지나 않을까 늘 무서웠습니다. 눈비가 오거나 바람이 부는 날은 슈퍼마켓에서 사온 소주를 먹고 둘이 뱀처럼 껴안고 잠이 들곤 했죠. 캄캄한 운동장에 버려진 한 켤레 운동화처럼 말예요."

그녀와 내가 버리고 온 광화문 세종로에서는 아직도 새 천년 맞이 행사가 계속되고 있었다. 한국일보 옥상탑 옆으로 보이는 하늘이 초저녁처럼 밝았다. 그만 가죠, 하며 그녀가 육교를 내려갔다. 어디로 나를 데려가는 것일까. 불현듯 철조망을 넘고 있다는 느낌이 차갑게 이마에 몰려왔다. 란사진관 모퉁이를 돌아 금호미술관 앞에 이르렀을 때였다.

"하원이가 보낸 메시지를 받으려면 집까지 함께 가야 합니다."

나는 그 말에 대꾸하지 않았다. 짐작이 현실로 바뀐 것뿐이다. 진선 북카페 앞을 지날 때 문득 이런 생각이 이마에 떠올랐다. 하원은 왜 이복 언니가 있다는 말을 내게 하지 않았던 걸까. 집은 또 왜 알려주지 않았을까. 한쪽으로 늘 빠져나갈 궁리를 하고 있었던 걸까.

"동생은 상처를 많이 받고 떠났습니다. 찬물에 빠진 얼굴로 공항으로 왔더군요. 제가 탑승한 비행기를 타고 괌까지 갔습니다. 예정대로 식이 진행됐다면 기내에서 인사를 드렸을 거예요."

"……."

"제주도에서의 일이 동생에겐 결과적으로 독을 삼킨 일이 되고 말았습니다. 당신의 영역에서나 가능한 일이 그애에게 발생했던 거죠. 게다가 당신도 보통은 아니죠. 아무튼 당신은 그애에게 당신이 알고 있는 세상을 보여줘선 안 됐던 거예요. 그건 그애가 모르는 것들이었어요. 하원이 서귀포로 찾아갔을 때 왜 그냥 돌려보내지 않았나요? 당신에겐 사람이 그렇게 사소하고 쉬운 건가요? 여자가 필요했냐고 묻고 있는 건 아닙니다. 하지만 좀더 깊이 생각했어야 옳았습니다."

"……."

"뒤늦게서야 그애는 자신에게 무슨 일이 생겼는가를 알게 됐습니다. 그걸 알고 나서 몹시 혼란스러워했습니다. 그러면서도 당신을 받아들이기 위해 무척 애를 쓰더군요. 네, 당신에 대해 알고 싶어했습니다. 모든 걸 말이죠. 떠나고 나서도 마찬가지였습니다. 그래서 몇 개월 전부터 흥신소를 통해 당신에 대한 정보를 건네받아 일주일 간격으로 우편을 통해 하원에게 전해주었습니다. 그 일에 대해서는 늦었지만 사과드립니다."

"……."

"당신이 현재 비밀 문건 파동에 휘말려 있다는 사실도 알고 있습니다. 자칫하면 대신 혐의를 쓰고 재판에 회부될 가능성에 대해서도 잘 알고 있습니다. 당신은 그 일로 오늘 날이 밝는 대로 김 의원의 비서관과 서교호텔에서 만나기로 돼 있습니다. 건방진 말씀이지만 피하는 게 좋지 않을까 합니다. 어려서부터 장관이 하는 일을 봐와서 알지만 수세에 몰려 있을 때 더군다나 위에서 모르게 저쪽과 접촉하는 일은 대개 함정을 더욱 깊게 파는 일입니다. 아, 그만 하겠습니다."

물론 그만 하는 것이 좋다.

"흥신소와 연결돼 있는 동안 당신에 대해 정말 많은 것을 알게 되더군요. 이를테면 아직 여자가 없더군요."

결혼과 이혼을 같은 날에 하고 나서 금방 다른 여자를 만나기는 힘들다. 뜻이 그렇다는 것이다. 또 그럴 만한 여유가 있지도 않았다.

새벽이었다. 새벽은 몰래 누군가 빠져나가고 들어오는 시간대다. 도둑처럼 그녀의 뒤를 따라 나는 오래된 집들이 지붕을 맞대고 있는 골목으로 들어섰다. 일본식 이층 기와집이었다. 저녁에 켜두고 나왔는지 현관에 푸른 외등이 바람에 건들거리고 있었다. 누군가 어둠 저쪽에 숨어 그녀와 나를 지켜보고 있다는 느낌이 뒷전에 서늘하게 몰려와 있었다. 바람에 노출돼 있는 피부가 욱죄들며 목이 아파왔다. 나는 어둠 속에서 탁 담배를 피워물었다. 주머니에서 대문 열쇠를 찾고 있던 그녀가 라이터 불이 켜짐과 동시에 화닥 뒤를 돌아보았다. 나는 반사적으로 담뱃불을 감추고 그녀가 열어놓은 대문 안으로 얼른 들어섰다. 마당은 어둠에 깊게 가라앉아 있었다. 모과인지 석류인지 모를 나무 한 그루가 마당 한가운데 시커멓게 버티고 서 있었다.

뒤에서 대문을 걸어잠그는 소리가 들려왔다. 그녀는 내 옆을 지나쳐 이층으로 통하는 목조 계단을 올라갔다. 낡은 계단에서는 발자국을 옮길 때마다 삐걱거리는 소리가 들려왔고 외등 불빛이 요란하게 두 사람의 그림자를 흔들어놓고 있었다.

집 안은 정갈했다. 마당이 내다보이는 통유리창은 두터운 커튼에 가려져 있었다. 거실 한쪽 구석에 가로등처럼 긴 키의 스탠드가 밝혀져 있었으나 안은 어둑신했다. 나는 굼뜬 동작으로 자주색 빛이 도는 가죽 소파에 가 앉았다. 그녀는 코트를 벗어 옷걸이에 건 다음 방으로 들어가 실내복으로 갈아입고 나왔다. 그러고는 거실과 잇대어져 있는 주방으로 들어가 주전자의 물을 올려놓고 찻잔을 꺼내 닦았다. 어둠만큼이나 농밀한 적막이 집 안에 괴괴하게 맴돌고 있었다. 주방에서 들려오는 수돗물 소리와 실내화 끄는 소리만이 간간이 적막을 비집고 귀에 들려오고 있었다. 우물 속에 들어와 있는 기분이 들었다. 일어나 커튼을 젖히고 싶었으나 그녀가 장악하고 있는 침묵 속에서 묘한 금기가 느껴졌다. 나는 사흘 전 밀레니엄 플라자에서 그녀를 만났던 일을 떠올리고 있었다. 혹 그때부터 일이 이렇게 진행되고 있었던 것은 아니었을까?

그녀가 차를 내오는 시간은 길었다. 그 동안에 나는 어둠에 익숙해진 눈으로 거실 안을 찬찬히 돌아보고 있었다. 오랜 승무원 생활의 증거들이 집 안 구석구석에 남아 있었다. 베트남과 말레이시아의 전통 복장인 아오자이와 사롱이 빈 팔을 벌리고 벽에 음산하게 걸려 있었다. 장식장에는 족히 백 개가 넘어 보이는 인형들이 빼곡이 들어차 있었다. 그 생뚱하게 죽은 얼굴들을 바라보며 나는 무심결에 진저리를 쳤고 앉은 자세에서 교묘하게 몸을 비틀어보았다. 시간이 흐를수록 숨통이 텁텁하게 조여왔다. 안 되지 싶어 나는 소파 맞은편 장식장 위에 있는 텔레비전으로 슬금슬금 다가가 조심스럽게 파워 버튼을 눌렀다. 그때 그녀가 소파에 와 앉는 소리가 들려왔다. 나는 놀란 시늉을 하며 뒷전을 돌아보았다. 그녀는 밤의 그림자에 물든 얼굴로 나를 조용히 주시하고 있었다.

한동안 아무 말도 없이 탁자 위에 놓인 자스민 차를 조금씩 거푸 따라 마셨다. 텔레비전에서는 그새 광화문 밀레니엄 축제 행사를 녹화로 내보내고 있었다. 우주 시계추가 가로로 흔들리며 자정의 순간이 지나고 이어 폭죽이 솟아오르고 서울시장이 보신각 종을 때리고 다시 빌딩들에는 일제히 불이 들어오고 영종도 공항에서는 21세기 젊은이 이천 명이 흰옷을 입고 활주로를 내닫고 한림대 성심병원에서는 즈믄둥이가 탄생해 카메라에 둘러싸여 사지를 버둥거리고 대통령이 평화 선언을 하는 가운데 '자정의 태양' 이 세종로 한가운데서 부시게 타오르고 있었다. 그때 그녀와 나는 한국통신 앞에 서 있었지.

그러한데 나는 지금 어느 곳에 와 있는가 싶어 얼결인 듯 다시 고개를 돌려 옆을 돌아보았다. 틈을 주지 않고 그녀는 자리에서 일어나더니 서랍에서 비디오 테이프를 꺼내 플레이어에 집어넣었다. 그러자 곧 칙칙거리는 화면이 눈에 튀어 들어왔고 직감적으로 나는 그 일시의 혼란스러움 뒤에 낯익은 이의 영상이 나타날 거라는 사실을 확연히 깨닫고 있었다.

그것은 상태가 매우 불량한 흑백 테이프였다. 언뜻언뜻 야자수와 바다가 나타났다가는 화면이 도로 구겨지거나 흔들렸고 다시금 칙칙거리는 화면이 십 초 혹은 이십 초씩이나 이어졌다. 그렇지만 나는 한순간도 화면에서 눈을 뗄 수가 없었다.

8

필리핀인지 싱가포르인지 스리랑카인지는 알 수 없었다. 그녀는 트로피컬 샬레를 등지고 서 있었고 옆으론 야자수 울타리에 둘러싸인 바다가 가뭇없이 출렁이고 있었다. 그녀는 나와 함께 종로에 가서 맞춘 웨딩 드레스를 입고 있었다. 살이 빠져 수척해 보였으나 원래의 그 맑은 기운은 그대로 얼굴에 남아 있었다. 안녕? 하고 그녀가 외롭게 웃어 보이면서 첫인사의 말을 던져왔다. 무심결에 안녕, 하고 나도 희미한 소리로 되받았다.

그렇게 단 한마디의 말을 던지고 그녀는 좀처럼 다음 말을 잇지 못했다. 잠시 인형처럼 눈을 깜박거리다 손수건을 꺼내 눈가를 닦아냈다. 그리고 또 툭 칙칙거리는 화면이 그녀의 모습을 가려버렸다.

그녀는 얼굴을 고치고 다시 열대 가옥 앞에 서 있었다.

"무슨 말부터 해야 할지 모르겠어요. 굉장히 힘드네요. 그렇죠?"

그렇다.

"들었죠? 저 혼자 괌으로 왔다는 말. 언니가 기내 서비스를 하는 비행기를 타고 말예요. 여기는 필리핀의 엘니도구요. 벌써 세 달 됐어요."

그렇다면 그녀는 언제 괌을 떠난 것일까. 그녀가 지금 내게 말하고 있는 시간은 정확히 언제인가.

"저는 잘 지내고 있어요. 처음엔 좀 무서웠지만 여기 사람들이 무척 친절해서 이젠 조금도 불편하지 않아요. 저 미안한 얘기지만 떠나고 나서 처음 한 달 동안은 당신 생각을 못했어요. 여기가 다른 나라여서 그런지 제주도에서의 일도 흐릿하고 실감이 나지 않아요. 아주 최근에야 내게 그런 일이 있었구나 했어요. 그런데 저는 왜 이렇게 거꾸로죠?"

그녀의 왼쪽 어깨 너머로 바다에 떠 있는 공이 보였다. 누군가 가지고 놀다 잃어버렸거나 놓쳐버린 것이리라.

"지금 생각해 보니 제주도에서 보낸 당신과의 며칠이 제 인생의 전부였어요. 진심이니까 믿어주세요. 당신은 저를 사랑한 단 한 사람의 남자였어요. 영원히 마음속에서 지워지지 않겠죠. 한편 그게 무섭기도 하지만 말예요."

주방에서 도마질 소리가 들려오고 있었다. 새벽 두시가 넘은 시각에 무얼 하려는가 싶어 훔쳐보니 전기밥솥에서 식식거리며 김이 피어오르고 있었고 식탁 위에는 찬거리와 과일 따위들이 널려 있었다. 식탁 한쪽에는 프리지어가 꽂혀 있는 사기 화병이 하나. 그녀는 부엌칼을 들고 감자를 썰고 있었다. 밥 냄새를 맡으니 불현듯 배가 고팠다. 그렇지만 이 새벽에 웬 밥인가.

"당신이 누군지 떠나와서 조금씩 알게 됐어요. 일주일 전(10월 9일 토요일이에요) 당신은 여의도에 있는 치과에 갔더군요.

왼쪽 어금니를 뺐군요. 어금니를 빼면 낙태한 것만큼이나 충격이 크다던데 지금은 괜찮은가요? 그전에 종합진단 결과를 받아서 당신의 건강 상태는 미리 알고 있었습니다. 키 178센티미터. 몸무게 65킬로그램. 좀 마른 편이죠? 콘택트 렌즈를 뺀 양쪽 시력이 각각 영점 삼, 영점 칠. 눈이 많이 안 좋군요. 또 앞으로 술 담배를 줄여야겠어요. 심전도 검사 결과를 보니 협심증 증세가 있군요. 앞으로 수영이나 유산소 운동을 해서 심장과 폐기능을 강화시켜야겠어요. 또 위염을 앓고 있구요. 아침마다 공복에 생감자를 갈아서 한 달쯤 마시면 쉽게 치료될 거예요. 비위에 맞지 않으면 요구르트를 타서 마시도록 해요. 혈액 검사 결과는 다 좋은데 소변에서 염증이 발견됐군요. 혹시 성병을 앓은 경험이 있는 건 아니겠죠? 하지만 이미 치료를 받았을 줄로 알아요."

성병이라니. 스트레스성 전립선염으로 며칠 주사를 맞고 벌써 치료를 끝냈다.

"새삼스러운 기억이지만 당신 왼쪽 눈썹엔 어려서 못에 찔린 상처가 있죠. 또 초등학교 이학년 때 왼손 엄지손톱이 빠져 기형적으로 변했죠. 공부는 잘했지만 고등학교 때부터 술 담배를 했어요. 그러니 재수를 할 수밖에요. 조숙했었나요? 당신의 첫사랑은 고등학교 때 같은 교회에 다니던 한 학년 위의 아가씨였군요. 노래를 잘 불렀죠? 나중에 음대 성악과를 나와서 지금은 미국 시카고에 살고 있군요. 신학을 공부하는 남자를 만나 팔년 전에 결혼했는데 지금은 딸이 둘 있습니다."

나도 전혀 모르고 있는 일이었다. 중학교 때 만난 그애는 지금 얼굴조차 희미하다. 노래를 잘 부른 기억은 난다. 그래, 훗날 성악과에 입학했다는 소식을 건너건너 전해들은 것 같다. 한데 미국에 가 있군.

"당신은 스물여덟 살에 결혼을 했죠. 육군 장성 출신인 전기공사 사장의 맏딸과 말예요. 왜 이 여자와 결혼을 했나요? 한쪽 다리를 저는 여자라서 하는 말이 아니에요. 가난이 싫어서 그랬나요? 아니면 장인이 가지고 있는 정치적 배경이 필요했나요? 정말 사랑해서 결혼했나요? 결국 당신은 처음보다 더 나빠졌어요. 안타까운 일이에요."

그래 나는 결국 이렇게 되었다. 그리고 살아남기 위해서 서둘러 또 어떤 선택을 하지 않으면 안 된다. 청년기 때 세워놓은 인생의 목표. 그런 건 이제 잊고 있다. 오직 살아남아야 한다. 일단 바람 속에 발을 들여놓으면 멈출 때까지 휩쓸려갈 수밖에 없다.

주방의 그림자는 시금치나물을 무치며 미역국을 끓이고 있는 참이었다.

화면이 또 몇 초 간 울고 나서 얼마 후 그녀의 모습이 다시 나타났다. 그 사이 또 얼마나 시간이 흘렀는지 모습이 달라져 있었다. 그녀는 핫팬츠에 헐렁한 티셔츠 차림으로 원주민들 사이에 섞여 있었다. 머리 양쪽에 주먹만한 꽃이 꽂혀 있었다. 야외파티를 하는 모양인지 직사각형의 긴 테이블에 온갖 음식들이 차려져 있고 그녀는 그 사이에 끼어 앉아 있었다. 그러다 이때금씩 카메라 앵글을 쳐다보곤 했다. 손을 흔들어 보이기도 했다. 그러나 그게 나를 향한 것인지는 분명히 알 수가 없었다. 그녀는 술을 마신 듯했고 흥겨워 보였다. 가슴팍을 드러낸 건장한 남자가 그녀의 어깨에 손을 두르고 있었다. 둘이 술잔을 들고 키스를 하기도 했다. 원주민들은 악기를 연주하며 밤새 노래를 부르고 춤을 추고 있었다.

파티가 끝나갈 때쯤 두 사람은 트로피컬 샬레로 허리를 껴안고 들어갔다. 이상하게도 아무런 질투의 감정이 느껴지지 않았다.

아침 바다. 바다 위엔 여전히 공이 떠 있었다. 그 옆으로 그녀가 간밤에 남자와 함께 들어간 트로피컬 샬레가 보였다.

식탁 차리는 소리. 바람에 대문이 비걱거리는 소리가 어디론가 틈입해 들어오고 있었다. 나는 그 소리에 우두망찰 귀를 팔고 있었다. 거실은 점점 짙푸른 새벽의 놀라운 빛에 물들어가고 있었다. 잠시 화면의 정지 버튼을 누르고 나는 소파에서 일어나 커튼 사이로 밖을 내다보았다. 하늘은 맑았고 마당에 서 있는 나무의 잔가지는 조금도 쉬지를 않고 바람에 일긋거리고 있었다. 커튼을 닫고 담배를 피워물려는 터에 주방에서 나를 부르는 소리가 들려왔다.

"와서 식사하세요."

담배를 도로 집어넣으며 나는 시간을 확인했다. 세시를 막 지나고 있었다.

"미리 준비한 게 없어 찬이 부족해요."

쌀밥에 미역국, 감자찌개, 시금치나물, 김장김치와 구운 갈치와 김. 겨울밤 식사로는 충분하다. 누가 차려준 식탁을 받는 것도 실로 오랜만의 일이다. 꾸부정하게 식탁에 앉아 나는 수저를 집어들었다. 음식엔 아직 손맛이 덜 배어 있었다. 맛을 보면 이내 알 수 있다. 그 사람이 지금껏 어떻게 살아왔는가를.

"저는 태국 음식이 좋습니다. 우선 가짓수도 많지만 태국 음식을 먹다 보면 상상력이 풍부해지는 느낌을 받습니다. 더운 나라 특유의 헤픔이 오히려 사람을 편하게 해줍니다. 우리 음식은 사람을 독하게 만드는 것 같습니다. 어디를 가도 우리처럼 배타적인 맛을 가진 음식은 구경하기 힘듭니다. 그래서 그런지 사람들도 한결같이 맵고 짭니다."

딴 나라 사람처럼 이런 말을 중얼거리며 그녀는 부지런히 수저질을 했다. 그녀는 김치를 한 점도 먹지 않았고 그 대신 갈치 두 토막을 혼자서 다 먹어치웠다. 나는 그녀의 젓가락을 피해가며 김치와 나물로 공기를 비우고 결명자 차로 입 안을 헹군 다음 소파로 돌아와 담배를 피워물었다. 여기 와서 밥까지 먹었다는 사실을 웬일인지 나는 얼른 머릿속에서 지워버리고 싶었다.

주방에서 설거지하는 소리를 들으며 나는 비디오 테이프를 다시 틀었다.

그녀는 날씨가 좋은 해변에 혼자 서 있었다. 스포츠 브래지어와 핫팬츠 차림이었다. 얼굴이 검게 타 있었다. 오늘이 며칠이죠? 하고 그녀는 먼 소리로 입을 열었다. 화면이 흔들리며 그녀가 확 가까워졌다.

"그곳은 이제 겨울로 접어들었겠군요. 삼청동 마당에 내리는 흰 눈이 생각납니다."

그녀의 목소리엔 애조가 깃들여 있었고 어쩐지 절망이 느껴졌다.

"오늘 당신께 마지막 소식을 전합니다. 며칠 후 저는 서사모아로 떠날 예정이에요. 제가 거기 도착할 때쯤 당신은 이 테이프를 받게 되겠죠. 지상에서 해가 가장 늦게 지고 늦게 뜨는 나라. 거기 가서 혼자 죽을 생각이에요."

문득 주방에서 설거지하는 소리가 멎고 이쪽을 돌아보는 듯한 침묵이 몇 초 간 흘러갔다.

"당신은 저의 첫남자가 누군지 궁금해하셨죠. 아니라구요? 하지만 저는 알고 있었어요. 제주도에서 첫날밤을 함께 보낼 때 말예요. 이제 얘기할 게요. 당신은 알아도 된다고 생각하니까요. 그 사람은 나이가 아주 많은 사람입니다. 당신과는 다르죠. 몇 년 전에 패혈증으로 죽었습니다. 놀라지 마세요. 처음엔 저도 그분이 아버지라는 걸 몰랐습니다. 그때 저는 겨우 중학교 3학년이었고 어머니 밑에서 죽 커왔으니까요. 겨울 방학 때였죠. 어머니가 잠시 일본에 다니러 간 사이 저는 성북동의 큰집에 가 있었는데 그때 그분을 보았습니다. 나중에 언니와 살면서 그 사람이 아버지라는 걸 알게 됐습니다."

매우 조심스럽고 균일하게 들려오던 주방에서의 소리가 갑자기 쏴아 하는 수돗물 소리에 지워지고 나서 그녀가 에이프런을 벗고 내가 있는 곳으로 다가왔다. 불쑥 찬 기운이 느껴져 나는 반사적으로 옆으로 비껴 앉으며 그녀를 돌아보았다. 그녀는 헝크러진 머리칼을 쓸어올리며 가로채듯 담배를 집어들고 성냥불을 붙였다. 유황 냄새가 코끝에 확 스쳤다. 그녀는 떨고 있었고 발작적으로 재채기를 두어 번 해댔다.

"제가 이런 여자라는 걸 그땐 미처 말씀드릴 수 없었습니다. 제주도에서 당신을 만나고 나서 전 새로운 인생이 가능하다고 믿었죠. 그런데 서울로 돌아와서부터 까맣게 잊고 있던 그때 일이 되살아났습니다. 밤마다 악몽에 시달려야 했습니다. 미안해요. 저는 그분을 사랑하고 있었던 모양입니다. 알아요, 저주를 받은 거죠."

여자가 담배를 끄고 일어나 수상쩍은 몸짓으로 내 뒷전으로 돌아갔다. 그러고 나더니 옷걸이 옆에서 옷을 벗는 소리가 들려왔다. 순간 뒤통수가 뜨거웠지만 나는 차마 뒤를 돌아볼 수 없었다. 벗은 옷을 베란다 세탁기 안에 던져넣고 그녀는 발소리를 죽여 욕실로 들어갔다. 이어 바닥에 물 튀는 소리가 들려나왔다.

하원은 어깨를 들먹이며 조용히 흐느끼고 있었다.

"단 며칠 동안이지만 당신을 사랑했어요. 믿죠? 후회하지 않아요. 설탕을 뜨겁게 볶을 수 있다는 말은 거짓말이었어요. 그 말에 속아주는 당신이 고마웠어요."

더 이상 아무 말 없이 전생을 잊고 나와 결혼을 해서 생을 계속할 수는 없었던 것일까. 진정 그것이 그녀에게서 불가능했던 것일까.

"저는 물방울 같은 존재였어요. 무엇에 부딪히면 툭 꺼려버리는 존재 말예요. 그걸 터뜨리지 않기 위해 정말 무던히도 애를 쓰며 살아왔어요. 매순간 숨이 차게 말예요. 하지만 그게 햇빛 속에 떠 있다고 해도 얼마나 버티겠어요."

나는 길게 눈을 감고 제주도에서의 일들을 차례차례 떠올리고 있었다.

욕실에서 나온 그녀는 거울 앞에 등을 벗고 앉아 화장을 하고 있었다. 그녀가 거울을 통해 이따금씩 나를 엿보고 있다는 것을 알 수 있었다. 바람 소리는 점점 거세어지고 있었다. 아까부터 마당에서 재그락거리는 정체 불명의 소리가 씻은 듯 멎고 나서 하원이 내게 지상에서의 마지막 인사말을 건네왔다.

"안녕, 푸른 밤의 고래잡이 아저씨. 햇빛 좋은 날, 그 윤기 나는 검은 등에 물방울 하나 잘 쉬었다 갑니다. 하마터면 고래 아저씨의 아이를 가질 뻔했답니다. 떠나오면서 마음 많이 졸였습니다. 하지만 그것도 역시 제겐 헛소문이나 거짓말 같은 거였어요."

이 말을 남기고 그녀는 모래시장을 뒷걸음질치며 서서히 멀어지기 시작했다. 멀어지며 그녀가 외치듯 속삭여왔다.

"안녕, 턱수염이 파란 불쌍한 소년."

그러고 나서 그녀가 손을 흔드는 순간 화면이 흐려지며 곧 칙칙거리는 소리와 함께 그녀의 모습이 순식간에 눈에서 사라져버렸다.

9

서사모아라고 했다. 때마침 정규 방송에서는 영국 BBC에서 편집해 내보내고 있는, 어쩌면 그녀가 지금 가 있을지도 모르는 서사모아를 보여주고 있었다. 지구상에서 일몰과 일출이 가장 늦은 나라. 어제 일을 아직도 오늘에 간직하고 있는 조그만 나라. 그러나 그곳 또한 우리 시각으로 오늘 저녁 여덟시면 지구의 다른 나라들처럼 다른 세기로 넘어가게 돼 있었다. 그럼 그 다음에 그녀는 어떻게 되는 것일까.

그녀는 서사모아에 가서 죽을 거라고 했다. 하지만 그렇게 믿고 싶지는 않다. 그녀가 다른 나라 사람이 되거나 다른 남자의 여자가 되어도 상관없다. 다만 살아 있는 그대로 윤회를 거듭해 숨이 다할 때까지 이 지상에 남아 있어야 한다. 다시 못 볼 것을 안다. 하지만 한갓 물고기가 되어 살아갈지라도 어딘가에서 부디 살아 있어야 한다. 살아 있어다오.

비디오 테이프를 꺼내고 나는 그녀가 있는 곳을 돌아보았다. 그 순간 거울 속의 그녀와 눈이 마주쳤다. 그녀는 화장을 하던 손을 멈추고 내 움직임을 가로막는 듯한 눈빛으로 나는 주시하고 있었다. 새벽 네시쯤이 됐을 터이었다. 목이 껄끄럽게 타들어왔다. 그녀가 또 무언가를 지연하고 있다는 막연한 의혹 속에서 나는 돌아가야겠다는 말을 쉽게 내뱉지 못한 채 탁자 위에 놓여 있던 양주병을 따서 스트레이트로 한 잔 마셨다.

꼼꼼히 밤 화장을 마친 그녀는 겨드랑이에 가볍게 향수를 뿌리고는 현관으로 다가가 다시 문단속을 하고 한 뼘쯤 커튼을 젖히고 우두커니 마당을 살펴본 다음 텔레비전 앞으로 다가갔다. 그때 텔레비전에서는 다큐멘터리로 편집한 한국의 현대사를 흑백 화면으로 내보내고 있었다.

잠시 화면을 바라보고 서 있던 그녀가 텔레비전을 끄고 내 앞에 와 앉았다. 아오자이처럼 생긴 잠옷을 입고. 밤의 향수 냄새가 탁자 위로 스멀스멀 건너왔다. 화장으로 표정을 지워버린 그녀의 얼굴에서는 아무것도 감지해낼 수 없었다. 다만 속눈썹이 간헐적으로 떨리고 있었다. 이윽고 그녀가 큼, 목을 가다듬고 나서 건조한 음성으로 입을 열었다.

"비디오 테이프는 한 달 전에 우편으로 받았습니다. 며칠 전 탑 클라우드에서 만났을 때 전해드릴까도 싶었지만 웬일인지 그렇게 되지 않았습니다."

조금 전 문단속을 할 때 훔쳐보았던 그녀의 뒷모습이 눈앞에 재생화면처럼 떠올랐다. 나는 몰래 호흡을 가다듬으며 소파에 등을 갖다 댔다. 발렌타인이 식도를 뜨겁게 타고 내려가 몸을 후끈하게 달구고 있었다. 냉수를 마시고 싶었으나 나는 그 말을 하지 않았다. 마른 입에 다시 담배를 피워물었다.

"이제 아셨겠지만 하원이는 돌아오지 않습니다."

바람이 불어가는 소리가 윙윙거리며 들려왔다. 지붕의 각도 때문인지 바람 소리가 유독 크게 울리는 집이었다. 현관에 걸려 있는 외등이 흔들리며 마당에 서 있는 나무의 그림자가 커튼에 일렁이고 있었다.

"당장 나가셔도 잡지 못한다는 건 알고 있습니다."

내가 마신 잔을 그녀가 제 앞으로 끌어당기더니 술을 따랐다. 그리고 곧 마셨다.

"얼른 상상하기 힘드시겠지만 그애가 유일한 제 삶의 증거였습니다. 우리 자매는 어떤 사람의 호적에도 올라 있지 않습니다. 둘 다 사생아처럼 살았죠. 그런 존재에게 삶의 어떤 가능성이 주어져 있다고 생각하세요. 저는 이제 나이 먹고 병들었습니다. 아직 젊다구요? 아닙니다. 더운 나라를 돌아다니며 가난하거나 버려진 이들을 많이 보았습니다. 그들은 열다섯 살만 되면 결혼을 하고 마흔이면 다들 할머니가 됩니다."

잠시 말을 멈추고 그녀는 스스로를 외면하는 표정으로 현관을 돌아보았다.

"당신이 내게서 하원이를 데려갔습니다. 이제 와서 탓하고자 하는 말은 아닙니다. 하지만 십 년 가까이 둘이 한 이불 속에서 잠을 잤다고 상상해 보세요. 누구나 옆에 강아지나 아이가 있으면 쓰다듬게 됩니다. 그래요, 비록 성교를 하진 않았지만 우린 부부처럼 살았습니다. 이해하셔야 합니다."

나는 입을 굳게 다물고 미라처럼 앉아 있었다. 날이 밝아오기 전에 이 집을 나가야 할 텐데. 당장 오늘 아침에 나는 저쪽 비서관을 만나기 위해 일곱시까지 가든호텔 사우나탕으로 가야 했다. 함정을 파는 일이 될지도 모른다. 하지만 이대로 앉아서 당할 수는 없다. 저들은 또 필요에 따라 서로 은밀하게 거래를 하고 간단하게 문제를 마무리짓겠지만 거기엔 희생양이 필요하게 마련이다. 그게 내가 될지도 모른다. 남의 시중을 들다 보면 늘 각오하고 있어야 하는 일이다. 지금까지는 용케 버텼지만 이번에는 내 차례가 온 것 같다. 정치판은 늘 쓰레기를 게워내는 곳이다. 어리석은 생각이지만 애초에 보스를 잘못 선택했는지도 모른다.

"이대로 시간이 흘러가면 저 역시 하원이처럼 언젠가 아무도 모르는 곳에서 혼자 죽게 될 거예요. 여기저기 떠돌다 묵은 신문처럼 정육점에 버려지고 싶지 않습니다. 네, 제가 지금 어려운 얘기를 하고 있다는 건 압니다."

그만 하라고 나는 손짓으로 그녀의 말을 가로막았다. 그와 동시에 그녀의 고개가 아래로 푹 꺾였다. 나는 소파에서 일어나 창가로 다가갔다. 마당엔 진눈깨비가 사선으로 풀풀 날리고 있었다. 어디서 날아온 것일까? 가로등이 마른 담쟁이 덩굴로 뒤덮인 담장 위의 새 한 마리를 비추고 있었다. 이제 가야 한다, 라고 무의미하게 되뇌며 나는 진눈깨비 속에서 떨고 있는 새를 바라보고 있었다.

그러한 잠시 하원의 얼굴이 마지막 영상처럼 눈앞에 떠올랐다. 그것도 인연이었던가. 오래전에 그녀의 아버지라는 사람을 본 적이 있었다. 당 집행위원회 신년 교례식에서였다. 그는 공직에서 물러난 뒤 성북동에서 칩거하고 있었다. 아무 느낌 없이 그와 악수를 나눴다. 듣던 대로 강고해 보였지만 그는 늙고 지쳐 있었다. 그가 패혈증으로 사망하기 얼마 전의 일이었다. 한데 그가 하원의 생부였을 줄이야. 적들은 예나 지금이나 그렇게 함부로 씨앗을 뿌리고 그것도 모자라 거세를 시켜 쓰레기처럼 폐옥에 내다버린다. 그리고 밖에서 문을 단단히 걸어잠근다.

이제 나는 알았다. 내가 새로 만나게 될 사람은 전에 알았던 이와 전혀 다른 의미를 가진 사람이 아니라는 것을. 그런 이는 생의 굴레에서는 존재하지 않는다. 누구나 맨 처음의 선택 안에서 맴돌게 돼 있다. 우리가 살아온 시대의 날들이 또한 그러했다. 과거로 돌아가고 싶지 않아 한사코 몸부림을 쳐도 처음 선택이 결국 마지막 선택이었다는 것을 어느 날 깨닫게 된다. 거기서 또 힘겹게 다시 시작해보는 수밖에는 도리가 없다.

옷걸이에 있던 점퍼를 집어들고 문을 나서다 말고 나는 낚싯바늘에 챈 듯 뒤를 돌아보았다. 탁자 위에 놓여 있는 술병과 담배꽁초가 수북한 재떨이와 하원이 보내온 비디오 테이프가 보였다. 거실은 아직 어둠에 깊이 가라앉아 있었고 그녀가 잠옷을 끌고 들어간 방에선 한줄기 푸르스름한 빛이 새어나오고 있었다.

현관 신발장에 기대 초조한 몰골로 담배를 피웠다…… 구두를 벗고 도로 거실로 올라갔다…… 점퍼를 벗어 옷걸이에 걸었다…… 그러고 나서 나는 다리를 절룩거리며 여자가 기다리고 있는 방으로 들어갔다.

결코 채워질 수 없는 끝없는 욕망의 실체

한승옥(숭실대 국문과 교수)

두더지처럼 어둠을 응시한다, 하원. 적막하고 푸르구나. 귀가 차게 고독을 느낀다. 뜨거운 설탕이 먹고 싶다, 하원.

이 소설의 서두다. 시의 한 구절을 읽는 듯하다. 문학은 지식보다는 느낌을 전달하는 것이 주목적이다. 윤대녕의 이 짤막한 몇 개의 문장 속에도 예외 없이 중요한 느낌이 함축적으로 용해되어 있다. 이 느낌은 앞으로 전개될 작품의 주제를 암시적으로 제시하는 단서이기도 하다.

어둠을 두더지처럼 응시하는 고독한 사나이. 지금 그가 갈망하는 것은 '뜨거운 설탕'이다. '뜨거운 설탕'은 고독을 채워줄, 욕망의 갈증을 적셔줄 젖줄을 의미한다. 지금 작중 화자이자 주인공인 일도에게는 적막하고 푸른, 귀가 시리도록 느껴지는 고독감만이 있을 뿐이다. 이를 따뜻하게 감싸주고 녹여줄 뜨거운 설탕이 절대적으로 필요한 상태다. 여기서 말하는 고독은 '결핍과 욕망'이고, '설탕'은 결코 채워질 수 없는 욕망의 지향점을 의미한다. 뜨거운 설탕을 찾아 헤매는 처절한 몸부림, 이것이 소설 전체를 이끄는 동인이자 사건을 진행시키켜 나가는 추진력일 터이다.

사람 사는 것이 만나고, 헤어지고, 슬퍼하고, 체념하고, 그리워하는 것이 전부라 했던가? 그러기에 우리는 어디론가 떠나고 싶은 낭만적 욕망에 항상 몸을 뒤척이는가 보다. 이제 이 소설도 하원을 만나야 하고 만나지 못해 애타하며, 상처받아야 하고 고독해야 한다. 밑바탕 그림이 그려진 셈이다. 여기에 색칠만 상큼하게 하면 된다. 아니 밑바탕 그림이 또 하나 있다. 하원의 이복 언니 정원의 등장이 그것이다.

정원의 존재는 처음에는 말도 없이 잠적해버린 하원의 소식을 전하러 온 메신저에 지나지 않았다. 하지만 소설이 진행되어 가는 동안 정원은 현실을 주도하는 실재 인물로 활동하면서 단순한 보조자가 아니라 삼각 관계의 또 하나의 축을 형성하는 주요 인물로 변모된다. 우리에게 익히 낯익은 구도가 형성되는 것이다. 이제 밑그림의 구도는 완성된 셈이다. 색칠은 윤대녕의 유려한 문체가 담당한다.

윤대녕에게는 그만의 문체가 있다. 시의 전유물이기도 한 비유적 문장의 빈번한 사용, 또한 거침없는 외국어 남용도 그의 문체의 특징 중 하나이다. 남용이라고 했지만 이것은 그가 배경

설정을 그만큼 현대 감각에 맞게 하고 있다는 이야기도 된다.

그녀의 소식을 들었다. 떠난 지 칠 개월 만의 일이다. 엇그제 종로에 있는 밀레니엄 플라자 33층 탑 클라우드에서 그녀의 이복 언니라는 사람을 만났다. 그녀는 스튜어디스 복장을 하고 있었고 도르래가 달린 승무원용 검은 가방을 휴대하고 있었다. 그녀는 내 옆 테이블에 앉아 데킬라 선셋을 마시며 SK 빌딩 쪽을 내려다보고 있었다.

'밀레니엄, 플라자, 33층, 탑 클라우드, 데킬라 선셋…….' 현란한 최첨단 단어들이 작품의 발단을 장식한다. 이들은 서울의 가장 중심인 종로에서 잠시만 머물러도 현실로 맞닥뜨려야 하는 상황들이다. 위의 몇 문장만 보아도 최첨단 고층 빌딩 숲속에서 있는, 세계의 중심부에 와 있다는 착각을 불러일으키게 하는, 허영심이 없는 독자라도 금세 현혹될 만한 단어들로 가득 차 있다.

그러나 제목은 그와 정반대다. 흑백 텔레비전 꺼짐. 이 흑백 텔레비전은 하원이 결혼식날 예식장으로 가지 않고 혼자 공항으로 직행해 신혼 여행지로 도피해버린 후 동남아 섬을 전전하면서 자살하기 직전 녹화해 언니 정원에게 보낸 흑백 테이프임이 소설의 말미에서 밝혀진다. 밀레니엄의 현란함과 흑백으로 녹화된 구시대의 상징인 테이프가 대비적으로 배치된 것으로, 화폭을 대칭 구조로 장치하여 입체감을 돋보이게 하였다. 윤대녕의 회화적 기법을 다시 한번 확인케 해주는 순간이며, 대조를 통해 이미지를 선명하게 부각시키려는 작가의 숨은 의도가 은연중에 드러난 것이리라.

우리는 소설을 읽어가면서 또 다른 충격적이고 돌출적인 사건을 만난다. 그 중 하나가 하원을 중학교 3학년 때 범했던 첫 남자가 하원의 생부였다는 사실이다. 하원은 서술자 '나'가 제주도에서 우연히 만나 결혼하려 하였던 여자다. 결혼 당일까지도 밝히지 않았던 사실이 이복 언니가 건네준 테이프를 통해, 하원의 입을 통해 고백적으로 밝혀진다. 하원의 첫 남자, 곧 그녀의 생부이기도 한 군사 정권 시절의 정부 고관이었던 아버지는 패혈증으로 죽었고, 죄책감에 시달리는 하원은 지금 동남아 서사모아 섬에서 자살하려 하고 있다.

여기까지 이야기해놓고 보니 어디서 많이 들은 듯한 친숙한 이야기다. 문학에서 즐겨 사용하는 근친상간의 금기 모티프…….

윤대녕이 준비한 또 하나의 모티프는 정원과 하원이 10여 년 동안 한 이불 속에서 부부나 다름없이 지냈다는 사실이다. 이것은 언니의 고백을 통해 밝혀진다. 언니와 동생이 부부로 성을 공유하는 이야기, 곧 근친의 동성애적 모티프이다. 이쯤 되면 이야기는 강렬해질 수밖에 없다. 해서는 안 될, 만일 저지르게 되면 목숨을 바쳐야 하는 죽음과 통하는 에로티시즘이 이제 본격적으로 시작된다.

이만하면 독자를 끌어들여 사로잡기에 충분하다. 소설의 결말에서 '나'가 하원의 집을 나서다가 다시 돌아서서 정원의 침실로 향하는 것은 좀 싱거운 듯한 느낌마저 든다. 아버지와 딸이 먹고 먹히는 근친상간의 충격적인 모티프나 언니와 동생의 동성애적 모티프에 비하면 너무나 평범한 결말이다. 삼각 관계의 한 통속적 결말인 듯하다. 그러면서도 여기서는 그것이 매우 인간적으로 느껴진다. 왜일까? 아마도 이 소설을 이끌어온 핵이 하원이었고, 그것을 감싸고 있는 현상적 존재가 언니 정원이었기 때문일 것이다.

그러나 냉철히 분석해 보면 이는 허위적인 결말임이 금세 드러난다. 하원은 '나'의 아니마에 해당하고 언니 정원은 현상적인 대상, 즉 실재 세계의 에고 그 이상도 이하도 아니다. '나'는 꿈 속에서 욕망의 대상 하원을 갈구하지만 실재 세계에서 임시적으로 정원에 의해 갈증이 해소되고 있다. 하기에 이 욕망의 충족은 허위일 수밖에 없다. 그에게는 서두에 제시한 하원에 대한 욕망만이 귀가 시리게 남아 있을 뿐이다.

이로 보아 주인공은 집을 나서지 않고 되돌아 정원의 침실로 향하지만 결과적으로는 또 다른 욕망을 향해 몸부림칠 것이 분명하다. 이것은 또한 윤대녕 소설 창작의 힘이기도 하다. 갈망을 충족시켜 나가는 과정, 그것이 소설 창작의 길일 테니까 말이다.

소설을 읽는 재미, 그것은 일탈을 꿈꾸는 일이다. 소설을 쓰는 고통, 그 역시 일탈을 꿈꾸는 일이다. 독자와 작가는 그런 의미에서 영원한 공범자이자 동반자인지도 모른다.

현 대 문 학 교 수 3 5 0 명 이 뽑 은

당신의 기억색

이 수 경

• 대구출생.

• 이화여대 영문과 및 동대학원 여성학과 졸업.

• 1998년 《한국일보》 신춘문예로 등단.

• 단편 소설로 〈가위 바위 보〉, 〈바람이야기〉, 〈하얀 기차〉등 발표.

이수경

당신의 기억색

아무도 믿어줄 것 같지 않은 이야기를 이렇게 털어놓아도 괜찮은 건지 알 수 없으나 근래 들어 내가 경험하고 있는 이상한 현상은 사람의 얼굴을 전혀 인지하지 못하는 순간이 종종 생긴다는 것이다. 증세는 대략 두 가지로 나타났다. 하나는 상대편 얼굴이 분명히 익은데 그가 누구인지 기억하지 못하는 경우이고, 다른 하나는 상대편이 누구인가는 확실한데 그 얼굴이 완연히 낯선 경우이다. 나는 지금 길에서 우연히 마주친 고등학교 때 양호 선생님이나 골목 친구 이야기를 한가하게 하고 있는 게 아니다. 두 사람 사이에 흐른 세월의 깊이에 비례해, 또 과거의 친밀함 정도에 따라 상대편이 낯설거나 그 사람에 대한 기억이 가물가물한 것은 우리가 예사롭게 경험하는 일이지 않은가. 내 증세의 심각성은 내가 인지하지 못하는 대상들과 나와의 밀접한 관계에 있었다.

당시에는 무심하게 지나쳤지만 곰곰이 돌아보면 이런 증세가 시작된 것은 2월 어느 일요일부터였다. 엘니뇨 현상으로 계절이 앞당겨진 듯 푸른 잎겨드랑이마다 개나리가 노랗게 입을 벌리던 그날 오후, 나는 세브란스 병원 산부인과 병동을 방문했었다. 어머니는 젖이 돌기 시작하는 언니의 유방을 마사지하며 내가 도착하기 전에 수십 번은 반복했을 이야기들을 늘어놓고 있었다. "정말 예쁘지. 내 자식이지만 어째 이리 예쁠까. 하는 일마다 빈틈이 없다니까. 손이 귀한 집이라 첫째는 아들이면 싶더니 턱 떡두꺼비 같은 아들을 낳아놓지, 딸이 있어야 어미가 덜 외로운 법이니 둘째는 딸이 낫다 했더니 기다렸다는 듯 자기를 빼어 닮은 공주를 낳아놓지……." 언니가 딸을 먼저 낳고 아들을 낳았더라도, 아들 둘이나 딸 둘을 낳았더라도 언니에 대한 어머니의 칭송은 또 다른 이유들로 변함이 없었을 것이다. 예전부터 언니가 학교에서 도시락을 먹을 때 물을 먼저 마시고 먹었는지, 반찬은 어느 것부터 집어먹었는지 하는 것까지 사사건건 알아야만 직성 풀리는 어머니이긴 했으나 약병을 끼고 사는 처지인 지금도 여전히 언니 쪽으로만 뻗어가는 어머니의 신경 안테나를 지켜보고 있자니 마음이 답답했다. 내가 있는지 없는지조차 모르는 사람처럼 행동하던 어머니가 나를 향해 날카로운 눈초리를 던진 것은 어머니의 칭송에 지쳐 있는 듯한 언니에게 몸조리 잘하라는 말을 남기고 병실을 떠나려던 순간이었다. "나 좀 보자." 복도 끝에 버려져 있던 빈 링거 스탠드가 금방이라도 쓰러질 듯 불안해 보였다. 아니나다를까. 어머니의 입에서는 온기 한점 없는 말들이 쏟아져 나오기 시작했다.

잠시 후 나는 쓴 침을 삼키며 병원 언덕길을 내려오고 있었다. 모든 인연은 스쳐가는 것, 인연이 불편한 것도 아픈 것도 괴로운 것도 다 마음 하나에서 비롯되는 법이라니 미움과 슬픔이 담긴 마음의 그릇을 비우자고 다짐했었다. '우리에게 잘못한 이를 우리가 용서하듯' 과 같은 구절들을 떠올리며 용서할 수 있는 힘을 달라고 기도하기도 했다. 슬픔은 폐를, 노여움은 간을 손상시킨다니 스스로를 위해서라도 피폐한 감정을 피하자고 나를 다질렀다. 그뿐만이 아니었다. 오, 비본질적인 것들의 괴로움이여, 하는 시구가 생각나 이를 악물었고, 하단전에 의식을 집중해 심호흡을 하려 애썼다. 하나부터 백까지 숫자를 세어보기도 했다. 말하자면 그때 나는 몸 안에서 아우성치는 노여움으로부터 벗어나기 위해 나에게 입력된 정보들을 총동원하고 있던 중이었다.

그러나 이탈은 쉽지 않았다. 신년 초, 수첩 맨 앞장에 무슨 좌우명처럼 '분노하지 말자.' 라고 검은색 글씨를 정좌시켰으나 내 노력이 분노의 인력에서 벗어날 수 있는 이탈 속도에는 다다르지 못한 채 주변을 순환해 왔다면 그날도 예외는 아니었던 것이다.

아마 병원 입구쯤이었을 게다. 길을 건너기 위해 고개를 든 나는 건널목 저편에서 낯익은 얼굴을 발견하게 되었다. 내가 아는 사람임이 분명했다. 알 뿐만 아니라 그의 더블 버튼 감색 상의가 썩 눈에 익어 있는 것으로 보아 자주 접했던 사람임이 틀림

없었다. 그가 주머니에서 꺼내들곤 하던 금색 지포 라이터가 기억 속에서 반짝 튀어오르기까지 했다. 그런데 정말 곤혹스럽게도 그가 누구인지가 떠올라주지 않았다. 나는 수수롭던 감정의 늪에서 빠져나와 내가 알 만한 그 또래 남자들을 서둘러 짚어보기 시작했다. 형부, 몸과 마음이 진창이던 어린 시절 나한테 유난히 살갑던 이종사촌오빠, 오피스텔 건너편 24시간 편의점에서 자주 마주치던 어느 남자, 동창 모임이 끝날 때쯤 자기 아내를 태우러 오던 친구의 남편들……. 상대편도 나를 알아본 듯 경쾌한 웃음으로 길을 건너오는데, 내 뇌세포들은 그에 관한 가장 기본적인 지식은 동면 상태로 남겨둔 채 엉뚱한 부분에서만 기지개를 켜고 있었다. 볼펜을 들었던 그의 두툼한 손이 생각났고 좀 진하다 싶던 향수 냄새가 기억났다. 그 두툼한 손끝의 손톱들이 유난히 깔끔하게 다듬어져 있었던 것도 떠올랐다. 이마에 진땀이 흐르기 시작했다. 이런 일은 처음이었다. 도대체 그는 누구란 말인가. 나이가 들면 자연스럽게 건망증이 생긴다지만 나는 올해 들어 고작 서른 살이 되었을 뿐이다. 정신을 산란하게 하는 아이가 있는 것도 아니고 뇌에 심각한 손상을 입을 만한 사고를 당한 적도 없다. 기억력 감퇴를 유발한다는 유독가스를 마신 일도 없고 과로와 수면 부족에 시달린 상태도 아니었다. 게다가 다른 건 몰라도 기억력 하나는 자신이 있던 나였다. 사람들의 이름, 나이, 전화번호 따위를 나는 쓸데없이 잘 기억해 왔다. 대학 시절 밥줄이던 영문법 책은 페이지 하나 어긋나지 않고 가지런히 내용 전체가 머릿속에 편집되어 있을 정도였다.

"여기는 웬일이세요?"

굵고 축축한 그의 음성마저 귀에 익었다.

"아, 예…… 언니…… 때문에……."

나는 짧은 소리로 허둥대다 인사조차 챙기는 둥 마는 둥 그를 지나치고 말았다.

내 뇌의 기억 기능을 담당하는 시냅스가 치매 비슷한 증상에서 벗어나 정상적으로 작동하기 시작한 것은 월요일 아침 대사관에 출근한 다음이었다. 그는 다름아닌 내 직장 동료인 공보관 P씨였다. 나는 붉어지는 낯을 식히지 못했다. 말이 거창해 대사관이지, 최근에 와서야 간간이 취업과 이민에 관한 문의가 들어올 뿐 그 동안 우리나라와 경제 무역 교류가 활발했던 것도 아니고 피차 자국의 국내외 사정에 대단한 영향력을 행사할 만한 관계도 아닌 소소한 남미 국가 대사관에서 직원이라고는 나와 P씨를 포함해 단 네 명뿐이었다. 그것도 자국에서 파견 나온 비서관을 제외하면 우리말로 대화가 가능한 사람은 세 명으로 줄어들고, 세 명 중에서도 한 명은 경비와 관리 일을 도맡는 사람으로 근무 장소 자체가 다른 형편이니 따지고 들자면 P씨는 직장에서 유일한 한국인 동료이자 나와 가장 가까운 관계에 있는 사람이라고 할 수 있었다. 게다가 대학 졸업 후 첫 직장이던 무역 회사를 그만두고 이곳에 취직한 것이 스물여섯 살 때 일로 P씨와 함께 지내온 세월도 어느새 오 년째로 접어들고 있었다.

그가 부탁했던 자료를 넘겨주며 어제 일에 대해 궁색한 변명이나마 늘어놓으려고 더듬거리는 나를 향해 P씨는 아무 일 아니라는 듯 두 손을 들어올리는 시늉을 했다.

"나도 그런 경험이 있답니다. 열이 끓는 애를 안고 응급실로 뛰는데 누가 나를 부르잖아요. 까맣게 모르는 얼굴이에요. 그런데 나중에 정신을 차려보니 그 병원 치과에서 일하는 사촌형이더군요. 가족이 아프면 황망해지는 법이죠. 아무튼 위중한 병은 아니라니 불행중 다행입니다. 어머니께서 언니를 간호하신다지만 미스 한 어머님도 건강한 몸은 아니시잖아요?"

거짓말이 거짓말을 낳는다고 언니의 입원 때문에 내가 황망했던 것으로 이해하는 P씨에게 나는 언니의 입원 사유가 둘째아이를 제왕절개 수술로 출산한 때문임을 털어놓지는 못했다. 대신 어머니가 건강한 몸이 아닌 것은 맞는 말이었으므로 고개를 끄덕여 주었다.

"그래요. 기억나는군요. 작년 가을쯤인가 미스 한이 급히 병원으로 달려가던 일이……."

가슴의 통증과 호흡곤란 증세 때문에 응급실로 실려간 어머니에게 의사는 고혈압과 동맥경화라는 진단을 내렸다. 밖으로 드러나지 않아 그렇지 동맥경화의 진행 정도로 보아 고혈압은 상당히 오래전부터 잠복되어 왔을 가능성이 높다고 했다. 어머니는 그때부터 담당 의사의 처방에 따라 혈압강하제와 혈관강화제 등을 복용하고 수시로 병원에 들러 이런저런 조치를 받는 눈치였으나 그 뒤 혈압이 이백오십을 넘어 또 한 차례 응급실 신세를 졌던 것을 보면 예후는 그다지 좋아 보이지 않았다.

"식구도 많지 않으니 아무래도 미스 한 도움이 필요할 것 같군요."

P씨는 무엇을 어떻게 짐작했는지 일층 사무실에서 이층 대사관저를 오르내리더니 나를 위한 사흘 간의 특별 휴가를 주선해 주었다. 엉겁결에 휴가를 받아들긴 했으나 그 기간 동안 언니의 병실을 다시 방문하는 어리석은 일 따위는 물론 하지 않았다.

나는 휴가를 민석의 화실에서 보냈다.

예비자 교리반에 참석하기 위해 화요일 저녁 잠시 외출했던 것을 빼면 사흘 내내 꼼짝 않고 낡은 상가 건물 삼층 귀퉁이 공간에 갇혀 있었던 셈이다. 스스로 택한 유배였다. 간절하게 단절을 선포했음에도 여전히 펄떡이고 있는 노여움의 감정에서 도피하기 위해 나는 민석의 조무래기 수강생들과 함께 색종이를 접고 수수깡으로 연필꽂이를 만드는 일에 열중했다. 화실이 한가해진 저녁에는 민석의 만류에도 불구하고 장식장을 채운 아이들의 스케치북과 크레용을 들어낸 다음 먼지를 털어 정리했고 별로 지저분하지도 않은 탁자를 세제 묻힌 수세미로 닦아냈다. 그래도 시간이 남으면 복습을 착실히 하는 아이처럼 색종이를 꺼내 중심선에 맞춰 접고 뒤로 접고 비스듬히 접고 해서 돌고래와 우주선과 로켓을 만들었다. 자정을 넘겨 소음마저 귀가해버린 길에서 간간이 인기척이 느껴지면 기다렸다는 듯 창가로 다가가 가로등 불빛에 드러났다 어둠 속으로 사라져가는 행인의 모습을 길게 좇아가 보기도 했다.

"한혜주. 너답지 않게 왜 이렇게 서성거려? 지금까지 잘해 왔잖아. 내가 할머니한테 들었던 얘기 하나 해줄까? 시골에서 살 땐데 뒷집에 곱상하게 생긴 아기 엄마가 있었대. 어느 날 돌을 갓 넘긴 그 집 아기가 설사를 분수처럼 하다 죽고 말았다지. 마을 사람들이 달려가자 아기 엄마가 그러더란다. 닭죽이 상했는지 안 상했는지 몰라 아이한테 먼저 먹여봤는데 죽고 말았다고. 그래도 자기가 먼저 닭죽을 먹어보지 않은 것이 얼마나 천만 다행이느냐고……. 이런 일도 있었지. 딸을 끔찍하게 사랑하던 아버지가 저 예쁜 걸 키워 누구를 주나, 누구를 주나, 입버릇처럼 되뇌었어. 결국 자기 딸을 강간하고 말았고 도망친 딸을 잡아와 간청까지 했다지. 엄마하고 헤어질 테니 너하고 나하고 살자, 예쁜 아기 낳아 키우며 재밌게 살자. 딸은 자살하고 말았어. 전설이 아냐. 그 여고생이 바로 작은고모 딸, 내 사촌동생이니까……. 가족이란 밀폐된 공간에서 벌어지는 일들을 우리는 외면하며 살아가지. 믿고 싶지 않고 인정하고 싶지 않으니까. 하지만 믿지 않는다고, 외면한다고 있는 일들이 없어지진 않아. 그래도 혜주 넌 이런 경우보다는 좀 낫잖아? 독립해서 이렇게 잘 살아가고 있으니까."

어머니한테서 독립한 이래 잘 살아왔고 지금은 이렇게 애인의 화실에서 고적한 밤거리 풍경도 감상하고 있으니 민석의 말대로 상한 닭죽을 받아먹고 죽은 아이나 강간당하고 자살한 여고생보다 내가 좀더 나은 처지였을까. 나는 고개를 저었다. 내 환경이 그들에 비해 더 좋았다기보다는 아마 내가 그들보다 더 독했을 것이다. 이런저런 서성거림 속에서도 나는 수시로 교리반 담당 수녀의 나지막한 목소리를 떠올리고 있었다. 수수깡을 만지던 손가락에서 힘이 스르르 빠질 때, 접어놓은 우주선이 총칼 같아 보였을 때, 이물질이 들어간 것처럼 눈 안이 척척해졌을 때, 마음이 어중간해 창가에서 발걸음이 떨어지지 않을 때 나는 수녀의 목소리를 붙잡으려고 애썼다. "우리에게 잘못한 이를 우리가 용서하듯 우리 죄를 용서하시고, 이 말은 자기에게 잘못한 사람을 먼저 용서하지 않으면 자기의 죄도 결코 용서받을 수 없다는 뜻입니다. 여러분, 용서하십시오. 먼저 용서하셔야 합니다……."

그러나 솔직히 말하자면 노여움을 벗어나는 일도 용서하는 일도 까마득히 멀어 보였다. 깊은 상처 속에 뿌리를 내리고 성장했을 아우성 같은 분노는 여전히 힘찬 맥박으로 나를 끌어당기고 있었다. 때로는 상처가 이렇게 선명한데 상처의 치유 과정 없이 용서가 가능하겠냐는 듯 붉은 혀를 날름거렸고, 때로는 가해자는 용서받을 생각 같은 것은 하지도 않고 여전히 가해하며 잘 살아가고 있는데 왜 피해를 당한 사람이 용서하지 못해 안달이냐며 더욱 거센 입김을 뿜어냈다. 활활 타던 불길이 가슴을 그을리다 뜨끔한 화상까지 입혀올 때면 나는 민석의 등에 깊이 손톱을 박아 넣었다. 노여움의 얼굴을 할퀴듯 민석의 살을 할퀴었고, 분노를 물어뜯듯 민석의 어깨를 물어뜯었다. 아니, 이건 사실이 아니다. 내 온몸의 세포를 열어 가파르게 관능의 고개들을 넘어가던 그 시간 내가 할퀴고 물어뜯었던 것은 노여움이 아니었을 것이다. 욕망의 곡선을 따라 가슴속에서 상승하고 있던 뭔가가 욕망이 소멸하는 어느 지점에서 함께 소멸해주기를 바라기는 했으나, 내 본능이 손톱을 세우고 싶었던 대상은 아마도 내 안에서 몸부림치는 노여움이 아니라 나를 몸부림치게 하는 어머니였을 것이다. 긍정과 부정이, 사랑과 미움이 공존하듯 사람의 내면에는 자기 혐오의 감정과 자애의 감정도 같은 농도로 공존하는 것일까. 호흡이 최대치로 팽창하던 시간, 나는 극심한 자기 혐오와 또 그만한 강도의 자기애를 동시에 맛보고 있었다.

그로부터 얼마 지나지 않아 이종사촌오빠의 결혼식장에서 경험한 두 번째 증상은 처음 것보다 훨씬 심각했다. 마포에 도착했을 때 아침 나절만 해도 쌀쌀하던 날씨는 오염된 공기와 공사현장의 소음, 곡예하는 차들로 가득 찬 거리에 멀미를 느낀 듯 온도계 바늘을 부쩍 올려놓고 있었다. 오후 세시에 대사의 인터뷰 일정이 잡혀 있어 두시까지는 한남동 사무실로 돌아가야 했던 나는 발걸음을 재촉해 S대 동창회관을 찾아 들어섰다. 예식시간이 넉넉하게 남았다 쳐도 강당 앞은 예상 외로 한산했다. 축의금 접수대 옆에 꽃을 달고 서 있는 양가 부모들이 없었다면 결혼식장을 잘못 안 것이 아닌가 싶어 불안스러웠을 정도였다.

이모 내외는 나를 반갑게 맞아주었다. 몇 가지 안부를 물어오고 빨리 결혼하라는 애정 섞인 재촉도 덧붙였다. 지방 도시들을 돌며 직장 생활을 했던 이모부는 깊은 주름과 군데군데 핀 검버섯으로 지난번에 볼 때보다 썩 늙어 있었고, 면장갑 낀 손으로 나를 잡는 이모의 얼굴에서도 정성들인 분단장에도 불구하고 세월의 흔적이 고스란히 묻어나고 있었다. 손톱과 발톱을 깎아주고 상추쌈을 싸서 내 입에 밀어넣던 젊은 시절의 이모와 이모부 모습이 생각나자 잠시 목젖 부분이 뜨끈해지는 것 같았다. 이십여 년 세월 저편에서 이모가 지금처럼 나를 잡은 채 말했었다.
"혜주야. 이모가 이제 너 자주 못 본다. 이모부 직장 때문에 춘천으로 이사가거든. 엄마가 아무리 뭐라 해도 잘 견뎌야 해. 애정이 골고루 섞이면 좋을 텐데 어째 큰딸한테는 앞뒤 못 가리는 사랑만 퍼붓고 너한테는 미움만 퍼붓는 것인지 이모도 알 수가 없다만 네 엄마가 너한테 그러는 것도 다 살기 위해서일 게야. 빈 마음으로는 이 세상을 살 수가 없으니까. 너도 크면 알게 되겠지만 사람이 한평생을 살자면 사랑 못지않게 미움이 필요한 법이란다. 그러니 엄마가 너를 힘들게 하면 이렇게 생각하렴. 엄마가 나를 붙잡고 사는 거구나. 사랑만 붙잡고 살기에는 너무 외롭고 헛헛해 사랑보다 더 질긴 미움으로 나를 붙잡고 사는 거구나……."

어머니는 강당 맨 앞줄에 앉아 있었다. 하늘색 실크 한복을 입은 어머니의 뒷모습은 화사한 옷 색깔에도 불구하고 왠지 초망해 보였다. 나는 출입문 옆에 붙어선 채 스무 살, 내가 이 세상에 새로 태어나기 전까지 내 애정의 대상이었던 어머니의 뒷모습을 응시하기 시작했다. 약간의 감정 과잉이 용서된다면, 그리고 누구에게나 있기 마련인 자기 연민의 심리가 한움큼 깊어지는 것을 허용해 준다면 나는 한번쯤 소리쳐 말해보고 싶었다. 이 땅 위에 있는 것치고 허무하지 않은 것은 없다지만 내가 겪은 짝사랑처럼 허무한 게 또 있겠느냐고. 누구는 사랑은 밝고 맑고 따뜻한 것이라고 한다. 또 누구는 사랑은 쓰고 맵고 시고 아픈 것이라고 한다. 사랑보다 즐거운 탐닉의 대상은 없다고 말하는 사람들이 있는 반면 사랑보다 고통스런 진실은 없다고 지적하는 사람들이 있다. 사랑을 위해 자신의 모든 것을 버리는 사람들도 있고 사랑을 버리기 위해 자신의 모든 것을 포기하는 사람들도 있다. 그러나 사랑에 대해 각기 다른 견해로 왈가왈부하던 사람들도 모성애라는 단어 앞에서는 한 입 한 목소리가 되기 일쑤였다. 하늘보다도 높고 바다보다도 깊다는 어머니의 사랑…….

그렇다면 일편단심 어머니를 향했던 내 사랑은 어떻게 설명되어야 하는 것일까. 부모를 향한 자식의 일방적인 애정은 어떻게 설명될 수 있는 것일까. 가끔 나는 차라리 콩쥐나 신데렐라가 부러웠었다. 왕자님을 만나 하루 아침에 팔자를 고치고 신분 상승을 한 것이 부러운 게 아니라 계모인 어머니를 가진 것이 부러웠다. 또 나는 아주 가끔 사회적으로 공인받은 알코올 중독자나 정신 이상자인 부모를 가진 아이들이 부러웠다. 그들과 그들의 부모 사이에는 어떠하니까 이떠했다는 식의 인과 관계가 성립될 수 있을 테니까.

열두시 사십오분. 예식은 어차피 못 보고 돌아가야 할 형편이었으나 정체가 심한 도로 사정을 감안한다 해도 이십 분 안짝의 여유 시간은 있었다. 그런데 어머니 쪽으로 선뜻 몸이 움직여 주지를 않았다. 먼 친척뻘로 보이는 아주머니 한 분이 주변을 두리번거리다 어머니를 발견하고 반갑게 그 쪽으로 다가가고 있었다. 어머니는 일어섰고 어머니 키에 가려져 잘 보이지는 않으나 두 사람이 손을 마주잡는 것 같았다. 아마도 양쪽 집안의 안부 인사가 오가고 있을 것이다. 상식이란 저런 것이 아닐까. 생각으로든 말로든 행동으로든 사람들의 기대치에서 크게 벗어나지 않는 것. 어떤 상황에서 타당하게 일어날 수 있는 어떤 것. 외형상으로 보아 지극히 정상일 뿐만 아니라 큰딸에게는 말 그대로 모성의 화신 역할을 수행하는 어머니가 그러나 우습게도 나에게는 이미 내 어머니가 아니었다. 내가 경험하고 느끼고 알고 있는 것으로 어머니의 형상을 만들어보기도 전에 벌써 누군가가 내 어머니를 포함한 어머니들의 형상을 완성해 놓았다. 누군가는 어머니라는 거룩한 존재에 대해 상세하게 묘사해 놓았고 또 누군가는 어머니들의 마음을 선명한 물감으로 찍어 놓았다. 눈빛도, 체온도 이미 세세하게 해설되어 있어 더 이상의 부연설명을 필요로 하는 것 같지는 않았다. 어머니를 향한 찬양과 축복과 송가도 줄기차게 이어지고 있었다. 어머니라는 개념을 향한 세상의 상식은 굳건하게 일치했고, 정답이 정해진 상황 속에서 어머니를 해바라기하느라 수수깡처럼 말라가는 한 아이의 특별한 체험쯤이야 아무 문제 될 것이 없었다. 계모도 아니고 바람 난 여자도 아니고 사회에서 금기시하는 도박이나 약물 중독에 빠진 여자도 아니고 정신 이상자도 아닌 내 어머니는 상식 속에서 탄탄한 자리를 인정받고 있었고, 언제나 모든 것은 내 탓이었다. 단 한 번도 어머니에게 칭찬을 받아보지 못한 것도 내 탓이었고 단 한 번도 어머니의 따뜻한 미소나 손길을 경험해 보지 못한 것도 내 탓이었다. 나에 대한 어머니의 미움을 가장 가까운 자리에서 지켜보며 안타까워하던 이모조차도 어머니가 나를 사랑보다 더 질긴 미움으로 붙잡고 사는 것이라고 역설적인 해석을 내리지 않았던가.

어머니를 이해해 볼 어떤 개념의 도구도 갖추지 못했던 나는 뭐라 이름 붙일 수 없는 상처 속에서 자기 모멸의 감정을 꾸준히 키워 갔다. 어머니를 향한 짝사랑이 깊어질수록 자기 모멸의 감정 또한 깊어졌고 그 사랑이 뜨거워져 갈수록 자기 모멸의 감정 또한 뜨거워져 갔다. 내 세계의 거의 전부였던 어머니가 나에게 준 것이 미움뿐이었으므로 나는 그 미움에 나를 맡기고 내 스스로 나를 미워함으로써 어머니 옆에서 밥을 먹을 수 있었고 잠이 들 수 있었다. 그렇게 유년기가 갔고 십대가 저물고 있었다. 어머니를 향한 연정에 치일 만큼 치이고 다칠 만큼 다치고도 거기에서 벗어나지 못했던 어리석은 나는 스무 살을 며칠 남겨놓은 어느 날 어머니를 향해 마지막 구애의 행동을 시작했다. 그리고 일방적 애정의 정점, 자기 모멸감의 정점에서 행해졌던 그 비장한 구애는 깨끗하게 실패하고 말았다. 병원에서 깨어나 이틀 동안 내 옆을 지켰던 사람이 어머니가 아니라 그 즈음 다시 가까운 거리로 이사와 살던 이모였음을 눈치채고, 내가 남긴 편지에 욕설을 퍼붓던 어머니와 그런 어머니를 나무라던 이모 사이에 큰 다툼마저 벌어졌었다는 이야기를 전해들으며 나는 비로소 나일론 실보다도 질기고 탯줄보다도 강했던 내 짝사랑을 포기하고 새롭게 태어날 수 있었다.

강당 전체가 시계로 변한 듯 뚜각뚜각 초침 소리가 울려오고 있었다. 악연. 끊을래야 이승에서는 끊을 수 없는 연으로 맺어진 저 사람은 이제 치료약에서 진정제에 이르기까지 하루에 한 움큼씩 약을 삼키지 않으면 제 몸조차 제대로 추스르지 못하는 노년이 되었다. 고혈압과 동맥경화가 당장 생명에 지장을 가져오는 치명적인 질환은 아니라 하더라도 또 현대인에게 흔한 지병의 일부에 지나지 않는다 하더라도 지난번처럼 혈압이 치솟는다면 어느 누구도 앞일을 장담할 수는 없는 형편이었다. 나이로 보나 건강 상태로 보나 내가 저 사람을 먼저 떠나보낼 확률이 저 사람이 나를 먼저 떠나보낼 확률보다 월등히 높지 않겠는가. 나는 가슴에 촘촘히 드리워지고 있는 여러 빛깔의 감정 중에서 연민만을 낚아 올렸다. 그리고 그 연민이 윤택해지도록 기름을 발랐고 최대치로 팽창하도록 있는 힘껏 바람을 불어넣었다. 흔들리는 발걸음을 다잡아 어머니 쪽으로 다가갔다. 등 쪽의 인기척을 감지했을 텐데도 어머니는 고개를 돌리지 않았다. 두 사람 사이에 팽팽하게 줄이 당겨지는 듯한 기분이었다. 염색약 밑으로 하얗게 돋아나고 있는 어머니의 머리카락을 보며 내가 먼저 줄을 놓았다. 한걸음 더 내디뎌 어머니 쪽으로 몸을 틀었다.

"어머니, 저 왔……."

그러나 다음 순간 혀는 딱딱하게 굳어버리고 말았다. 전혀 알지 못하는 얼굴이 거기 있었던 것이다. 지금까지 한번도 경험해 보지 못했던 진저리쳐지는 충격이 전신을 꿰뚫고 지나갔다. 눈에 익은 하늘색 한복, 하늘색 한복을 입을 때마다 어머니가 함께 갖춰 들던 동일한 색의 구슬 핸드백, 짧은 퍼머넌트 머리……. 모두가 어머니의 것임이 분명한데 오로지 얼굴만 낯선 사람이라니…….

나는 구조를 요청하는 심정으로 강당 안을 둘러보았다. 듬성듬성 앉아 있는 하객들이 빛바랜 사진처럼 망막을 스쳐갔고 커튼 사이로 쏟아져 들어오는 햇살이 공중에서 너울거린다고 느껴졌다. 힘이 풀리며 스르르 무너지려던 순간 몸을 지탱하도록 해준 것은 시야에 들어온 이종사촌오빠의 모습이었다. 주례인 듯싶은 노신사를 모시고 오빠는 앞쪽으로 걸어오고 있었다. 구세주라도 만난 듯 나는 오빠한테서 시선을 떼지 않았다. 단상 의자에 노신사를 안내한 오빠가 우리 쪽으로 다가오는 것을 확인한 다음에야 나는 막혔던 숨을 내쉴 수가 있었다.

"이모님, 건강은 좀 어떠세요?"

"매양 그래. 그나저나 장가를 진작 갔으면 좋았지, 아버지 직장 떨어진 지금에 와서 식을 올리니 하객이 이게 뭐니?"

"죄송합니다. 결혼이 제 마음대로 돼야 말이죠. 청첩장은 일부러 많이 안 돌렸어요. 혜선이는 몸조리 잘하고 있나요?"

"그래. 내가 오늘 나오지 말라 했어. 알지도 못하는 것들이 삼칠일이 지나면 괜찮으니 어쩌느니 해도 백일이 공연히 있는 게 아냐. 산모도 백일까진 꼼짝 않고 몸조리를 해야 뒤탈이 없어."

"잘하셨어요. 다음에 만나면 되지요."

이종사촌오빠의 이모라는 호칭으로 보나 귀에 익숙한 음성으로 보나 또 대화 내용으로 보나 하늘색 한복 속의 여자가 내 어머니라는 사실은 의심할 바가 없어 보였다. 나는 그 때까지 오빠한테 못박았던 시선을 슬그머니 돌려보았다. 그러나 아니었다. 내가 아는 어머니 얼굴이 아니었다. 생전 처음 보는 이상한 얼굴이 나와 무심하게 마주치고 있었다.

"혜주, 정말 오랜만이구나. 어떻게 지냈니……. 왜, 어디 아퍼? 이모님, 혜주가 몸이 안 좋은가 본데요. 얼굴이 핼쑥하잖아요."

"안 좋긴. 낳아놓기 무섭게 아비 명줄 끊더니 어미 혈관까지 막히게 해놓고도 모자라 이번에는 언니 몸에 칼까지 대게 한 계집애가 뭐가 안 좋겠어. 외국놈들 들락거리는 데서 얼쩡거리더니 밤잠 안 자고 일을 저질렀나 보지. 얼마나 정신없이 놀아났으면 인사도 제대로 못해."

나를 향한 말 마디마디에 박혀 있는 서슬로 보아서도 저 여자가 내 어머니임은 틀림없는 사실이었다. 나는 비명을 틀어막으며 비실비실 뒷걸음질을 치기 시작했다.

"혜주야, 괜찮아? 왜 그래?"

걱정스런 표정으로 다가오는 이종사촌오빠에게 손을 내젓고 나는 방향을 돌려 강당을 뛰쳐나왔다. 나는 미친년이 된 기분이었다. 미치지 않고서야 어머니 얼굴을 못 알아볼 수가 있는가. 정신을 차리고 눈물을 닦아보면 창전동 어디였고 정신을 차리고 주변을 둘러보면 동교동 쪽 어느 도로였다. 어머니를 중심으로 해 자전 운동을 반복하며 성장하는 동안 귀에 못이 박이도록 들어온 시퍼런 말투가 새삼 서러웠던 것은 아니었다. 예식 장소라는 것을 의식한 탓인지 지난번 병원에서 만났을 때보다 어머니의 음성은 오히려 부드러웠고 표현도 억센 껍질이 벗겨져 있었다. 그런데도 충격을 완화시키려는 몸의 자정 작용 때문인지 눈물은 멈춰주지 않았다. 길들이 움푹 패었다가 불룩하게 솟아올랐고 사람들은 주먹만하게 줄어들었다가 연기처럼 길어졌다. 벅신거리던 도로가 갑자기 아득하게 비었다 싶으면 금방 원래 모습으로 돌아가 있었다. 조용하기도 했고 동시에 시끄럽기도 했다. 어둡기도 했고 밝기도 했다. 낯선가 하면 또 익숙했다. 도저히 같은 시점에서 공존할 수 없는 것들이 눈물 안에서 섞이고 뒤섞여 쓰러지는가 하면 일어섰고 멀어지는가 싶으면 가까워지고 있었다.

오후 세시로 약속되어 있는 대사의 인터뷰를 기억해낸 것은 망원동 어디쯤에서였다. 시계는 세시를 불과 삼십여 분 남겨놓고 있었다. 나는 진짜 미친년이 되어 차도로 뛰어들었다. 굉음과 함께 급정거한 택시를 탄 다음에는 내가 소리치는 빨리빨리가 기사의 입을 막았다. 차는 비상등을 켠 채 공사 현장을 피해 곡예 운전을 시작했고, 나는 휴대폰을 열어 P씨에게 전화를 넣었다. 잡지사에서 미리 보내왔던 서면 질문서의 답변이 파란색 파일에 준비되어 있음을 알려준 다음 차질이 없도록 도와달라고 사정했다. 부은 눈두덩을 감추기 위해 아이섀도를 덧칠하다 창밖을 보니 택시는 뿌연 공기를 가르며 강변도로를 질주하고 있었다. 더 이상 눈물을 흘리면 안 된다는 다짐이 나에게 힘을 주기 시작했다. 연민에 치여 잠시 숨죽였던 분노가 제 부피를 찾아가고 있었다. 충족되지 않는 애정의 갈구와 반복되는 어머니의 차가운 질타 속에 피폐해지던 내 삶이 주름을 펼 수 있었던 것은 순전히 분노 덕분이었다. 나는 어머니 집을 떠나오며 내 안의 함성들을 해방시켜 줬었다. 노여움을 방목했고 아우성한테는 자유의 날개를 달아주었다. 마음속의 상처들이 날뛰도록 멍석을 깔아주었고 곪았던 병독들이 피를 토하도록 그릇을 받쳐주었다. 나는 더 이상 세상이 만들어놓은 상식에 속지 않았다. 내가 아는 것을 생각했고, 내가 느낀 것을 깨달았다. 어머니가 뽑아버렸던 손톱과 발톱을 다시 달았고, 노여움이 휘몰아칠 때면 짐승처럼 입을 벌려 포효했다. 어머니란 단어를 떠올리면 언제나 몸에서 부쩍 힘이 솟았다. 내가 한 마리 호랑이라면 아프리카 덤불에서 시베리아 벌판까지 단걸음에 질주할 것 같았고 풀이라면 척박한 바위틈에서도 얼마든지 억세게 자라 억만 년을 살아낼 것 같았다. 운동을 할 때도 그랬다. 어머니만 생각하면 나는 후들거리던 몸을 추슬러 얼마든지 팔굽혀 펴기를 계속할 수 있었다. 그럴 때마다 어머니에게 복수라도 한 듯 써늘한 쾌감이 전신으로 퍼져갔고 나는 만족스럽게 손을 털고 일어섰다. 호되게 몸살, 감기를 앓을 때도 어머니는 내 치료약이었다. 어머니가 눈에 어른거리면 신열보다 더 뜨거운 열기가 나를 활활 일으켜 세웠다. 독하게 밥을 삼켰고 독하게 일을 했고 독하게 공부를 마쳤으며 어머니가 언니에게 소원처럼 말하곤 하던 '우아하고 고상하게 일하는 대사관'에 취직도 했다. 택시가 한남동 골목길로 접어들고 있었다. 두시 오십오분. 나는 안도의 한숨을 뽑아냈다.

P씨나 어머니에게 내 증세를 들키지 않고 아무 일도 아닌 것처럼 넘어간 것은 다행이었지만, 불행하게도 나에게는 아무 일도 아닌 게 아니었다. 그 두 번의 당혹스런 경험은 전초전에 지나지 않았다. 시간이 흐르면서 상대편 얼굴을 인지하지 못하는 경우가 조금씩 잦아지기 시작했다. 다만 내가 나에게 발생하고 있는 일들의 윤곽——가령 내 마음 상태와 증세 사이에 어떤 연관이 있다는 사실 같은 것——을 대략은 파악한 상태여서 직장생활에 지장을 가져오거나 대인 관계에 오해를 불러일으킬 만한 실수들은 조심스럽게 피해갈 수 있었다. 이층에서 내려온 대사 부인이 잡지 화보를 내밀며 비녀에 관한 설명을 부탁했을 때 지난번 어머니 경우처럼 얼굴이 완연히 낯설게 느껴졌음에도 나는 태연을 가장한 채 자연스럽게 대응해 냈고, 또 버스 안에서 낯익은 그러나 누군지 기억나지 않는 남자와 우연히 마주쳤을 때도 별 무리 없이 대화를 진행하던 도중 그가 사 년을 함께 보냈던 대학 동기라는 사실을 깨달아 어색했던 부분들을 껄끄럽지 않게 마무리할 수 있었다.

그러나 보이는 것을 알지 못하고 아는 것을 보지 못하는 인지기능의 이상 현상에 나름대로 적응해 가던 나도 대상 자체가 아예 시력 속으로 들어오지 않았을 때는 그만 비명을 터뜨리고 말았다. 그 기괴한 증세를 경험하던 날 새벽, 나를 깨운 것은 가위

눌림이었다.

꿈 속에서 나는 언제나처럼 아이가 되어 흐느껴 울고 있었다. 아이 가슴의 찢어지는 듯한 통증이 수면중인 나에게로 전이된 듯 나는 자면서도 슬프고 괴로웠다. 아이보다 대여섯 살쯤 위로 보이는 소년이 아이를 달래기 시작했다. 울지마. 그만 울고 이거 갖고 놀아. 장난감 다 줄게. 내 돼지 저금통도 줄게. 제발 울지마. 네가 우니까 나도 울고 싶잖아……. 갑자기 소년이 소리쳤다. 엄마, 혜주 어깨에서 피가 나. 등에서도 팔에서도 피가 나. 전부 피야. 내 눈에는 아이의 몸에 흐르는 피가 보이지 않으나 마치 내가 피를 흘리고 있는 양 어깨가, 등이, 팔이 아리고 저려왔다. 소년이 젊은 이모에게 매달렸다. 엄마, 혜주 우리집에서 살자고 해. 엄마가 혜주도 같이 키우면 되잖아, 응, 엄마……. 이모가 아이에게 약을 발라주며 물었다. 이모집에서 살까? 아이는 고개를 저었다. 이모네의 훈훈한 분위기에도 불구하고 아이가 소망해온 것은, 하루가 지나고 다음날 눈을 뜰 때마다 한 계절이 가고 새로운 계절이 올 때마다 한 해가 저물고 새로운 해가 밝을 때마다 간절히 소망해온 것은 이모의 사랑이 아니었음을 잠 속의 나는 알고 있다. 꿈의 화면에서 서서히 소리가 제거되고 팬터마임처럼 표정과 몸짓만 남은 영상이 이어지고 있었다. 마당이다. 노란색 날개의 어린 고추잠자리들이 한가하게 원을 그리고 봉숭아 꽃망울의 붉은색이 선명하게 눈에 박혀오는 마당. 어린 내가 또 울고 있다. 청각에 닿지는 않으나 현실에서는 한 번도 들어본 적 없는 섧디섧은 울음이 아이의 입에서 터져나오는 것을 느끼는 순간, 나는 그만 꿈에서 깨어나고 싶어졌다. 차마 눈뜨고 보고 싶지 않은 다음 장면을 나는 알고 있었던 것이다. 그러나 꿈 속의 아이는 눈을 감지 못하고, 보고 싶지 않은 것을 보고야 말았다. 아이는 사지를 버둥거리며 도망가려 하나 발이 움직여주지 않았다. 비명을 질러도 소리가 나와주지 않았다. 아이는 자꾸만 버둥거렸다. 공포를 연기하는 무언극 배우처럼 팔을 젓고 고개를 흔들며 버둥거렸다.

잠에서 깨어났을 때 악몽은 내 이마와 등허리에 끈끈한 땀을 토해놓고도 여전히 빽빽한 밀도로 나를 에워싸고 있었다. 나는 바닥에 자세를 잡고 앉았다. 오른쪽 다리를 구부려 왼쪽 허벅지 위에, 다시 왼쪽 다리를 구부려 오른쪽 다리 위에 얹었다. 허리를 바로 세웠고 조용히 눈을 감았다. 깊은 호흡 속에서 나는 생각했다. 관념을 버리자고, 감정을 버리고 분노를 버리고 모든 것을 용서하자고, 이십대를 시작하며 내 안의 분노와 노여움을 해방시켰듯 이번에는 내가 내 안의 분노와 노여움으로부터 해방되자고, 오늘 어버이날인데 편안한 마음으로 어머니를 찾아보자고, 준비해놓은 핸드백 선물과 함께 카네이션 꽃다발도 전해드리자고……. 의식이 물처럼 흘러가던 어느 순간 내 안의 내가 싸늘하게 소리쳤다. 네 감정들은 관념에서 비롯된 것이 아니라 살덩이 속에 박혀온 것들인데 그게 그리 쉽게 버려지겠느냐고, 상대편이 너를 즐겁게 맞이하지 않는데 너 혼자 그렇게 다짐한다고 편안해지겠느냐고, 미워해야 할 것을 미워하고 분노해야 할 것을 분노하는 게 왜 잘못이냐고……. 나는 그래도 내 안의 나에게 우격다짐을 주었다. 점점 병약한 노인이 되어가는 어머니가 아니냐고, 그쪽에서 나를 받아들이지 않아 화해에 이르지 못하는 것은 어쩔 수 없는 일이라 해도 내가 풀 수 있는 것은 풀어야 하지 않겠느냐고…….

기괴한 증세를 경험한 것은 출근 준비를 하기 위해 거울 앞에 섰을 때였다. 믿어지지 않게도 거울 속에 내 얼굴이 없었다. 거울 속에 내가 있는데 그게 나라는 것을 내가 모르는 것이 아니었다. 거울 속에 있는 얼굴이 나인 것은 확실한데 그 얼굴이 낯설었던 것도 아니었다. 거울 안에는 아예 아무것도 없었다. 얼굴 부분이 거짓말같이 텅 비어 있었다. 눈도 코도 귀도 입도 없는 허공이었다. 얼굴이, 정말로 얼굴이 보이지 않고 있었다……. 나는 비명을 지르며 화장실로 달려갔다. 세면대 위 사각거울 안에도 내 얼굴은 없었다. 텅 비어 있을 뿐이었다. 화장실을 뛰쳐나온 나는 핸드백을 헤집어 휴대용 거울을 꺼내들었다. 위쪽을 보면 눈 부분이 없었고 중간을 보면 코 부분이 없었고 아래쪽을 보면 입 부분이 없었다. 내 얼굴이 없어진 것을 나는 분명히 보고 있는데 눈은 없고, 가슴이 펄떡이는 것으로 보아 나는 분명히 숨을 쉬고 있는데 코는 없고, 치약 냄새가 풍겨나는 것이 분명히 느껴지는데 입은 없고, 쿵쿵거리는 내 발걸음 소리가 분명히 들려오는데 귀는 없는 것이다. 거울을 던져놓고 나는 신음소리를 뱉으며 전화기 쪽으로 엉금엉금 기어가기 시작했다.

민석한테 기대앉아 나는 숨을 가다듬었다. 떨리던 몸이 제자리로 돌아가고 어지럽던 사물들이 정지하고 민석의 목소리가 평상시처럼 들려왔을 때 나는 조심스럽게 거울 쪽으로 고개를 돌려보았다. 내가 있었다. 내가 알고 있는 내 얼굴이 보이고 있었다. 민석은 대상과 그 대상에 대한 나의 인식을 짝짓는 체계에 뭔가 혼란이 있는 게 아니냐고 물어왔다.

"기억색이란 말 들어본 적 있어? 가령 바다라는 단어에서 우리가 연상하는 건 파란색이야. 또 초원 하면 녹색이 떠오르지. 순결과 백색, 사랑과 분홍색, 죽음과 검정색……. 이런 걸 두고 기억색이라고 해. 그 반대로 파란색을 보고 바다를 연상하고 녹색을 보고 초원을 연상하는 것도 기억색의 역할이지. 우리들한테는 알게 모르게, 직접 경험을 통해서든 간접 경험을 통해서든 이미 입력된 정보들이 있다는 거야. 어떤 색은 어떤 것이고 어떤 것은 어떤 색이라는 것도 관념으로 굳어진 정보이지. 물론 기억색은 지역마다, 연령마다, 계층마다 다를 수 있어. 개인의 경험에 따라 다르기도 하고. 똑같은 붉은색을 보고도 정열을 연상하는 사람이 있는가 하면 피, 공포 같은 것을 떠올리는 사람도 있으니까. 하지만 일반적으로 통용되는 기억색과 개인의 기억색 사이에 편차가 크다 보면 갈등이 생기지. 네가 느끼는 증상은 뭔가 기억색과 유사한 기능에 혼란이 일어난 게 아닌가 싶은데……. 그렇지 않니? 사람의 생각은 갑자기 바뀌는 게 아니잖아. 바다를 파란색이라고 알아왔는데 그걸 노란색이라고 강압하면 부작용이 일어나게 돼 있어. 내가 보기에 혜주 네가 달라지고 있어. 갑자기 성당에 나간다, 마인드 컨트롤 책을 사본다,

요가를 한다 하며 안 하던 짓을 시작하는 것도 그렇지만 뭐랄까, 너를 너답게 하던 힘 있던 뭔가가 쑥 빠져버린 그런 느낌이야.”

민석의 말대로 기억색과 유사한 기능에 대혼란이 발생하고 있는 것인지 언니의 둘째아이 백일 때도 아버지 제삿날에도 이상한 증세는 여지없이 나타났다. 형부의 얼굴이 낯설거나 언니의 얼굴이 낯설었고 어머니 얼굴이 아예 보이지를 않았다. 짐작건대 내 증세는 틀림없이 앞으로도 더욱 맹렬해져 갈 것이다. 이년 전 애완동물처럼 끼고 살던 언니를 분가시키고 헛헛한 모습으로 앉아 있던 어머니를 봤을 때 처음으로 이물질이 끼여들기 시작해 작년 가을부터 부쩍 불순물이 증가하고 있는 분노를 원래의 강도로 움켜잡는 것도 또 거기에서 완전히 벗어나는 것도 아직은 가능해 보이지 않는다. 보이는 것을 알지 못하고 아는 것을 보지 못하는 게 첫 단계였고 대상 자체가 아예 보이지 않는 게 두 번째 단계였다면 다음에 나를 기다리고 있는 가공할 그것은 무엇일까. 나는 병원을 방문했었다. 예상했던 대로 병원에서는 내 신체에서 아무런 물리적 이상을 찾아내지 못했다. 안과 의사는 가벼운 결막염 증상을 지적했을 뿐이고 CT 촬영 필름과 MRI 촬영 필름을 면밀히 검토했던 신경외과 의사 역시 아무 이상이 없는 것 같다는 소견을 내놓았다. 별로 내키지 않는 걸음으로 병원을 들어서 보긴 했으나 나도 내 증세가 안구건조증이나 백내장 같은, 혹은 중추신경계 질환 같은 종류가 아니라는 것쯤은 깨닫고 있었다. 만약 내 증세를 소상하게 털어놓았다면 안과 의사와 신경외과 의사는 신중하고도 친절한 태도로 나에게 신경정신과 진찰을 권유해 왔을지도 모를 일이다. 하지만 나는 신경정신과는 찾아가고 싶지 않았다. 정신의학에 문외한인 내가, 또 십 년 전과 달리 요즘의 정신의학이 어떻게 발전해가는지 잘 모르는 내가 이렇게 말하는 것이 그 분야 전문인들한테는 썩 미안한 일이긴 하나, 나는 모든 게 내 탓으로 돌려지는 경험을 다시 하고 싶지는 않았다. 어머니를 향한 마지막 구애에 실패한 뒤 이모의 간청에 못 이겨 병원을 퇴원하기 전 신경정신과 의사를 면담했었다. 그 의사 역시 모성애에 대한 보편 타당한 상식과 기억색을 뚜렷하게 갖고 있는 사람이었고, 계모도 아니고 알코올 중독자도 아닌 어머니에게서 어떤 문제를 찾아내려 하기보다는 자꾸 나에게서 문제를 발견하고 싶어했다. 경직되게 말하자면 가해하는 사람은 문제가 없고 피해를 당한 사람은 문제가 있게 되는 구조 속에 다시 나를 맡기는 어리석은 짓은 결코 하고 싶지 않은 것이다.

이런 식의 치유 방법을 두고 다행이라고 해야 하는 건지 아니면 불행이라고 해야 하는 건지 잘 모르겠으나 나는 아버지 제삿날인 어제 저녁의 씁쓸한 경험을 통해 내 증세를 호전시킬 수 있는 방법이 아주 없지는 않음을 깨닫게 되었다. 어제 저녁, 어머니 얼굴은 아예 눈에 들어오지 않고 있었다. 지난번 거울 속의 내 얼굴처럼 눈이 없고 코가 없고 귀가 없고 입이 없는 텅 빈 공간이었다. 보이지 않는 얼굴을 마주하기가 끔찍해 나는 가급적이면 어머니 쪽으로 시선을 두지 않은 채 제상에 올릴 과일들을 손질하고 있었다. 아기 기저귀를 갈던 언니가 분유 탈 물을 끓여달라고 부탁했고, 나는 차 주전자를 깨끗이 헹구고 정수기에서 물을 받은 다음 가스 레인지 위에 얹었다.

제사가 끝나고 밥상을 차릴 때쯤 아기는 우윳병을 거뜬히 비워냈다. 밥을 서너 수저나 떴을까. 혼자서 몸을 뒤집으며 간지러운 소리로 옹알이를 하던 아기의 입에서 방금 먹었던 우유가 한입 울컥 쏟아져 나왔다. "혜선아, 큰일났어. 애가 토한다. 뭘 잘못 먹여서 우리 공주님이 토를 하지?"

아기를 안아 세우며 걱정스러워하는 어머니에게 언니는 디티피(D.T.P) 예방 접종을 한 다음부터 미열이 있어 자꾸 토한다고 설명했다. "그랬구나, 우리 공주님이 예방 주사를 맞으셨구나. 그래, 얼마나 힘이 드셨어? 얼마나 힘이 들었으면 우유까지 다 토해내셔?" 손녀를 사분사분 어르는 어머니의 음성은 젖비린내 나는 옹알이보다도 더 간지러웠다. 그 목소리에서 따뜻한 행복감 같은 것이 느껴져 나는 어머니 얼굴이 안 보인다는 사실을 깜빡 잊은 채 어머니 쪽을 바라보았다. 휑하니 뚫려 있는 공간. 허공. 빈 자리. 나는 소스라치게 놀라며 시선을 꺾었다. 날카로운 소리가 터져나온 것은 바로 그때였다. "잠깐. 아까 분유 탈 물 네가 끓였지? 무슨 일을 저질렀어? 솔직히 말해. 우유 탈 물에 무슨 몹쓸 짓을 했기에 애가 먹은 것을 다 토해내는 거야?" 느닷없는 고성에 놀란 아기가 와앙 울음을 터뜨리더니 먹은 것을 다시 울컥 게워내고 있었다. 어머니의 목청은 한결 더 높아졌다. "이것 봐라. 애 잡는다. 저 죽일 년이 멀쩡하던 애를 잡어. 너 빨리 말 못해? 우유 물에 뭘 집어넣었어? 물을 어떻게 끓였기에 애가 다 토해내는 거야?" 형부와 언니가 아기를 받아 안으며 애들 어릴 때 토하는 것은 보통이라느니 아까 낮에도 몇 번 토했다느니 하는 말을 덧붙였으나 이미 적의에 불을 당긴 어머니 귀에 들릴 리 만무였다. 어떤 일을 트집잡아 나를 향해 칼을 뽑으면 온몸의 기운이 다하도록 난도질을 해야 물러서는 어머니였다. "지난번에는 제 언니 고운 살에다 칼자국을 한 뼘이나 내놓더니 그것도 모자라 이제는 갓 태어난 조카한테까지 덤벼들어? 그러고도 네가 인간이냐? 넌 자식이 아니라 살을 씹어먹어도 시원찮을 원수야. 세상에 낳아놓자마자 아비를 날름 잡아먹더니 그것도 모자라서 어미마저 잡아먹으려고……." 나는 고개를 들지 않았다. 참자, 무슨 말을 듣든 참아내자……. 나는 내 안에서 끓어오르는 노여움을 누르기 위해 나를 다질렀다. 사랑만 붙잡고 살기에는 너무 외롭고 헛헛해 사랑보다 더 질긴 미움으로 나를 붙잡고 사는 거라던 이모의 말을 애써 떠올렸고 내 수첩 앞장에 근엄하게 정좌한 글자들을 떠올렸다. 분노하지 말자, 분노하지 말자……. 그러나 다음 순간 내 분노는 더 이상 밟아지지가 않았다. "인간이 인간 노릇 못할 거면 약 처먹었을 때 차라리 깨끗이 죽어버리지, 뭐 때문에 다시 살아나. 더 살아서 누구한테 무슨 해코지를 하려고. 그때 너만 죽어 없어졌으면……." 뚜껑이 열린 분노는 폭발하듯 쏟아져 나왔고 나는 이성을 잃은 채 보이지 않는 어머니 얼굴을 향해 소리치기 시작했다. 그만해요. 제발 그만해요. 그만큼 나를 아프게 했으면 됐지, 뭐가 모자라 계속 이러는 거예요? 아버지가 왜 나 때문에 죽었어요? 언니가 제왕절개 수술 받은 게 왜 나 때문이에요? 애가 토하는 게 왜 나 때문이냐고요? 그래요. 내가 우유 물 끓였어요. 왜요? 뭐가 잘못됐어요? 내가 독약이라도 넣었을까 봐요? 그렇게 모질게 학대하더니 이제는 내가 겁이 나요? 내가 무서운가요……? 정신없이 소리치던 도중 나는 어머니 얼굴이 다시 보이고 있다는 사실을 불현듯 깨달았다. 틀림없이 어머니 얼굴이 보이고 있었다. 존재해야 할 것들이 존재하지 않아 휑하니 비어 있던 공간이 어머니 얼굴로 채워지고 있었다. 내 분노의 농도에 비례하듯, 어머니 얼굴은 점점 더 선명해졌다. 낯설지도 않았다. 내 앞에 나타나던 그것은 분명히 내가 알고 있는 내 어머니 얼굴이었다.

돌아오는 발걸음은 허탈했다. 24시간 편의점에서 캔 맥주 몇 개를 사들고 나오다 나는 오피스텔 건물을 올려다보았다. 몇 군데 구멍에서만 어설퍼 보이는 불빛이 새어나올 뿐 건물은 칙칙한 어둠 속에 잠겨 있었다. 나는 천천히 그쪽으로 걸음을 옮겼다.

섬세한 문체로 그려낸 애증(愛憎)의 심처(深處)

김상태(이화여대 국문과 교수)

기억색이란 말 들어본 적 있어? 가령 바다라는 단어에서 우리가 연상하는 건 파란색이야. 또 초원 하면 녹색이 떠오르지. 순결과 백색, 사랑과 분홍색, 죽음과 검정색…… 이런 걸 두고 기억색이라고 해. (중략) 하지만 일반적으로 통용되는 기억색과 개인의 기억색 사이에 편차가 크다 보면 갈등이 생기지. 네가 느끼는 증상은 뭔가 기억색과 유사한 기능에 혼란이 일어난 게 아닌가 싶은데…….

주인공의 괴이한 증상에 대하여 그녀의 남자 친구가 내린 진단이다. 어머니와 자식 사이라면 당연히 사랑으로 맺어져 있는 것이 자연스러운 기억색인데 주인공인 '나'와 어머니 사이는 전혀 그렇지 못한 데서 이런 증상이 생겼다는 것이다. 이 증상이란 매우 가깝게 지내는 사람을 알아보지 못하는 일부터 시작해서 사람의 형체 어느 부분이 아예 보이지 않는 증세로 발전하는 일이다.

언니가 어머니로부터 보통 이상의 편애를 받는 것과는 반대로 '나'는 지독한 미움의 대상이다. 멀쩡한 딸에 대하여 과연 어머니가 이런 미움을 가지는 것이 가능할까 하는 생각도 들지만, 자기가 낳은 자식을 미워하다 못해 폭행 치사하는 일까지 보도되는 것을 보면, 전혀 근거 없는 일도 아닌 듯하다.

어쨌든 끔찍히도 아끼고 사랑하는 언니에 비해 '나'는 눈에 가시라는 말로도 모자랄 정도로 미움을 받고 있다. 예를 들면, 언니의 아이가 우유를 한 입 울컥 토한 것을 보고, 물을 끓인 '나'에게 온갖 혐의를 뒤집어 씌우는 어머니다. 또 "우유 탈 물에 무슨 몹쓸 짓을 했기에 애가 먹은 것을 다 토해내는 거야."로 시작해서, "이것 봐라. 애 잡는다. 저 죽일 년이 멀쩡하던 애를 잡아. 너 빨리 말 못해? 우유 물에 뭘 집어넣었어?"라고 추궁하고, "지난번에는 제 언니 고운 살에다 칼자국을 내놓더니(언니가 제왕절개 수술로 출산한 것까지 '나'의 탓으로 돌려서) 그것도 모자라 이제는 갓 태어난 조카한테까지 덤벼들어? 그러고도 네가 인간이냐? 넌 자식이 아니라 살을 씹어먹어도 시원찮을 원수야. 세상에 낳아놓자마자 아비를 날름 잡아먹더니 그것도 모자라서 어미마저 잡아먹으려고……."라고 퍼붓는다. 이를 주인공은 '어떤 일을 트집잡아 나를 향해 칼을 뽑으면 온몸의 기운이 다하도록 난도질을 해야 물러서는 어머니'라고 표현하고 있다.

게다가 몹시 병약한 어머니가 아닌가? 고혈압으로 최근에 병원 신세까지 진 어머니다. '나'는 모진 말을 퍼붓는 어머니를 연민과 육친의 정으로 대하려고 '가슴에 촘촘히 드리워지고 있는 여러 빛깔의 감정 중에서 연민만을 낚아올려' 어머니에게 가까이 다가간다. 그 순간 '나'는 '전혀 알지 못하는 얼굴이 거기 있는 것'을 경험한다.

'나'를 미워하고 있는 어머니지만 육친의 어머니임에 틀림없는 이상 사랑하고 용서해야 한다는 의식이 '나'를 압도하고 있었다. 그러나 이 도덕과 상식으로 무장된 의식을 따르려고 할 때 주인공은 여지없이 감각의 이상을 경험하는 것이다. 어머니는 전혀 생소한 얼굴이 되어 있다. '길들이 움푹 패었다가 불룩하게 솟아올랐고 사람들은 주먹만하게 줄어들었다가 연기처럼 길어졌다. 벅신거리던 도로가 갑자기 아득하게 비었다 싶으면 금방 원래 모습으로 돌아가 있었다. 조용하기도 했고 동시에 시끄럽기도 했다. 어둡기도 했고 밝기도 했다. 낯선가 하면 또 익숙했다.' 그뿐 아니라 사물의 어떤 부분이 전혀 보이지 않게 되는 현상으로까지 발전하는 것이다.

주인공의 이런 이상이 바른 자리로 돌아오기 시작하는 것은 억눌렀던 어머니에 대한 증오의 감정을 분출시키기 시작하면서였다. 주인공의 증오에는 물론 단순한 증오가 아니라 어머니에 대한 충족되지 않는 애정의 갈구가 포함되어 있다. 이 콤플렉스를 안으로 가두고 억누르려고 한 데서 감각의 이상이 생긴 것이다. 아버지의 제사 때문에 집에 들렀던 주인공에게(어머니의 구박 때문에 집을 뛰쳐나올 수밖에 없었다) 온갖 모욕적인 말을 퍼부었던 어머니를 향해 분노의 감정을 그대로 표출시킬 때 '나'의 감각은 정상으로 돌아오기 시작한다. 그것을 주인공은 이렇게 표현한다.

나는 어머니 집을 떠나오며 내 안의 함성들을 해방시켜 주었었다. 노여움을 방목했고 아우성한테는 자유의 날개를 달아주었다. 마음속의 상처들이 날뛰도록 멍석을 깔아주었고 곪았던 병독들이 피를 토하도록 그릇을 받쳐주었다. 나는 더 이상 세상이 만들어놓은 상식에 속지 않았다. 내가 아는 것을 생각했고, 내가 느낀 것을 깨달았다. 어머니가 뽑아버렸던 손톱과 발톱을 다시 달았고, 노여움이 휘몰아칠 때면 짐승처럼 입을 벌려 포효했다. 어머니란 단어를 떠올리면 언제나 몸에서 부쩍 힘이 솟았다. 내가 한 마리 호랑이라면 아프리카 덤불에서 시베리아 벌판까지 단걸음에 질주할 것 같았고 풀이라면 척박한 바위틈에서도 얼마든지 억세게 자라 억만 년을 살아낼 것 같았다. 운동을 할 때도 그랬다. 어머니만 생각하면 나는 후들거리던 몸을 추슬러 얼마든지 팔굽혀 펴기를 계속할 수 있었다. 그럴 때마다 어머니에게 복수라도 한 듯 싸늘한 쾌감이 전신으로 퍼져 갔고 나는 만족스럽게 손을 털고 일어섰다. 호되게 몸살, 감기를 앓을 때도 어머니는 내 치료약이었다. 어머니가 눈에 어른거리면 신열보다 더 뜨거운 열기가 나를 활활 일으켜 세웠다.

이쯤 되면 증오의 대상이 아니라, 삶을 북돋워주는 활력소라고 말해도 될 것이다. 친딸에 대한 이런 미움을 '사랑만 붙잡고 살기에는 너무 외롭고 헛헛해 사랑보다 더 질긴 미움으로 나를 붙잡고 사는 거'라고 위로를 하는 이모의 말로도 또한 해석할 수 있을 것이다. 그러나 어쨌든 상식으로 아는 모녀의 관계는 아니다.

'출가외인(出嫁外人)'이라는 전통 사회의 철칙이 언제쯤부터 무너지기 시작했을까? 이 말이 상식으로 통하던 사회에서는 '고부간'이 여성에게 가장 큰 문제였을 것이다. 유교적 윤리가 지배했던 조선 사회에서는 며느리가 시어머니에게 무조건 복종함으로써 갈등의 여지가 전혀 없었다. 그 윤리가 어느 정도 느슨해지면서 갈등은 표출되기 시작했다. 개화 이래의 사회가 그러했다. 어느 가족이든지 고부간의 갈등이야말로 가장 심각한 문제였다.

핵가족이 시작된 것은 바로 그 갈등을 해결하기 위해서였는지 모른다. 남자측에서 본다면 오이디푸스 콤플렉스의 해결 방법이 될지 모른다. 전통 사회에서는 친모녀간에는 무조건 살갑게 아껴주고 사랑해주는 사이였다. 물론 계모녀 사이는 정반대가 될 수 있겠지만.

이제 고부간의 갈등이 친모녀 사이로 전이되고 있는 것은 아닐까? 더 이상 가족 중에서 여성이 약자가 아니기 때문인가. 그들이 당당한 만큼 갈등은 표면으로 드러나기 마련이다.

〈당신의 기억색〉은 의식과 무의식의 갈등을 친모녀 사이에 존재하는 애증(愛憎)에 초점을 맞추어 섬세하면서도 예리한 문체로 그려내고 있다. 아마도 이런 시도는 남성에게는 무리한 주문이 될지 모르겠다. 대개는 이만큼 예리한 촉수를 갖추고 있지 못하기 때문이다. 여성 글쓰기의 한 전형이 될 만한 작품이다.

현 대 문 학 교 수 3 5 0 명 이 뽑 은

망 원 경

조 경 란

- 1969년 서울 출생.
- 서울예대 졸업.
- 1996년 《동아일보》 신춘문예로 등단.
- 1996년 장편 《식빵 굽는 시간》으로 제1회 문학동네 신인상 수상.
- 창작집 《불란서 안경원》, 《나의 자줏빛 소파》가 있으며 장편 소설 《식빵 굽는 시간》, 《가족의 기원》, 중편 소설 〈움직임〉이 있음.

조경란

망 원 경

나는 다시 혼자가 되었다. 시력이 떨어진 것은 그 무렵부터이다. 망루에서 바다 물빛만 보고도 숭어떼의 위치를 알아내는 늙은 망지기처럼 한곳에 오래 앉아 있었다. 그러나 나의 눈에는 퍼렇게 몸을 뒤척이는 바다 물빛도, 떼를 지어 몰려드는 숭어떼의 움직임도 보이지 않았다. 순간적으로 동공이 확대되면서 시야가 흐려지곤 하였다. 마개가 막힌 두꺼운 유리병 속에 들어앉은 듯 사위가 어둑해지고 시계(視界)가 좁아졌다. 저쪽 먼 곳의 등대 불빛이 내 얼굴을 스치고 지나갈 때조차 그것이 등대 불빛인지 흐린 하늘을 열고 가까스로 나온 별빛인지 구분할 수 없었다. 등기 우편물을 일반 우편물 함에 집어넣는가 하면 상추를 쑥갓인 양 태연히 집어들기도 했다. 시력은 점점 더 나빠지고 있었다. 해가 이우는 도시는 수면 깊이 가라앉은 오래된 해저도시처럼 짙은 잿빛으로 물들어 보였다. 퇴근 후 지하철을 타고 한강 다리를 건널 때마다 수심 오백여 미터도 넘는 해저 도시를 향해 달려가고 있다는 느낌을 떨쳐내지 못했다. 안개에 휩싸인 불그스름한 태양은 느릿느릿 서쪽으로 이울고 교각들은 불을 밝히고 있었다. 불빛은 물에 떨어진 한 방울의 핏물처럼 흐릿하게 번져들었다.

안과 의사는 시력이 약간 떨어진 것 외에 눈에는 전혀 이상이 없다고 말했다. 혹시 뇌의 시각 계통 부분에 이상이 있을지는 모르겠지만 그것은 안과에서 다룰 수 있는 증상이 아니므로 뇌신경 전문의에게 가보는 게 낫겠다고 했다. 그리고 확신 없다는 어투로 어쩌면 일시적인 시각적 실인증일지도 모르겠다고도 덧붙였다. 아주 부분적인 것은 잘 보면서도 전체적인 것은 제대로 못 본다는. 그러나 나는 고개를 내둘렀다. 혹시 내가 박물관의 안내원이었다면 나는 거울에 비친 나의 모습을 보고 유인원의 전시 인형과 착각할 게 분명했으니까 말이다.

혼자가 된 이후 나는 새로운 사실을 발견했다. 그것은 내가 내 자신에 대해 너무 많이 집중할 때 극도의 불안을 느낀다는 것이었다. 아마도 그건 나의 자아가 그 무게를 견디지 못하기 때문일 것이다. 내가 어떤 일을 겪었고 내가 지금까지 살아온 인생은 다른 의사들에게는 아무런 의미가 없는 듯 보였다. 그들에게 나의 이야기를 할 적마다 내 눈앞에는 팽팽한 빨랫줄에 걸린 누더기 옷들이 적나라하게 보였고 마른 땅에 침을 뱉어놓은 것처럼 그저 한동안만 자국이 남는 것에 불과하다는 생각을 지울 수 없었다.

누군가와 헤어진다는 것은 일종의 질병이었다. 질병은 내 의지로 바꿀 수 있는 것이 아니라 참고 견뎌야만 하는 것이었다. 석류꽃이 뚝뚝 지고 추분이 지나갔다. 갑자기 혼자 컴컴한 관 속에 남겨진 듯한 두려움도 제법 견딜 만해지기 시작했다. 어둠 속에 앉았어도 한동안 시간이 흐르고 나면 그 어둠에 눈이 익어 발 앞의 오래된 라디오도 보이고 먼 곳의 등대 불빛도 볼 수 있게 된다는 것을 차츰 깨달아가고 있었다.

안경을 맞추는 것도 병원을 찾는 것도 그만두고 말았다. 그래서 나는 망원경을 샀다.

연일 짙은 안개가 끼고 예년보다 일찍 산간 지방에 첫눈이 내린 날이었다. 나는 퇴각(退却)하는 달팽이처럼 아주 느린 걸음으로 시내 이곳저곳을 배회하고 다니곤 하였다. 안개 속에 산등성을 반쯤 감춘 채 엄장하게 도심 한가운데 엎드려 있는 북한산 언저리를 한동안 바라보다가 불쑥 지하도로 내려갔다. 조도가 낮은 탓인지 지하로 내려가자마자 시계는 더 좁아들었다. 지하도 안에 자리를 깔고 앉아 신문과 외설 잡지 따위를 팔고 있는 노파에게서 석간 신문 한 부를 샀다. 잉크 냄새가 풍기는 신문을 펼쳐보지도 않은 채 둘둘 말아 손에 쥐었다. 나는 손에 쥔 신문지를 지팡이 삼아 허공을 꾹꾹 내리찍으며 걸음을 옮겼다.

음반 매장의 청음기에는 새로 출시된 음반들이 세 장씩 들어 있었다. 앞 사람이 가기를 기다렸다가 헤드폰을 귀에 걸었다. 음반을 확인하지도 않은 채 손 가는 대로 아무 번호나 눌렀다. 귓속으로 벼락이 떨어지는 듯한 굉음을 울리며 제목도 알 수 없는 이국의 노래가 흘러나오기 시작했다. 내 등뒤로는 음반을 고르는 낯선 사람들과 가슴에 명찰을 단 점원들이 빠른 걸음으로 지나가고 있었다. 나는 눈을 감았다. 현악기 같은 느낌을 주는 기타 신시사이저의 소리가 고막을 뒤흔들고 있었다. 깊은 밤 외딴 섬에 앉아 무위한 공상에 빠졌을 때처럼 나는 내가 혼잡한 매장 한가운데 우뚝 서 있다는 사실과 순간순간 표범의 무늬처럼 뚜렷하게 기습해오던 지나간 시간들을 모두 잊어가고 있었다. 악을 쓰는 듯한 혹은 고통을 입 밖으로 분출해내는 듯한 괴성뿐 딱히 가사라고 할 수 없는 소리들이 계속 이어지고 있었다. 신문지를 움켜쥐고 있던 손아귀의 힘이 서서히 풀리는 것이 느껴졌다. 그때 문득 나는 눈을 떴다. 누군가 내 어깨를 두드리고 있다는 느낌 때문이었다. 내 등뒤로 세 명의 사람들이 청음기를 사용하기 위해 줄을 서 있었다. 바로 내 뒤에 서 있던 남자가 말없이 청음기를 손가락으로 가리켰다. 청음기의 불은 이미 꺼져 있었고 음반은 멈춰 있었다. 묵묵히 헤드폰을 내려놓고 줄에서 이탈해 나왔다.

음반 매장을 지나 출구로 나가는 복도에서 걸음을 멈추었다. 나침반과 섬유경 · 패철, 그리고 쌍안경을 진열해놓은 쇼윈도가 눈에 들어왔다. 고개를 숙이고 서서 한참 쇼윈도 안을 들여다보았다. 해군들이 사용할 법한 긴 외눈 망원경과 은빛으로 번쩍거리는 둥근 나침반들. 그리고 녹색의 망원경. 점원이 다가왔다. 나는 손가락으로 녹색 망원경을 짚었다. 그것은 최대 125미터까지 볼 수 있으며 밤에도 사용할 수 있는 나이트 비전이었다.

외관이 탄성력 있는 고무 재질로 만들어진 탓인지 모델 넘버 Nikko 27 망원경은 손바닥 안에 찰싹 달라붙는 느낌이었다. 손끝으로 외관을 탁탁 튕겨보았다. 둔탁하긴 하지만 제법 경쾌한 소리가 났다. 미간에 맞춰 거리를 조정한 후 망원경을 들고 내가 방금 지나쳐온 복도 쪽으로 몸을 돌렸다. 스낵바에서 아이스크림을 들고 모여 있는 서너 명의 여학생들과 배낭을 메고 이제 막 세종로 쪽 출구로 들어오는 사람, 신경질적으로 콧속을 후벼대며 이쪽 통로를 향해 걸어오고 있는 사십대의 남자, 그리고 방금 막 내가 내려놓고 온 헤드폰을 끼고 음악을 듣고 있는 사람들, 외국 서적 코너에서 주위를 두리번거리다가 들고 있던 책을 재빨리 종이 가방 안에 집어넣은 여자, 환하게 불 밝힌 수백 개의 샹들리에와 허공으로 피어오르는 흰 먼지들. 그 모든 것들이 뚜렷한 원근감과 함께 만져질 듯 가깝게 내 눈앞에 펼쳐지고 있었다. 어둠 속, 낯선 도시를 헤매다 가까스로 공중전화 부스를 발견했을 때처럼 가슴이 쿵쿵 뛰어오르는 것이 느껴졌다. 나는 얼른 망원경을 점원에게 건네주고는 시계를 들여다보며 출구 쪽으로 걸음을 떼었다.

그 다음날 중국 대사관 근처엘 갔다. 중국 대사관 옆 골목에는 밀수한 중국 제품을 파는 노점과 서너 개의 만물상들이 있다. 두 번째 들른 만물상의 쇼윈도에서 교보문고 매장에서 보았던 것과 똑같은 모양의 녹색 망원경을 발견했다. 이만 원이나 싼 가격이었다. 케이스 안에 든 긴 줄을 꺼내 망원경에 매달았다. 그리고 망원경을 목에 건 채 명동 뒷골목을 오래 돌아다니다가

지하철 4호선을 타고 집으로 돌아왔다.

하루종일 불도저의 엔진 소리와 굴착기의 소음이 끊이지 않았다. 커다란 돌무더기와 모래를 실은 트럭들이 하루에도 몇 번씩 우체국 앞을 지나 공사장으로 들어가곤 하였다. 트럭들이 무서운 속도로 차도를 질주할 때마다 뿌연 흙먼지들이 허공을 뒤덮고 그 옆 차선으로 시내 버스들이 주춤거리며 고개 쪽으로 힘겹게 넘어갔다. 불도저와 굴착기의 소음이 집요해질수록 태풍에 쓸려나간 양 민둥산 한쪽은 급격히 무너져버리고 다음날 출근해 보면 어느새인가 골조 공사가 시작되고 있었다. 산이 무너진 자리에는 성냥개비를 빽빽이 세워놓은 것처럼 아파트들이 들어서고 사차선 도로는 확장 공사를 하는 중이었다. 얼마 후면 그 자리에 봄이면 철쭉과 개나리가 피고 짙은 녹색의 쑥더미들로 그득하던 산이 있었다는 것을 기억하는 사람은 아무도 없을 것이다. 이미 내부 공사가 시작되고 있는 산 앞쪽의 아파트들 옆으로는 담장에 금이 간 함석 지붕의 낮고 초라한 몇 채의 집들이 축대 위에 위태롭게 남아 있었다. 그 불안한 소음과 난폭한 트럭들 사이에서도 몇 채의 집에서는 자전거 뒤에 빈 도시락을 매달고 귀가하는 늙은 남자와 우체국 아래 시장에서 우엉과 배춧단을 사들고 녹슨 대문을 여는 여자들이 망원경 렌즈에 잡혔다. 날씨가 맑은 날에는 불도저에 앉아 운전하고 있는 사내의 까맣게 그을린 얼굴이나 얼마 전 아파트 주변 상가로 들어선 피아노 종합 전시장 안의 반짝거리는 검고 흰 건반들까지 보이기도 했다.

그러나 열흘이 지나도록 연일 무겁고 탁한 안개가 머리 위까지 내려와 있었다. 이쪽 맞은편 건물들도 철거될 날이 얼마 남지 않았다. 우체국은 또다시 자리를 옮기거나 아니면 아주 사라질 터였다. 국장의 자리는 오늘도 비어 있었다. 그 계집아이가 비척거리는 걸음으로 대문을 열고 나서는 것이 보였다. 나는 망원경을 내려놓고 자리에서 일어났다.

우체국은 3층짜리 교회 건물의 일층에 위치해 있었다. 수요일과 금요일이면 예배를 보기 위해 수많은 사람들이 계단을 오르내리고 우체국 안까지 기도와 찬송 소리가 끊임없이 들려왔다. 교회 사무국에서 근무하는 여직원이 소포가 든 무거운 상자 몇 개를 들고 안으로 들어왔다. 여직원을 도와 소포를 불투명 테이프로 감싸고 끈을 묶어주고 접수를 했다. 계절이 바뀌면서 우편물과 소포가 부쩍 늘어난 것은 사실이지만 철거를 앞두고 있는 오래된 동네의 우체국은 매양 지나치게 한가하고 적요로웠다. 그 사이에 아이는 소리도 없이 우체국 안으로 쓱 들어와 한쪽 구석에 놓인 나무 의자에 가 앉았다. 금융 창구 미스 정이 쯧쯧 혀를 찼다. 오늘도 그 애는 윗옷을 안과 밖이 뒤바뀐 것도 모른 채 입었고 신발도 짝을 바꿔 신고 있었다. 아이는 초점이 흐릿한 눈으로 우체국 실내, 초록잎이 무성한 소철 화분이나 시간이 멈춰버린 커다란 괘종시계 어디쯤을 무연히 바라보고 있었다.

아이에 관해 내가 알고 있는 사실은 몇 가지 단편적인 것밖에 없다. 그 애의 부모는 애가 서너 살일 무렵에 차례로 죽었다. 아이는 할머니 손에서 자랐다. 얼마 전 아이의 할머니가 죽었다. 이틀에 한 번씩 우체국에 들러 폐지와 신문지들을 모아가던, 허리가 굽고 귓불까지 검버섯이 번져 있던 노파였다. 노파가 죽고 난 이후 아이는 하루도 거르지 않고 매일 우체국에 와 빈자리에 앉았다가 돌아가곤 하였다. 죽은 할머니의 편지를 기다리면서. 그 애는 그저 지극히 평범한 저능아일 뿐이다. 아무도 그 애의 이름을 알지 못했다. 목에 걸고 있는 망원경을 덜렁거리면서 아이의 옆으로 가 앉았다. 그 애는 고개를 외로 돌리며 눈을 내리깔았다. 열네 살의 아이는 지나치게 수줍음이 많았다. 평생 조롱을 당하며 살아온 삶이 그 애를 그렇게 만들었을 것이다. 아이의 더러운 뺨 위로 눈물 자국이 말라붙어 있었다.

……내가 우는 건, 하, 할머니 때문이 아니라, 나, 나 때문이에요.

아이는 심하게 말을 더듬었지만 의사 표시는 정확히 할 줄 알았다. 가끔 그 애와 대화를 하고 있을 때면 나는 아이가 인식 장애를 가진 저능아라는 사실을 잊곤 했다. 한기가 느껴지는지 아이는 몸을 잔뜩 웅숭그렸다.

여기도, 추, 춥긴, 마찬가지네요. 밖은, 너무, 추워요, 집 안은 아주, 한겨울이에요, 얼음처럼 차가워요.

더듬거리는 말투로 호소하듯 아이가 입을 열었다.

잠을 자. 그러면 춥다는 것도 또 네가 혼자라는 것도 잊을 수 있어.

나는 짝이 바뀐 아이의 신발을 툭 차며 말했다. 뺄을 기고 있는 거북의 등을 건드린 것처럼 아이의 발이 금방 의자 뒤쪽으로 움츠러들었다.

할머니한테 편지는 오지 않을 거야. 아무것도 기다리지 마, 이 병신아.

…….

아이는 자리에서 벌떡 일어나는 나를 물끄러미 바라봤다. 나는 문득 망원경을 들어 클로즈업 사진을 찍듯 아이의 눈을 향해 가까이 들이댔다. 흠칫 놀라긴 했지만 그 애는 피하지 않았다. 가장 가까운 거리로 초점을 맞추어 보았으나 렌즈 속엔 희뿌연 빛만 가득했다. 너무 가까운 거리의 사람이나 사물은 망원경으로는 볼 수가 없다는 사실을 잊고 있었던 것이다. 망원경을 거꾸로 들어 렌즈를 아이 눈 쪽으로 향하게 해보았다. 볼록거울 같은 하나의 작은 구멍 속에 그토록 가까운 거리의 그 애가 비현실적으로 느껴지는 먼 거리에서 우두커니 이쪽을 바라보고 있었다. 거꾸로 든 망원경 렌즈를 아이의 눈에 꼭 갖다 붙여보았다. 얼룩덜룩한 검은 그늘이 있는 흰자위로 터진 몇 개의 실핏줄들과 그 밑으로 차츰 고이기 시작하는 눈물이 뿌옇게 확대되었다. 아이는 시선을 비키지 않은 채 망원경 렌즈를 똑바로 쳐다보았다. 그것은 아침에 눈을 뜨자마자 돌연한 공포를 느끼며 거울을 들여다보는 내 모습을 마주했을 때처럼 낯설고 공소한 느낌이었다. 나는 자주 거울을 들여다본다. 거울 속에는 토요일과 일요일이 있고 거울 속에는 낡은 밥상과 오래된 라디오가 있다. 그리고 거울 속에는 때로 내가 없다. 나는 아이에게서 얼른 등을 돌렸다.

오늘은 어째 잭스가 오질 않네.

내 옆의 신주임이 혼자말을 하듯 중얼거렸다. 잭스는 지금 지하철을 타고 과천 쪽을 향해 가고 있을 것이다. 한 달 전부터 우체국 바로 아래 건물 사회복지관에서 외국어를 가르치고 있는 그는 캐나다에 있는 부모와 헤어진 애인에게 쓴 편지를 들고서 사흘에 한 번씩 우체국에 온다. 무성한 나무처럼 큰 키와 깎아놓은 듯 뚜렷하고 단정한 외모 때문에 직원들은 모두 그를 기억하고 있었다. 그리고 라틴계 특유의 검은 피부색. 그의 선이 뚜렷하고 두툼한 입술은 말을 하기 위해서라기보다는 휘파람을 불기 위해서, 혹은 안으로 수줍게 말린 몇 장의 꽃잎을 공들여 한 장 한장 들춰내 그 안에 깊이 숨겨진 꽃술을 빨아들이기 위해 만들어진 듯 섬세하고 탐욕스럽게 생겼다. 그가 다녀간 후면 여직원들은 까닭 없이 까르르 소리내며 생경스럽고도 급작스런 웃음을 터뜨리곤 하였다.

나는 책상 서랍에서 몇 장의 편지들을 꺼냈다. 옆자리 신주임이나 금융 창구 직원은 서류를 정리하거나 어디론가 전화를 걸고 있었다. 아무도 나를 지켜보고 있는 사람은 없었다. 자리에서 일어났다. 그러고는 통장 정리기 옆에 있는 종이 분쇄기에 차례대로 편지들을 밀어넣었다. 잭스의 부모나 옛애인에게 도착했어야 할 편지들이 국수 가닥처럼 가늘게 분쇄돼서 휴지통 속으로 사라지고 있는 것을 물끄러미 바라보고 있었다.

가늘고 긴 다리와 붉은 팥을 박아 넣은 것 같은 눈을 가진 홍학들이 떼를 지어 깃털을 흔들어대며 조련사의 손짓에 맞춰 군무를 추기 시작했다. 잭스는 껑충하게 큰 키를 구부리며 홍학의 우리에 기대고 서서 좀체 움직일 줄 몰랐다. 이제 막 공작과 가슴도요새의 우리를 지나쳐 온 참이었다. 시간에 맞춰 온 것처럼 그때 홍학의 군무가 시작되고 있었다.

저것 좀 봐라, 아주 아름답지 않니?

검은 얼굴 속에서 유난히 희게 번쩍거리는 눈을 들어 그가 나를 굽어보았다. 나는 얼굴을 슬쩍 외면했다.

아주 못생긴 새다. 화려한 날개를 가진 공작에 비하면.

나는 무뚝뚝하게 말했다.

그렇지 않다. 언젠가 케냐를 여행할 때 어느 호수 주변에서 홍학의 서식지를 본 적이 있다. 저렇게 땅 위에서는 뒤뚱거리는 것처럼 보이지만 홍학들이 수면을 탁 차고 하늘로 오르는 순간에는 정말 기막히도록 우아한 자태로 변한다. 큰 천둥 소리를 내면서 수천 마리의 새들이 한꺼번에 하늘로 날아오르는 모습을 한 번 상상해 봐라. 분홍빛 구름이 연상되지 않니?

그는 내가 그의 언어를 알아듣기 쉽도록 느린 속도로 말하고는 우리 안에 갇혀 춤을 추고 있는 홍학들이 금방이라도 하늘을 향해 날아오를 것을 기대하는 듯 먼 곳을 향해 눈을 던지고 있었다. 내 망원경의 렌즈 속에는 홍학들의 잘린 듯한 뭉툭한 꼬리와 부러진 발가락들, 진흙이 묻은 더러운 깃털이 들어왔다. 그리고 야생의 어느 호숫가에서 홍학을 잡기 위해 물 속으로까지 뛰어드는 배고픈 하이에나의 그림자도.

분홍빛 구름이라고? 너 그건 모르는구나. 홍학의 저 색깔을 유지하기 위해서 동물원에서는 일부러 당근을 갈아 먹이거나 카로틴제를 사료에 섞어주기도 한다는 것 말이다.

너는…….

그는 잠깐 말을 끊었다.

그런 것만 보지 말고, 그냥 저 아름다운 깃털과 가늘고 긴 다리만 볼 수는 없는 거니?

만약 잭스와 내가 이른 아침에 만나 등산이란 걸 하게 된다면 나는 부족한 잠에 대해, 벌레들에 대해, 위엄을 잃은 산 곳곳의 쓰레기들에 대해 이야기할 것이고, 아마도 그는 청명한 대기와 그 틈 사이로 위안처럼 내뻗기 시작하는 아침 햇살과 숨은 듯 피어 있는 원추리의 노란색에 관해 이야기할 것이다. 그러나 잭스의 그런 성향은 때로 검은 피부색을 감추기 위한 교묘하고 의도적인 위선처럼 느껴지곤 한다.

나는 대꾸도 없이 낙엽이 떨어져 있는 빈 벤치 쪽으로 뚜벅뚜벅 걸어갔다. 자리에 앉다 말고 순간적으로 두 눈을 감싸쥐고 말았다. 깨진 거울 조각을 들고 내 얼굴을 향해 이리저리 비춰대는 것처럼 눈앞으로 차갑고 흰빛이 빠르게 스쳐갔다. 동공이 벌어진 캄캄한 눈으로 사위를 둘러보았다. 그러나 거울을 든 아이들이나 유리창 같은 것, 빛을 쏘아 올릴 만한 것은 아무것도 보이지 않았다. 몇몇의 관중들이 과자 부스러기와 귤 등속을 우리 안에 던져 넣고 있을 따름이었다. 홍학들은 끽끽거리며 우리 안쪽으로 발을 굴렀다. 아무것도 아니었을 거야. 나는 목에 걸린 망원경을 만지작거리며 읊조렸다.

잠시 더 홍학의 군무를 지켜보고 있던 잭스가 자동 판매기에서 커피를 빼와 내 옆에 털썩 주저앉았다. 그에게서 진한 향수 냄새가 풍겼다. 그러나 어떤 향수로도 그의 몸에 밴 노린내는 사라지지 않는다. 힘이 느껴지는 단단한 팔뚝으로 그가 나의 한쪽 어깨를 감싸쥐었다. 나는 조금 더 옆으로 비켜나 앉았다. 내년 봄이면 그는 그의 나라로 떠난다. 그리고 인디아로 긴 여행을 떠날 것이라고 했다. 그곳에 그의 조상들이 살았다고 한다.

옛날, 아주 먼 옛날에 지구 반대편에 작은 나라가 있었어. 그곳은 온통 캄캄한 어둠뿐이었지. 왜냐하면 해와 달이 한번도 비춘 적이 없었기 때문이다. 왕이 다섯 명의 용감한 기사들에게 말했다. 빛을 가져오는 사람에게 왕의 딸들과 결혼을 시키겠다고 말이다. 기사들은 길을 떠났다. 큰 산을 몇 개나 넘었다. 어느 날 불길이 솟아오르고 있는 산꼭대기에서 거인이 살고 있는 것을 보았다. 산 위에는 붉은 태양이 온갖 나무와 새들 위에 놓여 있었다. 거인은 기사들에게 말했다. 나는 집시의 조상인 튀발카인이다, 이 태양은 나의 주인이다, 라고. 기사들은 거인에게 빛 한 점 없는 자신들의 나라에 관해 이야기했다. 기사들의 이야기를 듣고 난 거인은 해에게 부탁했다. 해는 기사들과 함께 그 어두운 나라로 갔다. 기사들은 공주들과 결혼을 했다. 그 나라에는 이제 하루종일 해가 들고 어둠은 오지 않게 되었다. 그런데 해를 보낸 후 오랫동안 빛 없이 지내게 된 튀발카인의 후예들은 해가 그리워지기 시작했다. 그들은 다시 해가 비추는 곳이면 어디든지 찾아가기 시작했고 결국 그때부터 집시들은 세상을 떠돌게 된 거다. 해가 있는 곳이면 어디든지 말이야.

그가 붉게 이글거리는 얼굴로 나를 쳐다봤다. 나는 마치 겨냥을 보고 있었던 듯 태연히 손가락을 들어 하늘을 가리켰다. 뿌연 운무와 스모그로 뒤덮인 잿빛 구름들 뒤에서 토요일 오후의 태양은 터진 달걀처럼 흐릿하고 불투명하게, 태고의 찬연한 빛과 우주를 단숨에 태워버릴 듯한 내밀한 열정을 숨긴 채 희미하고 사소한 흔적으로 남아 있었다.

새벽 세시에 나는 홀연히 잠에서 깨어났다. 방안은 검은 잉크를 흩뿌려놓은 듯 어두웠다. 가을 내내 혼절하듯 깊은 잠에 빠져 있었다. 아침이면 입가에 허옇게 침 자국이 남아 있었고 잠들기 전 두통약 한 알을 네 조각으로 쪼개 먹어도 늘 머리가 아팠다. 잠에서 깨어난 건 두통 때문이라고 생각하며 무릎을 꿇고 앉아 어둠의 심부를 응시하고 있었다. 그러나 꿈 한 번 꾸지 않고 내리 이틀을 깊은 잠에 빠져 있다 깨어났을 때처럼 머릿속은 명징했고 두통 따위는 조금도 느껴지지 않았다.

차차 어둠에 눈이 익을 무렵 나는 무엇에 이끌린 듯 책상 위에 놓인 망원경을 바라보게 되었다. 그것은 한 마리 전갈처럼 팽팽히 꼬리를 치켜든 채 어둠 속에서 빛나고 있었다. 나이트 비전의 붉은 렌즈 속에 의혹을 가득 품고 있는 나의 눈동자가 그대로 비춰지고 있는 것만 같았다. 그제서야 잠을 깨운 것은 두통이 아니라 한밤의 망원경이라는 사실을 깨달았다. 나는 부스스

자리를 털고 일어났다.

저녁 식사를 마치고 아홉시 뉴스를 기다리는 동안 망원경을 들고 옥상으로 나가곤 하였다. 저녁 무렵의 희미한 어둠 속에서 옥상 한구석에 몸을 숨기고 앉아 먼 곳의 불켜진 아파트의 커다란 창들과 커튼이 젖혀진 저쪽 누군가의 옥탑방과 긴 능선의 우면산 사이를 분주히 오가며 망원경 렌즈에 눈을 붙이고 앉아 있었다. 차도를 질주하는 버스와 주머니에 두 손을 찌르고 정류장에 서 있는 사람들, 옥상에 널어놓고 말리던 무청과 호박을 걷어내기 위해 올라온 이웃집 여자의 기미 낀 얼굴까지 모두 다 망원경 안으로 들어왔다. 그 모든 것들이 안경을 새로 맞춰 쓰거나 확대경을 들이댄 것보다 가깝고 선명하게 보였다. 거리의 아이들은 날마다 조금씩 더 자라고 어쩌면 나는 늘 새로운 것을 보게 될지도 몰랐다. 시간이 가는 것도 잊은 채 옥상에서 망원경을 들여다보고 있다가 방으로 내려오면 눈 주위에 둥그렇게 두 개의 자국이 팬 얼굴의 내가 물끄러미 거울을 들여다보고 있었다. 그러나 입동이 지나고 첫추위가 시작되면서부터 사람들은 하나둘 창문을 닫고 짙은 색의 커튼을 치기 시작했다.

나는 흰 천을 몸에 두르고 옥상으로 나갔다. 차갑고 선득한 기운이 목 언저리로 훅 끼쳐왔다. 습한 안개와 금방이라도 폭우를 쏟아낼 듯한 검은 구름들이 하늘을 뒤덮고 있었다. 그 하늘 뒤로 숨어 있는 활의 현을 엎어놓은 듯한 하현의 날렵한 달과 수억 년 전 소용돌이치는 운석을 치고 지나갔을 몇 개의 별들은 망원경으로도 보이지 않았다. 그러나 나는 이지러진 한쪽 달의 분화구와 아주 먼 곳에서 태양보다 밝게 빛나고 있을 별빛들을 훔쳐보고 싶은 열망으로 맞바람을 받으며 홀로 서 있었다. 눈앞으로는 가깝고도 먼 어둠이 꽉차 있을 따름이었다. 누구에게도 들리지 않을 긴 한숨을 내쉬며 닫힌 창들이 열리기를 기다리면서 렌즈의 초점을 맞추었다. 렌즈 속으로 한 사내의 모습이 들어온 것은 추위와 열리지 않는 새벽의 수많은 견고한 창들에 지쳐 그만 방으로 내려가려고 하던 참이었다. 나는 옥상 한쪽에 놓여 있는 물탱크의 그늘 속으로 기민하게 몸을 숨겼다. 그러고는 뒤늦게 목표물을 발견해낸 집요한 사냥꾼처럼 망원경의 거리와 초점을 그 사내를 향해 새로 맞추었다. 그는 내가 서 있는 이곳 어디쯤에 시선을 고정시키고 있었다. ……들고 있던 망원경에서 눈을 떼어냈다. 순간적으로 동공이 확대되는 것이 느껴졌다. 그러나 역시 사내는 나처럼 망원경을 들고 서서 망망대해를 항해하는 선원처럼 무연히 이쪽을 내려다보고 있는 게 틀림없었다. 새벽 세시가 넘은 시간에 저 먼 곳의 그와 나는 서로 망원경 속에 눈을 숨긴 채 서로를 바라보고 있는 것이다. 가슴이 뛰어오르기 시작했다. 나는 시선을 비켰다. 그러자 내 눈앞으로, 망원경의 렌즈 속으로 믿을 수 없는 일들이 벌어지기 시작했다. 저쪽의 옥상에서도, 더 먼 곳의 지붕 위로도 검은 형체들이 우뚝우뚝 서 있는 것이 새로 보였다. 다섯 명, 일곱 명, 다시 열한 명, 아니 스무 명…… 숫자는 점점 더 늘어가기 시작했다. 그들은 모두 화려한 옷을 벗은 홀씨처럼 가볍게, 초원을 높이 뛰어오르는 붉은 캥거루처럼 민첩하게 옥상이나 지붕 위로 올라오고 있었다. 모두 망원경 하나씩을 목에 건 채 은밀하고도 비밀을 숨긴 도시의 새벽으로. 나는 탄식하듯 숨을 몰아쉬었다. ……미확인 물체를 바라보는 양 눈에서 망원경을 떼지 않은 채 물탱크의 그늘 속을 벗어나 옆걸음을 치며 옥상 한가운데로 나갔다. 돌연 저쪽의 누군가 한 손을 번쩍 치켜들었다. 그것이 그들 사이의 무슨 신호나 암호 같은 것이었을까. 다른 누군가 손을 들고 또 다른 누군가가 손을 치켜올렸다. 약속이나 한 듯 검은 형체들이 일제히 내 쪽으로 시선을 돌렸다. 온몸이 불시에 얼어붙는 것만 같았다. 그러나 나는 얼른 마음을 다잡고 망원경을 들지 않은 한쪽 손을 천천히 들어올렸다. 누군가 가볍게 고개를 끄덕이는 듯한 시늉을 하거나 입을 벌리고 히죽히죽 웃는 것도 같았다. 그들 중 누구도 망원경에서 눈을 떼는 사람은 없었다. 수많은 옥상과 지붕, 물탱크 위로 망원경을 든 검은 형체들이 어른거렸고 엄혹한 추위 속에서 그들이 내뿜는 흰 입김과 그들이 방향을 바꿀 적마다 날카롭고 가는 흰빛이 허공을 휙휙 갈랐다. 나는 하늘을 가르며 떨어지는 유성우를 놓치지 않으려는 듯한 필사적인 몸짓으로 방향을 바꾸어가며 축제, 아니 밀교에 빠진 그 검은 형체들을 나의 렌즈 속으로 불러들이려 애썼다. 무겁고 흐린 하늘은 한꺼번에 수천 개의 별똥이 쏟아지듯 온통 방향을 바꾸는 망원경의 렌즈 불빛으로 가득해졌다.

수없이 많은 별들이 쫓기듯이 동쪽으로 떨어지고 있었다.

그날 밤, 나는 금빛 수건으로 머리를 치장하고 목과 귀에 요란한 장신구들을 매달고 울긋불긋한 겹겹의 옷을 껴입은 채 몇 개의 어두운 길모퉁이와 늪을 숨긴 긴 강과 사막을 지나 먼 길을 떠나고 있었다. 해와 달이 있는 곳이면 어디든지 떠나는 집시처럼, 해가 지는 방향으로 생의 긴 여행을 계속하는 집시처럼. 나는 아주 긴 꿈을 꾸고 있었다.

일요일 오후 두시에 집을 나섰다. 토요일 오후와 일요일은 여간해서는 망원경을 들고 옥상으로 올라갈 수가 없었다. 집으로 돌아온 사람들이 창문을 활짝 열어두고 베란다로 이불이며 나프탈렌 냄새가 밴 겨울옷들을 건조시키거나 꽃이 진 화분에 물을 주고는 했다. 옥상에 나가 있으면 저쪽 먼 곳에 있는 사람들과 눈이 부딪치고 방심한 순간에 나보다 먼저 그들이 망원경을 든 나를 발견하기 일쑤였다. 어느 날인가는 무심코 옥상 난간에 걸터앉아 사위를 둘러보다가 대각선으로 마주보이는 커다란 방의 창 안에서 내 쪽을 향해 주먹을 내지르는 사람들과 마주치기도 했다. 욕설은 이쪽까지 들리지는 않았지만 그날 이후 한낮에는 옥상으로 나가지 않았다. 그러나 어둠은 서둘러 찾아왔고 그때마다 스르르 일어나 방을 나갔다. 밝은 곳에서는 어둠 속에 웅크리고 있는 사람이 잘 보이지 않는 법이다. 인근의 몇 집에 연달아 좀도둑이 든 이후부터 순찰차가 골목을 순시했고 나는 유독 순찰차가 내가 살고 있는 집의 골목을 자주 지나간다는 사실을 깨닫게 되었다. 내 방의 작은 창으로는 한정된 각도의 풍경만 볼 수 있을 따름이었다.

순환선인 지하철 2호선을 타고 도심을 한바퀴 돌았다. 그래도 여전히 어둠이 찾아들기에는 이른 시각이었다. 목에 건 망원경의 렌즈 뚜껑은 꼭 닫아두었다. 복구된 당산철교를 지날 때 나는 저도 모르게 손잡이를 꽉 부여쥐었다. 다리를 지나는 동안 발 밑이 푹푹 꺼지는 느낌에 진땀을 흘리고 있었다. 동대문운동장에서 지하철을 갈아타고 광화문에서 내렸다.

흐린 하늘은 키를 낮춘 채 머리 위까지 내려와 있었지만 빗방울은 아직 떨어지지 않았다. 세종문화회관 옆 골목을 지나 후지우동집으로 들어갔다. 분을 하얗게 바르고 윤곽을 뚜렷하게 세운 배우들 몇이 바를 차지하고 앉아 연신 시계를 들여다보며 빠르게 음식을 비우고 있었다. 나는 거리 쪽으로 난 이인용 작은 테이블에 가 앉았다. 주문한 유부초밥과 우동 한 그릇을 기다리는 동안 부러 창 쪽을 외면하며 테이블만 쳐다보고 있었다. 가방이 없어졌다는 사실을 알게 된 건 간장 종지에 겨자를 막 풀어넣고 있을 때였다. 얼른 가슴께를 내려다보았다. 목에 걸린 망원경은 탁자 위에 불안한 각도로 비스듬히 걸쳐져 있었다. 우동 국물과 유부초밥 한 접시를 천천히 다 비웠다. 주머니 속에는 만 원권 한 장과 천 원짜리 지폐 몇 장이 들어 있었다. 태연히 음식값을 지불하고 우동집을 나왔다. 우동집 문밖에서 내가 앉아 식사를 했던 자리를 들여다보았으나 테이블 밑에는 구겨진 냅킨 몇 장이 널려 있을 뿐이었다.

택시를 타고 성동구로 갔다. 광화문역에서 내릴 때 지하철 선반 위에 올려둔 가방을 잊었던 것이다. 택시 기사는 성동구 보건소 4층 건물 앞에 나를 내려놓고 어둠이 내리기 시작하는 도심의 저쪽으로 사라졌다. 주머니 속에는 간신히 집으로 돌아갈 수 있는 동전 몇 개가 남아 있었다. 나는 성동구 보건소 4층, 서울경찰청 유실물관리센터 쪽으로 걸음을 옮겼다. 그곳은 서울에서 분실된 모든 물건이 모이는 곳이다. 분실된 가방이나 신분증 · 서류 봉투 · 현금 같은 것들을 습득한 사람들이 가끔 우체국으로 찾아오는 경우가 있었다. 우체국으로 온 분실 물건들은 중앙우체국을 통해서 다시 이곳으로 오게 된다. 한쪽 올이 풀리기 시작한 낡은 천가방에는 몇만 원이 든 지갑과 방 열쇠가 들어 있을 뿐, 시안을 다투는 서류나 계약서 같은 귀중한 것들이 들어 있는 건 아니었지만 나는 빨려들어가듯 건물 안으로 들어갔다. 망원경을 목에 건 나는 촛불 하나를 들고 오백여 년 만에 발견된 납골당으로 들어가고 있다는 착각에 빠져들었다. 그럴 만큼 복도는 어둡고 습습한 기운이 감돌고 있었다.

복도를 걷다가 흠칫 뒤를 돌아다봤다. 예의 그 눈을 찌르는 듯한 차갑고 흰 빛이 지나갔다는 느낌 때문이었다. 내 등뒤에는 아무도 보이지 않았다. 그러나 나는 어둡고 시력이 나쁜 나의 눈을 의심하지는 않았다. 어쩌면 그들이 이곳까지 나를 따라왔는지도 모를 일이었다.

분실 신고 서류를 작성하면서 제복을 입은 직원의 등 너머를 유심히 쳐다보았다. 서류가 접수되기를 기다리는 동안 망원경을 들고 의자에 가 앉았다. 초점을 맞춘 망원경 안으로 누군가 잃어버린 지갑이며 가방 · 휴대폰 · 옷 · 시계 · 붓글씨가 담긴 액자, 카메라, 각종 귀금속 같은 것들이 4층 철제 선반에 그득한 것이 보였다. 그리고 도저히 잃어버릴 수 없을 것만 같은 안경이나 틀니까지도. 아니다. 나는 아무것도 볼 수 없었다. 주인이 나타나지 않을 경우 유실물들은 일 년 십사 일 뒤에 습득자에게 돌아간다. 수없이 많은 사람들이 지하철이나 거리, 혹은 차 안에 놓고 잃어버린 물건들이 광휘를 잃은 죽은 짐승의 가죽들처럼 잔뜩 쌓여 있었다. 그 사이에서 나는 내가 무엇을 잃어버렸는지, 무엇을 찾기 위해 그토록 먼 거리를 달려왔는지 까맣게 잊은 채 딱딱한 의자에 다리를 접고 앉아 의혹에 찬 두 눈을 두리번거리고 있었다.

잭스는 낡은 5층 건물의 옥상에 지어놓은 가건물에서 살고 있었다. 일 년 동안 지내기 위해 가져온 가벼운 짐들과 중고 텔레비전, 그리고 다리가 접히는 상 하나가 전부인 작은 방이었다. 일 년 후면 그 짐들을 다 정리하고 이곳에서 만났던 사람들과 겨우 익혔던 관습과 익숙했던 장소에 관한 기억을 모두 잊고 다시 새로운 곳을 향해 떠날 것이다. 그는 내가 이 도시에서 삼십여 년이 가깝도록 살고 있다는 사실을 이해하지 못했다.

산 중턱을 가르고 올라선 남산타워와 하얏트호텔, 그리고 다른 곳들과 경계를 짓듯 이태원 쪽으로 둥글게 향한 도로의 가로등 불빛이 길 잃은 자의 표적이나 되는 것처럼 환하게 번져 있었다. 마당도 테라스도 없는 5층 건물의 비좁은 방마다 일자리를 찾기 위해 건너온 타국인들이 빼곡이 들어 있을 터였다. 등 뒤에서 그가 텔레비전을 끄는 소리가 들렸다. 방안은 고요하고 긴 정적 속으로 빠지기 시작했다.

혹시 너도 깊은 밤이면 홀로 망원경을 들고 옥상으로 나가지는 않니? 너의 방은 내가 무수히 봐왔던 그들의 방과 너무 닮아 있다. 문을 꼭 닫고 자라. 캄캄한 저쪽에서 누군가 너를 지켜보고 있을지도 모른다.

너는, 거짓말쟁이다.

딱딱한 표정을 한 잭스가 성큼 내 쪽으로 다가왔다. 그러고는 거친 손놀림으로 내 목에 걸린 망원경을 벗겨냈다. 나는 꽃 사이에 웅크리고 앉아 먹이가 나타날 순간을 기다리는 독거미처럼 망원경을 낚아채기 위해 사지를 펼치고 허공으로 뛰어올랐다. 그가 간단히 내 손을 뿌리쳤다. 내 어깨를 밀치며 벽에 걸린 거울 앞으로 끌고 갔다.

자, 한번 너를 자세히 봐라.

거울 속에는 침침한 눈을 자꾸만 깜빡거리고 있는 내 검은 눈동자와 내 어깨에 하얀 손톱을 세우고 비스듬히 선 그의 모습만 보일 따름이었다. 그리고 그와 내 어깨 사이로 선을 긋듯 가늘고 뾰족한 남산타워가 우뚝 솟아 있었다. 나는 투정을 부리듯 어깨를 외틀었다. 땀이 차오르는 그의 손이 단호하게 내 어깨를 꽉 붙잡았다.

너는 마치 한쪽 방향을 아주 잃어버린 사람 같다. 네 입술은 왼쪽만 칠해져 있고 너는 음식을 먹을 때도 접시의 한쪽밖에는 먹지 않는다. 그러고는 여전히 배가 고프다고 한다. 자, 이렇게 한번 몸을 돌려봐. 양쪽을 다 볼 수 없다면 차라리 네가 볼 수 있는 한쪽 방향으로 계속해서 몸을 돌려보는 거다. 그러면 네가 놓쳤던 것들을 볼 수 있게 될 거다. 쉽게 생각해. 식사를 하고서도 만약 배가 고프다면 제자리에서 한 바퀴 돌아봐. 그땐 네 접시 왼쪽에 남은 음식들이 눈에 보일 거다.

잭스는 내가 알아들을 수 없이 빠른 속도로 말을 쏟아내고 있었다. 나는 영문을 모르겠다는 얼굴로 그를 올려다봤다. 그가 내 팔을 붙잡고는 왼쪽으로 빙글빙글 돌기 시작했다. 벽이 돌고 옷걸이가 돌고 천장이 돌고 거울이 돌고 입술을 비틀며 돌연한 웃음을 터뜨리는 그의 얼굴이 날아올랐다. 택시 안에서부터 입술을 깨물며 참아냈던 어지럼증과 구토가 쏟아질 것만 같았다. 잭스의 손을 세차게 뿌리치며 방바닥으로 주저앉고 말았다.

성성했던 네온이 하나둘씩 점멸해가고 있었다. 내 발치에 쪼그리고 앉은 잭스는 길을 잃고 여러 날 동안 혼자 어두운 숲속을 헤매다 홀연히 바위틈에 뿌리내린 겹겹의 풀꽃을 만난 사람처럼 나의 몸을 가만가만 쓰다듬기 시작했다. 그의 손길은 내 몸에서 싱그러운 향기가 나기를 기다리는 듯 조심스럽고도 안타까웠다. 나는 조용히 소스라치며 상아같이 솟은 그의 몸이 쑥 밀고 들어오는 것을 느끼고 있었다. 방 한구석에 떨어져 있는 망원경이 까만 눈으로 나를 응시하고 있었다.

나는 네가 내 편지를 부치지 않고 있다는 걸 안다.

숨을 몰아쉬는 듯한 그의 목소리가 먼 곳에서 들려왔다.

오랜 연무 끝에 겨울비가 내리기 시작했다. 나는 이불을 뒤집어쓰고 누워 줄곧 비가 내리는 쪽으로 귀를 열어두고 있었다.

옥상으로 나가지는 않았지만 텔레비전을 켜놓고 잠든 창의 푸른 불빛과 비구름 뒤에서 만월로 차오르고 있는 달의 모습을 지켜보았다. 어느 새벽녘인가는 누군가 옥상을 쿵쿵 뛰어다니고 있는 듯한 걸음 소리가 들려 잠깐 잠에서 깨나기도 했다. 그건 한 사람의 발소리가 아니라 떼를 이루어 진군하는 듯한 소리였다. 그리고 창을 스치는 흰빛들. 그러나 나는 밖으로 나가지도 않았고 불도 켜지 않았다. 비가 쏟아지는 깊은 새벽에도 이웃한 집들의 옥상을 뛰어다니는 그들의 움직임은 아침녘에야 겨우 멈추곤 했다. 어쩌면 그것은 내 작은 창에 빗금을 그으며 떨어지던 빗줄기였을까. 책상 위에 올려놓은 망원경은 가끔씩 푸득거릴 뿐 그 자리에 붙박여 있었다. 불을 삼킨 듯 목 안이 뜨겁게 부어오르고 이마가 달아올랐다. 몸을 덜덜 떨어대며 약국에 가서 사흘 분량의 약을 지었다. 그 사흘 동안 결근한다는 연락도 하지 못한 채 식은땀을 흘리며 내도록 앓았다. 길모퉁이를 돌 적마다 가슴이 떨어져내리던 어두운 밤의 골목들과 이따금씩 걸음을 멈추게 하는 돌연한 빛줄기와 자칫 방심할 적마다 달려들던 기억들이 내 꿈 속으로 들어왔다 나가곤 하였다. 그러나 나는 아무것도 기억하지 못했다.

비가 그친 오후에 자리를 털고 일어나 창을 열었다. 비가 내린 후의 차갑고 투명한 바람이 뺨을 스치고 지나갔다. 세탁소에 가서 지난 겨울에 맡긴 외투와 목도리를 찾아왔다. 비닐 커버를 벗기고 빨랫줄에 널어두었다. 계절이 지난 옷들을 서랍장에 정리하고 창의 커튼을 겨울용으로 바꿔 걸었다. 이제 길고 혹독하게 찬 겨울이 시작될 터였다.

우체국의 철거 날짜가 결정되었다. 우체국이 있던 자리에 도로가 확장되고 주변의 재래 시장과 낡은 건물들이 있던 자리에는 대규모의 아파트와 쇼핑 센터가 시공될 거라고 했다. 이미 사거리 쪽에서는 지하도 공사가 시작되었다고 한다. 우체국은 옆 관할 구역으로 편입될 거라고 했지만 내가 결근한 사이에 소장이 퇴직했고 우편 창구 여직원 한 명도 퇴사를 신청해놓은 상태라고 했다. 국장의 자리는 오늘도 비어 있었다. 모두들 말을 아꼈고 그 침묵 사이로 가끔씩 소포를 부치러 오는 사람과 국민 컴퓨터 신청서를 가지러 온 사람들만 드나들 뿐이었다.

나는 여느 때처럼 겨자색 유니폼으로 갈아입고 자리에 앉아 창밖을 내다보았다. 예배를 마치고 나온 사람들이 봉고차를 타고 또 어디론가 떠나고 그 앞쪽으로 새로 한 대의 포클레인이 신호를 기다리며 서 있었다. 축대 위에 남아 있던 집들 중 몇 채의 담장이 헐렸고 대문도 없는 집의 낮은 마루턱에 걸레가 뭉쳐져 있었다. 겨울비가 내리던 사흘 동안 더 많은 사람들이 이곳을 떠났을 것이다. 산을 깎아내리고 있는 중장비 기계들의 소음이 연달아 들려왔다. 흙더미 사이에서 먼지가 피어오르고 채 자라지 못한 나무들이 기우뚱거리며 스러졌다. 산은 이미 형체를 알아볼 수 없을 정도로 무너져 있었다. 이제 정말 누구도 그 자리에 산이 있었다는 것을 기억하는 사람은 없을 것이다. 그리고 그 산 속에서 정연한 질서를 유지하며 살아왔을 수없이 많은 초록의 생명체들도. 그러나 어쩌면 문득 아파트가 들어선 곳들마다 혹은 베란다와 마루 틈 사이로 봄이면 초록색 비듬나물이나 엉겅퀴 같은 것들이 보도블록을 밀쳐내고 올라오는 나무의 뿌리처럼 솟아날지도 몰랐다. 그때 사람들은 사라져버린 민둥산과 그 앞의 낡은 집들과 그 모든 것들이 존재하고 있던 길고 오랜 기억에 관해 이야기할지도 몰랐다.

대문이 뜯겨나간 집에서 그 계집아이가 되똑거리며 걸어나오고 있었다.

나는 잎 끝이 누렇게 변색되고 있는 소철과 관음죽에 물을 주고 건전지를 찾아 벽시계에 끼워넣었다. 가늘고 긴 시계 바늘이 삐걱거리며 움직이기 시작했다. 금융 창구 신주임이 내 어깨를 툭 치며 지갑을 들고 밖으로 나갔다. 그새 점심 시간이 시작된 모양이었다. 신주임이 나가자 실내는 텅 비었다. 열린 문틈으로 찬바람이 새어들어왔다. 책상 서랍을 열어보았다. 손때가 묻었을 풀이며 가위, 서너 개의 볼펜들 같은 소소한 사무용품들과 두통약, 액상 구강 청강제, 그리고 한 개의 적금 통장. 나는 이웃 관할의 우체국으로 발령받을 수도 있고 또 우편 창구 직원처럼 퇴직을 신청할 수도 있다. 우체국을 비롯한 이쪽 거리의 철거 날짜는 얼마 남지 않았다. 적금 통장만 빼고 가만히 책상 서랍을 닫았다. 티슈를 뽑아 책상 위의 먼지를 꼼꼼히 닦았다.

머플러를 친친 동여맨 아이가 우체국 문을 밀고 들어왔다. 나는 기다렸다는 듯 자리에서 일어났다. 아이가 다가오다 말고 주춤거리며 문 앞에 그대로 섰다. 차도를 지나 이곳까지 걸어오는 동안 아이의 뺨은 붉게 얼어 있었다. 의자를 밀어넣고 아이 쪽으로 걸어갔다.

이제 더 이상 이곳에 오면 안 돼.

나는 냉랭한 어투로 말했다. 그러나 아이는 내가 무슨 말을 하고 있는지 이해하지 못한 얼굴이었다. 다시 한번 거푸 이야기했다. 입술을 비죽거리며 아이는 금방이라도 울음을 터뜨릴 듯한 표정을 지었다. 나는 얼른 아이의 손을 붙잡고 우체국 밖으로 나갔다. 차고 건조한 바람이 목덜미를 훑고 지나갔다. 유니폼만 입은 홑차림으로 힘없이 끌려오는 아이를 데리고 건물 밖으로 걸어갔다.

하, 할머니한테서, 편지가, 편지가 올 거예요.

아이가 손을 잡아 빼며 애원하듯 말했다. 아무런 대꾸도 하지 않고 길 위쪽으로 걸음을 옮겼다. 요란한 기계음과 그 소음 속에서 산과 오래된 집들이 묵묵히 무너져가고 있을 터였다. 걸음을 재촉했다. 아이는 발을 질질 끌며 나를 따라오고 있었다. 아이가 뒤에서 무슨 말인가 더 하고 있었지만 귀에 잘 들리지 않았다. 횡단보도 앞에서 신호를 기다리다가 문득 고개를 들어 주위를 둘러보았다. ……! 어디선가 다시 그 흰빛이 쏟아지고 있었다. 우체국 쪽으로 뒷걸음질치던 아이가 눈이 부신 듯 손바닥으로 눈두덩을 가렸다. 그러나 나는 더 이상 놀라지 않았다. 되려 그 빛을 좇아 결연히 시선을 돌렸다.

새털구름들을 휘장처럼 거느린 붉은 해가 저쪽 하늘에 둥그렇게 떠 있었다. 마침내 해를 발견한 기사에게처럼, 생애 처음 해를 보았을 그 순간처럼 내 몸으로 수없이 많은 빛이 한꺼번에 떨어져내리고 있었다. ……나는 목에 걸고 있던 망원경을 들어 목표물을 겨냥해 시위를 당기듯 신중하고 침착하게 소나기처럼 빛을 퍼붓고 있는 태양을 향해 초점을 맞추었다. 어느 한순간 눈앞으로 흰 빛무리가 쏟아져 들어왔다. 금방이라도 눈동자를 태워버릴 것만 같은 굉장한 광력이었다. 나는 부신 눈을 한번 훔쳐내고 다시 망원경을 들었다. 동자가 확대되면서 눈앞이 아뜩해졌다. 꽃잎이 처음 열릴 때의 그 처연한 붉은빛, 그것은 내가 있는 곳으로부터 수억만 거리나 떨어진 묘원한 곳에서 전해져오는, 밤하늘에서 가장 밝은 시리우스보다 팔백만 배나 밝은 태양의 빛이었다. 겹겹의 띠를 두른 그 빛 속에서 새들이 날아다니고 구름과 별들이 떠 있고 사람들은 집을 짓고 날마다 그 속을 횡단하고, 그 천지를 지나 태양과 별에서부터 오는 빛으로 세상은 온통 반짝거리고 있었다.

누군가 내 손을 잡아끌었다. 고개를 돌렸다. 눈앞은 캄캄했다. 망막에 맺혀 있는 흰빛을 문질러대며 눈을 크게 떠보았다. 내 손을 잡아끈 아이가 물끄러미 나를 올려다봤다. 녹색불이 들어와 있었다. 사람들이 어깨를 밀치며 횡단보도로 걸음을 떼고 있었다. 나는 아주 낯선 얼굴로 그 애를 맞바라보다가 가만히 손을 놓았다. 그리고 들고 있던 망원경을 아이의 목에 걸어주었다. 그 애가 의구심과 떨림이 가득한 눈빛으로 나와 망원경을 번갈아 쳐다보았다. 어쩌면 네 할머니를 볼 수 있을지도 몰라, 뒤돌아보지 말고 얼른 가렴. 나는 아이에게 아무 말도 하지 않았다. 그리고 녹색불이 깜박거리고 있는 횡단보도로 아이의 등을 떠밀었다. 멈칫거리던 아이가 혼자 길을 건너가기 시작했다.

나는 태양을 두려워하지 않는 벌거숭이 아이들처럼 그 흰빛이 나를 빗나가지 않도록, 나를 지나치지 않도록 산란하는 빛의 파동에 오래 몸을 내맡기고 있었다.

망원경으로 바라보지 못하는 세계

최병우(강릉대 국문과 교수)

인간은 늘 자신의 눈으로만 세상을 바라본다. 남들이 다 보는 저 먼 곳을 바라보지 못하는 사람이 있는가 하면, 누구나 다 아는 가까이 있는 상식적인 대상을 보지 못하는 사람들도 적지 않다. 아마 사람들이 이렇게 필요에 따라 자신이 보고 싶은 것만 볼 수 있어서 이 세상은 다양해지고 재미있고 의미 있게 이루어지는 것이리라.

우리는 시력이 나빠지면 안경을 낀다. 안경을 끼고 불편함을 감수하면서 살다가 나이가 들면 점차 자기 몸의 일부처럼 끼고 다니던 안경이 불편해지고 그래서 벗어버리지만 또다시 새로운 안경을 끼게 된다. 늘 이 세상을 바로 보면서 살아야 하기 때문이다. 이 세상이 흐릿하게 보이는 순간 나 자신이 세상과 멀리 단절되어 있다는 생각에 두려움을 느끼는 것이 사람이다.

세상이 이전과 다르게 보이게 되는 때, 우리는 텅빈 벌판에 홀로 서 있는 듯한 쓸쓸함을 느끼게 되고, 이전과 마찬가지로 세상을 바라볼 수 있게 되기를 원한다. 그러나 세상이 언제 한 번이라도 우리에게 그렇게 호락호락하였던가? 보이지 않는 것은 항상 선명히 보이지 않고, 그러다 보니 늘 새롭게 더 밝게 세상을 바라보는 방법들을 생각해야만 한다. 참 답답한 이야기이다. 보이지 않는 세상을 바로 보기 위해 고민하는 모습이란.

망원경을 착용하면 세상이 보다 선명하게 보일까? 저 먼 곳에 있는 세상은 늘 뿌옇게 보이다가 망원경을 끼고 바라보면 보다 가까이 다가와 보이지만 그것은 허상일 뿐이다. 렌즈가 만들어낸 허상. 보지 못하던 대상이 가깝게 보이기는 하지만 그것은 대상 자체의 진실된 모습이 아닌 렌즈가 만들어낸 허상이다.

우리가 안경을 통해 세상을 바라보는 것 또한 마찬가지이다. 흐릿하게 보이던 대상이 안경을 끼는 순간 선명하게 보인다. 하지만 과연 그것이 진실인지는 의문스럽다.

바라본다는 행위 그것이 지니는 의미는 무엇인가? 대상과 나의 직접적인 만남이 아닌가. 그렇다면 렌즈, 나아가 망원경을 통해서 세상을 바라볼 때 내가 바라보는 세상은 거짓이다. 그러므로 렌즈가 가진 의미를 알지 못한다면 대상의 진정한 의미를 놓칠 수밖에 없다.

붉은 색 안경을 끼면 세상이 붉게 보이고 푸른 색 안경을 끼면 푸르게 보인다는 것쯤은 누구나 다 알고 있다. 현미경을 보는 세상과 망원경으로 보는 세상이 '진짜' 세상과 다르다는 것은 뻔한 이치이다. 불가시(不可視)의 극미세(極微細) 세계가 시각

가능한 것이 되고, 극원(極遠) 거리의 세계가 가시적 세계로 바뀌는 것 역시 붉고 푸른 색 안경을 낀 것과 마찬가지로 이해되어야 하겠다.

조경란의 〈망원경〉의 의미를 이해하기 위해서는 바로 이러한 인식의 접점에서 시작해야 할 것이다. 자신의 삶에 대해 커다란 의미를 부여하기 어려울 때 우리는 흔히 세상을 탓한다. 나는 바르게 걸어가고 있는데 세상이 나를 스쳐가고 있다고. 이렇게 세상을 이해해버리는 것은 너무나 쉬운 일이지만 한편으로는 매우 위험한 방법이기도 하다.

나는 늘 나의 자리를 지키고 있는데 세상이 나를 비켜간다고? 과연 그럴까? 세상의 흐름을 바로 보기가 안쓰럽거나 혹은 무섭거나 나만 외돌아 앉아 있다는 생각에 나와 세상을 비틀어 버리는 것은 아닌가? 그래야만 나의 삶의 방식이 어디엔가 편안히 기댈 수 있을 테니까 말이다. 그러나 우리는 애써 그 사실을 부인한다. 그것을 인정한다면 삶 자체가 피곤해지므로…….

〈망원경〉의 '나'는 왜 망원경으로 세상을 바라보기 시작했을까? 우체국의 구조 조정과 관련하여 삶이 쓸쓸해진 한 사람의 세상 바라보기인가? 일상적인 삶이 지배하는 우리 사회에서 진정한 역사와 사회를 생각하는 사람이 세상에 접근해 바라보는 것의 상징적인 기호인가 아니면 비정상적인 자신의 삶에 대한 성찰을 의미하는가?

이 작품에서는 아무런 답을 제시하지 않고 있다. 우리가 그 답을 짐작할 수 있는 것은 '나'가 정신박약에 가까운 아이에게 망원경을 넘겨준다는 내용에서이다. 망원경을 통해 너무나 엄청난 태양빛을 바라본 후 현기증에 가까운 체험을 하고 망원경을 소녀에게 넘겨주는 행위 말이다. 왜 그랬을까? 진실을 바라보는 것이 그렇게 어렵다는 의미인가? 아니면 망원경을 통해 세상을 바라보기가 너무나 어려웠다는 것인가? 우리 눈에 보이지 않는 진실이 망원경을 통해 보인 것이라면 진실은 오히려 허상인가?

조경란의 〈망원경〉에서 '망원경'은 세상을 바라보는 통로이다. 그래서 하나의 대상을 통해 세상을 읽고 있던 나는 강렬한 태양빛의 진실을 보게 된 이후 진정한 삶, 즉 진실을 찾아보라고 아이에게 망원경을 넘겨주는 것이다. 사람들의 일상적인 삶을 바로 보고, 막연히 편지만 기다리지 말고 할머니가 죽었다는 사실을 인정하고, 망원경을 통해 이 세상을 바로 보고 살아가라는 의미로.

그렇다면 외국인과 사랑하고, 그가 떠날 것을 염려하며, 그래서 그가 자신의 나라로 보내는 편지를 감추는 그녀가 진정 가고자 하는 곳은 어디일까? 그것은 바로 내가 절대로서 지니고 있다가 아이에게 넘겨준 망원경으로 드러난다. 무엇을 통해서라도 바르게 세상을 바라볼 수 있는 눈 말이다. 진실한 눈.

현 대 문 학 교 수 3 5 0 명 이 뽑 은

아우라 · 1

최 수 철

- 1958년 강원도 출생.
- 서울대 불문과 및 동대학원 졸업.
- 1981년 《조선일보》 신춘문에에 〈맹점〉이 당선되어 등단.
- 창작집 《공중누각》, 《화두, 기록, 화석》, 《내 정신의 그믐》 등이 있으며 장편 소설 《고래 뱃속에서》, 《어느 무정부주의자의 사랑》 4부작, 《벽화 그리는 남자》, 《불멸과 소멸》 등이 있음.
- 1988년 윤동주문학상, 1993년 〈얼음의 도가니〉로 이상문학상 수상.
- 현재 한신대 문예창작과 교수로 재직중.

최수철

아우라 · 1 — 환각에의 초대

1

멈출 듯 걷고, 걸을 듯 멈추면서 고양이 한 마리가 내 앞을 가로지른다. 저렇듯 도심을 헤매고 다니다가, 조만간 두개골에 가해진 엄청난 충격으로 도로 위에 널부러져서, 부패가 시작되고, 자동차 바퀴에 채이고 밀리고 밟히며, 서서히 스러져 삶의 흔적마저 남기지 못할 존재, 그가 살 듯 죽어가고 죽을 듯 살며, 내가 걸어가는 방향으로 다가온다. 나는 걸음을 멈추고서 그를 가만히 바라본다. 그가 혀를 빼어물어 입가를 핥더니, 희끄무레한 잿빛 눈으로 잠시 나를 살핀다. 그러더니 엉덩이를 높이 세우고 목을 길게 늘어뜨리며 내 쪽으로 머리를 내민다. 나는 무심결에 손을 뻗어서 고양이의 머리를 쓰다듬는다. 교회에서 세례를 주듯, 그의 머리 위에 손을 얹은 채로 촉촉히 젖어 있는 까만 코를 내려다본다. 그는 내게 무언의 답례를 하듯이, 목과 등과 하체를 리드미컬하게 움직이기 시작한다. 그때 나는 그의 머리 위에 무엇인가가 없다는 사실을 깨닫는다. 나는 반사적으로 손을 거두어 손바닥을 내 머리에 얹는다. 내 머리 위에도 그 무엇인가는 없다. 나는 그 무엇인가가 결정적으로 결여되었다는 것을 느낀다. 그것이 구체적으로 어떤 것인지는 말할 수 없어도, 그것이 없다는 사실은 분명히 알 수 있다. 나는 그것을 아우라라고 부르기로 한다. 오래 전부터 불러오기라도 한 듯이 그 아우라라는 말은 내게 더없이 친숙하게 느껴지지만, 그러나 그것이 내게 없는 것이다.

2

고층 건물의 쩍 벌어진 사각형 입이 나를 부른다. 그 입 안 깊숙한 곳에서부터 웅얼거리는 듯한 소리가 계속하여 들려온다. 지하 이층을 포함하여 십오층 높이의 그 건물은 밖에서 보기에 상당히 위압적인 인상을 풍긴다. 그로부터 비롯되는 저항할 수 없는 어떤 신비스러운 힘이 사람들의 시선과 발길을 끌어당긴다. 실제로 많은 사람들을 꾸역꾸역 집어삼키고 있고, 또 그만큼의 수를 밖으로 토해내고 있다. 건물의 현관 앞 오른쪽에는 약간의 조경이 이루어져 있어서 한동안 나는 그 앞에 머무른다. 소나무와 대나무와 매화나무가 마치 플라스틱으로 만들어놓은 것처럼 어설프게 서 있고, 그 사이에 대리석으로 만든 커다란 조각상 하나가 자리를 잡고 있다. 그 조각상은 얼굴이 서로 맞닿아 있는 두 남녀의 모습을 새겨놓고 있는데, 서로 반대 방향에서부터 달려와 막 부딪치는 순간을 포착하고 있다. 각자의 긴 머리카락이 뒤쪽으로 휘날리고, 두 팔과 다리도 미처 추스려지지 않은 채 뒤쪽의 허공에 남겨져 있다. 두 사람의 얼굴은 하나로 합쳐져서, 눈은 두 개고 귀도 두 개고 코와 입은 하나다. 부딪치는 충격의 고통이 갑작스레 조화와 화해의 기쁨으로 승화되는 그 찰나를 운동과 정지의 동시적인 순간을 통해 포착하고 있는 것이다. 그 조각상을 바라보면서 나는 나의 왼쪽 눈과 오른쪽 눈이 서로 세게 부딪쳐 마침내 하나가 되는 듯한 얼얼함을 느낀다. 두 눈이 하나가 된다면 초점 따위는 필요없을 것이다. 그리고 세상을 바라보기 위해 끊임없이 시선의 각도를 조정해야 할 필요도 없을 것이고, 애증이라는 말도 필요없을 것이다. 나는 소용돌이 속으로 빠져들 듯, 건물 안으로 들어간다.

3

나는 도시를 관통하고 있었다. 한산한 거리 위로 바람이 제법 세차게 불어오고 있었다. 간간이 돌개바람이 일어나 허공으로, 거꾸로 소용돌이를 일으켰다. 물 속이 아닌, 하늘에 하나의 깊은 심연을 만들어놓고 있었다. 넋이 나간 청년의 눈빛, 그 돌개

바람에 휘말려 심연 속으로 가라앉듯 흙먼지가 둥글게 피어오르고, 무수히 많은 작은 은빛 비늘 같은 것들이 하늘로 날아오르고 있었다. 그 은빛 물체들은 나선형을 그리며 곧바로 공중으로 치솟더니 소용돌이가 끝나는 지점에 이르러 마지막으로 한 번 더 반짝 빛을 반사했다. 그러고는 고개를 뒤로 꺾고 올려다보는 나를 무색하게도 땅 위에 남겨놓고서 사라져버렸다. 그 순간, 나는 지상의 먼지 하나가 문득 생겨난 바람에 날아올라 우주의 끝으로 비약하는 광경, 두렵고 황홀한 비상과도 같은 죽음의 모습을 보았다. 그것은 우주가 내게 보내는 경고였다. 도시는 나의 관통을 원하지 않았다. 나를 태운 전차가 한강 위의 철교를 지나고 있었다. 나는 유리창을 통해 밖을 내다보았다. 덜컹거리는 소리와 함께, 다리 위의 철제 골조들이 빠른 속도로 스쳐 지나가고 있었다. 자연의 것들과 인위적인 것들이 한데 뒤섞인 한가로운 풍경이 유리 도마 위에 엎어진 채, 철제 골조들에 의해 난도질을 당하고 있었다. 그때 나는 잘게 잘려나가는 풍경들 앞으로 반투명한 얼룩이 져 있는 것을 보았다. 타원형 모양의 그것은 누군가가 유리창에 이마를 댔을 때 남은 자국임이 분명했다. 미세한 주름살이 선명하게 남아 있는 그 희끄무레한 얼룩을 들여다보면서, 나는 간유리를 눈에 대고 있는 듯한 느낌을 받았다. 그리고 곧 나는 그 간유리의 반투명함이 내 눈을 뿌옇게 흐려놓는 것을 느꼈으며, 그와 동시에 나는 녹내장에 걸린 사람처럼 아무것도 볼 수 없었다. 나는 전차가 멈춰섰을 때, 열린 문을 통해 밖으로 나왔다. 잠시 방향 감각을 잃었던 나는 계단을 오르내려서 건너편 승강대로 갔고, 그곳에서 반대 방향으로 향하는 전차를 탔다. 그리고 다시 한강 다리를 건너자마자 전차에서 내려서, 대형 백화점 맞은편 출구를 통해 밖으로 나왔다. 그러고는 곧장 앞으로 걷기 시작했다. 나는 아무 생각없이 걷고 또 걸었다. 한참을 걷다가 문득 나를 돌아보니, 나는 숨을 헐떡거리고 있었다. 발바닥도 화끈거리는 정도를 넘어서 불에 덴 듯이 따끔거렸다. 구두에 든 지압 깔창 탓이었다. 그러나 나는 걸음을 멈출 수 없었다.

4

건물 안에 발을 들여놓은 순간부터, 나는 심상치 않은 느낌을 받는다. 마치 건물 자체가 살아 있는 듯한, 나 자신이 살아 숨쉬는 거대한 생물의 몸 속에 들어와 있는 듯한 느낌과 다르지 않다. 널찍한 로비에는 수많은 사람들이 오가고 있다. 층을 달리하여 사무용 오피스텔과 주거용 오피스텔이 들어 있는 탓에 사람들의 복장이나 행색도 가지가지다. 어디선가 사무실을 이전하는지 의자와 탁자와 거울 등속의 집기를 들고 이리저리 오가는 사람들의 모습도 눈에 띈다. 한 마디로, 로비가 커다란 팽이처럼 빙글빙글 돌아가고 있으며, 이 거대한 건물이 회전하는 팽이 위에 놓여져 있는 것이다. 그때 나는 어지럼증 속에서 내가 누군가의 환각으로부터 초대를 받았음을 깨닫는다. 기이한 일들이 시작된 것도 그때부터다. 주변의 부산한 움직임에도 불구하고 건물 안은 그야말로 쥐죽은 듯이 고요하다. 약간의 바스락거림과 웅얼거림, 멀리서 들려오는 희미한 울림이 있기는 하지만, 그 소리들이 오히려 믿기지 않는 정적을 더욱 강조해주고 있다. 단 하나, 뚜렷하게 들려오는 소리가 있으니, 그것은 바로 내 발짝 소리다. 수많은 사람들이 오가는 중에 내 귀에는 오직 내 발짝 소리만이 들리고 있다. 순간 나는 나도 모르게 그 자리에 멈춰선다. 그러자 주변의 정적이 나를 더욱더 단단하고 촘촘하게 에워싼다. 그리고 그 고요와 정적이 내게 공격적인 힘을 가하여 당장이라도 나를 빨아들이려고, 집어삼키려고 드는 것이 분명하게 감지된다. 때문에 나는 다시 걸음을 떼놓는다. 하지만 넓은 공간 안에서 홀로 울리는 발짝 소리가 나의 존재를 너무도 고적하고 외롭게 만드는 탓에 곧 다시 멈춰선다. 하지만 그럴 때면 다시금 정적이 바짝 다가서서 그 위협적인 숨결을 내 코 밑에 불어넣기 때문에 다시 걸어야 한다. 그런 식으로 나는 보이지 않는 나의 그림자와 그림자 밟기 놀이를 하듯이 나아가다가 멈추고 다시 나아가다가 멈추기를 반복하지 않을 수 없다. 또 하나 이해할 수 없는 일이 있으니, 그것은 어디에서도 아무런 냄새도 나지 않는다는 사실이다. 물론 실내가 청결하여 그러려니 생각할 수도 있는 노릇이지만, 놀라운 것은 내 곁을 스쳐지나가는 사람들, 심지어 대형 냉장고를 등에 짊어지고 땀을 흘리며 걸어가는 잡역부의 몸에서도 전혀 체취를 맡을 수 없다는 점이다. 그러고 보니 그들의 얼굴에도 어딘가 이상한 데가 있다. 자세히 바라보면 그들의 눈에는 초점이 없다. 두 눈의 눈길이 서로 평행을 이루며 앞을 향해 있을 뿐이다. 그런 탓에 그들의 얼굴은 정물처럼 밋밋하게 보이지만, 또한 그와 동시에 여러 조각으로 분할되어 각기 따로 놀고 있는 듯한 느낌을 불러일으킨다. 다시금 나는 혼란스러움에 온몸이 휘청거릴 지경이지만, 한편으로는 그제서야 비로소 마음에 짚이는 바가 있어서 나도 모르게 고개를 주억거린다. 눈길이 만나서 초점을 이루듯이, 체취라는 것도 여러 가지 냄새가 한데 만나고 뒤섞여서 이루어지는 것일텐데, 이곳에서는 각각의 냄새가 서로 분리되어 빠른 속도로 휘발되고 있는 것이다. 그렇듯이 이곳에서 일어나는 소리들도 서로 만나 공명을 일으키지 못하고 순간 순간 어딘가 아득한 허공으로 빨려들어가고 있는 것이다. 냄새들 사이에 초점이 없고, 눈길들 사이에 공명이 없으며, 소리들 사이에 뒤섞임이 없는 것이다.

5

사람들과 만나는 자리, 그곳에서 나는 줄곧 내 팔뚝의 살갗을 내려다보고 있을 것이다. 내게는 나의 피부가 도마뱀의 표피처럼 느껴질 것이다. 사람들이 나누는 대화는 내 귀에 들려오지 않을 것이다. 바닥에 앉아 있는 나의 자세도 점차 변해갈 것이다. 책상다리에서 잠시 가부좌로, 그러다가 두 팔을 뒤로 뻗어

바닥을 짚고서 상체를 뒤로 젖힌 자세, 마침내 나는 뒤로 물러나 벽에 등을 기대고 한쪽 무릎을 세우고 그 위에 팔을 얹고 앉아 반쯤 비워진 술잔을 멀거니 바라볼 것이다. 나의 몸이 취하는 자세가 최종적인 단계에 이를 때, 남들은 내가 한동안의 망설임 끝에 나름의 결론에 도달한 것이라고 생각할 것이다. 그러나 실상 나는 이미 반쯤 허물어진 나의 자세가 말해주듯이, 오래 앉아 있는 일에 완전히 지쳐서 바닥에 누워버리기 직전의 상태에 들어 있을 따름일 것이다. 내게는 아무것도 새로운 것이 없을 것이다. 나의 눈에 들어오는 모든 사물들 하나 하나에는 이미 과거의 입자들, 온갖 추억의 파편들을 머금은 축축하고 불결한 도마뱀의 표피가 덮여 있을 것이다. 또한 핀셋으로 집듯 손가락으로 조심스레 그 젖은 표피를 걷어내면 그 밑에 또 다른 젖은 표피들, 훼손된 채 숨겨진 과거의 추억들로 얼룩진 표피들이 켜켜이 쌓여 있을 것이다. 작은 벌레라도 한 마리 그 위로 줄달음질치면, 그때마다 표면의 얇은 막이 찢겨져 나가면서 매번 새로운 표면을 벌겋게 드러낼 것이다. 그런 마당에 내가 그곳에서 새로이 할 수 있는 일은 아무것도 없을 것이다. 아무것도 할 일이 없었으므로, 나는 그곳을 떠나고 싶을 것이다. 나는 충동적으로 혼자 밖으로 나와서 길을 걸을 것이다. 그러나 무력해진 발길로 무턱대고 걷는다고 해서 되는 일이 아닐 것이다. 길이 여러 방향으로 갈라지는 곳에서, 나는 당황한 눈길로 주위를 돌아볼 것이다. 그때 내 주위를 걷고 있는 모든 사람들이 나를 알아보듯 내게 싱긋 미소를 지어보일 것이다. 하지만 그들의 눈에는 내가 담겨 있지 않을 것이고, 그들의 체취에는 내가 묻어나지 않을 것이며, 우리의 목소리는 각기 자신의 속에서 부글부글 거품을 만들며 끓어오를 것이다. 나는 우리 사이에 결핍된 것들도 한데 모아 아우라라고 부르기로 할 것이다. 순간, 내 속에서 어리둥절함으로부터 비롯된 일종의 분노가 갑작스레 솟구쳐 오를 것이다. 아우라라는 것이 원래 인간들에게 있었으나 이제는 없어진 것인지, 아니면 이제쯤이면 생겨나야 할 것이 아직도 없는 것인지조차 알 수 없지만, 그러나 그것이 없기 때문에 비롯되는 상실감은 너무도 생생하게 내 피부에 각인될 것이다.

6

정신을 가다듬고 주위를 돌아보니, 나는 여전히 로비 한가운데에 우두커니 서 있고, 온갖 종류의 사람들이 내 시야를 종횡으로 가로지르고 있다. 그때 그 어지러운 풍경 속으로 한 낯익은 사내가 비집고 들어서는 것이 보인다. 나는 그를 유심히 바라본다. 첫눈에 나는 그가 나와 무척 닮았다는 느낌을 받는다. 그러나 바라보면 볼수록 그가 단순히 나와 닮은 정도가 아님을 알 수 있다. 그는 나와 똑같은 모습이고, 바로 나 자신의 모습과 조금도 다를 바가 없다. 저 앞에서 내가 나를 향해 걸어오고 있는 것이다. 처음에 나는 내 앞에 커다란 거울이 놓여 있고, 거기에 내 모습이 비치는 것으로 생각한다. 내가 그 거울을 향해 걸어가면서 그 속에 비친 내 모습을 보는 것으로 안다. 실제로 전에도 그런 경험을 한 적이 있다. 한 번은 거리에서 네 명의 남자가 바로크풍으로 장식된 대형 거울을 운반하고 있었고, 그 움직이는 거울에 내 모습이 비친 것이었는데, 그런 줄도 모르고 나와 똑같이 생긴 사람이 내 앞에 서 있다고 착각을 하여 소스라치게 놀란 적이 있는 것이다. 나는 그때 내게 유령처럼 출몰하는 나 자신의 이미지에 진저리가 나서 고개를 젓던 기억이 난다. 그리하여 이번에는 내 쪽에서 먼저 거울에서 비켜나기 위해 걸음의 방향을 약간 옆으로 돌린다. 그런데 놀랍게도 거울 속의 영상은 계속하여 나를 향해 똑바로 걸어오고 있다. 그제서야 나는 내가 거울을 마주하고 있는 것이 아님을 안다. 거울 속의 내 모습이 거울 밖으로 걸어나온 것인지, 아니면 한낱 헛것을 보고 있는 것인지 가늠할 수 없지만, 여하튼 나로서는 설 자리를 잃고서 허둥거린다. 더욱이 그의 걸음걸이가 너무도 당당하고 의연한 탓에, 나는 더욱더 몸의 균형을 잃고 있다. 아무런 대비도 없이 이대로 다가가서 그와 대면해서는 안 될 것 같다. 그가 손을 내밀어 악수를 청하고서 인사말이라도 건네면 어떻게 할 것인가. 게다가 그러고 나서 그가 아무 일도 아니라는 듯 미소를 지으며 내 어깨라도 툭 치고 떠나간다면, 그때 나는 나 자신을 어떻게 추스를 것인가. 나는 손과 발뿐만 아니라 온몸에 동시에 땀이 배는 것을 느낀다. 정면을 향해 시선을 유지하기가 점점 더 힘들어진다. 시선의 무게를 느껴보기는 이번이 처음인데, 그 무게가 순식간에 주체할 수 없을 정도로 커지고 있다. 나의 환영에 의해 내가 복제되고 있는 것이다. 그러다가 급기야 나의 시선은 입 밖으로 길게 늘어뜨려진 혓바닥처럼 아래쪽으로 축 늘어지고 만다.

7

그때 공교롭게도 나는 발 옆으로 무엇인가 둥글고 길쭉하고 희끄무레한 것이 한쪽 옆으로 스르르 미끄러지며 나아가는 것을 본다. 자세히 보니 그것은 한 마리의 늙은 쥐다. 늙은 잿빛 쥐 한 마리가 바닥을 메우고 있는 무수한 발들 사이로 장애물들을 헤치듯 유유히 기어가고 있다. 그러나 다른 사람들은 아무도 그 쥐의 존재를 알아차리지 못하고 있다. 나는 단번에 그 쥐에게 시선을 완전히 빼앗기고 만다. 나의 비상한 관심에 부응하듯, 그 쥐도 쉬지 않고 앞으로 나아가는 와중에 간간이 고개를 돌려 잠시 나를 빤히 바라본다. 마치 나보고 따라오라고 말하는 듯하다. 그러나 어느 쪽으로든 판단을 내릴 수 없는 나는 그 자리에 우뚝 선 채 눈길로 그의 뒤를 따른다. 이윽고 그가 한 곳에 이르고, 그 앞에는 제법 큼지막한 구멍 하나가 나 있다. 그는 마지막으로 한 번 나를 돌아본 후에 그 구멍 안으로 들어가버린다. 쥐가 시야에서 사라진 뒤, 나는 문득 정신을 되찾고서 뒤를 돌아본다. 그러나 나와 닮은 나 자신의 모습은 이미 보이지 않는다. 그가 벌써 나를 지나쳐 갔는가 싶어 뒤를 돌아보지만, 그의 모습은 어디에도 없다. 나는 다시 고개를 돌려 쥐를 삼켜버린 어두운 구멍을 바라본다. 그 구멍은 분명 그 자리에 그대로 있지만, 점차 그 크기가 줄어들고 있다. 그 구멍을 들여다보고 있는 동안 나는 머릿속이 맑아지는 것을 느낀다. 마치 이 삭막한 공간 속에서 그 구멍이 내게 환기구 역할을 하고 있는 듯하다. 나는 그 구멍을 통해 숨을 쉬고 있다.

또한 나는 그 구멍 덕분에 나를 손아귀에 넣으려는 이곳의 음험한 기운으로부터 당분간이나마 벗어나 있음을 분명하게 느낄 수 있다. 쥐가 나의 환영을 끌고 그 구멍 속으로 사라진 것이다. 내 귓전에는 그 쥐가 환청으로 남긴 말이 떠다니고 있다. 나 자신의 이미지는 실체가 아니라고, 그러나 쥐인 자신은 실체라고, 그러니 자기는 다시 돌아오겠다고.

8

건물에 난 구멍 속으로 들어서듯, 나는 엘리베이터에 오른다. 어찌된 일인지 건물 안의 모든 비상구가 닫혀 있고, 엘리베이터 통로만이 대동맥처럼 열려 있다. 사람들이 쏟아져 나온 널찍한 승강기 안에 혼자 서 있자니 불쾌감과 거북함이 느껴진다. 내게는 일상의 모든 행위들 중에서 승강기를 타는 일이 가장 힘든 일에 속한다. 인간이 만들어낸 문명의 이기들 중에 특히 승강기는 살아 있는 유기체처럼 여겨지기 때문이다. 승강기는 쉴새없이 인간들을 실어나르다 보니 어느 사이에 인간의 생리를 닮아 버려 주제넘게 고집스럽고 변덕스럽다. 그런 정체가 불분명한 물질에 몸을 맡긴다는 것은 실로 고역이 아닐 수 없는 것이다. 그런데 그 느낌이 이번에는 더욱 강하고 생생하게 감지된다. 실제로 나는 방금 전 승강기에 발을 들이밀 때 크게 벌어진 악어의 아가리 속으로 머리가 빨려 들어가는 듯한 느낌을 받은 것이 사실이다. 그 뿐만이 아니다. 위로 한 층 한 층 올라갈 때마다 승강기가 어깨를 들썩이며 딸꾹질을 하는 소리가 내 귀에 분명히 들린다. 자극적인 소화액 냄새가 진하게 풍기는 긴 목구멍 속을 통과하고 있는 듯한 기분이다. 그러나 승강기는 결국 나를 거부한다. 구층에 이르러 문이 열릴 때 승강기는 금속성이 섞인 트림 소리를 내며 나를 밖으로 뱉어낸 것이다. 어쩌면 그 소리는 트림 소리가 아니라 헛구역질 소리였는지도 모른다. 승강기는 다른 사람들에게 항상 그러하듯 나를 집어삼켜서 소화를 시키려 하다가 실패를 한 것이다. 아마도 승강기는 내가 보통 사람들과 다르다는 사실에 상당히 놀라고 당황했을 것이다. 부식성이 강한 승강기의 소화액이 나를 녹여버리지 못한 것이다. 그렇다면 승강기는 다음 번에는 다른 방식으로 내게 공격을 가해올 것이니, 나로서는 각별히 조심을 해야 할 것이다. 나는 눈에 보이지 않는 시큼한 쉿물을 온몸에 흥건히 뒤집어쓴 채 복도를 따라 걷는다. 나는 거대한 원형질 덩어리 속을 헤치며 이리저리 걸어다닌다. 곳곳에 문이 달린 방들이 있고, 그 안의 빈 공간들이 각기 나름의 세계를 펼쳐 보이며 나를 맞이한다.

9

나는 복도를 따라 걷다가, 오른쪽 끝에서 두 번째 방의 문 앞에 이르러 걸음을 멈춘다. 그러고는 심호흡을 하고서 초인종을 누른다. 그러나 세 번 네 번 벨이 울린 뒤에도 안에서는 아무런 기척이 없다. 적잖이 놀랍고 황당한 일이어서, 나는 은근히 배신감을 느낀다. 그때 무심히 주위를 돌아보던 나는 모르던 사실을 깨닫는다. 모든 문이 똑같다. 문 안쪽의 세계는 각기 다르리라는 것이 분명하지만, 하나같이 똑같은 번호가 붙어 있는 똑같은 문인 것이다. 이제 나는 왼쪽 끝에서 시작하여 각각의 문을 하나씩 유심히 살피기 시작한다. 그 중에는 문이 열려 있는 방도 있다. 문이 닫혀 있을 때에는, 그 문에 귀를 대고서 무슨 소리가 들리지 않나 들어보기도 한다. 거의 모든 방에서는 각기 전혀 다른 소리가 철제문을 통해 밖으로 울려나온다. 신음, 비명, 교성, 아우성 등등의 소리가 인간의 입 안에 잔뜩 억눌려 있다가 음울한 가락으로 풀려나온다. 그런가 하면 지극히 물질적인 소리, 이를테면 물건이 삐걱거리거나 집기가 바닥에 끌리는 것 같은 소리가 거친 파장으로 건물 전체에 진동을 일으키고 있다. 흥미롭게도 그 소리들의 대부분은 교착운에 가까운 운율을 띠고 있다. 그러다 보니 자연히 문들을 기웃거리는 나의 행위에도 그와 유사한 리듬이 생겨나서, 내 몸도 함께 덜그럭거리고 걸음이 얽히고 같은 행동을 되풀이하는 일이 반복된다. 그러나 그 중에서 나는 내가 찾고 있는 소리를 분간할 수 없다. 나로서는 내가 방문하고자 한 방을 찾을 수 없는 것이다.

10

또한 나는 문이 열려 있을 때에는, 밖에서 조심스레 안쪽을 살피다가 간혹 무심결에 몸을 안으로 들이밀어 보기도 한다. 그때마다 나는 매번 실로 기이한 경험을 한다. 문패에 법무사 사무실이라고 적혀 있는 방 안에, 여러 명의 사람이 서거나 앉은 자세로 한데 모여 있다. 그들로부터는 종잇장 넘어가는 소리, 종잇장 찢기는 소리가 끊임없이, 그리고 점점 더 크게 울려나온다. 내가 입구에서 머뭇거리고 있자, 그들이 인기척을 느끼고서 일제히 고개를 돌려 나를 바라본다. 그 순간, 나는 흠칫 놀라 나도 모르게 뒷걸음질을 친다. 그들의 얼굴은 하나같이 그야말로 백지장처럼 창백하고 거의 투명하며, 아주 쉽게 찢겨질 듯 얇고 축축한 데다가, 그 중에 몇은 이미 많이 닳았는지 가장자리가 너덜너덜하기 때문이다. 그 얼굴들은 서로 차곡차곡 겹쳐지기도 하고 함께 팔랑거리기도 하면서 서로를 향해, 그리고 나를 향해 경멸의 표정을 연출하고 있다. 그 다음은 위쪽 문틀 위에 새로운 세기를 향한 새로운 도약 운운하는 글귀가 커다랗게 붙어 있는 방이다. 아마도 어떤 의원의 선거대책사무실쯤 되는 모양인데, 그 안의 풍경은 사뭇 다르다. 사람들은 하나도 보이지 않고, 대신 커다란 주머니 같은 것들이 가득 들어차 있는 것이다. 백

과사전에서 보았던 그림을 떠올릴 것도 없이, 나는 그 주머니들이 다름 아닌 허파꽈리라는 것을 알아본다. 나는 가능한 한 조심스레 발걸음을 옮겨 그쪽으로 다가간다. 그러나 불과 몇 초 만에 나의 시도는 수포로 돌아간다. 나의 기척에 잠에서 깨어난 듯 갑자기 그 허파꽈리들이 일사분란하게 꿈틀거리며 움직이면서 바람을 일으키고, 그로부터 거친 숨소리가 바람소리처럼 일어나 완강한 힘으로 나를 뒤로 떠밀어내는 것이다. 그 외에도 나는 인간의 심장을 나누고 있는 심방과도 같은 방들에도 들어가 본다. 서로 미로처럼 연결되어 있는 그 방들 중의 하나에서는 바닥에서 불꽃이 탁탁 소리를 내며 튀어올라 붉은 불빛과 푸른 그림자를 이루어내며 유령처럼 춤을 추고 있다. 푸른 그림자가 그 유령의 혼이다. 또 한 곳에서는 사면의 벽이 검붉은 주름살로 뒤덮인 채 끈끈이주걱이나 통발 같은 포충식물처럼 먹잇감이 걸려들기를 기다리며 숨을 죽이고 있다. 기약 없는 기다림이 길어지자, 그 방은 스스로 도살당한 짐승의 내장처럼 울컥거린다. 하지만 그것으로 끝난 것이 아니다. 내가 그 다음 방 앞에 이를 때, 갑자기 문이 벌컥 열리면서 짧은 머리에 베레모 모양의 모자를 얹은 한 사내가 튀어나온다. 그때 그가 아무라도 들으라는 듯 거친 목소리로 소리내어 중얼거린다. 그러나 나는 그가 하는 말을 알아들을 수가 없다. 대신 나는 그의 입술 움직임을 흉내낸다. 그러자 놀랍게도 방금 들은 그 거친 목소리가 내 입을 통해 흘러나온다. '내가 이곳에 찾아오는 까닭은 악몽을 꿀 수 있기 때문이다.'

11

이내 그는 나의 시야에서 사라진다. 나는 그 젊은 사내가 나온 방의 문 앞으로 다가간다. 그때 나는 길고 침침한 복도를 따라 이루어진 방들의 탐색과 순례가 마침내 끝이 났음을 안다. 그리고 지금 서 있는 곳이 내가 처음 초인종을 눌렀던 그 방문 앞이라는 사실을 깨닫는다. 나는 조심스레 손을 뻗어 문을 연다. 그러나 이번에도 문은 안으로 잠긴 채 내게 저항한다. 다시금 원점으로 돌아와 막다른 골목에 서 있는 셈이다. 이제 그만 포기해야겠다는 생각으로 막 돌아서려 할 때, 문 밑으로 푸른색 메모지의 모서리가 삐죽 내밀어져 있는 것이 눈에 띈다. 아까는 없었던 것이 분명하다. 나는 몸을 굽혀 메모지를 집어든다. '방 열쇠를 로비에 있는 관리사무소에 맡깁니다.' 메모지에는 그 한 문장이 또박또박한 여성적인 필체로 쓰여져 있다. 열쇠를 맡겨 놓았으니 어쩌라는 것인지에 대해 아무런 언급이 없는 터라, 나는 그 문장을 읽고 또 읽는다. 나를 초대한 자의 신상에 어떤 문제가 생긴 모양이다. 초대와 실종, 그 두 단어가 절묘하게 맞물리면서 내게 부드럽게 압박을 가해온다. 지금 내가 할 수 있는 일은 그 초대와 실종의 공간 속으로 들어가는 일이다. 나는 비상구로 나와서 계단을 따라 아래로 내려간다. 승강기를 타면서 느낀 거북함을 다시 경험하고 싶지 않기 때문이다. 더욱이 그렇게 하는 것이 줄곧 내게 정체 모를 힘을 가하는 이 건물의 허를 찌르는 것이 될 수도 있는 일이다. 그러나 계단을 내려가는 일도 쉬운 일이 아니다. 이를테면 잔뜩 긴장된 근육들이 서로 얽혀 있는 곳을 어렵게 헤치며 빠져나가고 있는 듯한 느낌이 든다. 한 마디로, 건물 전체가 살아 있는 사람의 육체와도 같고 내가 그 속에 들어와 있는 듯한 기분이다. 계단이 끝나는 곳에서, 나는 과도한 움직임으로 뻣뻣하게 굳어 있는 팔다리를 허우적거리며 로비로 들어선다. 발을 절뚝거리고 팔을 휘저으며 걸어나가던 나는 뭔가에 덜미가 잡힌 듯 문득 황황한 눈빛으로 주위를 돌아본다. 그곳은 분명 로비지만, 아까 내가 본 로비가 아니다. 실내의 구조와 장식이 완전히 달라져 있다. 오가는 사람들의 차림도 전혀 딴판이다. 로비가 내 머릿속의 기억을 제 스스로 바꾸어버린 게 아닌가 하는 생각이 들 지경이다. 내 눈에 그곳은 납골당처럼 비치고 있다. 삶의 생기는 바닥으로 끌어내려져 진흙처럼 엉기고 있다. 어리둥절하는 중에도 나는 홀을 가로질러 정확히 대각선 방향으로 걸어간다. 널찍한 관리사무소 안에는 단 한 사람만이 앉아 있다. 군청색 제복, 금실로 박은 글자들, 도금 상태가 간신히 유지되고 있는 단추들, 적당히 마모된 지퍼, 사십대의 그 직원은 그곳의 분위기와 전혀 어울리지 않는 차림을 하고 있다. 때문에 내게는 그가 금실과 금박 물질의 엉성하고 허망한 조합처럼 느껴진다. 그는 내 말을 듣고는, 아무 말 없이 주머니에서 열쇠를 꺼내어 내게 건네준다. 그러고는 초점이 잘 맞지 않는 눈으로 나를 건너다본다. 내가 짐짓 불쾌해하는 표정을 지으며 마주 바라보아도 그는 눈을 돌리려 하지 않는다. 내 쪽으로 내밀었던 팔도 거두지 않은 상태다. 그는 나를 전혀 별종의 인간으로 생각하는 기색이 역력하다. 어떻게 당신 같은 인간이 이곳에 들어올 수 있었느냐, 혹은 어떻게 이 안에서 그런 상태로 남아 있을 수 있었느냐, 그는 내게 그렇게 묻고 있다. 그러나 그 질문은 거의 힐난에 가까운 것이고, 따라서 나로부터 어떤 대답을 요구하거나 기대하는 것이라고는 할 수 없다. 내가 사무실을 나올 때까지 그는 그 자세 그대로이다. 나는 다시 홀을 대각선으로 가로질러 걸어간다. 내 두 발이 매끄러운 타일 바닥 위에서 거의 자동적으로 움직이고 있는 동안, 나는 초대와 실종, 그 두 개의 미궁이 하나로 합쳐지면서 그 입구가 내 쪽으로 열리는 광경을 두 눈으로 본다.

12

나는 잠시 망설이다가 승강기 쪽으로 걸어간다. 어차피 계단도 편하지 않다는 체념과 승강기의 불편함에 대한 방심이 내게 여유를 되찾아준다. 승강기 문 앞에는 다섯 명의 남녀가 서 있다. 문이 열리고, 나는 다른 사람들의 뒤를 따라 안으로 들어간다. 그러나 두려움이 아주 없는 것은 아니다. 사람들은 모두들 정물처럼 버티고 서서 덤덤한 표정으로 각기 다른 방향을 바라보고 있다. 나는 거의 본능적으로 그들 한가운데로 비집고 들어가서 그들과 흡사한 자세와 표정을 취하고서 호흡을 가다듬는다. 다른 사람들과 내가 구별이 되지 않도록 위장을 하고자 하는 것이다. 그러고 있자니 나는 사람들 사이가 아니라 사물들 사이에 서 있다는, 그리고 자신이 하나의 사물 꼭 그대로라는 생각이 든다. 그 상태로 승강기가 위로 올라가는 동안, 나는 층수를 알리는 숫자판을 뚫어지게 응시한다. 당장 어떤 일이 생길지도 모른다는 긴장감 때문인지 몰라도, 내게는 불이 들어오고 있는 그 숫자들 사이, 그러니까 2와 3, 3과 4 사이가 점점 더 길어지고 넓어지는 것처럼 느껴진다. 그러다가 4와 5 사이에 이르렀을 때, 그 행간이 놀랍도록 넓게 벌어져서, 흡사 광활한 벌판이나 사막 한가운데에 서 있는 듯한 느낌에 휩싸인다. 또한 그 행간이 놀랍도록 길게 늘어져서, 흡사 몇 달, 몇 년의 시간이 지나고 있는 듯이 생각된다. 그리하여 나는 불현듯 길어진 그 시간과 갑작스레 넓어진 그 공간 속에서 이리저리 거닐고 이런저런 생각에 잠긴다. 그때 나는 나 자신의 삶이 주로 그런 행간들 속에서, 그리고 하나의 행간에서 다른 행간으로 뛰어넘으며 영위되고 있음을 깨닫는다. 나는 그 행간에서 벗어나고 싶어진다. 나는 두 팔을 휘저으며 함부로 내닫는다. 하지만 아무리 걸어나가도 당연히 그 행간 속은 시간도 공간도 끝이 보이지 않는다. 장구한 시간과 광활한 공간을 주체하지 못하여 가슴이 터질 것 같은 고통만이 있을 뿐이다. 방심중에 허를 찔린 것은 오히려 나다. 나는 승강기와 나 사이의 신경전이 아직 끝나지 않았음을 실감한다. 그때 내 목에 뭔가가 턱 하고 걸린다. 그러나 승강기가 멈춰선 것은 아니다. 단지 숫자가 5로 넘어가면서, 그때부터는 반대로 숫자들 사이의 행간이 현기증을 일으킬 정도로 급속히 줄어들기 시작한다. 그러다가 8을 지날 때, 8과 9 사이는 어느새 백지장만큼이나 얇게 오그라들어 있다. 나는 그 좁은 행간에 끼어 옴쭉달싹할 수 없다. 시간과 공간이 그 순간 단단하게 매듭이 지어지고, 나는 그 매듭 속에 얽혀든 것이다.

13

견디다 못한 나는 나를 에워싸고 있는 사물들을 밀쳐내고서 앞쪽으로 나아가려 한다. 그러나 그들은 너무도 무거워서 꿈쩍도 하지 않는다. 그들은 나의 행동에 전혀 아랑곳하지 않을 뿐만 아니라, 오히려 완강한 힘으로 내게 저항한다. 그때 나는 그동안 잠복해 있던 어떤 강력한 힘이 나를 휘감는 것을 느낀다. 그와 동시에 나는 마침내 승강기가 내게 공격을 가하기 시작한 것임을 깨닫는다. 나는 승강기의 교활한 책략에 걸려든 것이다. 승강기는 시간과 공간을 마음대로 늘이고 줄이고 하면서 사람들의 반응을 지켜보다가, 그 중에서 다른 사람들과는 전혀 다른 나의 정체를 파악하고는 나를 산 채로 씹어대기 시작한 것이다. 실제로 나는 사면의 금속 벽이 입을 크게 벌리고서 커다란 이빨들을 드러내는 것을 본다. 그 이빨들 뒤쪽으로 좁고 긴 통로가 나 있고 그 끝에 어둠이 깊숙이 자리잡고 있는 것도 보인다. 내가 들어와 있는 곳은 날카로운 이빨을 가진 한 짐승의 아가리다. 나는 그 아가리 속에 갇힌 채 점점 더 크게 자라나는 이빨들에 의해 마치 질긴 가죽처럼 질경질경 씹히고 있다. 나 자신이 마치 길쭘한 물체처럼 쉴새없이 저작을 당하면서, 눌리고 찢기고 갈리고 있다. 그러는 동안 내 몸은 매듭이 지어지고 마디가 생기고 급기야 곳곳이 납작하게 졸아들고 동강나고 짧디짧게 토막이 난다. 그 고통으로 거의 정신을 잃을 지경에 이를 때, 문득 나는 뭔가가 내 다리 사이로 스물스물 기어나오는 것을 발견한다. 그것은 아까 보았던 그 늙은 쥐다. 쥐구멍은 어디에도 보이지 않으므로 어디에서 나타난 것인지 알 수가 없다. 그것은 어찌 보면 커다란 벌레처럼 보인다. 털이 숭숭 나고 머리가 뾰족하고 다리가 여럿이고 긴 꼬리가 달린 벌레 모양을 한 쥐가 내 눈 앞에서 느릿느릿 움직이고 있는 것이다. 그 와중에도 나는 그 쥐를 보고서 다시금 크게 놀란다. 좁은 공간에서이기 때문인지 몰라도, 이번에는 다른 사람들도 그 쥐를 보고서 소스라치게 놀라는 기색을 보인다. 그러나 그 놀라는 모습은 단지 시늉뿐이고, 내게는 마치 그들 모두가 쥐를 보면 반사적으로 놀라도록 정교하게 프로그래밍되어 있는 듯한 느낌을 불러일으킨다. 실제로 그들 중의 몇몇은 이내 놀라는 몸짓을 거두고서 장난을 걸듯 발끝으로 쥐의 옆구리를 툭툭 건드린다. 심지어는 내친 김에 구두 뒤축으로 꼬리를 밟고서 지그시 힘을 주기도 한다. 그러나 쥐는 그들의 행동을 전혀 개의치 않고서, 마치 개처럼 고개를 뒤로 젖혀 나를 빤히 올려다보고는, 다시 문 쪽으로 기어가기 시작한다. 그리고 쥐가 막 문에 닿으려 할 때, 뭔가에 크게 놀란 듯 승강기 전체가 움찔하며 심하게 흔들린다. 그러자 나를 막아서고 있던 사람들도 고장난 기계처럼 삐걱거리며 서로 부딪치고 넘어진다. 그때 덜컹 소리를 내며 얼굴에서 턱뼈가 빠지듯 승강기의 문이 열린다. 나는 그 틈을 타서 밖으로 뛰쳐나온다. 그러고는 한동안 손으로 벽을 짚은 채 숨을 몰아쉰다. 이마에 맺힌 식은땀을 훔치며 주위를 둘러보니, 이미 쥐는 사라지고 없다.

14

두 차례에 걸친 쥐의 출현은 난데없는 것이기는 했지만, 나는 그 쥐가 내 앞에 우연히 나타난 것이 아님을 알고 있었다. 어렸을 적에, 해가 서쪽으로 기울어지기 시작하던 어느 날이었다. 유리창도 없는 골방에 혼자 우두커니 앉아 있던 나는 마침내 마음을 정하고서 다락방으로 통하는 문을 열었다. 그러고는 모두 아홉 개의 나무 계단을 천천히 걸어올라갔다. 천장이 낮아서 어린 나도 똑바로 설 수 없었던 다락방에는 온갖 종류의 잡동사니가 어지럽게 널려 있었다. 마른 곰팡이 냄새, 종이 냄새, 천이 바스라지는 소리, 각이 무너지는 사물들, 거무튀튀하게 변색되어 가는 색채들, 좁고 음산한 아수라장의 분위기, 시간의 입자가 녹아들어 공기는 빽빽할 정도로 농도가 진했고, 숨을 쉴 때마다 미세한 먼지들이 득달같이 달려들어 콧구멍을 턱턱 틀어막고 있었다. 그러나 비록 오랜 주저와 망설임 끝에 그날 처음 발을 들여놓은 것이었지만, 내게는 그곳이 낯설지 않았다. 오히려 나는 금단의 장소였던 그 방에 홀로 들어섬으로써 마침내 마음 속의 공포를 이겨내고 갈증을 풀어버린 사람처럼 편안함을 느꼈다. 쪽창을 통해 들어오는 약간의 햇살로 인해 어둠과 빛이 공존하고 있는 그곳은 생명체와 사물이 구별되지 않는 장소였다. 모든 것이 농도가 진한 공기에게 알맹이를 모두 흡수당해 버리고서 영상처럼, 허깨비처럼 흐릿한 틀로만 남겨져 있었다. 그리고 영사막 위의 평면적인 공간과도 같은 그곳에서 오직 나만이 스스로의 의지로 움직이는 단 하나의 영상이었다. 그곳에서 나는 호기심 많고 게으른 한 마리의 짐승처럼 움직였다. 때로 깜빡깜빡 졸음이 오는 것이 느껴졌지만, 이상하게도 잠이 오지는 않았다. 그 아스라하고 막막한 분위기 속에서 이미 나는 꿈을 꾸고 있었고, 또한 이미 반쯤 잠들어 있는 것이나 다를 바 없기 때문인 듯했다. 꿈과 현실의 경계 속에서, 나는 결이 부드러운 빛이 되어 반쯤 사그라든 사물들을 감싸기도 하고, 빗살무늬를 그리는 그림자가 되어 메마른 바닥을 가로지르기도 하고, 돌출된 원통형 기둥을 휘감아 돌며 투명한 얼룩을 남기기도 했다. 그때 안쪽 구석 깊숙한 곳에 놓여진 커다란 가방이 나의 눈에 들어왔다. 첫눈에 그 가방은 강한 인력을 발휘하여 나를 끌어당겼다. 순간, 나는 몸을 웅크리고서 숨을 죽였다. 그곳은 빛이 거의 들지 않아서 사물들의 윤곽만이 거무스레 드러나 있었다. 이윽고 슬글슬금 그쪽으로 다가간 나는 그 갈색 인조가죽 가방을 끌어내려고 손에 힘을 주어 잡아당겼다. 그러나 뭔가에 끼였는지 꼼짝도 하지 않았다. 나는 손으로 더듬어 어렵게 가방의 잠금쇠를 열었다. 그러고는 왼손을 안으로 집어넣었다. 잠깐 허전하고 냉랭한 감각이 느껴지는 듯하더니, 곧 뭔가 부드러운 천이나 털 같은 것이 손끝에 닿았다. 나는 그 기분 좋은 감촉에 이끌려 손바닥으로 이리저리 쓸어보았다. 그것이 털이 분명하고, 그것도 동물의 털이라는 것을 깨닫는 데는 오랜 시간이 걸리지 않았다. 그것이 동물의 털이라면, 더욱이 점점 더 손에 힘을 주어보자, 털을 유지하고 있는 엷은 가죽과 그 가죽에 의해 감싸여 있는 단단한 뼈도 만져졌다. 그 뼈는 척추에 해당되는 것이었고, 그렇다면 지금 그 동물은 등을 둥글게 하여 몸을 웅크린 채로 죽어 있는 것이었다. 그렇다면 이 동물은, 쥐치고는 너무 큰데, 하지만 그것이 쥐가 아니고 달리 무엇이겠는가. 순간 나는 가방에서 황급히 손을 빼내고서 얼결에 앉은 채로 몇 걸음 뒤로 물러났다. 온몸에 소름이 돋았고, 식은땀이 흘러내렸으며, 그로 인해 어느새 나는 허깨비의 상태에서 벗어나 육체의 물질성 속으로 돌아와 있었다. 시간이 제법 흐른 뒤에도, 내 손바닥에는 방금 전에 느꼈던 부드러움과 놀람과 두려움의 감각이 한데 뒤섞인 채로 그대로 남아 있었다. 그 쥐는 왜 하필 가방 속에 들어가서 죽음을 맞았고, 그 가방은 어떻게 잠겨져 있었을까. 나는 혼란스러움을 떨쳐버리기 위해 손바닥을 바짓단에 대고 썩썩 문질렀다. 그러나 내 손바닥은 이미 알라딘의 마술 램프 같은 것이 되어 있었다. 문지르면 문지를수록, 쥐의 감각은 내 손바닥에서 점점 더 강하게 자신의 존재를 키워나가고 있었다. 그리고 곧 이어 그것은 나의 작은 손바닥 안에서 커다랗게, 기괴한 모습의 환영으로 부풀어올랐다. 그 환영이 다락방 안을 가득 채웠을 때, 세상은 온통 캄캄한 어둠으로 뒤덮였다. 나는 사위를 분간 못하여 헛되이 고개를 돌려 두리번거렸다. 출구는 어디에도 보이지 않았다. 그때 나는 어떤 희끄무레한 인광을 발하는 물체 하나가 어둠을 빠져나와 내 쪽으로 다가오는 것을 발견했다. 그것은 아까 내가 만졌던 바로 그 쥐였다. 그 쥐가 죽음과 몸을 섞어 비의적인 힘을 얻고서 그 힘으로 어둠의 세계로부터 빠져나와서 나를 찾아온 것이었다.

15

승강기로부터는 벗어났지만, 나로서는 더이상 어물거릴 수 없다. 건물 전체가 내 뒤를 쫓고 있다. 나는 처음의 방으로 달려가서 열쇠로 자물쇠를 풀고 문을 활짝 열어젖힌다. 실내는 텅 비어 있고, 나를 초대한 자의 모습은 보이지 않는다. 그의 체취나 흔적조차 어디에도 없다. 평소에 건조하기 짝이 없는 성격대로, 그는 어디에서든 잠시 머무른 후에 감쪽같이 자신을 거두어가는 법을 잘 알고 있다. 그러나 나는 그가 그곳 어딘가에 분명히 존재하고 있다는 것을 느낀다. 지극히 여성적인 육체를 가진 그는 걸을 때도 절대로 발을 끄는 적이 없으며, 항상 발바닥을 지면에서부터 높이 들어올리곤 한다. 그렇게 걸으면서 그는 점점 더 허공으로 올라가서, 마침내 허공의 일부가 된 것이다. 아니, 그는 자신의 몸을 작게 나누어 그것들로 하나씩 사물을 만들어 그곳에 자리잡고 있다. 그는 건조하다 못해 이제 자신을 물질로 변화시키기에 이른 것이다. 나는 그곳에 머물러 사물들 하나 하나를 더듬고 어루만지며 시간을 보낸다. 너무도 여성적인 그 방의 물질들은 이미 내게 너무도 친숙하다. 그가 평소에 내게 보이곤 하던 가시 돋친 반응도 이제는 걱정하지 않아도 된다. 나는 그의 침대 위에서 잠시 잠이 들기도 한다. 그는 푸근한 침대로 나를 감싸준다. 이윽고 내가 침대에서 일어나 거울 앞에 서서 옷을 추스를 때, 쓰레기통의 뚜껑이 덜컥 열린다. 아마도 내가 나가려 한다고 생각한 모양이다. 나는 쓰레기통의 행동을 통해 그의 마음을 읽는다. 조심스런 손길로 뚜껑을 제자리로 되돌린 나는 한동안 그 위에 손을 올려놓은 채 숨을 죽인다. 그때 그가 플라스틱 재질의 미지근한 감촉으로 내게 말을 건넨다. 나도 자기와 같이 사물이 되는 게 어떠냐는 것이다. 두려워할 것이 없다고도 한다. 막상 사물이 되고 나니 그런 자신에 대해 뿌듯함과 자부심을 느낄 수 있다는 것이다. 그가 내게 건네는 사물의 언어를 나는 알아들을 수 있다. 그 사실에도 나는 그다지 놀라지 않는다. 나는 그가 그 어느 때보다도 예민하게 내 심정을 헤아릴 수 있으리라는 것을 알고 있다. 그러나 나는 잠시 생각에 잠겼다가 천천히 고개를 가로젓는다. 사물이 되는 것은 돌아올 수 없는 길을 가는 것이 아니겠냐는 생각 때문만은 아니다. 이미 그가 사물이 된 마당에, 나마저 사물이 되고 나면, 그 후에는 어찌 할 것인가. 나마저 사물이 되고 나면 우리 사이의 소통은 어떻게 가능할 것인가. 내가 그의 제안을 거절하자, 한동안 실내는 정적 속으로 가라앉는다. 잠시 나는 혹시라도 나의 거부에 대해 그녀가 내게 복수를 가해오지 않을까 생각한다. 그러나 두렵지는 않다. 오히려 그 복수의 행위가 어떤 것이 될지 궁금함을 느낀다. 하기야 스스로 사물이 된 것이야말로 이미 자기 자신과 세상에 대해 가장 강력한 복수를 한 것이다. 그런 마당에 복수란 너무도 새삼스러운 것이다. 하지만 나는 긴장감을 느낀다. 행여나 그녀가 이대로 완전히 입을 다물어 버리고서, 그야말로 사물로서 나를 대하고, 사물로서 내 곁에 머무는 동시에 나로부터 영원히 사라져버리는 쪽을 택한다면 어찌 할 것인가 하는 생각이 들기 때문이다. 그것이야말로 가장 강력하고 잔인하기 짝이 없는 복수가 되지 않겠는가. 그때 내 생각을 비웃듯 갑자기 쓰레기통부터 시작하여 주변의 모든 사물들이 덜그럭거리고 서로 부딪치고 깨지고 우그러지면서 난동을 부리기 시작한다. 나는 이 상황에 어떻게 대처해야 할지 생각한다. 그러나 내 머릿속에서 이리저리 생각이 오갈수록 사물들이 벌이는 소란은 점점 더 도가 심해진다. 그제서야 비로소 나는 내가 이 건물의 핵심에 들어와 있음을 깨닫는다. 이 방은 이 건물에게는 사람의 두개골에 해당되는 공간이다. 이 건물의 두개골, 사물의 두개골, 지금 나는 그곳에 있다. 때문에 인간으로서 내가 하는 생각이 이곳의 사물들을 격양시킨다. 그들의 처지에 위배되는 나의 생각이 그들로 하여금 거센 반발을 일으키게끔 한다. 점차 나는 생각과 판단을 잃어간다. 그러면서 천천히 정신이 마취되고 몸이 마비되기 시작한다. 그때 사물들의 정령들이 나를 휘감는다. 그들이 나를 조심스레 바닥에 누인다. 그러고는 꼬챙이를 콧구멍 속으로 집어넣어 뇌수를 꺼내고, 내장은 왼쪽 옆구리를 절개하여 꺼내서 세척과 건조를 끝낸 뒤 카노푸스 항아리에 넣는다. 심장도 꺼내어 옻칠이 잘된 나무 상자 속에 담는다. 속이 비워진 머릿속은 송진과 톱밥으로 메워지고, 배와 가슴에는 냄새가 향기로운 술로 채워진다. 그 상태로 나의 몸은 끈끈하고 푸르스름한 액체 속에 담겨진다. 사물들은 주문을 외듯 쉬지 않고 뭔가를 웅얼거리고, 제를 올리듯 질서 정연하게 몸을 움직인다. 너는 달아나라, 여기서 빠져나가라, 그들의 주문이 내게 그렇게 말하는 것처럼 들린다. 그것은 어쩌면 그의 목소리인지도 모른다. 사물로 변하기 바로 직전에 잠시 존재했던 그의 흔적이 지금도 어딘가에 남아서 내게 다급하게 말을 건네고 있는 것이다. 하지만 나는 그들의 행위에 아무런 저항을 할 수 없다. 이미 두 눈조차 뽑힌 나는 그들에게 몸을 완전히 내맡긴 채, 없는 눈으로 그들을 물끄러미 지켜보고 있다. 그때 그들의 움직임이 갑작스레 어지러워지는 것이 느껴진다. 그들은 뭔가에 놀라 혼비백산한 듯, 나를 버려두고서 비명을 지르며 내 몸의 전후좌우로 겅중거리며 뛰어다닌다. 나는 그 늙은 쥐가 다시 나타났음을 깨닫는다. 나는 푸르스름한 액체가 채워진 통에서 천천히 몸을 일으킨다. 과연 내 앞에는 사람 몸 크기만한 쥐 한 마리가 환영처럼 버티고 서서 코를 실룩거리고 있다. 사물들의 정령들은 이미 간 곳이 없고, 사물들도 쥐죽은 듯 몸을 잔뜩 웅크린 채 숨을 죽이고 있다. 늙은 쥐는 한동안 나를 빤히 바라보다가 몸을 돌린다. 나는 일어서서 폐허가 된 몸으로 그 뒤를 따른다. 늙은 쥐가 맞은편 벽에 거의 닿으려 하는 순간, 그 앞으로 넓은 공간이 펼쳐진다. 로비 같기도 하고, 납골당 같기도 하고, 이제는 무도장 같기도 한 그곳으로 비틀거리며 들어선다.

16

두개골과 흉부와 복부가 텅 비고 두 눈을 잃은 나는 덕분에 가볍게 움직인다. 힘을 잃어 함부로 덜렁거리는 다리가 문제지만, 받쳐야 할 몸의 무게가 얼마 되지 않는 탓에, 균형을 잡기에 그리 어렵지 않다. 단지 꼬챙이로 쑤신 귓구멍이 여전히 몹시 아프다. 마비감에서 날카로운 찌름으로, 그 찌르는 듯한 고통에서 나는 잃어버린 내 정신의 극점을 경험한다. 나는 계속하여 늙은 쥐를 따라 실내의 곳곳으로 돌아다닌다. 내 주위에는 눈에 보이지 않는 항아리들이 곳곳에 놓여져 있을 것이다. 나는 그것들과 부딪치는 일이 없도록 조심해야 할 것이다. 내 눈에 그곳은 무도장처럼 비치고 있다. 곳곳에 천장으로부터 대형 샹들리에가 바닥에 닿을 듯 늘여뜨려져 있고, 그리스와 이집트의 문양이 새겨진 백색 대리석 기둥이 장중한 리듬으로 시야를 채우고 있으며, 사면의 벽에 붉은색 장막이 드리워져 있다. 그 속에서 사람들은 가볍고 밝은 옷을 입고서 춤을 추듯 이리저리 미끄러지고 있다. 그러나 그들의 얼굴은 하나같이 무표정하다. 그러고 보니 나 또한 아까부터 일종의 춤을 추고 있었음을 깨닫는다. 나는 휘청거리는 다리로 온몸을 펄렁이며 이리저리 움직이고 있다. 그러나 나의 춤은 그리 온건치가 않다. 시간이 지날수록 내 몸의 움직임은 더욱더 커진다. 열 개의 손가락 끝에 땀이 맺혀 뚝뚝 바닥으로 떨어져내린다. 그리고 마침내 함부로 내뻗는 내 팔과 다리에 부딪쳐 항아리들이 깨어진다. 그 속에 들어 있던 내장들이 쏟아져 나와 바닥을 뒤덮는다. 마침내 나무 상자도 떨어져 깨지면서 심장이 굴러나와 구석진 곳으로 사라진다. 그러나 나는 멈추지 않는다. 계속하여 나는 그 모든 것들, 내 몸의 일부분이었던 것들, 그리고 사물들과 더불어 빙글빙글 돈다. 그의 여성적인 육체가 나타나 잠시 나의 춤 상대가 되어주기도 한다. 늙은 쥐도 어디선가 슬며시 다가와 내 주위를 돌다가 사라진다. 춤을 추면서 나는 천천히 손을 들어 내 머리 위에 올려놓는다. 그러고는 손바닥으로 머리를 쓰다듬는다. 그때 나는 뭔가가 분명히 감지되는 것을 느꼈다. 어렸을 적, 죽은 쥐의 털을 쓰다듬었을 때 느꼈던 것과 비슷한 감촉, 내가 마지막으로 그의 손을 잡았을 때의 느낌, 그것이 생생하게 되살아나서 내 떨리는 손바닥을 채운 것이다. 그 순간, 내 몸 속의 빈 곳들이 무한한 충만함으로 채워졌다. 비로소 나는 움직임을 멈추었다. 무도장은 다시금 매끄러운 타일로 뒤덮인 로비로 돌아와 있었다. 나는 걸음을 옮겨서 천천히 건물을 빠져나왔다.

소설 지우기—언어의 연옥

우한용(소설가 · 서울대 국어교육과 교수)

서양 사람들은 라틴어나 그리스어에 어원을 둔 말을 활용하는 데 이골이 나 있다. '아우라'라는 말이 그러한 예 가운데 하나인데, 이 말은 라틴어로 '영기', '분위기'를 뜻한다. 의학 용어로는 히스테리나 간질 등의 전조를 뜻하기도 한다. 영기(靈氣)로 번역되는 경우는 시술자로부터 피술자(被術者)에게 전달되는 신령스런 기운으로 규정된다.

이 말을 유행시킨 사람은 발터 벤야민이다. 그는 현대는 복제시대이고, 현대 예술은 복제를 특징으로 하기 때문에 오리지널이 지니고 있는 아우라를 상실하였다는 것이다. 아우라가 상실된 시대에 아우라를 찾아나서는 것은 분명 '환각'일 터이다. 작가는 '그것이 구체적으로 어떤 것인지는 말할 수 없어도, 그것이 없다는 사실은 분명히 알 수 있다.'는 것을 아우라라고 한다. '오래전부터 불러오기라도 한 듯이 그 아우라라는 말은 내게 더

없이 친숙하게 느껴지지만, 그러나 그것이 내게 없는 것이다.' 없는 것을 알면서 왜 작가는 구태여 '아우라'를 찾아나서는 것인가?

이 작품은 소설이란 무엇인가를 생각하도록 독자에게 집요하게 질문을 한다. 사실 이 소설은 소설 쓰기를 통해 빚어진 작품이라기보다는 '소설 지우기'를 수행하는 과정에서 만들어진 것이다. 그러면 다시, 소설이란 무엇인가 하고 독자는 묻게 된다.

소설에 대한 정의의 역사는 오류의 역사이다. 그 정의가 불가능할 정도로 소설은 복잡한 양상으로 전개된다. 그렇다면 소설이라고 불리는 것들은 무엇으로 이루어져 있는가 하고 다시 묻게 된다. 소설은 기본적으로 주제 · 구성 · 문체의 요소로 구성되어 있고 다시 구성은 인물 · 사건 · 배경으로 되어 있다고 우리는 알고 있다.

그러면 이제부터 소설의 본질이 아닌 것부터 지워 나가 보기로 한다. 주제가 맨 먼저 의혹의 대상이 된다. 주제가 없는 글은 없다. 독자가 작품을 해석하는 과정에서 작품에 부여하는 의미를 주제라 한다면 그것은 매우 비본질적인 것이다. 이 작품을 두고 주제가 무엇인가 하고 묻는다면 참으로 난감하다. 이름도 없고, 나이도 알 수 없고, 직업도 없는 어떤 '인간'이 '그'라는 작자의 초대를 받아 어떤 건물에 들어가 쥐를 만나고, 쥐와 수작을 벌이고, 갖가지 환상 체험을 겪고, 그러다가 건물을 빠져나오는 이야기를 두고 주제가 무엇이라고 말한다는 것은 난처한 일이다. 이 소설의 주제가 이것이라고 강하게 주장하면 할수록 주제는 작품에서 멀어질 뿐이다. 우리가 알고 있는 소설 문법으로 읽히지 않는 작품이다.

어떤 시공간에서 인물이 움직이는 것이 사건이다. 인물·사건·배경, 이 셋 가운데 인물만 남겨도 이야기는 이루어질 수 있다. 문체는 소설을 쓰는 언어이다. 개성이 담긴, 아우라가 깃든 스타일이 아니라 소설을 만드는 언어 혹은 담론이 문체라는 이상한 말로 둔갑을 한 것이다. 간단히 말하자면 인물을 말로 옮긴 것이 소설이다.

몸뚱이를 가진 인물이 움직이기 위해서는 공간이 설정되어야 한다. 환상적이기는 하지만 도시와 어떤 건물 등이 이 작품의 공간이다. 그 공간은 가공의 공간이다. 가공의 공간이기 때문에 시간 개념이 따라오지 않는다. 인물의 움직임이라는 것 자체가 시간 개념을 전제하는 것이기에 이 작품은 이른바 삶이 배제된 공간이다. 전통적 소설 문법에서는 공간의 성격과 인물의 움직임이 걸맞아야 하고, 그 행동이 시간의 흐름과 상응해야 한다. 해가 뜨면 일어나 밭 갈고 해가 지면 집으로 돌아와 휴식하는 그런 질서를 바탕에 두고 진행되는 것이 이전의 소설이었다면 이 작품에서는 그런 공간과 시간을 기대할 수 없다. 승강기를 타고 움직이면서 숫자와 숫자 사이의 행간에 옭아매어진 자신을 발견하고, 자신이 그 행간에 끼어 '옴쭉달싹 할 수 없게' 된 상황에서, '시간과 공간이 그 순간 단단하게 매듭이 지어지고, 나는 그 매듭 속에 얽혀든' 것이다. 시간과 공간의 전개가 이전 소설의 방법이라면 이 작품은 시간과 공간을 소거하는 것을 방법으로 운용하고 있다. 시간과 공간의 소거는 곧 사건을 지우는 일이 된다. 그런데 사건이 없는 소설은 '이야기'가 아니다.

이야기가 아닌 소설에서 인물은 무엇인가? 인물은 다시 의심의 대상이 된다. 이 작품에서 인물은 사물, 이미지, 유령, 환영 등으로 넘나든다. '누군가의 환각으로부터 초대를 받은' 주인공(이 작품에 어울리지 않는 용어이지만)은 '냄새들 사이에 초점이 없고, 눈길들 사이에 공명이 없으며, 소리들 사이에 뒤섞임이 없는' 존재의 고립성으로 이루어진 세계에서 사물, 이미지, 유령, 환영 등으로 존재한다. 사물이 인간이 되고, 남이 곧 나이며, 나는 나이되 의식이고 시선일 뿐이다. 도무지 그 실체를 알 수 없다.

아무리 환각을 찾아 나서기로 작정을 했다고 하더라도 환각을 찾아 나서는 인간을 그리는 방식은 여러 가지를 상정할 수 있다. 그런데 이 작품은 소설을 지우는 것을 방법론으로 하고 있기 때문에, 기존의 소설 방법을 배반한다. 인물? 그것이 피플이면 어떻고 캐릭터면 또 어떠냐 하는 것이다. 그러니 인물도 지우자. 인물의 형상이 다른 존재로 전환을 거듭하기 때문에 이는 소설의 세계가 아니다. 따라서 인물 역시 지우는 일이 가능하게 된다.

그러면 맨 나중 남는 것은 언어 덩어리밖에 없다. 언어 덩어리라고 하는 데는 까닭이 있다. 이 작품은 문장이 모호하다거나 애매하지 않아 해독하기 어렵지는 않다. 문장은 소설 문장의 체모(體貌)를 제대로 갖추고 있다. 언어의 파편이 아니라 언어의 덩어리인 것이다.

소설을 지우는 과정을 통해 마지막에 이르는 곳은 언어만이 존재하는 세계이다. 언어가 완벽한 자율성을 지닌 세계에서 인간은 과연 무엇인가 하고 묻는 것이 이 작품이다. 언어의 밖에 인간이 있고, 그 인간을 언어로 '그린다'고 하는 것은 부질없는 짓이 되고 만다. 언어만이 존재할 뿐이고, 그것으로 세계는 완결된다. 거기서는 인식 주체와 인식 대상 사이의 경계가 허물어진다. 그러한 세계의 의미론은 모순의 무화를 지지한다. '초대와 실종, 그 두 개의 미궁이 하나로 합쳐지면서 그 입구가 내 쪽으로 열리는 광경을 두 눈으로 본다.' 초대 = 실종, 열림 = 막힘, 인간 = 사물, 나 = 남…… 그렇게 줄줄이 이어지는 언어를 어떻게 읽어내야 하는가에 문제가 도사리고 있다.

그렇다면 다시 소설이란 무엇인가? 소설의 의사 소통은 가능한 것인가? 그것이 가능하다면 작가가 '소설 지우기'를 시도한 일이 다시 '소설 쓰기'로 전환될 가능성이 보인다. 이 작품에서는 그 가능성이 하나의 의문으로 제기될 뿐 더 진전되지는 않는다. '스스로 사물이 된 것이야말로 이미 자기 자신과 세상에 대해 가장 강력한 복수를 한 것'이라고 하지만, '나마저 사물이 되고 나면 우리 사이의 소통은 어떻게 가능할 것인가.' 하는 의문이 그것이다.

언어의 본질이 의사 소통인가 아니면 삶의 의미 발굴인가 하는 데까지 나아가지 않는다고 해도, 인간에게 언어란 무엇이며 그리고 그 언어로 지어진 소설이란 무엇인가 하고 부단히 묻는 행위는 성찰적 이성을 지닌 인간만이, 그리고 문학만이 부단히 제기할 수 있는 질문이다. 소설은 소설을 지우는 방식으로도 태어날 수 있음을 이 작품은 암시하고 있다.

엮은이와
협의하에
인지생략

현·대·문·학·교·수·3·5·0·명·이·뽑·은

2001 올해의 문제소설

초판 1쇄 인쇄 ▌2001년 1월 15일
초판 1쇄 발행 ▌2001년 1월 20일

엮은이 ▌한국현대소설학회
펴낸이 ▌신 원 영
펴낸곳 ▌(주)신원문화사

주소 ▌서울시 강서구 등촌1동 636-25
전화 ▌3664-2131~4
팩스 ▌3664-2129~30

출판등록 ▌1976년 9월 16일 제5-68호

ISBN 89-359-0962-9 03810